Cheryl Strayed

Der große Trip

Tausend Meilen durch die Wildnis zu mir selbst

Aus dem amerikanischen Englisch
von Reiner Pfleiderer

D1534679

GOLDMANN

Die amerikanische Originalausgabe
erschien 2012 unter dem Titel »Wild«
bei Alfred A. Knopf, Random House, Inc., New York.

 Dieses Buch ist auch als E-Book erhältlich.

Verlagsgruppe Random House FSC® N001967
Das FSC®-zertifizierte Papier *Pamo House* für dieses Buch
liefert Arctic Paper Mochenwangen GmbH.

9. Auflage
Taschenbuchausgabe Mai 2014
Wilhelm Goldmann Verlag, München,
in der Verlagsgruppe Random House GmbH
Copyright © 2012 der Originalausgabe by Cheryl Strayed
Copyright © 2013 der deutschsprachigen Ausgabe
by Kailash Verlag, München,
in der Verlagsgruppe Random House GmbH
Umschlaggestaltung: UNO Werbeagentur, München,
in Anlehnung an die Gestaltung der deutschen Erstausgabe
(WEISS WERKSTATT MÜNCHEN) unter Verwendung
eines Motivs von © Scuddy Waggoner – istockphoto
Karte auf Seite 10 : Mapping Specialists
Lektorat: Claudia Alt
KF · Herstellung: Str.
Druck und Einband: GGP Media GmbH, Pößneck
Printed in Germany
ISBN: 978-3-442-15812-6
www.goldmann-verlag.de

Besuchen Sie den Goldmann Verlag im Netz

Für Brian Lindstrom.
Und für unsere Kinder, Carver und Bobbi.

Inhalt

Vorbemerkung der Autorin   9
Prolog   11

Teil Eins: Die zehntausend Dinge

1 Die zehntausend Dinge   19
2 Zweigeteilt   46
3 Halbwegs aufrecht   60

Teil Zwei: Spuren

4 The Pacific Crest Trail, Volume I: California   71
5 Spuren   91
6 Ein Bulle in jeder Richtung   112
7 Das einzige Mädchen in den Wäldern   149

Teil Drei: Das Gebirge des Lichts

8 Rabenkunde   171
9 Kurs halten   196
10 Das Gebirge des Lichts   210

Teil Vier: Ungebändigt

11 Lou 253

12 Bis hierhin 272

13 Eine Ansammlung von Bäumen 294

14 Ungebändigt 316

Teil Fünf: Eine Kiste voller Regen

15 Eine Kiste voller Regen 337

16 Mazama 372

17 Auf Sparflamme 389

18 Die Königin des PCT 410

19 Der Traum einer gemeinsamen Sprache 425

Danksagung 442

Auf dem PCT verbrannte Bücher 445

Vorbemerkung der Autorin

Bei der Niederschrift dieses Buches habe ich mich auf meine Tagebücher und, sofern möglich, auf recherchierte Fakten gestützt. Ich habe mehrere Personen, die im Buch auftauchen, zurate gezogen und im Übrigen auf meine Erinnerungen an die darin geschilderten Ereignisse und diese Zeit meines Lebens zurückgegriffen. Die Namen der meisten, aber nicht aller Personen in diesem Buch habe ich geändert, und in einigen Fällen habe ich zudem Details, die ihrer Identifizierung dienen könnten, modifiziert, um Anonymität zu gewährleisten. Keine Person und kein Ereignis in diesem Buch sind erfunden. Da und dort habe ich Personen und Ereignisse weggelassen, allerdings nur, wenn Wahrheitsgehalt und Substanz der Geschichte davon nicht beeinträchtigt wurden.

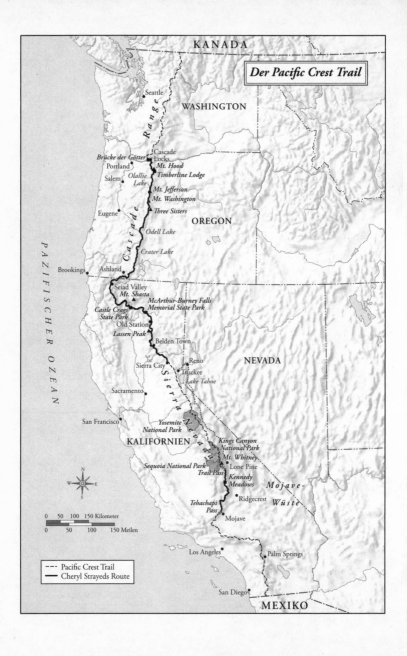

Der Pacific Crest Trail

KANADA

Seattle

WASHINGTON

Cascade Range

Cascade Locks
Brücke der Götter
Portland   *Mt. Hood*
Olallie   *Timberline Lodge*
Lake
Salem
                  Mt. Jefferson
                  Mt. Washington
Eugene   *Three Sisters*   OREGON

                  Odell Lake

                  Crater Lake

PAZIFISCHER OZEAN

Brookings   Ashland

             Seiad Valley
             Mt. Shasta
                          McArthur-Burney Falls
Castle Crags   *Memorial State Park*
State Park
             Old Station
             Lassen Peak
                   Belden Town

Sierra City   Reno
                     Truckee
Sacramento   *Lake Tahoe*
                                        NEVADA
San Francisco
              Yosemite
              National Park
KALIFORNIEN   *Kings Canyon*
                             National Park
                             Mt. Whitney Lone Pine
          Sequoia National Park *Kennedy*
                   Trail-Pass   *Meadows*   *Mojave-*
                                   Ridgecrest   *Wüste*
             Tehachapi
             Pass
                        Mojave

N
W   E
S

0 50 100 150 Kilometer

0 50   100   150 Meilen

Los Angeles   Palm Springs

- - - Pacific Crest Trail
—— Cheryl Strayeds Route

                        San Diego

MEXIKO

Prolog

Die Bäume waren groß, aber ich war größer, denn ich stand auf einem steilen Berghang in Nordkalifornien. Vor wenigen Augenblicken hatte ich meine Wanderstiefel ausgezogen, und einer war in ebendiese Bäume gefallen, war zuerst in die Luft katapultiert worden, als mein großer Rucksack daraufkippte, dann über den Schotterpfad gerutscht und über den Rand geflogen. Mehrere Meter unter mir prallte er an einem Felsvorsprung ab, bevor er auf Nimmerwiedersehen zwischen den Baumkronen des Waldes darunter verschwand. Mir blieb vor Schreck die Luft weg, obwohl ich seit achtunddreißig Tagen in der Wildnis unterwegs war und mittlerweile gelernt hatte, dass alles passieren konnte und tatsächlich auch passierte. Trotzdem war ich geschockt, als es passierte.

Mein Stiefel war weg. Tatsächlich weg.

Ich drückte mir seinen Gefährten an die Brust wie ein Baby, obwohl das natürlich zwecklos war. Was ist ein Stiefel ohne den anderen? Nichts. Er ist nutzlos, eine Waise für immer und ewig, und ich konnte kein Mitleid mit ihm haben. Es war ein richtig großer und schwerer Latschen, ein brauner Raichle-Stiefel mit rotem Schnürband und silbernen Metallschließen. Ich hob ihn hoch, warf ihn mit aller Kraft fort und sah zu, wie er zwischen den sattgrünen Bäumen und aus meinem Leben verschwand.

Ich war allein. Ich war barfuß. Ich war sechsundzwanzig Jahre alt und ebenfalls eine Waise. *Eine richtige Rumtreiberin,* wie mich ein Fremder ein paar Wochen zuvor genannt hatte, als ich ihm meinen Namen nannte und erklärte, wie verlassen ich auf der Welt war. Mein Vater verschwand aus meinem Leben, als ich sechs war. Meine Mutter starb, als ich zweiundzwanzig war. Nach ihrem Tod verwandelte sich mein Stiefvater von einem Menschen, in dem ich meinen Dad sah, in einen Mann, den ich nur noch zeitweise wiedererkannte. Meine beiden Geschwister gingen in ihrer Trauer eigene Wege, obwohl ich mich bemühte, uns zusammenzuhalten. Bis ich aufgab und ebenfalls meiner Wege ging.

In den Jahren, bevor ich meinen Stiefel über diese Bergkante warf, hatte ich beinahe auch mein Leben weggeworfen. Ich war durch die Lande gezogen – von Minnesota über New York nach Oregon und durch den gesamten Westen –, bis ich schließlich im Sommer 1995 ohne Stiefel dastand, mehr an die Welt gebunden als frei, zu gehen, wohin ich wollte.

Es war eine Welt, in der ich nie gewesen war, von der ich aber die ganze Zeit gewusst hatte, dass sie da war, eine Welt, in die ich traurig und verstört, voller Furcht und Hoffnung getaumelt war. Eine Welt, von der ich hoffte, sie würde mich zu der Frau machen, die ich werden zu können glaubte, und zugleich in das Mädchen zurückverwandeln, das ich einmal gewesen war. Eine Welt, die gut einen halben Meter breit und 4284 Kilometer lang war.

Eine Welt namens Pacific Crest Trail.

Ich hatte erst sieben Monate zuvor zum ersten Mal davon gehört, als ich in Minneapolis lebte, traurig und kurz vor der Scheidung von einem Mann, den ich immer noch liebte. Ich stand an der Kasse eines Outdoor-Ladens an, um einen Klappspaten zu bezahlen, als ich ein Buch mit dem Titel *The Pacific Crest Trail, Volume I: California* aus dem Regal neben mir nahm und den Text auf dem Rückendeckel las. Der PCT, stand dort, sei ein durchgehender Wildnispfad, der von der mexikanischen Grenze in Kalifornien bis kurz hinter die kanadische Grenze führte und auf den Kämmen von sieben Gebirgszügen verlief: Laguna, San Jacinto, San Bernardino, San Gabriel, Liebre, Tehachapi, Sierra Nevada, Klamath und Cascades. Eine Strecke von rund tausend Meilen – 1600 Kilometer – Luftlinie. Aber der Pfad war mehr als doppelt so lang. Er durchquerte die drei Bundesstaaten Kalifornien, Oregon und Washington in voller Länge und passierte Nationalparks und ausgewiesene Wildnisareale, Stammesgebiete, staatliche und private Ländereien, Wüsten, Gebirge und Regenwälder, Flüsse und Highways. Ich drehte das Buch um und sah mir das Foto auf dem Cover an – ein mit Felsbrocken übersäter See, umringt von Bergspitzen, die gegen einen blauen Himmel abstachen –, dann stellte ich das Buch ins Regal zurück, bezahlte meinen Spaten und ging.

Aber ich kam später wieder und kaufte das Buch. Damals war der Pacific Crest Trail für mich noch keine Welt. Er war eine vage, ausgefallene Idee, fremdartig, verheißungsvoll. Etwas regte sich in mir, wenn ich mit dem Finger seine gezackte Linie auf der Landkarte abfuhr.

Ich beschloss, an dieser Linie entlangzuwandern – jedenfalls so weit, wie ich in hundert Tagen kam. Ich lebte damals getrennt von meinem Mann in einer Einzimmerwohnung in Minneapolis und jobbte als Kellnerin, so tief gesunken und durcheinander wie nie zuvor in meinem Leben. Jeden Tag hatte ich das Gefühl, in einem tiefen Brunnen zu sitzen und nach oben zu blicken. Aber auf dem Grund dieses Brunnens machte ich mich daran, eine Solo-Wildnis-Trekkerin zu werden. Und warum auch nicht? Ich war schon so vieles gewesen. Eine liebende Frau und Ehebrecherin. Eine geliebte Tochter, die ihre Feiertage allein verbrachte. Eine ehrgeizige Streberin und ambitionierte Autorin, die sich von einem Verlegenheitsjob zum nächsten hangelte, gefährlich mit Drogen experimentierte und mit zu vielen Männern schlief. Ich war die Enkelin eines Bergmanns aus Pennsylvania, die Tochter eines Stahlarbeiters, der auf Vertreter umgesattelt hatte. Nach der Trennung meiner Eltern lebte ich mit meiner Mutter, meinem Bruder und meiner Schwester in Wohnsiedlungen, die allein erziehende Mütter und ihre Kinder bevölkerten. Als Teenager lebte ich im Norden Minnesotas weit draußen auf dem Land in einem Haus ohne Innentoilette, Strom und fließend Wasser. Dennoch wurde ich an der Highschool Cheerleader und Homecoming Queen, ging anschließend aufs College und wurde auf dem Campus eine radikale, linke Feministin.

Aber eine Frau, die tausendsechshundert Kilometer allein durch die Wildnis wandert? Ich hatte nie etwas Vergleichbares getan. Aber einen Versuch war es wert. Ich hatte nichts zu verlieren.

Als ich jetzt barfuß auf diesem Berg in Kalifornien stand, kam es mir so vor, als wäre es Jahre her, dass ich die wohl unsinnige Entscheidung getroffen hatte, mich allein zu einer langen Wanderung auf dem PCT aufzumachen, um mich zu retten. Als wäre es in einem anderen Leben gewesen, dass ich glaubte, alles, was ich davor gewesen war, hätte mich auf diese Wanderung vorbereitet. Aber nichts hatte mich darauf vorbereitet, und nichts hätte mich darauf vorbereiten können. Jeder Tag auf dem Pfad war die einzig mögliche Vorbereitung auf den nächsten. Und manchmal bereitete mich nicht einmal der darauf vor, was am nächsten geschehen würde.

Wie zum Beispiel darauf, dass meine Stiefel unwiederbringlich von einer Bergflanke segelten.

In Wahrheit sah ich den Verlust mit einem lachenden und einem weinenden Auge. Sechs Wochen lang war ich in diesen Stiefeln durch Wüsten und Schnee gewandert, vorbei an Bäumen, Sträuchern, Gräsern und Blumen aller Formen, Farben und Größen, bergauf und bergab, über Wiesen und Waldlichtungen und durch Landstriche, über die ich nichts Näheres sagen konnte, nur, dass ich dort gewesen war, dass ich sie durchquert hatte und gut durchgekommen war. Und in diesen Wochen hatte ich mir in diesen Stiefeln die Füße wund gelaufen, mir Blasen und blaue Zehennägel geholt, von denen sich vier ablösten, was mit großen Schmerzen verbunden war. An dem Tag, als ich die Stiefel verlor, war ich fertig mit ihnen und sie mit mir, obwohl ich zugeben muss, dass sie mir ans Herz gewachsen waren. Sie waren für mich keine leblosen Objekte mehr, sondern ein Teil von mir, wie so ziemlich alles, was ich in diesem Sommer schleppte – Rucksack, Zelt, Schlafsack, Wasserfilter, Kocher und die kleine orangerote Pfeife, die ich anstelle einer Schusswaffe dabeihatte. Alle diese Gegenstände waren mir vertraut. Ich konnte mich auf sie verlassen, sie halfen mir durchzukommen.

Ich spähte hinab auf die Bäume, deren hohe Wipfel sich im heißen Wind wiegten. Sollen sie meine Stiefel ruhig behalten, dachte ich und blickte über das herrliche weite Grün. Dieser Aussicht wegen hatte ich beschlossen, hier zu rasten. Es war ein Spätnachmittag Mitte Juli, und ich war kilometerweit von jeder Zivilisation entfernt, Tage von der einsamen Poststelle, wo das nächste Versorgungspaket auf mich wartete. Es war durchaus möglich, dass mir jemand auf dem Pfad entgegenkommen würde, aber nicht sehr wahrscheinlich. Gewöhnlich wanderte ich tagelang, ohne einer Menschenseele zu begegnen. Aber es spielte ohnehin keine Rolle, ob jemand vorbeikam. Mit dieser Sache musste ich allein fertigwerden.

Ich blickte auf meine nackten, geschundenen Füße mit dem traurigen Rest meiner Zehennägel. Sie waren gespenstisch blass bis zu den Linien ein paar Zentimeter über den Knöcheln, wo die Wollsocken, die ich normalerweise trug, endeten. Die Waden darüber waren muskulös, goldbraun und behaart, schmutzverkrustet und voller blauer Flecken und Schrammen. Ich war in der Mojave-Wüste losgelaufen und fest entschlossen, nicht aufzugeben, bevor ich an der Grenze zwischen Oregon und Washington die Hand auf die Brücke legte, die sich dort über den Columbia River spannt und den grandiosen Namen »Brücke der Götter« trägt.

Ich blickte nach Norden, in ihre Richtung – der bloße Gedanke an die Brücke war mir ein Ansporn. Ich blickte nach Süden, wo ich herkam, in das wilde Land, das mich vieles gelehrt und mich demütig gemacht hatte, und erwog meine Möglichkeiten. Mir war klar, dass es nur eine gab. Es gab immer nur eine.

Weitergehen.

Teil Eins

Die zehntausend Dinge

Dass nicht den Einsturz
solcher Macht verkündet ein stärkres Krachen!

WILLIAM SHAKESPEARE
Antonius und Cleopatra

1

Die zehntausend Dinge

Meine dreimonatige Solowanderung auf dem Pacific Crest Trail hatte viele Anfänge. Da war zunächst der leichtfertige Entschluss, es zu tun, gefolgt von einem zweiten, ernsthafteren Entschluss, es *wirklich* zu tun, und dann der lange dritte Anfang, bestehend aus den Wochen, in denen ich einkaufte, packte und mich vorbereitete. Ich kündigte meinen Job als Kellnerin, verkaufte fast meine gesamte Habe, brachte meine Scheidung vollends über die Bühne, nahm Abschied von meinen Freunden und besuchte ein letztes Mal das Grab meiner Mutter. Ich fuhr quer durchs Land von Minneapolis nach Portland in Oregon, und ein paar Tage später flog ich nach Los Angeles. Von dort ließ ich mich in die Stadt Mojave chauffieren und weiter zu der Stelle, wo der PCT einen Highway kreuzte.

Dann schließlich die tatsächliche Ausführung meines Vorhabens, rasch gefolgt von der bitteren Erkenntnis, was das bedeutete, und dem Entschluss aufzugeben, weil es lächerlich und idiotisch war und wahnsinnig schwierig, viel schwieriger, als ich erwartet hatte, und weil ich in keiner Weise darauf vorbereitet war.

Und endlich die wirkliche und wahrhaftige Ausführung.

Bleiben und weitermachen, trotz allem. Trotz der Bären, trotz der Klapperschlangen, trotz der Pumas, die ich selbst nie zu Gesicht bekam, nur ihre Exkremente. Trotz der Blasen und Schürfwunden, Kratzer und Schrammen. Trotz der Erschöpfung und der

Entbehrungen. Trotz Hitze und Kälte, Eintönigkeit und Schmerzen, Hunger und Durst, trotz der Gespenster der Vergangenheit, die mich auf den tausendsechshundert Kilometern verfolgten, die ich im Alleingang von der Mojave-Wüste bis zum Bundesstaat Washington zurücklegte.

Und schließlich, als ich es tatsächlich getan hatte, als ich losmarschiert war und Tag für Tag Kilometer um Kilometer zurücklegte, die Erkenntnis, dass das, was ich für den Anfang gehalten hatte, eigentlich gar nicht der Anfang gewesen war. Die Erkenntnis, dass meine Wanderung auf dem Pacific Crest Trail in Wahrheit nicht erst begonnen hatte, als ich mich spontan dazu entschloss. Sie hatte früher begonnen, noch bevor ich überhaupt daran dachte, nämlich genau vier Jahre, sieben Monate und drei Tage früher, als ich in einem kleinen Raum in der Mayo Clinic in Rochester, Minnesota, stand und erfuhr, dass meine Mutter sterben würde.

Ich trug Grün. Grüne Hosen, grüne Bluse, grünes Band im Haar. Alles von meiner Mutter genäht – sie hatte mein Leben lang Sachen für mich geschneidert. Einige waren genau so, wie ich sie mir erträumt hatte, andere weniger. Ich war nicht allzu sehr versessen auf diesen grünen Hosenanzug, trug ihn aber trotzdem, als Buße, als Opfer, als Glücksbringer.

In dem grünen Hosenanzug begleitete ich meine Mutter und meinen Stiefvater Eddie den ganzen Tag in der Mayo Clinic von Etage zu Etage, von einer Untersuchung zur nächsten. Und die ganze Zeit ging mir ein Gebet durch den Kopf, obwohl Gebet nicht ganz das richtige Wort ist. Ich war nicht gottesfürchtig. Ich glaubte nicht einmal an Gott. Mein Gebet lautete nicht: *Bitte, lieber Gott, erbarme dich unser.*

Ich wollte nicht um Gnade bitten. Das hatte ich nicht nötig. Meine Mutter war fünfundvierzig. Sie sah gut aus, ernährte sich seit vielen Jahren vorwiegend vegetarisch. Sie hatte überall in ihrem Garten Ringelblumen gesät, um Schädlinge zu vertreiben, statt ihnen mit Insektiziden zu Leibe zu rücken. Meine Geschwister und ich mussten rohe Knoblauchzehen essen, wenn eine Erkältung im Anmarsch war. Menschen wie meine Mutter bekamen keinen Krebs. Die Untersuchungen in der Mayo Clinic würden das beweisen und die Diagnose der Ärzte in Duluth widerlegen. Davon war ich überzeugt. Wer waren diese Ärzte in Duluth denn schon? Was war Duluth? Duluth war ein kaltes Provinznest, in dem Ärzte, die von Tuten und Blasen keine Ahnung hatten, behaupteten, fünfundvierzigjährige Nichtraucherinnen, die sich vegetarisch ernährten, rohen Knoblauch aßen und Naturkosmetik verwendeten, litten an Lungenkrebs im fortgeschrittenen Stadium.

Zum Teufel mit ihnen.

Das war mein Gebet: *Zum Teufel mit ihnen, zum Teufel mit ihnen.*

Und doch war meine Mutter in der Mayo Clinic jedes Mal völlig erschöpft, wenn sie länger als drei Minuten stehen musste.

»Willst du einen Rollstuhl?«, fragte Eddie sie, als wir auf einem mit Teppichboden ausgelegten Flur an mehreren vorbeikamen.

»Sie braucht keinen Rollstuhl«, sagte ich.

»Nur für eine Minute«, sagte meine Mutter, ließ sich förmlich in einen hineinplumpsen und sah mich an, als Eddie sie zum Aufzug schob.

Ich zuckelte hinterher, verbot mir jeden Gedanken. Wir waren auf dem Weg zu dem Gespräch mit dem letzten Arzt. Dem *richtigen* Arzt, wie wir ihn ständig nannten. Dem, der alles, was über meine Mutter zusammengetragen worden war, auf den Punkt bringen und uns sagen würde, was Sache war. Während der Aufzug nach oben schwebte, zupfte meine Mutter an meiner Hose und rieb stolz den grünen Baumwollstoff zwischen den Fingern.

»Perfekt«, sagte sie.

Ich war zweiundzwanzig, im selben Alter, in dem sie mit mir schwanger geworden war. Sie sollte im gleichen Augenblick aus meinem Leben scheiden, in dem ich in ihres getreten war, dachte ich. Aus irgendeinem Grund kam mir dieser Satz genau in diesem

Moment vollständig ausformuliert in den Sinn und verdrängte vorübergehend das *Zum Teufel mit ihnen*. Ich heulte fast auf vor Schmerz. Ich erstickte fast an dem, was ich wusste, noch bevor ich es wusste. Ich sollte den Rest meines Lebens ohne meine Mutter verbringen. Ich schob diese Tatsache mit aller Macht beiseite. Ich durfte dort in dem Aufzug nicht daran glauben und trotzdem weiteratmen, also glaubte ich etwas anderes. Zum Beispiel, dass man in einen Raum mit einem glänzenden Holzschreibtisch geführt wird, wenn einem ein Arzt eröffnet, dass man bald sterben muss.

So war es nicht.

Wir wurden in ein Untersuchungszimmer geführt, in dem eine Schwester meine Mutter aufforderte, ihre Bluse abzulegen und einen Krankenhauskittel anzuziehen, an dem seitlich Schnüre herunterbaumelten. Als meine Mutter fertig war, kletterte sie auf einen mit weißem Papier bespannten Polstertisch. Jedes Mal, wenn sie sich bewegte, erfüllte das Knistern des Papiers den Raum. Ich sah ihren nackten Rücken, die leichte Rundung unterhalb der Taille. Sie würde nicht sterben. Ihr nackter Rücken schien das zu beweisen. Ich starrte ihn an, als der richtige Arzt in den Raum trat und uns mitteilte, dass meine Mutter bestenfalls noch ein Jahr zu leben hätte. Er erklärte, dass sie unheilbar krank sei und daher nicht behandelt werde. Man könne nichts für sie tun. Lungenkrebs werde häufig so spät entdeckt.

»Aber sie ist Nichtraucherin«, entgegnete ich, als könnte ich ihm die Diagnose ausreden, als halte sich Krebs an vernünftige, verhandelbare Regeln. »Sie hat nur in ihrer Jugend geraucht. Seit Jahren hat sie keine Zigarette mehr angerührt.«

Der Arzt schüttelte traurig den Kopf und fuhr fort. Er musste seiner Pflicht nachkommen. Man könne versuchen, sagte er, durch Bestrahlung die Schmerzen im Rücken zu lindern. Durch Bestrahlung lasse sich das Wachstum der Tumoren entlang der Wirbelsäule eventuell eindämmen.

22

Ich weinte nicht. Ich atmete nur. Angestrengt. Ganz bewusst. Und vergaß dann zu atmen. Ich war einmal ohnmächtig geworden – als ich mit drei vor Wut die Luft anhielt, weil ich nicht aus der Badewanne steigen wollte. Ich war damals noch zu klein, um mich später daran zu erinnern. »Was hast du getan?«, fragte ich meine Mutter meine ganze Kindheit hindurch und ließ mir die Geschichte immer wieder und wieder erzählen, erstaunt und begeistert über meinen unbändigen Willen. Sie habe die Hände ausgestreckt und zugesehen, wie ich blau angelaufen sei, erzählte meine Mutter dann immer. Sie habe gewartet, bis mein Kopf in ihre Hände gefallen sei. Dann hätte ich wieder geatmet und sei ins Leben zurückgekehrt.

Atme.

»Kann ich noch reiten?«, fragte meine Mutter den richtigen Arzt. Sie saß mit fest verschränkten Händen da, die Fußknöchel ineinandergehakt. An sich selbst gefesselt.

Als Antwort nahm er einen Bleistift, stellte ihn aufrecht auf den Waschbeckenrand und klopfte damit kräftig gegen das Becken. »So ist Ihre Wirbelsäule nach der Bestrahlung«, sagte er. »Ein Stoß, und Ihre Knochen könnten zerbröseln wie ein Cracker.«

Wir gingen auf die Damentoilette, jede in eine eigene Kabine, und weinten. Wir wechselten kein Wort. Nicht weil wir uns so allein in unserem Kummer gefühlt hätten, sondern weil wir so vereint in ihm waren, als hätten wir nur einen Körper statt zwei. Ich spürte, wie sich meine Mutter mit dem ganzen Gewicht gegen die Tür lehnte und mit den Händen langsam dagegenschlug, sodass die gesamte Kabinenkonstruktion wackelte. Später kamen wir heraus, wuschen uns die Hände und das Gesicht und beobachteten uns dabei in dem hellen Spiegel.

Wir wurden zum Warten in die Krankenhausapotheke geschickt. Ich saß in meinem grünen Hosenanzug zwischen meiner Mutter und Eddie, das grüne Band wie durch ein Wunder noch im Haar.

Im Raum war auch ein alter Mann mit einem großen kahlköpfigen Jungen auf dem Schoß. Und eine Frau, deren Arm vom Ellbogen abwärts heftig schlenkerte. Sie hielt ihn mit der anderen Hand fest und versuchte, ihn ruhig zu stellen. Sie wartete. Wir warteten. Eine schöne dunkelhaarige Frau saß in einem Rollstuhl. Sie trug einen lila Hut und an jedem Finger einen Diamantring. Wir konnten die Augen nicht von ihr wenden. Sie sprach Spanisch mit ihren Begleitern. Angehörige und vielleicht ihr Mann.

»Glaubst du, sie hat Krebs?«, flüsterte mir meine Mutter laut zu.

Eddie saß auf meiner anderen Seite, aber ich konnte ihn nicht ansehen. Hätte ich ihn angesehen, wären wir beide zerbröselt wie Cracker. Ich dachte an meine ältere Schwester Karen und meinen jüngeren Bruder Leif. An meinen Mann Paul und an die Eltern und die Schwester meiner Mutter, die anderthalbtausend Kilometer entfernt lebte. Was sie wohl sagen würden, wenn sie es erfuhren. Wie sie weinen würden. Mein Gebet war jetzt ein anderes: *Ein Jahr, ein Jahr, ein Jahr.* Diese beiden Wörter pochten wie ein Herz in meiner Brust.

So lange würde meine Mutter noch leben.

»Woran denkst du?«, fragte ich sie. Musik rieselte aus den Lautsprechern des Wartezimmers. Die Instrumentalversion eines Songs, aber meine Mutter kannte den Text und sang ihn mir leise vor, statt meine Frage zu beantworten. *»Paper roses, paper roses, oh how real those roses seemed to be«,* sang sie. Sie legte ihre Hand auf meine und sagte: »Als ich jung war, habe ich das Lied oft gehört. Komisch, wenn ich mir das so vorstelle. Dass ich jetzt dasselbe Lied höre. Das hätte ich nie gedacht.«

Der Name meiner Mutter wurde aufgerufen: Ihr Rezept war fertig.

»Hol es für mich«, sagte sie. »Sag ihnen, wer du bist. Sag ihnen, dass du meine Tochter bist.«

Ich war ihre Tochter, aber nicht nur. Ich war Karen, Cheryl, Leif. Karen Cheryl Leif. KarenCherylLeif. Mein Leben lang verschmolzen unsere Namen im Mund meiner Mutter zu einem. Sie flüsterte und brüllte ihn, sie zischte und säuselte ihn. Wir waren ihre Kinder, ihre Kameraden, ihr Ein und Alles. Im Auto durften wir abwechselnd bei ihr vorn sitzen. »Liebe ich euch so viel?«, fragte sie uns immer und hielt ihre Hände zwanzig Zentimeter auseinander. »Nein«, antworteten wir mit einem verschmitzten Grinsen. »Liebe ich euch so viel?«, fragte sie wieder und immer wieder, wobei sie ihre Hände jedes Mal ein Stück voneinander weg bewegte. Aber es genügte nie, ganz gleich wie weit sie die Arme spreizte. Ihre Liebe war so groß, dass ihre Arme nicht ausreichten. Sie ließ sich weder quantifizieren noch fassen. Sie war die zehntausend Dinge in der Welt des Tao Te King und noch zehntausend mehr. Ihre Liebe war bedingungslos, allumfassend und ungeschminkt. Jeden Tag ging sie bis an die Grenze der Erschöpfung.

Sie wuchs als Soldatenkind auf und wurde katholisch erzogen. Sie lebte in fünf verschiedenen Bundesstaaten und zwei Ländern, bevor sie fünfzehn war. Sie liebte Pferde und Hank Williams und hatte eine beste Freundin namens Babs. Mit neunzehn wurde sie schwanger und heiratete meinen Vater. Drei Tage später prügelte er sie durch die Wohnung. Sie verließ ihn und kam zurück. Verließ ihn und kam zurück. Sie wollte es sich nicht gefallen lassen, aber sie tat es. Er brach ihr die Nase. Er zerschlug ihr Geschirr. Er schleifte sie am helllichten Tag an den Haaren über den Bürgersteig, sodass sie sich die Knie aufschürfte. Aber er konnte ihren Willen nicht brechen. Mit achtundzwanzig schaffte sie es, ihn endgültig zu verlassen.

Sie war allein mit KarenCherylLeif, die abwechselnd im Wagen vorn neben ihr sitzen durften.

Wir lebten in einer Kleinstadt eine Autostunde außerhalb von Minneapolis, in einer Reihe von Wohnsiedlungen mit irreführend wohlklingenden Namen wie Mill Pond und Barbary Knoll, Tree Loft und Lake Grace Manor. Sie wechselte häufig die Jobs. Sie kellnerte in einem Lokal namens Norseman und dann in einem anderen namens Infinity, in dem sie bei der Arbeit ein schwarzes T-Shirt trug, auf dem quer über der Brust in glitzernden Regenbogenfarben »Go for it« stand. Sie arbeitete tagsüber in einer Fabrik, die Kunststoffbehälter für hoch aggressive Chemikalien herstellte, und brachte Ausschussware mit nach Hause. Schalen und Dosen, die in der Maschine Risse oder Macken bekommen oder sich verzogen hatten. Wir bastelten uns Spielzeug daraus – Betten für unsere Puppen, Garagen für unsere Autos. Sie rackerte sich ab, und wir blieben trotzdem arm. Wir bekamen Käse, Milchpulver, Lebensmittelmarken und medizinische Beihilfen vom Staat, Weihnachtsgeschenke von privaten Spendern. Wir spielten Fangen, Ochs vorm Berg und Silbenrätsel neben den Wohnungsbriefkästen, die ständig auf Schecks warteten.

»Wir sind nicht arm«, sagte meine Mutter immer wieder. »Denn wir sind reich an Liebe.« Sie rührte Lebensmittelfarbe in Zuckerwasser und tat so, als wäre es ein besonderes Getränk. Sarsaparilla, Orange Crush oder Limonade. *Noch ein Glas gefällig, Madam?*, fragte sie mit versnobtem britischem Akzent und brachte uns damit jedes Mal zum Lachen. Sie breitete weit die Arme aus und fragte uns, wie viel. Dieses Spiel ging nie zu Ende. Sie liebte uns mehr als die zehntausend Dinge der Welt. Sie war optimistisch und heiter, bis auf die wenigen Male, wenn sie die Beherrschung verlor und uns mit einem Holzlöffel den Hintern versohlte. Oder das eine Mal, als sie *Scheiße!* brüllte und weinend zusammenbrach, weil wir unser Zimmer nicht aufräumen wollten. Sie war gütig und nachsichtig, großzügig und naiv. Sie traf sich mit Männern, die Spitznamen hatten wie Killer, Doobie oder Motorcycle Dan, und mit einem Typ namens Victor, einem begeisterten Skifahrer. Wenn sie mit unserer Mutter allein in der Wohnung sein wollten, gaben sie uns immer fünf Dollar für Süßigkeiten.

»Nach links und rechts schauen«, rief sie uns immer nach, wenn wir wie ein Rudel hungriger Wölfe losrannten zum nächsten Laden.

Als sie Eddie kennenlernte, dachte ich nicht, dass es funktionieren würde, denn er war acht Jahre jünger als sie, aber sie verliebten sich trotzdem ineinander. Auch Karen, Leif und ich verliebten uns in ihn. Er war damals fünfundzwanzig, und siebenundzwanzig, als er unsere Mutter heiratete und versprach, uns ein Vater zu sein. Er war Zimmermann von Beruf und ein geschickter Handwerker, der alles konnte, alles selbst reparierte. Wir kehrten den Wohnsiedlungen mit den Fantasienamen den Rücken und zogen mit ihm zur Miete in ein baufälliges Farmhaus, das einen Keller mit Lehmfußboden hatte und außen in vier verschiedenen Farben gestrichen war. In dem Winter nach ihrer Hochzeit fiel Eddie bei der Arbeit vom Dach und brach sich das Kreuz. Ein Jahr später kauften er und meine Mom mit den zwölftausend Dollar, die er als Abfindung bekam, sechzehn Hektar Land in Aitkin County, anderthalb Autostunden westlich von Duluth, und legten das Geld bar auf den Tisch.

Ein Haus gab es nicht. Auf dem Grundstück hatte nie ein Haus gestanden. Unsere sechzehn Hektar bildeten ein perfektes Quadrat mit Bäumen, Büschen, Wiesen und sumpfigen Weihern und Teichen mit Rohrkolben, die sich in nichts von den Bäumen, Büschen, Wiesen und Teichen im Umkreis von Kilometern unterschieden. In unseren ersten Monaten als Landbesitzer schritten wir mehrmals die Grenze des Grundstücks ab und bahnten uns einen Weg durch die Wildnis auf den beiden Seiten, die nicht an die Landstraße heranreichten, als könnten wir sie dadurch vom Rest der Welt abschotten und zu unserer machen. Und mit der Zeit gelang uns das auch. Bäume, die für mich anfangs wie alle anderen ausgesehen hatten, erkannte ich so leicht wie die Gesichter alter Freunde in einer Menge, denn ihre Äste und Blätter winkten mir plötzlich zu wie vertraute Hände. Grasbüschel und die Ränder der mittlerweile gut bekannten Sumpflöcher wurden Orientierungspunkte, Wegweiser, die jeder von uns lesen konnte.

Wir sprachen immer von »oben im Norden«, solange wir noch in der Kleinstadt eine Stunde außerhalb von Minneapolis lebten.

Sechs Monate lang fuhren wir nur an den Wochenenden in den Norden, arbeiteten wie besessen, machten einen Teil des Grundstücks urbar und bauten eine Ein-Zimmer-Hütte, in der wir schlafen konnten. Anfang Juni, ich war dreizehn, zogen wir endgültig in den Norden. Genauer gesagt, meine Mutter, Leif, Karen und ich, zusammen mit unseren beiden Pferden, unseren Katzen und Hunden und einer Kiste mit zehn Küken, die meine Mutter in einer Futterhandlung geschenkt bekommen hatte, als sie fünfundzwanzig Pfund Hühnerfutter kaufte. Eddie kam den ganzen Sommer über nur an den Wochenenden nach Norden und zog erst im Herbst nach. Sein Rücken war so weit wiederhergestellt, dass er in seinen Beruf zurückkehren konnte, und es war ihm gelungen, für die Hauptsaison eine Stelle als Zimmermann zu ergattern, die zu gut bezahlt war, um sie aufzugeben.

KarenCherylLeif waren wieder allein mit ihrer Mutter, so wie in den Jahren ihres Single-Daseins. In diesem Sommer waren wir praktisch rund um die Uhr zusammen und bekamen nur selten jemand anders zu sehen. Wir wohnten dreißig Kilometer von zwei Ortschaften entfernt, die in entgegengesetzten Richtungen lagen: Moose Lake im Osten, McGregor im Nordwesten. Im Herbst sollten wir in McGregor, mit vierhundert Einwohnern die kleinere der beiden, zur Schule gehen, aber den Sommer über waren wir, sah man einmal von gelegentlichen Besuchern ab – weit verstreut wohnenden Nachbarn, die auf einen Sprung vorbeischauten, um sich vorzustellen –, mit unserer Mutter allein. Wir stritten und redeten und dachten uns Witze und Spiele aus, um uns die Zeit zu vertreiben.

Wer bin ich? war so ein Spiel. Wer dran war, musste sich eine Person ausdenken, jemand Berühmtes oder auch nicht, und die anderen mussten erraten, wer es war, indem sie ihn mit Fragen löcherten, die nur mit Ja oder Nein beantwortet werden durften: *Bist du ein Mann? Bist du Amerikaner? Bist du tot? Bist du Charles Manson?*

Wir spielten es, während wir in dem Garten arbeiteten, der uns durch den Winter bringen sollte und dessen Boden jahrtausendelang sich selbst überlassen gewesen war, und während wir an dem Haus weiterbauten, das wir auf der anderen Seite des Grundstücks errichteten und bis Ende Sommer fertig zu haben hofften. Bei der Arbeit fielen Schwärme von Stechmücken über uns her, aber unsere Mutter verbot uns, Insektenschutzmittel oder andere Chemikalien zu benutzen, die das Gehirn schädigten, den Boden verseuchten und die Fortpflanzungsfähigkeit beeinträchtigten. Stattdessen mussten wir uns mit Flohkraut oder Pfefferminzöl einreiben. Abends machten wir uns dann einen Spaß daraus, bei Kerzenschein unsere Mückenstiche zu zählen. Dabei kamen wir auf Summen wie neunundsiebzig, sechsundachtzig oder einhundertdrei.

»Eines Tages werdet ihr mir dafür dankbar sein«, erwiderte meine Mutter immer, wenn wir uns darüber beschwerten, was wir jetzt alles nicht mehr hatten. Wir hatten zwar nie im Luxus oder auch nur wie Leute aus der Mittelschicht gelebt, aber wir hatten nie auf die Annehmlichkeiten der Neuzeit verzichten müssen. Wir hatten immer einen Fernseher im Haus gehabt, ganz zu schweigen von einer Toilette mit Wasserspülung oder einem Wasserhahn, an dem man sich jederzeit ein Glas füllen konnte. In unserem neuen Leben als Pioniere war selbst die Befriedigung der simpelsten Bedürfnisse häufig mit einer Reihe mühsamer und zeitraubender Arbeiten verbunden. Unsere Küche bestand aus einem Campingkocher, einer Feuerstelle, einem altmodischen Eisschrank, den Eddie gebaut hatte und den man mit richtigem Eis befüllen musste, damit der Inhalt einigermaßen kühl blieb, einer separaten Spüle, die an der Außenwand der Hütte stand, und einem Wassereimer mit Deckel. Bei all diesen Utensilien überstieg der Nutzen nur geringfügig den Aufwand. Man musste sie warten und instand halten, befüllen und entleeren, hochziehen und hinablassen, durch Pumpen und Kurbeln in Gang setzen, schüren und beaufsichtigen.

Karen und ich teilten uns ein Hochbett, das so dicht unter die Decke gebaut war, dass wir uns gerade noch aufsetzen konnten. Leif schlief ein paar Meter entfernt in einem kleineren Hochbett und unsere Mutter darunter in einem normalen Bett, das Eddie an den Wochenenden mitbenutzte. Jede Nacht redeten wir uns gegenseitig in den Schlaf. Direkt über dem Bett, das ich mit Karen teilte, war ein Dachfenster in die Decke eingelassen. Die Scheibe war durchsichtig, sodass mir jede Nacht der fantastische Nachthimmel und seine funkelnden Sterne Gesellschaft leisteten. Manchmal sah ich ihre erhabene Schönheit in solcher Klarheit, dass mir auf eindringliche Weise bewusst wurde, wie recht meine Mutter hatte. Ja, ich würde ihr eines Tages dankbar sein, und ich war ihr jetzt schon dankbar, denn ich fühlte etwas in mir wachsen, das stark und real war.

Auf das, was da in mir wuchs, sollte ich mich Jahre später besinnen, als Trauer mein Leben aus der Bahn warf. Es gab mir den Glauben, dass mich eine Wanderung auf dem Pacific Crest Trail wieder zu dem Menschen machen konnte, der ich einmal gewesen war.

An Halloween zogen wir in das Haus, das wir aus Baumstämmen und Abfallholz gebaut hatten. Es hatte weder elektrischen Strom noch fließend Wasser, weder Telefon noch Innentoilette, noch nicht einmal ein Zimmer mit Tür. Meine ganze Teenagerzeit hindurch bauten Eddie und meine Mutter daran weiter, vergrößerten und verbesserten es. Meine Mutter legte einen Garten an, und im Herbst wurde das Gemüse von ihr eingemacht oder eingefroren. Sie zapfte Bäume an und kochte Ahornsirup, backte Brot, kämmte Wolle und stellte aus Löwenzahn und Brokkoliblättern ihre eigenen Textilfarbstoffe her.

Ich wurde älter und wechselte auf das St. Thomas College in Saint Paul, der Zwillingsstadt von Minneapolis, aber nicht ohne meine Mutter. In der Aufnahmebestätigung, die ich erhielt, wurde erwähnt, dass Eltern von Studenten gebührenfrei am St. Thomas studieren konnten. Sosehr meine Mutter ihr Leben als moderne Pionierin auch liebte, so hatte sie doch immer von einem Studium geträumt. Wir lachten beide darüber und dachten dann gemeinsam darüber nach. Sie sei jetzt vierzig, zu alt fürs College, sagte meine Mutter, und ich konnte ihr nicht widersprechen. Außerdem lag St. Thomas drei Autostunden entfernt. Wir redeten und redeten und trafen schließlich eine Abmachung: Sie würde aufs College gehen, aber wir würden getrennte Leben führen, diktiert von mir. Ich würde mir ein Zimmer im Studentenwohnheim nehmen, und sie würde hin und her fahren. Wenn sich unsere Wege auf dem Campus kreuzten, würde sie mich nur grüßen, wenn ich sie zuerst grüßte.

»Wahrscheinlich ist das alles für die Katz«, sagte sie, als die Sache beschlossen war. »Wahrscheinlich fliege ich eh wegen schlechter Noten.« Zur Vorbereitung und Einarbeitung machte sie alle Hausaufgaben, die ich in den letzten Monaten meines letzten Highschool-Jahres aufhatte, und erweiterte ihre Kenntnisse. Sie kopierte mein Unterrichtsmaterial, schrieb Referate über dieselben Themen wie ich, las jedes einzelne Buch. Ich benotete ihre Arbeiten, wobei ich die Korrekturen meiner Lehrer als Maßstab nahm. Nach meiner Beurteilung war sie bestenfalls eine Wackelkandidatin.

Sie ging aufs College und bekam glatte Einsen.

Manchmal umarmte ich sie überschwänglich, wenn ich ihr auf dem Campus begegnete, dann wieder rauschte ich an ihr vorbei, als wäre sie eine völlig Fremde.

Wir waren beide im letzten College-Jahr, als wir erfuhren, dass sie Krebs hatte. Zu dem Zeitpunkt gingen wir nicht mehr aufs St. Thomas. Nach dem ersten Jahr waren wir an die University of Minnesota gewechselt – sie an den Campus in Duluth, ich nach Minneapolis –, und zu unserer großen Erheiterung hatten wir ein Hauptfach gemeinsam. Sie studierte im Hauptfach Women's Studies und Geschichte, ich Women's Studies und Englisch. Abends telefonierten wir oft eine Stunde lang miteinander. Ich war inzwischen verheiratet, mit einem wunderbaren Mann namens Paul. Wir waren im Wald auf unserem Grundstück getraut worden, ich in einem weißen Satinkleid mit Spitzen, das meine Mutter genäht hatte.

Nach ihrer Erkrankung erfuhr mein Leben einen Bruch. Ich sagte zu Paul, dass er nicht mehr auf mich zählen könne. Ich würde kommen und gehen müssen, wie es der Zustand meiner Mutter erforderte. Ich wollte das Studium abbrechen, aber meine Mutter verbot es mir und flehte mich an, auf jeden Fall meinen Abschluss zu machen, egal was passierte. Sie selbst nahm eine Auszeit, wie sie es nannte. Ihr fehlten nur noch zwei Scheine zum Bachelor, und die werde sie auch machen, sagte sie, und wenn es sie das Leben koste. Wir lachten, und dann sahen wir einander traurig an. Sie werde im Bett arbeiten. Sie werde mir sagen, was ich zu tippen hätte, und ich würde es tippen. Sie würde stark genug sein, diese beiden Kurse bald in Angriff zu nehmen, davon sei sie überzeugt. Ich blieb auf dem College, rang aber meinen Dozenten die Erlaubnis ab, nur noch an zwei Tagen in der Woche am Vorlesungsbetrieb teilzunehmen. Sobald diese zwei Tage vorbei waren, raste ich nach Hause zu meiner Mutter. Im Unterschied zu Leif und Karen, die es kaum ertrugen, auch nur eine Stunde mit unserer Mutter zusammen zu sein, seit sie krank war, konnte ich es nicht ertragen, von ihr getrennt zu sein. Außerdem wurde ich gebraucht. Eddie war bei ihr, wann immer er konnte, aber er musste arbeiten. Jemand musste die Rechnungen bezahlen.

Ich kochte für meine Mutter, und sie versuchte zu essen, brachte aber selten etwas herunter. Erst hatte sie Hunger, dann saß sie wie ein Sträfling vor ihrem Teller und starrte auf das Essen. »Es sieht gut aus«, sagte sie. »Ich glaube, ich werde es später essen können.«

Ich schrubbte die Böden. Ich räumte die Schränke aus und legte sie mit frischem Papier aus. Meine Mutter schlief und stöhnte und zählte und schluckte ihre Tabletten. An guten Tagen saß sie in ihrem Sessel und sprach mit mir.

Es gab nicht viel zu sagen. Sie war so mitteilsam und auskunftsfreudig und ich so wissbegierig gewesen, dass wir alles schon beackert hatten. Ich wusste, dass ihre Liebe zu mir größer war als die zehntausend Dinge und auch die zehntausend Dinge darüber hinaus. Ich kannte die Namen der Pferde, die sie als Mädchen geliebt hatte: Pal, Buddy und Bacchus. Ich wusste, dass sie ihre Jungfräulichkeit mit siebzehn an einen Jungen namens Mike verloren hatte. Ich wusste, wie sie im Jahr darauf meinen Vater kennengelernt und welchen Eindruck sie bei ihren ersten Dates von ihm gehabt hatte. Ich wusste, dass ihrem Vater der Löffel aus der Hand gefallen war, als sie zu Hause verkündete, dass sie schwanger sei. Dass sie es verabscheut hatte, zur Beichte zu gehen, und auch die Dinge, die sie gebeichtet hatte. Dass sie geflucht hatte und zu ihrer Mutter frech gewesen war, dass sie gemeckert hatte, wenn sie den Tisch decken musste, während ihre viel jüngere Schwester spielte. Dass sie an Schultagen morgens in einem Kleid aus dem Haus gegangen und unterwegs in eine Jeans geschlüpft war, die sie heimlich in ihrer Tasche mitnahm. Meine ganze Kindheit und Jugend hindurch löcherte ich sie mit Fragen, ließ mir diese und andere Szenen schildern, wollte wissen, wer was und wie gesagt hatte, was sie dabei empfunden hatte, wo dieser und jener gestanden hatte und wie spät es gewesen war. Und sie hatte es mir erzählt, mal widerstrebend, mal genüsslich, lachend und mich fragend, warum um alles in der Welt ich das wissen wolle. Ich wollte es einfach wissen. Ich konnte es nicht erklären.

Aber jetzt, wo sie todkrank war, wusste ich alles. Meine Mutter war bereits in mir. Nicht nur das von ihr, was ich kannte, sondern auch das, was vor mir gewesen war.

Ich musste nicht lange zwischen Minneapolis und zu Hause pendeln. Etwas mehr als einen Monat. Dass meine Mutter noch ein Jahr zu leben hätte, erwies sich rasch als traurige Illusion. Am 12. Februar waren wir in der Mayo Clinic gewesen. Am 3. März musste sie ins Krankenhaus im hundertzehn Kilometer entfernten Duluth, da sie unter starken Schmerzen litt. Beim Ankleiden zu

Hause gelang es ihr nicht, ihre Socken allein anzuziehen. Sie rief mich ins Zimmer und bat mich, ihr zu helfen. Sie saß auf dem Bett, und ich kniete mich vor sie hin. Ich hatte noch nie einem anderen Menschen Socken angezogen, und es war schwieriger, als ich gedacht hatte. Sie wollten einfach nicht über ihre Haut rutschen. Und wenn, dann saßen sie schief. Ich wurde wütend auf meine Mutter, als halte sie ihren Fuß absichtlich so, dass es mir unmöglich war. Sie saß zurückgelehnt da, mit den Händen auf dem Bett abgestützt, die Augen zu. Ich hörte, wie sie tief und langsam atmete.

»Verdammt noch mal«, schimpfte ich. »*Hilf mir!*«

Sie schlug die Augen auf und sagte eine Weile kein Wort.

»Schatz«, seufzte sie schließlich, sah mich fest an und strich mir über den Kopf. So hatte sie mich oft genannt, als ich noch ein Kind war, immer in einem ganz speziellen Ton. Das passt dir nicht, hatte dieses »Schatz« zu bedeuten, aber so sind die Dinge nun mal. Es war dieses Sichabfinden mit dem Leiden, was mich am meisten an meiner Mutter ärgerte, ihr ewiger Optimismus und Lebensmut.

»Lass uns gehen«, sagte ich, nachdem ich ihr mühsam die Schuhe angezogen hatte.

Mit schwerfälligen Bewegungen zog sie ihren Mantel an. Beim Gang durchs Haus stützte sie sich an den Wänden ab. Ihre beiden geliebten Hunde folgten ihr, rieben ihre Schnauzen an ihren Händen und Oberschenkeln. Ich sah zu, wie sie ihnen den Kopf tätschelte. Ich hatte kein Gebet mehr. Die Worte *Zum Teufel mit ihnen* waren trockene Pillen in meinem Mund.

»Wiedersehen, meine Lieblinge«, sagte sie zu den Hunden. »Wiedersehen, Haus«, sagte sie, als sie mir zur Tür hinaus folgte.

Ich hätte nie gedacht, dass meine Mutter sterben könnte. Bis sie tatsächlich starb, war mir diese Möglichkeit nie in den Sinn gekommen. Sie war ein unüberwindlicher Fels, die Hüterin meines Lebens. Sie würde alt werden und immer noch im Garten arbeiten. Dieses Bild war fest in meinem Kopf verankert wie eine ihrer

Kindheitserinnerungen, die ich mir so haarklein von ihr hatte schildern lassen, dass ich mich an sie erinnerte, als wäre es meine eigene. Sie würde alt werden und schön bleiben wie Georgia O'Keeffe auf dem Schwarzweißfoto, das ich ihr einmal geschickt hatte. In den ersten Wochen nach dem Besuch in der Mayo Clinic klammerte ich mich an dieses Bild. Doch als sie in das Hospiz des Krankenhauses in Duluth aufgenommen wurde, verblasste dieses Bild, machte anderen Platz, bescheideneren und realistischeren. Ich stellte mir meine Mutter im Oktober vor, speicherte das Bild in meinem Kopf. Und dann im August und schließlich im Mai. Mit jedem Tag, der verging, fiel ein weiterer Monat weg.

An ihrem ersten Tag im Krankenhaus bot ihr eine Schwester Morphium an, doch sie lehnte ab. »Morphium geben sie Leuten, die sterben«, sagte sie. »Morphium bedeutet, dass keine Hoffnung mehr besteht.«

Aber sie hielt es nur einen Tag durch. Sie schlief und wachte, redete und lachte. Sie schrie vor Schmerzen. Tagsüber blieb ich bei ihr, nachts Eddie. Leif und Karen blieben weg, machten Ausflüchte, die ich nicht nachvollziehen konnte und die mich erbosten, obwohl es meiner Mutter offenbar nichts ausmachte, dass sie nicht kamen. Sie war nur damit beschäftigt, die Schmerzen niederzuhalten, was in der Zeit zwischen den Morphiumgaben ein aussichtsloser Kampf war. Wir schafften es nie, die Kissen richtig hinzulegen. Eines Nachmittags trat ein Arzt, den ich noch nie gesehen hatte, ins Zimmer und erklärte, dass meine Mutter im Sterben liege.

»Aber es ist erst ein Monat vorbei«, protestierte ich empört. »Der andere Arzt hat von einem Jahr gesprochen.«

Er gab keine Antwort. Er war jung, vielleicht dreißig. Er stand neben dem Bett meiner Mutter und sah, eine zarte, behaarte Hand in der Tasche, auf sie hinab. »Von jetzt an ist unsere einzige Sorge, dass sie sich wohlfühlt.«

Dass sie sich wohlfühlt – und dennoch gab man ihr so wenig Morphium wie möglich. Unter dem Pflegepersonal war auch ein

Mann. Einmal, als er da war, konnte ich die Umrisse seines Penis durch seine enge weiße Hose sehen. Am liebsten hätte ich ihn in das kleine Badezimmer am Fußendes des Bettes gezerrt und mich ihm dargeboten, mich überhaupt zu allem bereit erklärt, wenn er uns nur half. Aber ich wollte auch selbst meinen Spaß dabei haben, das Gewicht seines Körpers auf meinem spüren, seinen Mund in meinem Haar spüren, ihn meinen Namen sagen hören, immer und immer wieder, ihn zwingen, von mir Notiz zu nehmen, unsere Sache zu seiner zu machen, seinem Herzen Mitleid mit uns abzuringen.

Wenn meine Mutter ihn um mehr Morphium bat, dann in einer Weise, wie ich nie jemanden um etwas bitten gehört hatte. Aber der Kerl sah sie dabei nie an, sondern immer nur auf seine Armbanduhr. Er verzog keine Miene, egal wie seine Antwort lautete. Manchmal gab er ihr das Morphium ohne ein Wort, und manchmal sagte er Nein mit einer Stimme, die so weich war wie der Penis in seiner Hose. Dann flehte und wimmerte meine Mutter. Sie weinte, und ihre Tränen rollten in die falsche Richtung. Nicht über ihre Wangen hinunter zu den Mundwinkeln, sondern weg von den Augenrändern zu den Ohren und in das Knäuel ihrer Haare auf dem Kissen.

Sie lebte kein Jahr mehr. Sie lebte auch nicht bis Oktober, August oder Mai. Sie lebte noch neunundvierzig Tage, nachdem ihr der erste Arzt in Duluth eröffnet hatte, dass sie Krebs habe. Noch vierunddreißig Tage, nachdem der andere in der Mayo Clinic die Diagnose bestätigt hatte. Tag folgte auf Tag, aber jeder war eine Ewigkeit, ein kaltes Licht im dichten Nebel.

Leif besuchte sie nie. Karen kam ein einziges Mal, nachdem ich darauf bestanden hatte. Ich war untröstlich, wütend, fassungslos. »Ich möchte sie nicht in diesem Zustand sehen«, führte meine Schwester immer wenig überzeugend als Grund an, wenn wir miteinander sprachen, und brach dann in Tränen aus. Mit meinem Bruder konnte ich nicht sprechen – Eddie und ich hatten keine Ahnung, wo er steckte. Nach Auskunft eines Freundes wohnte er in St. Cloud bei einem Mädchen namens Sue. Ein anderer hatte ihn beim Eisfischen am Sheriff Lake gesehen. Ich hatte keine Zeit, den Hinweisen nachzugehen, da ich jeden Tag von meiner Mutter in Anspruch genommen war, ihr Plastikschüsseln hinhielt, wenn sie sich übergeben musste, immer wieder die Kissen, die einfach nicht richtig liegen wollten, aufschüttelte und zurechtrückte, sie hochhob und auf den Topfstuhl setzte, den das Pflegepersonal neben das Bett gestellt hatte, sie drängte, einen Happen zu essen, den sie zehn Minuten später wieder erbrach. Die meiste Zeit sah ich ihr beim Schlafen zu, und das war von allem das Schlimmste. Zu sehen, wie ihr Gesicht selbst im Schlaf vor Schmerzen zuckte. Jedes Mal, wenn sie sich bewegte, gerieten die Infusionsschläuche, die überall um sie herumbaumelten, ins Schwingen, und mein Herz raste vor Angst, sie könnte die Nadeln, mit denen die Schläuche an ihren geschwollenen Händen und Handgelenken befestigt waren, herausreißen.

»Wie fühlst du dich?«, gurrte ich immer hoffnungsvoll, wenn sie aufwachte, fasste durch die Schläuche und wuschelte durch ihre platt gedrückten Haare.

»Ach, Schatz«, war meistens alles, was sie sagen konnte. Und dann sah sie weg.

Ich wanderte durch die Krankenhausflure, während meine Mutter schlief, spähte in anderer Leute Zimmer, wenn ich an offenen Türen vorbeikam, erhaschte Blicke auf alte Männer mit schlimmem Husten und lila verfärbter Haut, auf Frauen mit Verbänden um ihre dicken Knie.

»Wie geht es Ihnen?«, fragten mich die Schwestern immer in melancholischem Ton.

»Wir lassen uns nicht unterkriegen«, antwortete ich dann, als wäre ich ein Wir.

Aber ich war nur ich. Mein Mann, Paul, tat alles, was er konnte, damit ich mich nicht so allein fühlte. Er war noch derselbe freundliche, liebevolle Mann, in den ich mich vor ein paar Jahren verguckt und so heftig verliebt hatte, dass ich zum Entsetzen aller mit knapp zwanzig heiratete, aber seit meine Mutter im Sterben lag, war etwas in mir für ihn abgestorben, ganz gleich, was er sagte oder tat. Trotzdem rief ich ihn an den langen Nachmittagen täglich vom Münztelefon im Krankenhaus an oder am Abend, wenn ich wieder im Haus meiner Mutter und Eddies war. Wir führten lange Gespräche, bei denen ich weinte und ihm mein Herz ausschüttete. Er weinte mit mir und versuchte, mir alles ein klein wenig erträglicher zu machen, aber seine Worte klangen hohl. Es war fast so, als könnte ich sie gar nicht hören. Was wusste er schon, wie es war, alles zu verlieren? Seine Eltern lebten noch und führten eine glückliche Ehe. Meine Beziehung zu ihm und seinem unverschämt ungebrochenen Leben schien meinen Schmerz nur zu verstärken. Er konnte nichts dafür. Das Zusammensein mit ihm war mir unerträglich, aber mit jedem anderen auch. Der einzige Mensch, mit dem ich zusammen sein konnte, war der unerträglichste von allen: meine Mutter.

Morgens saß ich an ihrem Bett und versuchte, ihr vorzulesen. Ich hatte zwei Bücher: *Das Erwachen* von Kate Chopin und *Die Tochter des Optimisten* von Eudora Welty. Wir hatten beide am College gelesen und liebten sie. Also fing ich an, aber ich konnte nicht weiterlesen. Jedes Wort, das ich aussprach, löschte sich selbst in der Luft.

Dasselbe geschah, wenn ich zu beten versuchte. Ich betete inbrünstig, fanatisch, zu Gott, zu jedem Gott, zu einem Gott, den ich weder benennen noch finden konnte. Ich verwünschte meine Mutter, weil sie mich nicht religiös erzogen hatte. Aus Verbitterung über ihre repressive katholische Erziehung hatte sie als Erwachsene nichts mehr mit der Kirche zu tun haben wollen, und jetzt lag sie im Sterben und hatte nicht einmal einen Gott. Ich betete zu dem ganzen weiten Universum und hoffte, dass Gott irgendwo da draußen war und mich hörte. Ich betete und betete, und dann stockte ich. Nicht weil ich Gott nicht fand, sondern weil ich ihn plötzlich gefunden hatte: Gott war da, begriff ich, aber er dachte gar nicht daran, ins Geschehen einzugreifen, das Leben meiner Mutter zu retten. Gott erfüllte keine Wünsche. Gott war ein mitleidloser Schuft.

In den letzten Tagen ihres Lebens war meine Mutter mehr weggetreten als high. Sie hing mittlerweile an einem Morphiumtropf, aus einem Klarsichtbeutel sickerte Flüssigkeit einen Schlauch herunter, der an ihr Handgelenk geklebt war. Wenn sie aufwachte, sagte sie: »Oh, oh.« Oder sie stieß einen traurigen Seufzer aus. Sie sah mich an, und Liebe blitzte in ihren Augen auf. Oder sie sank wieder in den Schlaf, als wäre ich gar nicht vorhanden. Manchmal wenn sie aufwachte, wusste sie nicht, wo sie war. Sie verlangte eine Enchilada und dann Apfelmus dazu. Sie glaubte, dass alle Tiere, die sie jemals geliebt hatte, bei ihr im Zimmer wären – und es hatte viele gegeben. »Das verflixte Pferd hätte mich beinahe getreten«, sagte sie und sah sich vorwurfsvoll nach ihm um, oder ihre Hände streichelten eine Katze, die unsichtbar auf ihrem Bauch lag. In dieser Zeit wollte ich, dass sie mir sagte, ich sei die beste Tochter auf der Welt gewesen. Ich wollte das nicht wollen, und trotzdem tat ich es aus mir unerfindlichen Gründen, als hätte ich hohes Fieber, das nur durch diese Worte gelindert werden konnte. Ich ging sogar so weit, sie direkt zu fragen: »Bin ich die beste Tochter auf der Welt gewesen?«

Sie sagte: Ja, natürlich.

Aber das genügte mir nicht. Ich wollte, dass sich diese Worte im Kopf meiner Mutter von selbst zusammenfügten und mir frei Haus geliefert wurden.

Ich hungerte nach Liebe.

Meine Mutter starb schnell, aber nicht plötzlich. Ein langsam verglimmendes Feuer, wenn die Flammen in Rauch aufgehen und der

Rauch sich in Luft auflöst. Sie kam nicht dazu abzumagern. Sie war verändert, aber nicht ausgezehrt, als sie starb. Der Körper einer Frau, die noch unter den Lebenden weilte. Sie hatte auch noch ihre Haare, braun, brüchig und ausgefranst vom wochenlangen Liegen.

Durch das Fenster des Zimmers, in dem sie starb, konnte ich auf den Lake Superior sehen, den größten Süßwassersee der Welt und den kältesten. Allerdings war das nicht ganz leicht. Ich musste das Gesicht seitlich gegen die Scheibe drücken, dann konnte ich ein Stück von ihm sehen, das sich bis zum Horizont hinzog.

»Ein Zimmer mit Ausblick!«, rief meine Mutter, obwohl sie zu schwach war, um aufzustehen und sich den See selbst anzusehen. Und dann, leiser: »Mein ganzes Leben lang habe ich auf ein Zimmer mit Ausblick gewartet.«

Sie wollte im Sitzen sterben, also nahm ich alle Kissen, die ich kriegen konnte, und stopfte sie ihr hinter den Rücken. Am liebsten hätte ich sie aus dem Krankenhaus herausgeholt und zum Sterben auf eine Wiese mit Schafgarben gesetzt. Ich deckte sie mit einem Quilt zu, den ich von zu Hause mitgebracht und den sie selbst aus alten Kleiderresten zusammengenäht hatte.

»Schaff das Ding fort!«, knurrte sie böse und strampelte wie ein Schwimmer mit den Beinen, um die Decke abzuwerfen.

Ich beobachtete meine Mutter. Draußen glitzerten die Gehwege und die verharschten Schneehaufen in der Sonne. Heute war Saint Patrick's Day, und die Schwestern brachten ihr einen Wackelpeter, der, viereckig und grün, auf dem Tisch neben ihr wabbelte. Wie sich herausstellen sollte, war es der letzte ganze Tag in ihrem Leben, und die meiste Zeit davon lag sie ruhig mit offenen Augen da, weder schlafend noch wachend, zeitweise bei klarem Bewusstsein, zeitweise halluzinierend.

An diesem Abend verließ ich sie, obwohl ich eigentlich nicht wollte. Die Schwestern und Ärzte hatten Eddie und mir gesagt, dass es so weit sei. Ich hatte das so verstanden, dass sie in ein paar Wochen sterben würde. Ich dachte, dass Krebskranke dahinsiechten. Karen und Paul wollten am nächsten Morgen mit dem Auto zusammen aus Minneapolis kommen, und die Eltern meiner Mutter wurden in ein paar Tagen aus Alabama erwartet, aber Leif war immer noch unauffindbar. Eddie und ich hatten seine Freunde und deren Eltern angerufen und ihm eine Nachricht hinterlassen mit der Bitte, sich zu melden, aber er hatte sich nicht gemeldet. Ich beschloss, das Krankenhaus für eine Nacht zu verlassen, um ihn zu suchen und ihn eigenhändig ins Krankenhaus zu schleppen.

»Morgen früh bin ich wieder da«, sagte ich zu meiner Mutter und blickte zu Eddie hinüber, der, halb liegend, auf der kleinen Vinylcouch saß. »Und zwar mit Leif.«

Als sie seinen Namen hörte, schlug sie die Augen auf: blau und leuchtend, genau so, wie sie immer gewesen waren. Trotz allem hatten sie sich nicht verändert.

»Wie ist es möglich, dass du nicht böse auf ihn bist?«, fragte ich sie verbittert wohl zum zehnten Mal.

»Man kann einen Hund nicht zum Jagen tragen«, antwortete sie darauf gewöhnlich. Oder: »Cheryl, er ist erst achtzehn.« Aber diesmal sah sie mich nur an und sagte: »Schatz.« Genauso hatte sie reagiert, als ich mich wegen ihrer Socken aufregte. Wie überhaupt immer, wenn sie sah, dass ich litt, weil etwas nicht so war, wie ich es gern hätte. Dann versuchte sie mich mit diesem einen Wort davon zu überzeugen, dass ich die Dinge so nehmen musste, wie sie waren.

»Morgen sind wir alle vereint«, sagte ich. »Und dann bleiben wir alle hier bei dir, einverstanden? Keiner wird gehen.« Ich fasste durch die überall um sie herumhängenden Schläuche und streichelte ihr die Schulter. »Ich liebe dich«, sagte ich und beugte mich vor, um sie zu küssen, doch sie wehrte mich ab, denn ihre Schmerzen waren zu groß, um auch nur einen Kuss auszuhalten.

»Liebe«, hauchte sie, zu schwach, um »ich« und »dich« zu sagen. »Liebe«, wiederholte sie, als ich das Zimmer verließ.

Ich fuhr mit dem Aufzug nach unten, trat auf die kalte Straße hinaus und ging den Gehweg entlang. Ich kam an einer Bar vorbei.

Sie war gerammelt voll, wie ich durch ein großes Fenster sehen konnte. Die Gäste trugen glänzende grüne Papierhüte, grüne Hemden und grüne Hosenträger und tranken grünes Bier. Ein Betrunkener fing meinen Blick auf und deutete mit dem Finger auf mich. Sein Gesicht brach in stummes Gelächter aus.

Ich fuhr nach Hause, fütterte die Pferde, dann die Hühner und klemmte mich ans Telefon. Die Hunde leckten mir dankbar die Hände, und unsere Katze drängte sich auf meinen Schoß. Ich rief jeden an, der vielleicht wusste, wo mein Bruder steckte. Er trinke viel, sagten einige. Ja, das stimme, sagten andere. Er habe sich mit einem Mädchen namens Sue aus St. Cloud herumgetrieben. Um Mitternacht klingelte das Telefon, und ich sagte ihm, dass es so weit sei.

Am liebsten hätte ich ihn angebrüllt, als er eine halbe Stunde später zur Tür hereinkam, ihn geschüttelt, getobt, ihm Vorhaltungen gemacht, doch als ich ihn sah, konnte ich ihn nur in die Arme schließen und weinen. Er kam mir in dieser Nacht so alt vor und gleichzeitig so jung. Zum ersten Mal bemerkte ich, dass er ein Mann geworden war, aber ich konnte auch sehen, was für ein kleiner Junge er doch noch war. *Mein* kleiner Junge, den ich mein Leben lang halb bemuttert hatte, weil ich für meine Mom einspringen musste, wenn sie bei der Arbeit war. Karen und ich waren drei Jahre auseinander, aber praktisch wie Zwillinge erzogen worden. Wir waren als Kinder beide gleichermaßen für Leif verantwortlich.

»Ich kann das nicht«, sagte er immer wieder unter Tränen. »Ich kann ohne Mom nicht leben. Ich kann nicht. Ich kann nicht. Ich kann nicht.«

»Wir müssen«, erwiderte ich, obwohl ich es mir selbst nicht vorstellen konnte. Wir lagen zusammen in seinem Einzelbett und weinten bis in die frühen Morgenstunden, ehe wir endlich einschliefen.

Ich erwachte ein paar Stunden später. Bevor ich Leif weckte, fütterte ich die Tiere und packte Tüten mit Lebensmitteln voll, damit wir während unserer Krankenwache etwas zu essen hatten. Um acht fuhren wir im Wagen meiner Mutter nach Duluth. Mein Bruder raste, und aus den Boxen dröhnte *Joshua Tree* von U2. Wir hörten konzentriert zu und redeten nicht. Die tief stehende Sonne schnitt hell in den Schnee am Straßenrand.

An der geschlossenen Zimmertür meiner Mutter im Krankenhaus hing ein Zettel mit der Aufforderung, sich vor dem Eintreten im Schwesternzimmer zu melden. Das war neu, aber ich hielt es für eine bloße Formalität. Auf dem Flur kam uns eine Schwester entgegen, und bevor ich sie fragen konnte, sagte sie: »Wir haben ihr Eis auf die Augen gelegt. Sie wollte ihre Hornhaut spenden, deshalb müssen wir das Eis …«

»*Was?*«, brach es so heftig aus mir heraus, dass sie zusammenzuckte.

Ich wartete ihre Antwort nicht ab. Ich rannte, dicht gefolgt von meinem Bruder, zum Zimmer meiner Mutter und riss die Tür auf. Eddie kam uns mit ausgebreiteten Armen entgegen, aber ich wich ihm aus und stürzte zu meiner Mutter. Ihre Arme lagen wächsern auf der Seite, gelb und weiß und schwarz und blau. Nadeln und Schläuche waren entfernt. Auf ihren Augen lagen zwei mit Eis gefüllte Operationshandschuhe, deren dicke Finger albern über ihr Gesicht herabhingen. Als ich meine Mutter anfasste, rutschten die Handschuhe herunter, fielen aufs Bett und von dort auf den Fußboden.

Ich heulte und heulte und heulte und vergrub mein Gesicht in ihrem Körper wie ein Tier. Sie war seit einer Stunde tot. Ihre Gliedmaßen waren abgekühlt, aber ihr Bauch war noch eine Insel der Wärme. Ich drückte mein Gesicht in die Wärme und heulte noch mehr.

Ich träumte unablässig von ihr. In den Träumen war ich immer bei ihr, als sie starb. Und ich war es, die sie tötete. Immer wieder und wieder. Sie befahl mir, es zu tun, und jedes Mal fiel ich weinend auf die Knie und flehte sie an, das nicht von mir zu verlangen, aber sie blieb hart, und ich fügte mich jedes Mal wie eine brave Tochter. Ich band sie an einen Baum in unserem Garten, goss ihr Benzin über den Kopf und zündete sie an. Ich ließ sie den Feldweg entlanglaufen, der an unserem selbst gebauten Haus vorbeiführte, und überfuhr sie dann mit meinem Pick-up. Ihr Körper blieb an einem gezackten Metallteil am Unterboden hängen. Ich schleifte ihn mit, bis er sich löste, dann legte ich den Rückwärtsgang ein und überrollte ihn ein zweites Mal. Ich nahm einen kleinen Baseballschläger und schlug sie damit tot, langsam, feste und traurig. Ich zwang sie, in eine Grube zu steigen, die ich ausgehoben hatte, und begrub sie bei lebendigem Leib, indem ich mit den Füßen Steine und Erde in das Loch schob. Diese Träume hatten nichts Unwirkliches. Sie spielten sich bei normalem, klarem Tageslicht ab. Sie waren Dokumentarfilme meines Unterbewusstseins und erschienen mir so real wie das Leben. Mein Pick-up war wirklich mein Pick-up, unser Garten war wirklich unser Garten, der kleine Baseballschläger stand in unserem Schrank zwischen den Regenschirmen.

Ich erwachte aus diesen Träumen nicht weinend. Ich erwachte schreiend. Paul packte mich und hielt mich fest, bis ich mich beruhigte. Er tränkte einen Waschlappen mit kaltem Wasser und legte ihn mir aufs Gesicht. Aber diese nassen Lappen konnten die Träume von meiner Mutter nicht wegwaschen.

Nichts konnte das. Nichts würde es jemals können. Nichts würde mir meine Mutter zurückbringen oder mich damit versöhnen können, dass sie tot war. Nichts konnte etwas daran ändern, dass ich nicht bei ihr gewesen war, als sie starb. Es brach mir das Herz. Es warf mich aus der Bahn. Es zog mir den Boden unter den Füßen weg.

Ich brauchte Jahre, um wieder meinen Platz zwischen den zehntausend Dingen einzunehmen. Um wieder die Frau zu werden, die meine Mutter großgezogen hatte. Um mich daran zu erinnern, wie sie »Schatz« gesagt hatte, und mir wieder diesen Blick vorzustellen. Ich litt. Ich litt so sehr. Ich wollte die Dinge anders haben, als sie waren. Dieser Wunsch war eine Wildnis, aus der ich allein wieder herausfinden musste. Ich brauchte dafür vier Jahre, sieben Monate und drei Tage. Ich wusste nicht, wohin ich ging, bis ich dort war.

Bis ich an der Brücke der Götter war.

2
Zweigeteilt

Müsste ich eine Karte dieser viereinhalb Jahre zeichnen, um die Zeit zwischen dem Todestag meiner Mutter und dem Tag zu illustrieren, an dem ich mit der Wanderung auf dem Pacific Crest Trail begann, würde dabei ein Gewirr von Linien herauskommen, die in alle Richtungen führen und deren Mittelpunkt natürlich Minnesota bildet wie eine Funken sprühende Wunderkerze. Nach Texas und zurück. Nach New York City und zurück. Nach New Mexico, Arizona, Kalifornien und Oregon und zurück. Nach Wyoming und zurück. Nach Portland, Oregon, und zurück. Noch einmal nach Portland und zurück. Und noch einmal. Aber diese Linien würden nicht die Geschichte erzählen. Die Karte würde nur zeigen, wohin ich mich geflüchtet hatte, nicht aber, wie ich immer wieder zu bleiben versuchte. Sie würde nicht zeigen, wie ich mich in den Monaten nach dem Tod meiner Mutter bemühte, vergeblich bemühte, die Lücke, die sie hinterlassen hatte, zu füllen und die Familie zusammenzuhalten. Oder wie ich um die Rettung meiner Ehe kämpfte, noch während ich sie durch meine Lügen zerstörte. Sie würde nur diese Wunderkerze und jeden einzelnen sprühenden Funken zeigen.

Als ich an dem Abend, bevor ich die Wanderung auf dem PCT begann, in der kalifornischen Stadt Mojave ankam, hatte ich Minnesota zum letzten Mal verlassen. Ich hatte sogar mit meiner Mutter darüber gesprochen, auch wenn sie mich nicht hören konnte.

Ich hatte in dem Blumenbeet in unserem Wald gesessen, wo Eddie, Paul, meine Geschwister und ich ihre Asche unter die Erde gemischt und einen Grabstein aufgestellt hatten, und ihr erklärt, dass ich künftig nicht mehr da sein würde, um ihr Grab zu pflegen. Was bedeutete, dass es niemand mehr pflegen würde. Mir blieb keine andere Wahl. Ich musste ihr Grab dem Unkraut überlassen, den Zweigen und Zapfen, die von den Kiefern fielen. Dem Schnee und den Ameisen, den Hirschen, den Schwarzbären und den Erdwespen. Ich legte mich in die Mutterascheerde zwischen den Krokussen und sagte ihr, dass es in Ordnung sei. Dass ich kapituliert hätte. Dass sich seit ihrem Tod alles verändert habe. Wie sie es sich nie habe vorstellen können, wie sie es nie geahnt habe. Ich sprach mit leiser, fester Stimme. Ich war so traurig, dass es mir die Kehle zuschnürte, und doch war mir, als hänge mein ganzes Leben davon ab, dass ich diese Worte herausbrachte. Sie werde immer meine Mutter bleiben, sagte ich zu ihr, aber nun müsse ich fort. In diesem Blumenbeet sei sie ohnehin nicht mehr für mich da, erklärte ich ihr. Ich würde die Erinnerung an sie woanders bewahren. An dem einzigen Ort, wo ich sie erreichen könne. In mir.

Am nächsten Tag verließ ich Minnesota für immer. Ich wollte auf dem PCT wandern.

Es war die erste Juniwoche. Ich fuhr in meinem 1979er Chevy Luv Pick-up, den ich mit einem Dutzend Kartons voller Trockennahrung und Wanderzubehör beladen hatte, nach Portland. Ich hatte Wochen damit zugebracht, die Sachen zusammenzustellen und alle Kartons mit Adressaufklebern zu versehen, auf denen neben meinem Namen auch die Namen von Orten standen, an denen ich noch nie gewesen war, Etappenziele entlang dem PCT mit so wohlklingenden Namen wie Echo Lake und Soda Springs, Burney Falls und Seiad Valley. Ich ließ den Pick-up und die Pakete bei meiner Freundin Lisa in Portland – sie sollte mir die Pakete im Lauf des Sommers zuschicken –, flog nach Los Angeles und fuhr dann mit dem Bruder einer Bekannten nach Mojave.

Wir kamen am frühen Abend in der Stadt an, als die Sonne ein Dutzend Kilometer hinter uns gerade in den Tehachapi Mountains versank. In eben den Bergen, durch die ich am nächsten Tag wandern sollte. Mojave liegt ungefähr neunhundert Meter über dem Meeresspiegel, aber ich kam mir vor wie auf dem Grund von etwas, denn die Reklameschilder von Tankstellen, Restaurants und Motels überragten die größten Bäume.

»Dort kannst du mich rauslassen«, sagte ich zu dem Mann, der mich von Los Angeles hergefahren hatte, und deutete auf eine altmodische Neonreklame mit dem Schriftzug WHITE'S MOTEL. Darüber leuchtete gelb TV und darunter rosa ZIMMER FREI. Aus dem maroden Äußeren des Gebäudes schloss ich, dass es das billigste Hotel in der Stadt war. Genau das Richtige für mich.

»Danke fürs Herfahren«, sagte ich, als wir auf den Parkplatz rollten.

»Gern geschehen«, sagte er und sah mich an. »Ist wirklich alles in Ordnung?«

»Ja«, antwortete ich mit gespielter Zuversicht. »Ich bin schon oft allein gereist.« Ich stieg mit meinem Rucksack und zwei übergroßen, prall gefüllten Kaufhaustüten aus. Eigentlich hatte ich vor der Abreise aus Portland den Inhalt der Tüten in den Rucksack umpacken wollen, war aber nicht mehr dazu gekommen und hatte deshalb die Tüten mitgeschleppt. Ich wollte es in meinem Zimmer nachholen.

»Viel Glück«, sagte der Mann.

Ich sah ihm nach, wie er wegfuhr. Die heiße Luft schmeckte wie Staub, der trockene Wind peitschte mir die Haare in die Augen. In den Parkplatzbelag waren lauter kleine weiße Kieselsteine einzementiert, das Motel selbst bestand aus einer langen Reihe von Türen und Fenstern, an denen schäbige Vorhänge hingen. Ich schulterte den Rucksack und raffte die Tüten zusammen. Es war ein komisches Gefühl, nicht mehr zu besitzen. Plötzlich fühlte ich mich schutzlos, weniger euphorisch, als ich erwartet hatte. In den letzten sechs Monaten hatte ich mir diesen Augenblick immer wieder vorgestellt, aber jetzt, wo ich hier war – nur neunzehn Kilometer vom PCT entfernt –, erschien mir alles längst nicht mehr so lebendig wie in meiner Fantasie, als würde ich träumen, als hätte sich mein Denken verlangsamt, als wäre es vom Willen getrieben statt vom Instinkt. *Geh rein,* musste ich mir sagen, bevor ich mich in Richtung Empfang in Bewegung setzen konnte. *Frag nach einem Zimmer.*

»Macht achtzehn Dollar«, sagte die alte Frau, die hinter dem Empfangstisch stand. Mit rüder Unverhohlenheit spähte sie an mir vorbei durch die Glastür, durch die ich eben eingetreten war. »Außer Sie sind in Begleitung. Dann kostet es mehr.«

»Ich habe keinen Begleiter«, sagte ich und wurde rot – erst als ich die Wahrheit sagte, kam ich mir wie eine Lügnerin vor. »Der Mann hat mich nur hier abgesetzt.«

»Dann macht es achtzehn Dollar«, erwiderte sie. »Aber wenn Sie doch noch Gesellschaft bekommen, müssen Sie mehr bezahlen.«

»Es wird niemand kommen«, sagte ich mit ruhiger Stimme, zog einen Zwanzigdollarschein aus der Hosentasche und schob ihn über den Tisch. Sie nahm das Geld und gab mir zwei Dollar heraus, dazu einen Meldeschein und einen Kuli, der an einer Kette hing. »Ich bin zu Fuß, kann also den Autoteil nicht beantworten«, sagte ich, deutete auf das Formular und lächelte, aber sie lächelte nicht zurück. »Außerdem habe ich eigentlich keine Adresse. Ich bin auf Reisen, deswegen …«

»Tragen Sie die Adresse ein, an die Sie zurückkehren«, sagte sie.

»Das ist es ja. Ich weiß nicht, wo ich anschließend wohnen werde, weil …«

»Dann die Ihrer Angehörigen«, blaffte sie. »Wo die eben wohnen.«

»Okay«, sagte ich und trug Eddies Adresse ein, obwohl meine Beziehung zu Eddie in den vier Jahren seit dem Tod meiner Mutter auf so schmerzliche Weise abgekühlt war, dass ich nicht mehr meinen Stiefvater in ihm sehen konnte. Ich hatte kein »Zuhause« mehr, obwohl das Haus, das wir gebaut hatten, noch stand. Leif, Karen und ich waren als Geschwister zwar untrennbar miteinander verbunden, aber wir hatten kaum noch Kontakt, da wir ganz unterschiedliche Leben führten. Paul und ich hatten im Monat zuvor nach quälender einjähriger Trennung unsere Scheidung hinter uns gebracht. Ich hatte liebe Freunde, die ich manchmal als meine Familie bezeichnete, aber unsere Beziehung war unverbindlicher und sporadischer Natur, familiär mehr in Worten als in Taten. »Blut ist dicker als Wasser«, hatte meine Mutter immer gesagt, als ich heranwuchs, und ich hatte ihr oft widersprochen. Aber wie sich zeigte, war es egal, ob ich recht gehabt hatte. Mir war beides zwischen den Fingern zerronnen.

»Hier«, sagte ich zu der Frau und schob ihr den Meldezettel hin, aber sie wandte sich mir nicht zu. Ihr Blick war auf einen kleinen Fernseher gerichtet, der auf einem Tisch hinter der Theke stand. Die Abendnachrichten. Ein Bericht über den Prozess gegen O. J. Simpson.

»Glauben Sie, er ist schuldig?«, fragte sie, ohne den Blick vom Bildschirm zu wenden.

»Es sieht so aus, aber noch kann man, glaube ich, nichts sagen. Wir kennen noch nicht alle Fakten.«

»Natürlich hat er es getan!«, schrie sie.

Als sie mir endlich den Schlüssel gab, ging ich über den Parkplatz zu einer Tür am anderen Ende des Gebäudes, schloss auf, trat ein, stellte mein Gepäck ab und setzte mich auf das weiche Bett. Ich war jetzt in der Mojave-Wüste, aber das Zimmer war seltsam klamm und roch nach nassem Teppich und Desinfektionsmittel. Ein weißer Metallkasten mit Lüftungsschlitzen erwachte in der Ecke scheppernd zum Leben – ein Raumkühler, der ein paar Minuten lang eiskalte Luft ins Zimmer pustete und sich dann unter dramatischem Geklapper, das mein unbehagliches Gefühl der Einsamkeit noch verstärkte, wieder abschaltete.

Ich spielte mit dem Gedanken, auszugehen und mir Gesellschaft zu suchen. Es wäre ein Leichtes gewesen. Die vorangegangenen Jahre waren ein wahres Fest an One-Night-Stands gewesen, denen gelegentlich auch eine zweite oder dritte Nacht folgte. Inzwischen kamen sie mir so lächerlich vor, all diese Intimitäten mit Männern, die ich nicht liebte, und dennoch sehnte ich mich nach einem Körper, der sich an meinen schmiegte und alles andere auslöschte. Ich stand vom Bett auf, um das Verlangen abzuschütteln, um die sehnsüchtigen Gedanken, die mir durch den Kopf wirbelten, zu stoppen: *Ich könnte in eine Bar gehen. Ich könnte mich von einem Mann zu einem Drink einladen lassen. Ich könnte im Handumdrehen mit ihm wieder hier sein.*

Gleich hinter diesem Verlangen rangierte der Wunsch, Paul anzurufen. Er war jetzt mein Exmann, aber immer noch mein bester Freund. Sosehr ich mich in den Jahren nach dem Tod meiner Mutter auch von ihm zurückgezogen hatte, so sehr hatte ich mich doch auch auf ihn gestützt. Mitten in meinem stillsten Eheleid hatten wir auch gute Zeiten gehabt, waren wir tatsächlich und merkwürdigerweise ein *glückliches Paar* gewesen.

Der Blechkasten mit den Lüftungsschlitzen sprang wieder an, und ich stellte mich vor ihn hin und ließ die eisige Luft gegen meine nackten Beine blasen. Ich hatte noch die Sachen an, in denen ich am Vorabend aus Portland abgeflogen war, jedes Teil nagelneu. Es war meine Wanderkleidung, und ich kam mir darin etwas fremd vor, wie jemand, der ich noch nicht geworden war. Wollsocken und lederne Wanderstiefel mit Metallschließen. Marineblaue Shorts mit wichtig aussehenden Klettverschlusstaschen. Unterwäsche aus einem speziellen, schnell trocknenden Gewebe und ein einfaches weißes T-Shirt über einem Sport-BH.

Sie gehörten zu den vielen Dingen, auf die ich den ganzen Winter und Frühling hindurch gespart und für die ich in dem Restaurant, in dem ich bediente, wann immer möglich Zusatzschichten eingelegt hatte. Beim Kauf selbst waren sie mir noch nicht fremd vorgekommen. Trotz meiner jüngsten Ausflüge ins hektische Stadtleben war ich doch eher ein Landmensch. Schließlich hatte ich meine Jugend in der Wildnis der Minnesota Northwoods verbracht und ein spartanisches Leben geführt. In den Ferien hatte ich immer in irgendeiner Form mit der Familie gecampt, und dasselbe galt auch für die Reisen, die ich mit Paul, mit Freundinnen oder allein unternommen hatte. Ich hatte hinten in meinem Pick-up geschlafen und unzählige Male in Parks und Nationalforsten kampiert. Jetzt aber, wo ich nur diese Wanderkleidung hatte, kam ich mir plötzlich wie eine Hochstaplerin vor. In den sechs Monaten seit meinem Entschluss, auf dem PCT zu wandern, hatte ich mindestens ein Dutzend Mal in Gesprächen erklärt, warum es sinnvoll sei, diese Reise zu machen, und wie gut ich mich auf diese Herausforderung vorbereitet hätte. Jetzt aber, allein in dem Zimmer in White's Motel, konnte ich mir nichts vormachen. Ich wusste, dass ich mich auf dünnem Eis bewegte.

»Vielleicht solltest du es vorher mit einer kürzeren Wanderung probieren«, hatte Paul vorgeschlagen, als ich ihm einige Monate zuvor bei einem unserer Gespräche, bei denen es darum ging, ob wir zusammenbleiben oder uns scheiden lassen sollten, von meinem Vorhaben erzählte.

»Wieso?«, fragte ich gereizt. »Glaubst du, ich pack das nicht?«

»Das ist nicht der Punkt«, sagte er. »Es ist nur so, dass du meines Wissens noch nie eine Rucksacktour gemacht hast.«

»Und ob ich schon Rucksacktouren gemacht habe«, erwiderte ich beleidigt, obwohl er recht hatte. Ich hatte zwar schon alles Mögliche unternommen, was meines Erachtens eine gewisse Ähnlichkeit mit einer Rucksacktour hatte, aber ich war tatsächlich noch nie mit Rucksack und Zelt durch die Wildnis marschiert und hatte dabei im Freien übernachtet. Kein einziges Mal.

Ich habe noch nie eine Rucksacktour gemacht!, dachte ich jetzt ernüchtert und blickte zu meinem Rucksack und den Plastiktüten, die ich aus Portland mitgeschleppt hatte und die die Sachen enthielten, die ich noch gar nicht aus ihrer Verpackung genommen hatte. Der Rucksack war waldgrün mit schwarzen Zierstreifen und hatte drei große Innenfächer und zwei dicke Außentaschen aus Netz und Nylon, die wie große Ohren an der Seite saßen. Er stand ohne fremdes Zutun, gestützt von einer einzigartigen Kunststoffablage, die aus seinem Boden herausragte. Dass er stehen konnte und nicht umfiel wie andere Rucksäcke, spendete mir seltsamerweise etwas Trost. Ich ging zu ihm hin und strich über den Deckel, als streichelte ich einen Kinderkopf. Vor einem Monat hatte man mir dringend geraten, den Rucksack wie für meine Wanderung zu packen und damit einen Probemarsch zu unternehmen. Ich hatte es tun wollen, bevor ich aus Minneapolis abreiste, und dann, sobald ich in Portland angekommen war. Aber daraus war nichts geworden. Mein Probemarsch würde also morgen stattfinden – an meinem ersten Tag auf dem Trail.

Ich griff in eine der Plastiktüten und zog eine orangefarbene Trillerpfeife heraus, die auf der Packung als die »lauteste der Welt« angepriesen wurde. Ich packte sie aus, hielt sie an ihrem gelben Trageband in die Höhe und hängte sie mir um den Hals wie ein Trainer. Sollte ich sie beim Wandern etwa so tragen? Das kam mir albern vor, aber ich hatte keine Ahnung. Beim Kauf der lautesten Pfeife der Welt hatte ich nicht darüber nachgedacht, wie auch über so manches andere nicht. Ich nahm sie wieder ab und band sie an den Rahmen des Rucksacks, damit sie mir beim Wandern über der Schulter baumelte. Dort war sie leicht zu erreichen, falls ich sie brauchen sollte.

Ob ich sie brauchen würde?, fragte ich mich verzagt und ließ mich deprimiert aufs Bett plumpsen. Die Abendessenszeit war längst vorüber, aber ich hatte sowieso keinen Hunger vor lauter Bammel. Meine Einsamkeit lag mir wie ein Stein im Magen.

»Jetzt hast du ja endlich, was du wolltest«, hatte Paul vor zehn Tagen beim Abschied in Minneapolis zu mir gesagt.

»Was meinst du damit?«, fragte ich.

»Du bist allein«, antwortete er und lächelte, doch ich konnte nur unsicher nicken.

Ja, das hatte ich gewollt, obwohl »allein« es nicht ganz traf. Was ich in der Liebe brauchte, dafür gab es anscheinend keine Erklärung. Das Ende meiner Ehe war ein tiefer Fall, der mit einem Brief begann, der eine Woche nach dem Tod meiner Mutter eintraf, obwohl der eigentliche Beginn weiter zurücklag.

Der Brief war nicht für mich. Er war für Paul. Meine Trauer war noch frisch, und ich lief aufgeregt in unser Schlafzimmer und gab ihm das Schreiben, da fiel mein Blick auf den Absender. Es war von der New School in New York. In einem anderen Leben – vor nur drei Monaten, kurz bevor ich von der Krebserkrankung meiner Mutter erfuhr – hatte ich ihm bei der Bewerbung für ein Promotionsstipendium in politischer Philosophie geholfen. Mitte Januar war mir der Gedanke, in New York zu leben, noch wie die aufregendste Sache der Welt vorgekommen. Aber jetzt, Ende März, als Paul den Brief aufriss und rief, dass er angenommen sei, als ich ihn umarmte und die gute Nachricht scheinbar rückhaltlos mit ihm feierte, fühlte ich mich gespalten. Zweigeteilt in die Frau, die ich war, bevor meine Mutter starb, und die, die ich jetzt war. Mein altes Leben war wie ein blauer Fleck an der Oberfläche meines Ichs. Mein wahres Ich war darunter, pulsierte unter all dem, wovon ich vorher geträumt hatte. Wie ich im Juni meinen Bachelor machen und ein paar Monate später mit Paul weggehen würde. Wie wir uns eine Wohnung mieten würden, in einem Viertel wie East Village oder Park Slope, die ich nur vom Hörensagen kannte. Wie ich flippige Ponchos, süße Strickmützen und coole Stiefel tragen und ganz nach dem romantischen Klischee vom armen Künstler Schriftstellerin werden würde wie viele meiner literarischen Vorbilder.

Das alles war jetzt nicht mehr möglich, ganz gleich was in dem Brief stand. Meine Mutter war tot. Meine Mutter war tot. Meine Mutter war tot. Mit ihrem letzten Atemzug waren alle meine Träume verpufft.

Ich konnte nicht aus Minnesota fort. Meine Familie brauchte mich. Wer sollte Leif helfen, vollends erwachsen zu werden? Wer sollte Eddie in seiner Einsamkeit beistehen? Wer sollte das Thanksgiving-Dinner kochen und die Familientradition fortführen? Jemand musste die Familie zusammenhalten. Und dieser Jemand musste ich sein. Das zumindest war ich meiner Mutter schuldig.

»Du solltest ohne mich gehen«, sagte ich zu Paul, als er den Brief in der Hand hielt. Und bei unseren Gesprächen in den folgenden Wochen wiederholte ich es immer wieder, denn ich wurde mir meiner Sache mit jedem Tag sicherer. Einerseits graute mir bei dem Gedanken, dass Paul mich verließ, andererseits hoffte ich verzweifelt, dass er es tat. Wenn er ging, würde die Tür unserer Ehe zufallen, ohne dass ich ihr einen Tritt geben musste. Ich würde frei sein und mir nichts vorwerfen müssen. Ich liebte ihn, aber bei unserer Heirat war ich erst neunzehn und zu impulsiv gewesen und nicht im Entferntesten bereit, mich an einen anderen Menschen zu binden, ganz gleich wie lieb er war. Schon kurz nach unserer Heirat hatte ich mich zu anderen Männern hingezogen gefühlt, diesen Gefühlen aber nicht nachgegeben. Das gelang mir nun nicht mehr. In meiner Trauer konnte ich mich nicht mehr beherrschen. Mir war so viel versagt geblieben, dachte ich mir. Warum sollte ich mir selbst etwas versagen?

Meine Mutter war gerade mal eine Woche tot, da küsste ich einen anderen Mann. Und eine Woche darauf wieder einen anderen. Ich knutschte nur mit ihnen und den anderen, die folgten. Ich schwor mir, die sexuelle Grenze, die mir etwas bedeutete, nicht zu überschreiten. Trotzdem wusste ich, dass es falsch war, Paul zu belügen und zu betrügen. Ich kam mir vor wie in einer Falle, denn ich konnte Paul weder verlassen, noch konnte ich ihm treu bleiben, und so wartete ich darauf, dass er mich verließ und allein nach New York ging, was er natürlich nicht tat.

Er verschob seinen Wechsel um ein Jahr, und wir blieben in Minnesota, damit ich meiner Familie nahe sein konnte, obwohl ich in dem Jahr nach dem Tod meiner Mutter durch meine Nähe wenig bewirkte. Wie sich zeigte, war ich nicht fähig, die Familie zusammenzuhalten. Ich konnte meine Mutter nicht ersetzen. Erst kurz nach ihrem Tod hatte ich erkannt, dass sie das Gravitationszentrum der Familie gewesen war, das uns alle auf unserer Umlaufbahn gehalten hatte. Ohne sie wurde Eddie langsam ein Fremder. Leif, Karen und ich drifteten jeder in sein eigenes Leben ab. Sosehr ich auch dagegen ankämpfte, irgendwann musste auch ich eingestehen: Ohne meine Mutter waren wir nicht mehr, was wir gewesen waren. Wir waren vier Menschen, die in ihrer Trauer zwischen den Trümmern ihres Lebens dahintrieben, jeder für sich und nur durch einen dünnen Faden miteinander verbunden. Das Thanksgiving-Dinner kochte ich nie. Als acht Monate nach dem Tod meiner Mutter Thanksgiving anstand, sprach ich von meiner Familie nur noch in der Vergangenheitsform.

Deswegen war ich froh, als Paul und ich, ein Jahr später als ursprünglich geplant, schließlich nach New York zogen. Dort konnte ich neu beginnen. Ich würde aufhören, mit Männern herumzumachen. Ich würde aufhören, so heftig zu trauern. Ich würde aufhören, mit der Familie zu hadern, die ich einmal gehabt hatte. Ich würde eine New Yorker Schriftstellerin werden. Ich würde herumlaufen und coole Stiefel und eine süße Strickmütze tragen.

Es klappte nicht. Ich war, was ich war: dieselbe Frau, die unter dem blauen Fleck ihres alten Lebens pulsierte, nur dass ich jetzt woanders war.

Tagsüber schrieb ich Kurzgeschichten. Abends kellnerte ich und machte mit einem der beiden Männer herum, die ich gleichzeitig hatte, ohne aber die Grenze zu überschreiten. Wir waren erst einen Monat in New York, da brach Paul das Studium ab, weil er lieber Gitarre spielen wollte. Sechs Monate später verließen wir New York endgültig und kehrten für kurze Zeit nach Minnesota zurück, ehe wir zu einer monatelangen Reise durch den gesamten Westen aufbrachen, auf der wir unter anderem den Grand Canyon, das

Death Valley, Big Sur und San Francisco besuchten. Im späten Frühjahr landeten wir in Portland und nahmen Jobs in Restaurants an. Anfangs wohnten wir bei meiner Freundin Lisa, die eine kleine Wohnung hatte, später auf einer Farm sechzehn Kilometer außerhalb der Stadt, wo wir den Sommer über mietfrei wohnen durften und als Gegenleistung eine Ziege, eine Katze und einen Schwarm exotischer Wildhühner versorgen mussten. Wir holten den Futon aus unserem Pick-up und schliefen im Wohnzimmer unter einem hohen, breiten Fenster, das auf einen Garten mit Haselnusssträuchern hinausging. Wir unternahmen lange Spaziergänge, pflückten Beeren und schliefen miteinander. *Ich kann es doch,* dachte ich. *Ich kann Pauls Frau sein.*

Aber wieder irrte ich mich. Ich konnte nur sein, was ich offenbar sein musste. Nur jetzt noch mehr. Ich erinnerte mich nicht einmal mehr an die Frau, die ich gewesen war, bevor mein Leben in zwei Teile zerbrach. Ein paar Monate nach dem zweiten Todestag meiner Mutter hatte ich keine Skrupel mehr, die Grenze zu überschreiten. Irgendwann bekam Paul in Minneapolis einen Job angeboten, brach die Hühnerwache in dem kleinen Farmhaus am Stadtrand von Portland vorzeitig ab und kehrte nach Minnesota zurück. Ich blieb in Oregon und bumste mit dem Exfreund der Frau, der die exotischen Hühner gehörten. Ich bumste mit einem Koch aus dem Restaurant, ich dem ich bediente. Ich bumste mit einem Heilmasseur, von dem ich ein Stück Bananencremetorte und eine Gratismassage bekam. Mit allen dreien innerhalb von fünf Tagen.

Ich stellte mir vor, dass sich so Leute fühlen mussten, die sich absichtlich Schnittverletzungen beibrachten. Nicht angenehm, aber anständig. Nicht gut, aber frei von Schuldgefühlen. Ich versuchte, gesund zu werden. Versuchte, das Schlechte aus mir auszutreiben, damit ich wieder gut werden konnte. Mich von mir selbst zu kurieren. Als ich am Ende des Sommers nach Minneapolis zurückkehrte, um wieder mit Paul zusammenzuleben, hielt ich mich für kuriert. Ich dachte, ich sei anders, besser, geheilt. Und eine

Zeitlang war ich es auch, hielt Paul den ganzen Herbst hindurch bis ins neue Jahr hinein die Treue. Dann hatte ich wieder eine Affäre. Ich wusste, dass das Ende der Fahnenstange erreicht war. Ich konnte mich selbst nicht mehr ertragen. Ich musste Paul endlich die Worte sagen, die mein Leben auseinanderreißen würden. Nicht, dass ich ihn nicht mehr liebte. Sondern dass ich allein sein musste, auch wenn ich nicht wusste, warum.

Meine Mutter war jetzt drei Jahre tot.

Als ich ihm all das sagte, was ich zu sagen hatte, sanken wir beide schluchzend zu Boden. Am nächsten Tag zog Paul aus. Unseren Freunden erzählten wir, dass wir uns trennten, aber hofften, die Sache wieder hinbiegen zu können; dass wir uns nicht unbedingt scheiden lassen wollten. Zuerst reagierten sie ungläubig – wir seien doch so glücklich gewesen, sagten alle. Dann wurden sie sauer – nicht auf uns, sondern auf mich. Eine meiner liebsten Freundinnen hatte ein gerahmtes Foto von mir. Sie nahm es aus dem Rahmen, zerriss es und schickte mir die Fetzen per Post. Eine andere machte mit Paul rum. Als ich verletzt und eifersüchtig reagierte, sagte mir eine andere Freundin, es geschehe mir ganz recht, dass man es mir mit gleicher Münze heimzahle. Ich konnte ihr schlecht widersprechen, aber mein Herz war trotzdem gebrochen. Ich lag allein auf unserem Futon und verging fast vor Schmerz.

Drei Monate nach der Trennung befanden wir beide uns immer noch in einem quälenden Schwebezustand. Ich wollte weder mit Paul zusammen sein, noch wollte ich mich von ihm scheiden lassen. Ich wollte zwei Menschen sein, damit ich beides tun konnte. Paul traf sich hin und wieder mit einer Frau, aber ich lebte mit einem Mal wie eine Nonne. Jetzt, wo ich wegen Sex meine Ehe zerstört hatte, interessierte mich Sex überhaupt nicht mehr.

»Du musst aus Minneapolis heraus, verdammt noch mal«, sagte meine Freundin Lisa bei einem unserer herzzerreißenden nächtlichen Telefongespräche. »Komm mich in Portland besuchen.«

Innerhalb einer Woche kündigte ich meinen Kellnerinnenjob, belud meinen Pick-up und fuhr nach Westen. Die Strecke war exakt dieselbe, auf der ich ein Jahr später zum Pacific Crest Trail fahren sollte.

Als ich in Montana ankam, wusste ich, dass ich das Richtige getan hatte – weites grünes Land, das ich kilometerweit durch die Windschutzscheibe sehen konnte, ein Himmel, der noch weiter reichte. Portland wartete dahinter, außer Sicht. Die Stadt würde meine süße Zuflucht sein, wenn auch nur für kurze Zeit. Dort würde ich meine Probleme hinter mir lassen, dachte ich.

Stattdessen erwarteten mich nur noch mehr.

3

◈ Halbwegs aufrecht

Als ich am nächsten Morgen in meinem Zimmer in White's Motel aufwachte, duschte ich, stellte mich nackt vor den Spiegel und sah mir dabei zu, wie ich mir feierlich die Zähne putzte. Ich versuchte, so etwas wie Aufregung zu empfinden, brachte aber nur ein dumpfes Unbehagen zustande. Von Zeit zu Zeit konnte ich mich damals sehen – mich wirklich sehen –, und dann kam mir ein Satz in den Sinn, der unerbittlich durch meinen Kopf hallte, und wie ich mich so in dem stumpfen Motel-Spiegel betrachtete, da dachte ich: *die Frau mit dem Loch im Herzen.* Das war ich. Deswegen hatte ich mich am Abend zuvor nach Gesellschaft gesehnt. Deswegen stand ich hier, nackt in einem Motel, mit dieser lächerlichen Idee, drei Monate allein auf dem PCT zu wandern. Ich legte die Zahnbürste weg, lehnte mich gegen den Spiegel und sah mir in die Augen. Ich spürte, wie ich in mir drin auseinanderfiel wie eine welke Blume im Wind. Jedes Mal, wenn ich einen Muskel bewegte, wehte wieder ein Blütenblatt fort. *Bitte,* dachte ich. *Bitte.*

Ich ging zum Bett und betrachtete meine Wanderkleidung. Vor dem Duschen hatte ich sie sorgfältig auf dem Bett ausgebreitet, so wie es meine Mutter für mich vor dem ersten Schultag getan hatte. Als ich das T-Shirt anzog, blieben die kleinen Schorfteilchen, die noch mein neues Tattoo bedeckten, am Ärmel hängen, und ich zupfte vorsichtig daran. Es war mein einziges Tattoo – ein blaues

Pferd am linken Oberarm. Paul hatte das gleiche. Zu Ehren unserer Scheidung, die erst seit einem Monat rechtskräftig war, hatten wir sie uns zusammen machen lassen. Wir waren nicht mehr verheiratet, aber die Tattoos waren für uns wie ein Zeichen unserer ewigen Verbundenheit.

Mein Bedürfnis, Paul anzurufen, war noch verzweifelter als am Abend zuvor, doch ich durfte mich nicht gehen lassen. Er kannte mich zu gut. Er hätte die Besorgnis in meiner Stimme gehört und gemerkt, dass sie nicht nur von meiner Nervosität rührte, weil ich heute mit der Wanderung auf dem PCT begann. Er hätte gespürt, dass ich ihm etwas zu sagen hatte.

Ich zog meine Socken an und schnürte meine Stiefel, trat ans Fenster und zog den Vorhang auf. Die weißen Steine des Parkplatzbetons flimmerten in der Sonne und blendeten. Gegenüber war eine Tankstelle – ein guter Platz, um zum Trail zu trampen. Ich ließ den Vorhang zurückfallen, und im Zimmer wurde es wieder dunkel. So gefiel es mir, wie ein sicherer Kokon, den ich niemals würde verlassen müssen, obwohl ich wusste, dass das nicht stimmte. Es war neun Uhr morgens. Draußen war es schon heiß, und der weiße Raumkühler in der Ecke erwachte fröhlich ratternd zum Leben. Auch wenn manches dafür sprach, dass ich nirgendwohin wollte: Heute war mein erster Tag auf dem PCT.

Ich öffnete die Fächer meines Rucksacks, zog alles heraus und warf es aufs Bett. Dann kippte ich den Inhalt der Plastiktüten dazu und sah mir den Haufen an. Das alles musste ich in den nächsten drei Monaten schleppen.

Da war zunächst ein blauer Packsack für die Kleider, die ich nicht am Leib trug – eine Fleece-Hose, ein langärmeliges Thermohemd, eine dicke Fleece-Jacke mit Kapuze, zwei Paar Wollsocken und zwei Garnituren Unterwäsche, ein dünnes Paar Handschuhe, ein Sonnenhut, eine Fleece-Mütze und Regenhosen – und ein zweiter, robusterer Sack, ein sogenannter Dry Bag, der bis oben hin mit dem Proviant gefüllt war, den ich in den nächsten vierzehn

Tagen brauchen würde, ehe ich an einem Ort namens Kennedy Meadows mein erstes Versorgungspaket in Empfang nahm. Außerdem ein Schlafsack und ein Campingstuhl, den man auseinandergeklappt als Isomatte benutzen konnte, eine Stirnlampe, wie sie Bergleute tragen, und fünf Spanngummis mit Haken. Dazu kamen ein Wasserfilter, ein kleiner, zusammenklappbarer Kocher, eine große Benzinkartusche aus Aluminium und ein kleines rosa Feuerzeug. Ferner ein kleiner Kochtopf, der in einem größeren Kochtopf steckte, Besteck, das sich auf die halbe Größe zusammenklappen ließ, und ein billiges Paar Sportsandalen, das ich am Ende jedes Tages am Lagerplatz zu tragen gedachte. Dann ein schnell trocknendes Outdoor-Handtuch, ein Thermometer-Anhänger, eine Abdeckplane und ein Isolierplastikbecher mit Henkel. Ein Schweizer Taschenmesser und ein Schlangenbiss-Notfallset, ein Minifernglas im Kunstlederetui mit Reißverschluss und eine Rolle Leuchtschnur, ein Kompass, mit dem ich noch nicht umgehen konnte, und ein Kompasshandbuch mit dem Titel *Staying Found,* das ich eigentlich auf dem Flug nach Los Angeles hatte lesen wollen, aber nicht gelesen hatte. Des Weiteren ein Erste-Hilfe-Set im klassisch roten Segeltuchbeutel, eine Rolle Toilettenpapier in einer Ziplock-Tüte und eine Edelstahlkelle in einem schwarzen Futteral, auf dem vorn *U-Dig-It* stand. Ein kleiner Kulturbeutel mit all dem, was ich unterwegs zu brauchen glaubte – Shampoo und Pflegespülung, Seife, Körperlotion und Deo, Nagelknipser, Insektenschutzmittel und Sonnencreme, Haarbürste, Menstruationsschwamm und eine Tube wasserfester Lippenbalsam. Eine Taschenlampe und eine Kerzenlaterne aus Metall mit Votivkerze darin, eine Extrakerze, eine Klappsäge – wofür, wusste ich nicht – und ein grüner Nylonsack mit meinem Zelt darin. Zwei Trinkflaschen aus Kunststoff zu je einem Liter, ein Wassersack mit zehn Liter Fassungsvermögen, eine Nylonhülle als Regenschutz für meinen Rucksack und eine Gore-Tex-Kugel, die sich zu einer Regenhaut entrollen ließ. Einige Dinge hatte ich mitgebracht für den Fall, dass andere den Dienst versagten – Ersatzbatterien, eine Schachtel wasserfeste Streichhölzer, eine Rettungsdecke und ein Fläschchen Jodtabletten. Neben *Staying Found* hatte ich noch zwei Schreibstifte und drei Bücher dabei: *The Pacific Crest Trail, Volume I: California* (ebenjenen Führer, der mich auf die Idee zu dieser Reise gebracht hatte, verfasst von einem Autorenquartett, das in ruhigem, aber ernstem Ton die Schwierigkeiten und die Schönheiten des Trails schilderte), *Als ich im Sterben lag* von William Faulkner und *Der Traum einer gemeinsamen Sprache* von Adrienne Rich. Ein zweihundert Seiten starkes Skizzenbuch A4 sollte mir als Reisetagebuch dienen, und eine Ziplock-Tüte barg meinen Führerschein, einen bescheidenen Bargeldvorrat, einen Bogen Briefmarken und einen kleinen Spiralblock mit den Adressen von Freunden, die auf wenige Seiten gekritzelt waren. Schließlich hatte ich noch eine profitaugliche Minolta-X-700-35 mm-Spiegelreflexkamera mit separatem Zoom-Objektiv, separatem Blitzgerät und einem kleinen zusammenklappbaren Stativ, alles verstaut in einer gepolsterten Fototasche von der Größe eines Fußballs.

Nur dass ich keine Fotografin war.

In den vorausgegangenen Monaten hatte ich in Minneapolis ungefähr ein Dutzend Mal einen Outdoor-Laden namens REI besucht und mir dort einen Großteil dieser Sachen gekauft. Das war nur in den seltensten Fällen eine unkomplizierte Angelegenheit. Wie ich schon nach kurzer Zeit lernte, konnte man selbst beim Kauf einer Trinkflasche törichte Fehler machen, wenn man sich vorher nicht gründlich über die neueste Trinkflaschentechnologie informierte. Es gab unterschiedliche Materialien, und alle hatten ihre Vor- und Nachteile, die es zu bedenken galt, vom aktuellen Stand der Designforschung gar nicht zu reden. Und das war nur die kleinste, simpelste Anschaffung, die ich zu tätigen hatte. Mit dem Rest der Ausrüstung, die ich benötigte, verhielt es sich viel komplizierter, wie mir bei den Beratungsgesprächen mit den Damen und Herren von REI klar wurde, die mir jedes Mal hoffnungsvoll ihre Hilfe antrugen, wenn sie mich vor einer Auslage mit ultraleichten Kochern stehen oder zwischen den Zelten umhertigern sahen. Diese Verkäufer unterschieden sich in Alter, Auftreten und Vorlieben für bestimmte Abenteuertouren, aber sie hatten alle eines gemeinsam: Jeder Einzelne von ihnen konnte sich mit einer Beflissenheit und Ausführlichkeit über die Feinheiten von Ausrüstungsgegenständen auslassen, die mich verblüfften und letztlich auch blendeten. So fragten sie sich *besorgt*, ob mein Schlafsack auch über eine Reißverschlussleiste mit Klemmschutz und eine klettverschlussfreie Gesichtsabdeckung verfügte, die bei zugezogener Kapuze das Atmen nicht behinderte. Oder zeigten sich darüber *erfreut*, dass mein Wasserfilter mit einem gefalteten Glasfaserelement zwecks Erhöhung der Filteroberfläche ausgestattet war. Und irgendwie färbte ihr Wissen auf mich ab. Als ich mich endlich für einen Rucksack entschieden hatte – ein Spitzenmodell von Gregory mit einem Außenrahmen, der in punkto Gewichtsverteilung und Beweglichkeit einem Innenrahmen angeblich in nichts nachstand –, war ich mir wie eine Outdoor-Expertin vorgekommen.

Erst als ich jetzt vor der sorgsam zusammengestellten Ausrüstung stand, die sich auf meinem Hotelbett in Mojave türmte, erkannte ich in demütiger Bescheidenheit, dass ich alles andere als eine Outdoor-Expertin war.

Ich arbeitete mich durch den Haufen, drückte, stopfte und zwängte die Sachen in jede freie Ecke des Rucksacks, bis nichts mehr hineinpassen wollte. Proviantbeutel, Zelt, Plane, Kleidersack und den Campingstuhl respektive Isomatte hatte ich von Anfang an mit den Gummispannern außen am Rucksack befestigen wollen, nämlich an den dafür vorgesehenen Stellen am Außenrahmen. Wie sich nun aber herausstellte, mussten auch andere Teile meiner Ausrüstung nach außen wandern, und so fädelte ich die Gummispanner zusätzlich durch die Riemen meiner Sandalen, die Fototasche, den Henkel des Isolierbechers und die Kerzenlaterne. Die Edelstahlkelle klemmte ich am Rucksackgurt fest, und den Schlüsselanhänger,

der eigentlich ein Thermometer war, befestigte ich an einem Reißverschluss des Rucksacks.

Als ich fertig war, setzte ich mich, schweißnass von der Anstrengung, hin und betrachtete in aller Ruhe mein Werk. Und dann fiel
mir noch eine letzte Sache ein: Wasser.

Mein Entschluss, hier in den Trail einzusteigen, verdankte sich
nur dem simplen Umstand, dass ich nach meiner Schätzung ungefähr hundert Tage bis Ashland in Oregon brauchen würde, wo ich
die Wanderung ursprünglich beenden wollte, weil ich viel Gutes
über die Stadt gehört hatte und mir vorstellen konnte, dort zu bleiben und zu leben. Monate zuvor war ich mit dem Finger auf der
Karte nach Süden gewandert, hatte Kilometer und Tage addiert und
war am Tehachapi Pass gelandet, wo der PCT den Highway 58
kreuzt, in der Nordwestecke der Mojave-Wüste, unweit der Stadt
gleichen Namens. Allerdings war mir erst vor ein paar Wochen klar
geworden, dass ich mit meiner Wanderung ausgerechnet in einem
der trockensten Abschnitte des Trails begann, einem Abschnitt, in
dem es nicht einmal den schnellsten, fittesten und erfahrensten
Wanderern immer gelang, an einem Tag von einer Wasseraufnahmestelle zur nächsten zu gelangen. Mir schon gleich gar nicht.
Nach meiner Schätzung würde ich für die siebenundzwanzig Kilometer bis zur ersten Wasseraufnahmestelle zwei Tage brauchen,
also musste ich entsprechend viel Wasser mitnehmen.

Ich füllte meine Ein-Liter-Flaschen am Waschbecken im Badezimmer und steckte sie in die Netztaschen am Rucksack. Dann
packte ich den Wassersack wieder aus, den ich bereits im Hauptfach des Rucksacks verstaut hatte, und füllte ihn mit den zehn Litern, die er fasste. Ein Liter Wasser, so lernte ich später, wiegt ein
Kilogramm. Ich weiß nicht, wie viel mein Rucksack an diesem
ersten Tag wog, aber ich weiß, dass allein das Wasser zwölf Kilo
ausmachte. Und es waren unhandliche zwölf Kilo. Der Wassersack
glich einer großen, flachen Wasserbombe und war entsprechend
wabbelig. Er flutschte mir aus den Händen, als ich ihn am Ruck-

sack festzurren wollte, und schlitterte über den Boden. Er war mit Gurtbändern versehen, und unter größten Mühen versuchte ich, sie neben Fototasche, Sandalen, Isolierbecher und Kerzenlaterne auf die Spanngummis zu fädeln, bis ich so genervt war, dass ich den Isolierbecher herauszog und quer durchs Zimmer schleuderte.

Als schließlich alles, was ich tragen sollte, an seinem Platz war, überkam mich Ruhe. Ich war startklar. Ich zog meine Armbanduhr an, hängte mir das rosa Neoprenband mit meiner Sonnenbrille um den Hals, setzte meinen Hut auf und betrachtete den Rucksack. Er wirkte riesig und kompakt zugleich, leidlich ansehnlich und auf einschüchternde Weise sich selbst genügend. Er hatte fast etwas Lebendiges. In seiner Gesellschaft fühlte ich mich nicht mehr ganz so allein. Aufrecht stehend reichte er mir bis zur Taille. Ich bückte mich, um ihn hochzuheben.

Er rührte sich nicht.

Ich ging in die Hocke, packte den Rahmen fester und unternahm einen zweiten Versuch. Er rührte sich immer noch nicht. Keinen Zentimeter. Ich stemmte die Beine fest gegen den Boden, umschlang ihn mit beiden Armen und versuchte, ihn unter Aufbietung aller Muskel- und Willenskraft hochzuheben. Doch er wollte einfach nicht. Genauso gut hätte ich versuchen können, einen VW Käfer hochzuheben. Es sah so süß aus, absolut damit einverstanden, hochgehoben zu werden – und doch war es mir unmöglich.

Ich setzte mich neben ihn auf den Fußboden und sann über meine Lage nach. Wie sollte ich einen Rucksack mehr als anderthalbtausend Kilometer weit durch zerklüftete Gebirge und wasserlose Wüsten tragen, wenn ich nicht einmal imstande war, ihn in einem klimatisierten Motelzimmer einen Zentimeter von der Stelle zu bewegen? Die Vorstellung war grotesk, und doch musste ich diesen Rucksack hochheben. Dass mir dazu die Kraft fehlen könnte, wäre mir nie in den Sinn gekommen. Ich war wie selbstverständlich davon ausgegangen, dass, wenn ich alles, was ich zum Wandern brauchte, zusammenpackte, ein Gewicht herauskam, das ich tragen konnte. Sicher, die Leute bei REI hatten bei ihren Monologen recht häufig das Thema Gewicht angesprochen, aber ich hatte dem keine große Beachtung geschenkt. In meinen Augen gab es Wichtigeres zu bedenken. Wie zum Beispiel, ob die Gesichtsabdeckung des Schlafsacks bei zugezogener Kapuze das Atmen behinderte.

Ich überlegte, was ich aus dem Rucksack herausnehmen könnte, aber jedes Teil erschien mir so zwingend erforderlich oder im Notfall so unverzichtbar, dass ich davor zurückscheute. Ich musste versuchen, den Rucksack so zu tragen, wie er war.

Ich rutschte über den Teppich, drückte meinen Hintern gegen den Rucksack, steckte die Arme durch die Schultergurte und schnallte mir den Brustgurt um. Dann holte ich tief Luft, wippte, um Schwung zu holen, mit dem Oberkörper vor und zurück und warf mich dann mit aller Macht nach vorn auf alle viere. Der Rucksack stand nicht mehr auf dem Boden. Er war mir nun offiziell umgeschnallt. Er kam mir immer noch wie ein VW Käfer vor, allerdings wie ein VW Käfer, der auf meinem Rücken geparkt war. Ich verharrte eine Weile in dieser Position und kämpfte mit dem Gleichgewicht. Dann zog ich langsam die Füße unter meinen Körper und hangelte mich gleichzeitig mit den Händen an dem Raumkühler hoch, bis ich so weit in der Vertikalen war, dass ich mich nach oben drücken konnte. Der Rahmen des Rucksacks gab einen Klagelaut von sich. Auch er stöhnte offensichtlich unter der gewaltigen Last. Als ich endlich stand – oder vielmehr meinen Körper in eine halbwegs aufrechte Position gebracht hatte –, hielt ich die Blechblende mit den Luftschlitzen in den Händen. Ich hatte sie versehentlich aus dem Raumkühler gerissen.

Sie wieder einzusetzen war mir unmöglich. Die Stelle, wo sie hinmusste, befand sich nur Zentimeter außerhalb meiner Reichweite, aber diese Zentimeter waren ein paar zu viel. Ich lehnte die Blende an die Wand, schnallte den Hüftgurt fest und taumelte durchs Zimmer, wobei mein Schwerpunkt in jede Richtung gezogen wurde, in die ich mich neigte. Das Gewicht schnitt schmerz-

haft in meine Schultern, deshalb zog ich, um die Last besser auszu-
balancieren, den Hüftgurt immer straffer und straffer um meinen
Bauch, bis auf beiden Seiten mein Fleisch hervorquoll. Dabei stieg
mein Rucksack hinter mir immer höher empor, bis er meinen Kopf
um etliche Zentimeter überragte und mich bis runter zum Steißbein
wie ein Schraubstock zusammenquetschte. Ich fühlte mich ziemlich schrecklich, aber vielleicht fühlte man sich als Backpacker
eben so.

Ich wusste es nicht.

Ich wusste nur, dass es Zeit zum Aufbruch war, und so öffnete
ich die Tür und trat ins Licht.

Teil Zwei

Spuren

Worte sind Ziele.
Worte sind Karten.

ADRIENNE RICH
»Ins Wrack tauchen«

Will you take me as I am?
Will you?

JONI MITCHELL
»California«

4
The Pacific Crest Trail, Volume I: California

Ich hatte in meinem Leben schon viele dumme und gefährliche Dinge getan, aber ich hatte noch nie einen Fremden angesprochen und ihn gebeten, mich in seinem Auto mitzunehmen. Ich wusste, dass Anhaltern grässliche Dinge passierten, besonders Frauen, die allein trampten. Sie wurden vergewaltigt und verstümmelt. Gequält und dem Tod überlassen. Doch als ich von White's Motel zu der Tankstelle gegenüber ging, durfte ich mich von solchen Gedanken nicht beirren lassen. Wenn ich die neunzehn Kilometer nicht zu Fuß auf dem glühend heißen Randstreifen des Highways zurücklegen wollte, musste eine Mitfahrgelegenheit her.

Außerdem gehörte es einfach dazu, dass PCT-Hiker gelegentlich trampten. Und ich war doch ein PCT-Hiker, oder? *Oder?*

Ja.

In *The Pacific Crest Trail, Volume I: California* wurde dieser Vorgang mit der üblichen Gelassenheit erklärt. An einigen Stellen kreuzte der PCT eine Straße, und ein paar Kilometer die Straße runter lag die Poststelle, an die der Wanderer das Versorgungspaket geschickt hatte, dessen Inhalt er auf der nächsten Etappe benötigte. Trampen war die einzige praktische Lösung, wenn es galt, diese Pakete zu holen und rasch wieder auf den Trail zurückzukehren.

Ich stand neben den Getränkeautomaten außen an der Tankstelle, beobachtete Leute, die vor- und wieder wegfuhren, und versuchte, meinen Mut zusammenzunehmen und jemanden anzusprechen, wobei ich hoffte, ich würde ihm ansehen, ob mir von ihm Gefahr drohte. Ich beobachtete alte, grauhaarige Männer mit Cowboyhüten, Familien, deren Autos bereits voll waren, und Teenager, die mit offenen Fenstern anhielten, aus denen laute Musik dröhnte. Niemand sah wie ein Mörder oder Vergewaltiger aus, doch andererseits sah auch niemand so aus, als wäre er keiner. Ich ließ mir eine Dose Coke heraus und trank sie mit einer gleichgültigen Miene, die darüber hinwegtäuschte, dass ich wegen des Wahnsinnsgewichts auf meinem Rücken gar nicht richtig stehen konnte. Schließlich gab ich mir einen Ruck. Es war fast elf, und die Hitze eines Junitags in der Wüste steuerte ihrem Höhepunkt entgegen.

Ein Minivan mit Nummernschild aus Colorado hielt an, und zwei Männer stiegen aus. Ich trat auf sie zu und fragte, ob sie mich mitnehmen könnten. Sie zögerten und tauschten schweigend einen Blick. Ihre Gesichter verrieten, dass sie nach einem Vorwand suchten, mir einen Korb zu geben, und so plapperte ich wild drauflos und erzählte ihnen vom PCT.

»Klar«, sagte der ältere schließlich mit sichtlichem Widerwillen.

»Danke«, trällerte ich mädchenhaft und wankte zu dem Van. Der jüngere zog mir die große Seitentür auf. Ich spähte ins Wageninnere und begriff plötzlich, dass ich keine Ahnung hatte, wie ich hineinkommen sollte. Mit dem Rucksack auf dem Rücken jedenfalls nicht. Ich musste ihn abnehmen. Die Frage war nur, wie? Wenn ich die Schnallen von Hüftgurt und Schultergurten löste, würde er mit solcher Wucht nach hinten kippen, dass es mir die Arme abreißen könnte.

»Brauchen Sie Hilfe?«, fragte der junge Mann.

»Nein, es geht schon«, antwortete ich in gespielt lässigem Ton und tat das Einzige, was mir einfiel. Ich drehte mich mit dem Rücken zum Van, hielt mich an der Schiebetür fest, hockte mich auf den Türrahmen und setzte den Rucksack hinter mir auf dem Wagenboden ab. Welch eine Wohltat! Ich löste die Schnallen und schlüpfte vorsichtig aus den Gurten, damit der Rucksack nicht umkippte, dann drehte ich mich um, stieg ein und setzte mich daneben.

Wir fuhren westwärts durch eine trockene Landschaft mit dürren Sträuchern und fahlen Bergen, die sich in der Ferne erstreckten. Unterwegs wurden die beiden Männer freundlicher. Sie waren Vater und Sohn, kamen aus einem Vorort von Denver und wollten zu einer Schulabschlussfeier in San Luis Obispo. Bald tauchte ein Wegweiser zum Tehachapi Pass auf. Der Ältere fuhr an die Seite und hielt an. Der Jüngere stieg aus und öffnete mir die Schiebetür. Ich wollte den Rucksack auf dieselbe Weise wieder aufsetzen, wie ich ihn abgenommen hatte, indem ich mir die Höhe des Wagenbodens zunutze machte, aber bevor ich aussteigen konnte, zog der Mann den Rucksack hinaus und ließ ihn schwer auf den Schotter am Straßenrand fallen. Der Aufprall war so heftig, dass ich befürchtete, der Wassersack könnte platzen. Ich kletterte hinaus, stellte den Rucksack aufrecht hin und klopfte den Staub ab.

»Sie sind sicher, dass Sie ihn hochheben können?«, fragte er. »Ich habe es nämlich kaum geschafft.«

»Klar kann ich ihn hochheben«, sagte ich.

Er stand da, als warte er darauf, dass ich es bewies.

»Danke fürs Mitnehmen«, sagte ich, denn ich wollte, dass er weiterfuhr. Ich brauchte keine Zeugen bei der erniedrigenden Prozedur, wie ich den Rucksack aufsetzte.

Er nickte und schob die Seitentür zu. »Passen Sie auf sich auf da draußen.«

»Wird gemacht«, sagte ich und sah zu, wie er in den Van stieg.

Ich stand neben dem leeren Highway, nachdem sie weggefahren waren. Kleine Staubwolken wirbelten unter der sengenden Mittagssonne. Ich befand mich auf 1160 Meter Höhe, umringt von beigefarbenen, kargen Bergen, die mit Salbeisträuchern, Joshuabäumen und hüfthohem Chaparral gesprenkelt waren. Ich stand am Westrand der Mojave-Wüste und am südlichen Fuß der Sierra Nevada, jenes gewaltigen Gebirgszugs, der sich über 650 Kilometer weit nach Norden erstreckt bis zum Lassen Volcanic National Park, wo er in die Cascade Range übergeht, die sich von Nordkalifornien durch Oregon und Washington bis hinter die kanadische Grenze zieht. Diese beiden Gebirgszüge sollten in den nächsten drei Monaten meine Welt sein, ihre Kämme mein Zuhause. An einem Zaunpfahl hinter dem Straßengraben entdeckte ich ein handtellergroßes Wegzeichen aus Metall, auf dem *Pacific Crest Trail* stand.

Ich war da. Endlich konnte es losgehen.

Eigentlich wäre jetzt der richtige Moment für ein Foto gewesen, aber um die Kamera auszupacken, hätte ich so viele Ausrüstungsteile und Spanngummis entfernen müssen, dass ich es lieber gar nicht erst versuchte. Außerdem hätte ich etwas gebraucht, worauf ich die Kamera stellen konnte, um mich per Selbstauslöser zu fotografieren, und ich entdeckte nichts Geeignetes. Selbst der Pfosten, an dem die Wegmarkierung befestigt war, erschien mir zu morsch und zu wackelig. Stattdessen setzte ich mich auf den Boden vor den Rucksack, so wie ich es im Motelzimmer getan hatte, buckelte ihn, indem ich mich auf alle viere fallen ließ, und drückte mich in den Stand.

Freudig erregt, nervös und halbwegs aufrecht, schnallte ich den Rucksack fest und legte taumelnd meine ersten Schritte auf dem Trail zurück bis zu einem braunen Blechkasten, der an einem anderen Zaunpfosten befestigt war. Ich hob den Deckel. Darunter lagen ein Buch und ein Stift. Es war das Trail-Register, von dem ich in meinem Wanderführer gelesen hatte. Ich trug meinen Namen und das heutige Datum ein und las die Namen und Einträge der Hiker, die in den letzten Wochen hier vorbeigekommen waren, fast ausschließlich Männer, die zu zweit wanderten, und keine einzige Frau, die allein unterwegs war. Ich verweilte noch etwas länger, mir der Feierlichkeit des Augenblicks bewusst, und begriff dann, dass es nichts weiter zu tun gab, als loszumarschieren.

Also marschierte ich los.

Der Trail führte eine Weile parallel zum Highway nach Osten, dann hinab in felsige Senken und wieder bergauf. *Ich wandere!*, dachte ich. Und dann: *Ich wandere auf dem Pacific Crest Trail.* Genau dieser Akt des Wanderns war es, der mich davon überzeugt hatte, dass eine solche Reise ein sinnvolles Unterfangen war. Was ist Wandern denn anderes als Gehen? *Ich kann gehen!*, hatte ich Paul entgegengehalten, als er Bedenken anmeldete, weil ich noch nie mit dem Rucksack unterwegs gewesen sei. Ich ging ständig. Als Bedienung ging ich stundenlang am Stück. Ich ging durch die Städte, in denen ich lebte und die ich besuchte. Ich ging zum Vergnügen und zu bestimmten Zwecken. Dies alles stimmte. Aber nach einer Viertelstunde auf dem PCT war klar, dass ich noch nie Anfang Juni durch ein Wüstengebirge »gegangen« war, und das mit einem Rucksack auf dem Buckel, der deutlich mehr als die Hälfte meines Körpergewichts wog.

Und mit Gehen hatte das, wie sich zeigte, nur noch sehr entfernt zu tun. Tatsächlich würde man sich so eher einen Marsch durch die Hölle vorstellen.

Ich geriet sofort ins Keuchen und Schwitzen. Staub klebte an meinen Stiefeln und Waden, als der Trail nach Norden abbog und stetig anstieg, statt abwechselnd bergauf und bergab zu führen. Jeder Schritt wurde zur Qual. Es ging immer höher und höher. Nur gelegentlich folgten kurze Abstiege, aber die waren keine Erholung von der Hölle, sondern eine neue Art von Hölle, da ich bei jedem Schritt alle Kraft aufbringen musste, damit ich von dem gewaltigen Gewicht nicht nach vorn katapultiert wurde und zu Fall kam. Ich hatte das Gefühl, dass nicht der Rucksack an mir, sondern ich am Rucksack festgeschnallt war. Ich kam mir vor wie ein Haus auf zwei Beinen, das aus seinem Fundament gerissen worden war und nun durch die Wildnis schlingerte.

Nach vierzig Minuten schrie eine Stimme in meinem Kopf: *Worauf hast du dich da eingelassen?* Ich versuchte, sie zu ignorieren, beim Wandern zu summen, obwohl sich Summen als ziemlich schwierig erweist, wenn man gleichzeitig keucht, vor Schmerzen stöhnt und halbwegs aufrecht zu bleiben versucht, wenn man sich wie ein Haus auf zwei Beinen vorkommt und trotzdem zum Weitergehen zwingt. Also versuchte ich, mich darauf zu konzentrieren, was ich hörte, auf das Stampfen meiner Füße auf dem trockenen, felsigen Pfad, das Rascheln des heißen Winds in den spröden Blättern und Zweigen der niedrigen Sträucher, an denen ich vorbeikam. Doch es gelang mir nicht. Das *Worauf hast du dich da eingelassen?* schwoll zu einem mächtigen Gebrüll an, das sich nicht übertönen ließ. Die einzig mögliche Ablenkung war, aufmerksam nach Klapperschlangen Ausschau zu halten. Hinter jeder Biegung erwartete ich eine zu entdecken, die zum Zuschnappen bereit war. Die Landschaft schien mir wie für sie geschaffen. Aber auch für Pumas und wildniserprobte Serienmörder.

Aber an die dachte ich nicht.

Das hatte ich mir vor Monaten fest vorgenommen, denn andernfalls wäre eine solche Solowanderung nicht möglich gewesen. Ich durfte mich nicht von Angst beherrschen lassen, sonst war diese Tour von vornherein zum Scheitern verurteilt. Angst erwächst zu einem großen Teil aus einer Geschichte, die wir uns selbst erzählen, also beschloss ich, mir eine andere Geschichte zu erzählen als die, die Frauen normalerweise zu hören bekommen. Ich redete mir ein, dass mir nichts passieren konnte. Dass ich stark war. Dass ich tapfer war. Dass mich nichts unterkriegen konnte. An diese Geschichte klammerte ich mich. Es war wie eine Gehirnwäsche, aber die meiste Zeit funktionierte es. Jedes Mal, wenn ich ein Geräusch unbekannten Ursprungs hörte und spürte, dass meine Fantasie etwas Grausiges ausbrütete, verdrängte ich es. Ich ließ einfach nicht zu, dass ich Angst bekam. Angst erzeugt Angst. Stärke erzeugt Stärke. Ich zwang mich, Stärke zu erzeugen. Und es dauerte nicht lange, bis ich wirklich keine Angst mehr hatte.

Ich rackerte zu sehr, um Angst zu haben.

Ich machte einen Schritt und noch einen, arbeitete mich im Schneckentempo voran. Ich hatte nicht erwartet, dass ich mich auf dem PCT leicht tun würde. Mir war klar gewesen, dass ich mich erst an das Wandern gewöhnen musste. Jetzt aber, wo ich hier draußen war, beschlichen mich Zweifel, ob ich mich jemals daran gewöhnen würde. Auf dem Trail zu wandern war anders, als ich es mir vorgestellt hatte. *Ich* war anders, als ich mir vorgestellt hatte. Ich konnte mich nicht einmal mehr entsinnen, was ich mir vor sechs Monaten im Dezember vorgestellt hatte, als ich mich dazu entschloss.

Ich war auf einem Highway östlich von Sioux Falls in South Dakota unterwegs gewesen, als mir die Idee kam. Tags zuvor war ich mit meiner Freundin Aimee von Minneapolis nach Sioux Falls gefahren, um meinen Pick-up zu holen, den ich einem Freund geliehen hatte und der eine Woche zuvor mit einer Panne liegen geblieben war.

Als ich mit Aimee in Sioux Falls ankam, war mein Pick-up bereits abgeschleppt worden. Er stand jetzt auf einem Platz hinter Maschendrahtzaun und war unter Schneemassen begraben, die ein Blizzard, der zwei Tage zuvor dort durchgezogen war, abgeladen hatte. Wegen dieses Schneesturms war ich am Vortag bei REI gewesen und hatte mir einen Klappspaten gekauft. Beim Anstehen an der Kasse entdeckte ich den Wanderführer zum Pacific Crest Trail. Ich nahm ihn aus dem Regal, sah mir das Cover an, las den Text auf dem Rückendeckel und stellte ihn wieder zurück.

Als Aimee und ich meinen Pick-up in Sioux Falls vom Schnee befreit hatten, stieg ich ein und drehte den Schlüssel um. Ich erwartete, nur das bekannte Klicken zu hören, das Autos von sich geben, wenn sie den Dienst versagen, aber er sprang sofort an. Wir hätten nun nach Minneapolis zurückfahren können, aber wir beschlossen, in einem Motel zu übernachten. Am frühen Abend gingen wir in ein mexikanisches Restaurant, gut gelaunt, weil alles glatter gelaufen war als erwartet. Wir aßen Tortilla-Chips mit Salsa und tranken Margaritas, als ich plötzlich ein komisches Gefühl im Magen bekam.

»Es ist, als hätte ich die Chips unzerkaut geschluckt«, sagte ich zu Aimee, »als wären die Ränder noch ganz und würden mich pieken.« Ich fühlte mich voll und spürte tief in mir drin ein ganz ungewohntes Kribbeln. »Vielleicht bin ich schwanger«, sagte ich scherzend, begriff aber noch im selben Moment, dass es kein Scherz war.

»Bist du es denn?«, fragte Aimee.

»Möglich wär's«, sagte ich, plötzlich entsetzt. Ein paar Wochen zuvor hatte ich mit einem Mann namens Joe geschlafen. Ich hatte ihn im letzten Sommer in Portland kennengelernt, als ich dort Lisa besuchte, um vor meinen Problemen zu flüchten. Ich war erst ein paar Tage dort, als er mich in einer Bar ansprach und seine Hand auf mein Handgelenk legte.

»Hübsch«, sagte er und fuhr mit den Fingern über die scharfen Ränder meines Zinnarmbands.

Er hatte eine kurze, grell gefärbte Punkfrisur und ein protziges Tattoo, das seinen halben Arm bedeckte, doch sein Gesicht drückte genau das Gegenteil dieser Kostümierung aus: Beharrlichkeit und Zärtlichkeit – wie ein Kätzchen, das Milch wollte. Er war vierundzwanzig, und ich war fünfundzwanzig. Ich war mit niemandem mehr ins Bett gegangen, seit Paul und ich drei Monate zuvor Schluss gemacht hatten. In dieser Nacht schliefen wir auf Joes klumpiger Futonmatratze miteinander und taten kaum ein Auge zu, denn wir redeten bis zum Sonnenaufgang, hauptsächlich über ihn. Er erzählte mir von seiner klugen, patenten Mutter, seinem alkoholkranken Vater und von der noblen und strengen Uni, an der er im Jahr zuvor seinen Bachelor gemacht hatte.

»Hast du mal Heroin probiert?«, fragte er mich am Morgen.

Ich schüttelte den Kopf und lachte träge. »Sollte ich?«

Ich hätte es dabei belassen können. Joe hatte gerade erst angefangen, es zu nehmen, als er mich kennenlernte, und die Clique, in der er verkehrte, kannte ich nicht. Ich hätte einfach das Thema wechseln können, aber irgendetwas zwang mich innezuhalten. Ich war fasziniert. Ich war ungebunden. Ich war jung. Und in meiner Trauer zur Selbstzerstörung bereit.

Ich sagte nicht einfach nur Ja zu Heroin. Ich griff mit beiden Händen zu.

Wir schmusten nach dem Sex auf Joes verlotterter Couch, als ich es das erste Mal nahm, eine Woche, nachdem wir uns kennengelernt hatten. Wir inhalierten abwechselnd den Dampf eines erhitzten Klümpchens »Black Tar«-Heroin, das auf einem Stück Alufolie lag, und benutzten dazu ein Röhrchen, das ebenfalls aus Alufolie war. Innerhalb weniger Tage war ich nicht mehr in Portland, um Lisa zu besuchen und meinem Kummer zu entfliehen. Ich war in Portland, weil ich mich im Drogenrausch halb in Joe verliebt hatte. Ich zog in seine Wohnung über einem leerstehenden Drugstore, und dort blieb ich den größten Teil des Sommers. Wir hatten aufregenden Sex und rauchten Heroin. Zu Anfang ein paarmal in der Woche, dann jeden zweiten Tag, dann täglich. Zuerst rauchten wir es, dann schnupften wir es. *Aber wir würden es uns niemals spritzen!*, sagten wir. Auf keinen Fall.

Dann spritzten wir es.

Es war gut. Es war unglaublich schön, wie nicht von dieser Welt. Als hätte ich einen Planeten entdeckt, der schon die ganze Zeit da gewesen war, ohne dass ich es gewusst hatte. Der Planet Heroin. Ein Planet, auf dem es keinen Schmerz gab – es war zwar schade, dass meine Mutter tot und mein leiblicher Vater nicht Teil meines Lebens war, schade, dass meine Familie auseinandergebrochen und ich nicht in der Lage war, mit einem Mann, den ich liebte, verheiratet zu bleiben, aber irgendwie war es auch okay.

Zumindest empfand ich es so, solange ich high war.

Vormittags war mein Schmerz dafür umso größer. Vormittags sah ich nur die traurigen Seiten meines Lebens. Und nun kam auch noch die Erkenntnis dazu, dass ich nichts weiter als ein Haufen Scheiße war. Ich erwachte in Joes Zimmer, das so vernachlässigt war wie jeder Gegenstand darin: die Lampe und der Tisch, das Buch, das heruntergefallen war und nun aufgeschlagen auf dem Fußboden lag, mit dem Rücken nach oben, die dünnen Seiten abgeknickt. Im Badezimmer wusch ich mir das Gesicht, schluchzte in meine Hände, holte ein paarmal tief Luft und machte mich für den Kellnerinnenjob fertig, den ich in einem Frühstückslokal angenommen hatte. Ich dachte: *Das bin nicht ich. So bin ich nicht. Hör auf. Nie wieder.* Aber am Nachmittag kam ich mit ein paar Geldscheinen zurück, kaufte wieder Heroin und dachte: *Ja. Das muss ich tun. Ich muss mein Leben vergeuden. Ich muss vor die Hunde gehen.*

Aber es sollte nicht sein. Eines Tages rief mich Lisa an und wollte mich sehen. Ich war mit ihr in Kontakt geblieben, hing ganze Nachmittage bei ihr herum, ließ aber nur andeutungsweise durchblicken, was ich so trieb. Als ich diesmal in ihre Wohnung kam, merkte ich sofort, dass etwas in der Luft lag.

»Wie ist das mit dem Heroin?«, verlangte sie zu wissen.

»Heroin?«, erwiderte ich leichthin. Was sollte ich schon sagen? Es war unerklärlich, selbst mir. »Ich werde kein Junkie, falls du dir deswegen Sorgen machst«, sagte ich schließlich. Ich lehnte an ihrer Küchenanrichte und sah zu, wie sie den Fußboden fegte.

»Genau deswegen mache ich mir Sorgen«, sagte sie ernst.

»Das brauchst du nicht«, sagte ich und erklärte es ihr so vernünftig und locker wie möglich. Es seien nur zwei Monate gewesen. Wir würden bald aufhören. Joe und ich wollten nur ein bisschen Spaß haben. »Wir haben Sommer!«, rief ich. »Erinnerst du dich, dass du mir vorgeschlagen hast hierherzukommen, um mal etwas Abstand von allem zu bekommen? Genau das tue ich.« Ich lachte, aber sie lachte nicht mit. Ich erinnerte sie daran, dass ich nie

Probleme mit Drogen gehabt hatte, dass ich Alkohol nur in Maßen trank. Ich sei eben experimentierfreudig. Eine Künstlerin. Eine Frau, die Ja anstelle von Nein sage.

Sie widersprach jeder meiner Behauptungen, zog jede meiner Rechtfertigungen in Zweifel. Sie fegte und fegte und fegte, während das Gespräch sich langsam zu einem Streit hochschaukelte. Schließlich wurde sie so wütend auf mich, dass sie mit dem Besen nach mir schlug.

Ich kehrte in Joes Wohnung zurück, und wir redeten darüber, dass Lisa einfach nicht verstehen wolle.

Zwei Wochen später rief Paul an.

Er wollte mich sehen. Auf der Stelle. Lisa hatte ihm von Joe und meinem Heroinkonsum erzählt, darauf hatte er sich sofort ins Auto gesetzt und war die 2700 Kilometer von Minneapolis nonstop durchgefahren, um mit mir zu reden. Eine Stunde später traf ich mich mit ihm in Lisas Wohnung. Es war ein warmer, sonniger Tag Ende September. In der Woche davor war ich sechsundzwanzig geworden. Joe hatte nicht daran gedacht. Es war der erste Geburtstag in meinem Leben, an dem mir niemand alles Gute gewünscht hatte.

»Alles Gute zum Geburtstag«, sagte Paul, als ich zur Tür hereinkam.

»Danke«, sagte ich, zu förmlich.

»Ich wollte dich anrufen, aber ich hatte deine Nummer nicht – ich meine, die von Joe.«

Ich nickte. Es war komisch, ihn zu sehen. Meinen Mann. Ein Phantom aus meinem realen Leben. Der realste Mensch, den ich kannte. Wir saßen am Küchentisch. Die Äste eines Feigenbaums klopften gegen das Fenster, und der Besen, mit dem Lisa nach mir geschlagen hatte, lehnte an der Wand.

»Du siehst verändert aus«, sagte er. »Du kommst mir so ... wie soll ich sagen? Du kommst mir so vor, als wärst du gar nicht hier.«

Ich wusste, was er meinte. Die Art, wie er mich ansah, sagte mir all das, was ich von Lisa nicht hatte hören wollen. Ich *war* verändert. Ich war nicht hier. Das Heroin hatte mich so gemacht. Und dennoch konnte ich mir nicht vorstellen, damit aufzuhören. Als ich Paul direkt ins Gesicht sah, begriff ich, dass ich nicht mehr klar denken konnte.

»Sag mir einfach, warum du dir das antust«, verlangte er. Sein Gesicht, seine sanften Augen waren mir so vertraut. Er fasste über den Tisch und nahm meine Hände, und wir hielten uns gegenseitig und sahen einander in die Augen. Tränen liefen mir übers Gesicht, dann auch ihm. Er wollte, dass ich am Nachmittag mit ihm nach Hause fuhr. Nicht um wieder mit ihm zusammen zu sein, sondern um wegzukommen. Nicht von Joe, sondern vom Heroin.

Ich antwortete, dass ich darüber nachdenken müsse. Ich fuhr in Joes Wohnung zurück, und da die Sonne schien, setzte ich mich in den Gartenstuhl, den Joe auf den Gehweg vor dem Haus gestellt hatte. Das Heroin hatte mich verblöden lassen und von mir selber entfernt. Kaum nahm ein Gedanke Gestalt an, verflüchtigte er sich wieder. Ich bekam meinen Verstand nicht mehr richtig in den Griff, auch wenn ich nichts genommen hatte. Wie ich so dasaß, kam ein Mann auf mich zu und stellte sich mir als Tim vor. Er ergriff meine Hand, schüttelte sie und sagte, dass ich ihm trauen könne. Er fragte mich, ob ich ihm drei Dollar für Windeln geben könnte, dann, ob er das Telefon in meiner Wohnung benutzen könnte, und dann, ob ich ihm einen Fünfdollarschein wechseln könnte und so weiter und so fort. Seine verdrehten Fragen und traurigen Geschichten verwirrten mich so, dass ich schließlich aufstand und die letzten zehn Dollar, die ich besaß, aus der Tasche meiner Jeans fischte.

Beim Anblick des Geldes zog er ein Messer unter dem Hemd hervor, hielt es mir beinahe höflich an die Brust und zischte: »Her mit der Kohle, Süße.«

Ich packte meine wenigen Habseligkeiten zusammen, schrieb Joe einen Brief, klebte ihn an den Badezimmerspiegel und rief Paul an. Er hielt unten an der Ecke, und ich stieg zu ihm in den Wagen.

Auf der Fahrt quer durchs Land hatte ich das Gefühl, mein wirkliches Leben wäre hier bei mir, aber unerreichbar. Paul und ich stritten, brüllten und tobten, dass das Auto wackelte. Wir waren abscheulich und grausam zueinander und wurden hinterher wieder ganz friedlich, jeder schockiert über sich selbst und den anderen. Wir beschlossen, uns scheiden zu lassen, und dann, es doch nicht zu tun. Ich hasste ihn, und ich liebte ihn. Wenn ich mit ihm zusammen war, fühlte ich mich in der Falle, gebrandmarkt, gehalten, geliebt. Wie eine Tochter.

»Ich habe dich nicht gebeten, herzukommen und mich zu holen«, schrie ich im Verlauf des Streits. »Du bist nur deinetwegen gekommen. Damit du den Helden spielen kannst.«

»Vielleicht«, sagte er.

»Warum sonst bist du den weiten Weg gefahren, um mich zu holen?«, fragte ich schnaubend.

»Einfach so«, sagte er, hielt das Lenkrad umklammert und starrte durch die Windschutzscheibe in die sternenklare Nacht hinaus. »Einfach so.«

Ich sah Joe mehrere Wochen später wieder, als er mich in Minneapolis besuchte. Wir waren kein Paar mehr, aber wir machten sofort da weiter, wo wir aufgehört hatten – nahmen in der Woche, die er da war, jeden Tag Heroin, schliefen ein paarmal miteinander. Doch als er wieder abfuhr, war ich mit ihm fertig. Und mit dem Heroin. Ich hatte nicht mehr daran gedacht, bis ich mit Aimee in dem mexikanischen Restaurant in Sioux Falls saß und dieses seltsame Gefühl hatte, als ob mich die scharfen Ränder unzerkauter Tortilla-Chips in den Magen zwickten.

Wir verließen das Restaurant und fuhren zu einem riesigen Supermarkt, um einen Schwangerschaftstest zu kaufen. Beim Gang durch den hell erleuchteten Laden kam ich im Stillen zu dem Schluss, dass ich wahrscheinlich nicht schwanger war. Ich war so oft gerade noch mal so davongekommen – hatte mir unnötig Sorgen gemacht und mich hinterher geärgert, weil ich mir so überzeugend Schwangerschaftszeichen eingebildet hatte, dass ich jedes Mal verblüfft war, als ich dann doch meine Periode bekam. Aber inzwischen war ich sechsundzwanzig und hatte einiges an Erfahrung hinter mir. Ich wollte mir nicht noch einmal einen Schrecken einjagen lassen.

Zurück im Motel, schloss ich die Badezimmertür hinter mir und pinkelte auf das Teststäbchen, während Aimee draußen auf dem Bett saß. Innerhalb von Sekunden erschienen zwei dunkelblaue Linien in dem kleinen Testfenster.

»Ich bin schwanger«, sagte ich mit Tränen in den Augen, als ich herauskam. Aimee und ich legten uns aufs Bett und redeten eine Stunde lang, obwohl es nicht viel zu sagen gab. Dass ich abtreiben würde, stand so außer Frage, dass es albern erschien, über etwas anderes zu reden.

Für die Fahrt von Sioux Falls nach Minneapolis braucht man vier Stunden. Aimee fuhr am nächsten Morgen in ihrem Wagen hinter mir her für den Fall, dass der Pick-up wieder liegen blieb. Ich hörte beim Fahren kein Radio, sondern dachte über meine Schwangerschaft nach. Es war nur so groß wie ein Reiskorn, und dennoch konnte ich es im tiefsten, stärksten Teil von mir spüren. Es demoralisierte mich, rüttelte mich wach, ging mir durch und durch. Irgendwo im landwirtschaftlich geprägten Südwesten Minnesotas brach ich in Tränen aus und musste so heftig weinen, dass ich kaum noch lenken konnte, und das nicht nur, weil ich ungewollt schwanger war. Ich weinte, weil ich seit dem Tod meiner Mutter mein Leben in einen Scherbenhaufen verwandelt hatte. Weil ich ein stumpfsinniges Dasein führte. So durfte ich nicht sein, so durfte ich nicht leben, so kläglich durfte ich nicht scheitern.

In diesem Augenblick erinnerte ich mich an diesen Wanderführer, den ich ein paar Tage zuvor im REI aus dem Regal gezogen hatte, als ich mit dem Klappspaten an der Kasse anstand. Der Gedanke an das Foto auf dem Umschlag, das einen von schroffen Felsen umringten Bergsee unter einem blauen Himmel zeigte, schien mir mit einem Schlag die Augen zu öffnen. Ich dachte, ich hätte mir nur die Warterei verkürzt, als ich es herausnahm, aber jetzt hatte ich das Gefühl, dass es mehr gewesen war – ein Zeichen. Ein Zeichen, das mir nicht nur sagte, was ich tun konnte, sondern was ich tun musste.

Als Aimee und ich in Minneapolis ankamen, winkte ich ihr, als sie in ihre Ausfahrt abbog, fuhr aber an meiner vorbei. Ich machte einen Abstecher zu REI, kaufte *The Pacific Crest Trail, Volume I: California* und las in meiner Wohnung die ganze Nacht darin. In den folgenden Monaten las ich es ein Dutzend Mal. Ich ließ eine Abtreibung vornehmen, lernte, was man mit getrockneten Thunfischflocken und Puten-Trockenfleisch anstellte, absolvierte einen Auffrischungskurs in Erster Hilfe und übte in meiner Küchenspüle den Umgang mit meinem Wasserfilter. Ich musste mich ändern. *Ich muss mich ändern,* war der Gedanke, der mich in diesen Monaten der Planung antrieb. Ich musste kein anderer Mensch werden, nur wieder der, der ich einmal war – stark und verantwortungsbewusst, vorausblickend und ehrgeizig, anständig und solide. Und der PCT sollte mir dabei helfen. Beim Wandern würde ich über mein bisheriges Leben nachdenken. Ich würde zu alter Stärke zurückfinden und alles hinter mir lassen, was mein Leben so lächerlich gemacht hatte.

Aber nun war ich hier, auf dem PCT, und machte mich, wenn auch auf andere Weise, schon wieder lächerlich, indem ich mich am ersten Tag meiner Wanderung in einer Haltung dahinschleppte, die mit aufrechtem Gang immer weniger Ähnlichkeit hatte.

Nach drei Stunden kam ich an eine der seltenen ebenen Stellen neben einer Ansammlung von Joshuabäumen, Yuccas und Wacholderbüschen und beschloss, eine Pause zu machen. Zu meiner großen Erleichterung stand dort ein großer Felsblock, auf den ich mich setzen und dabei den Rucksack auf dieselbe Art und Weise abnehmen konnte wie in dem Van in Mojave. Froh, von dem Gewicht

befreit zu sein, spazierte ich umher, streifte aus Versehen einen Joshuabaum und wurde von seinen stacheligen Blättern aufgespießt.
Sofort schoss Blut aus drei Wunden an meinem Arm. Ich holte
mein Erste-Hilfe-Set aus dem Rucksack und packte es aus, aber
der Wind blies so kräftig, dass sämtliche Pflaster davonflogen. Ich
jagte hinter ihnen her, erreichte sie aber nicht rechtzeitig, bevor sie
über die Bergkante flatterten. Ich setzte mich auf den Boden,
drückte den Ärmel meines T-Shirts gegen den Arm und trank ein
paar Schlucke aus der Wasserflasche.

In meinem ganzen Leben war ich noch nie so erschöpft gewesen. Das lag zum Teil daran, dass sich mein Körper erst noch an die
Anstrengung und an die Höhe gewöhnen musste – ich befand mich
jetzt auf rund 1500 Metern, also 340 Meter höher als am Startpunkt
am Tehachapi Pass. Aber der Hauptgrund war das ungeheure Gewicht meines Rucksacks. Ich betrachtete ihn verzweifelt. Er war
die Bürde, die ich zu tragen hatte, das Ergebnis meines lächerlichen Tuns, und doch hatte ich keine Ahnung, wie ich sie tragen
sollte. Ich holte meinen Wanderführer heraus, blätterte darin, indem ich die flatternden Seiten gegen den Wind hielt, und hoffte,
dass die vertrauten Worte und Karten mein wachsendes Unbehagen zerstreuten. Und dass mich das Buch wie schon in den Monaten der Planung mit seinem freundlichen vierstimmigen Chor davon überzeugte, dass ich es schaffen konnte. *The Pacific Crest
Trail, Volume I: California* enthielt keine Fotos der vier Autoren,
aber ich sah sie vor meinem geistigen Auge: Jeffrey P. Schaffer,
Thomas Winnett, Ben Schifrin und Ruby Jenkins. Alles gescheite
und nette Leute, weise und allwissend. Sie würden mir helfen. Sie
mussten.

Die Verkäufer bei REI hatten mir von ihren eigenen Rucksacktouren erzählt, aber keiner war auf dem PCT gewandert, und ich
war nicht auf die Idee gekommen, jemanden ausfindig zu machen,
der es getan hatte. Wir schrieben das Jahr 1995, das Steinzeitalter
des Internets. Heute gibt es Dutzende Online-Tagebücher von PCT-

Hikern und eine unerschöpfliche Fülle von Informationen über den Trail, die zum Teil ständig aktualisiert werden. Aber ich hatte das alles nicht. Ich hatte nur *The Pacific Crest Trail, Volume I: California.* Das Buch war meine Bibel. Meine Rettungsleine. Das einzige Buch, das ich über den PCT gelesen hatte oder überhaupt übers Wandern.

Doch als ich jetzt zum ersten Mal, seit ich auf dem Trail war, darin blätterte, beruhigte es mich weniger als erhofft. Mir fiel nämlich auf, dass ich gewisse Dinge übersehen hatte, wie zum Beispiel auf Seite 6 ein Zitat von einem Mann namens Charles Long, das die volle Zustimmung der Autoren fand und folgendermaßen lautete: »Wie kann ein Buch die psychologischen Faktoren beschreiben, auf die man sich einstellen muss ... die Verzweiflung, den Überdruss, die Angst und insbesondere die Schmerzen, körperliche wie seelische, die den Willen des Wanderers untergraben? Diese Faktoren sind es, auf die man sich in erster Linie vorbereiten muss, und doch lassen sie sich mit Worten nicht vermitteln ...«

Ich saß völlig fertig da, als mir schlagartig klar wurde, dass sich diese Faktoren tatsächlich nicht mit Worten vermitteln ließen. Doch andererseits war das auch gar nicht nötig. Ich kannte sie jetzt genau. Ich hatte mit einem Rucksack, der einem VW Käfer ähnelte, nur fünf Kilometer durch das Wüstengebirge wandern müssen, um sie kennenzulernen. Ich las weiter, stieß auf Ratschläge, vor Antritt der Tour seine körperliche Fitness zu verbessern und eigens für die Wanderung zu trainieren. Und, natürlich, auf Warnungen vor zu schweren Rucksäcken. Sogar auf den Vorschlag, nicht den kompletten Führer mitzuschleppen, da er viel zu schwer sei und im Übrigen auch gar nicht gebraucht werde – man könne ja Teile fotokopieren oder herausreißen und den benötigten Abschnitt jeweils dem nächsten Versorgungspaket beilegen. Ich klappte das Buch zu.

Warum war ich nicht selbst darauf gekommen, den Reiseführer in einzelne Teile zu zerreißen?

Weil ich komplett bescheuert war und nicht wusste, was ich tat, deswegen. Und weil ich erst ein Wahnsinnsgewicht durch die Wildnis schleppen musste, um auf den Trichter zu kommen.

Ich schlang die Arme um meine Beine, presste das Gesicht gegen meine nackten Knie und schloss, so zu einer Kugel zusammengerollt, die Augen, während der Wind wie wild meine schulterlangen Haare peitschte.

Als ich mehrere Minuten später die Augen wieder öffnete, bemerkte ich, dass ich neben einer Pflanze saß, die ich kannte. Salbei. Dieser hier war zwar nicht so grün wie der, den meine Mutter jahrelang in unserem Garten gezogen hatte, aber Gestalt und Geruch waren identisch. Ich rupfte ein paar Blätter ab und zerrieb sie zwischen den Handflächen, dann barg ich das Gesicht in die Hände und atmete tief ein, so wie es mir meine Mutter beigebracht hatte. *Das gibt einem einen Energieschub,* hatte sie immer gesagt und an jenen langen Tagen, an denen wir an unserem Haus bauten, meine Geschwister und mich beschworen, ihren Rat zu befolgen, wenn wir uns körperlich und geistig schlapp fühlten.

Als ich jetzt inhalierte, roch ich den scharfen, erdigen Geruch des Wüstensalbeis, aber viel stärker war die Erinnerung an meine Mutter. Ich hob den Blick zu dem blauen Himmel und spürte tatsächlich einen Energieschub, vor allem aber spürte ich die Gegenwart meiner Mutter, erinnerte mich wieder daran, warum ich mir diese Wanderung auf dem Trail zugetraut hatte. Aus all den Gründen, die mich davon überzeugt hatten, dass ich auf dieser Wanderung keine Angst zu haben brauchte, aus all den Gründen, die ich mir eingeredet hatte, damit ich sie machen konnte, ragte einer heraus: der Tod meiner Mutter. Er vor allem gab mir die Gewissheit, dass ich nichts zu befürchten hatte. Denn was sollte mir noch zustoßen? Das Schlimmste hatte ich ja bereits hinter mir.

Ich stand auf, ließ mir vom Wind die Salbeiblätter aus den Händen wehen und ging zum Rand des Flachstücks, auf dem ich mich befand. Das Land dahinter ging weiter unten in eine Felszunge über. Ich konnte die Berge sehen, die mich kilometerweit umgaben und sanft in ein weites Wüstental ausliefen. In der Ferne reihten sich weiße Windräder auf den Höhen. Laut meinem Führer erzeugten sie Elektrizität für die Bewohner der Städte und Ortschaften da unten, aber das alles war für mich jetzt weit weg. Die Städte und Ortschaften. Elektrizität. Sogar Kalifornien, wie es schien, obwohl ich mittendrin war, im echten Kalifornien mit seinem unablässigen Wind, seinen Joshuabäumen und seinen Klapperschlangen, die an Stellen lauerten, die ich noch ausfindig machen musste.

Wie ich so dastand, wurde mir klar, dass ich für heute genug hatte, obwohl ich nach der Rast eigentlich hatte weiterwandern wollen. Zu müde, um meinen Kocher anzuwerfen, und überhaupt zu erschöpft, um etwas zu essen, schlug ich das Zelt auf, obwohl es erst vier Uhr am Nachmittag war. Ich holte meine Sachen aus dem Rucksack und warf sie ins Zelt, damit der Wind sie nicht fortblies, dann schob ich den Rucksack hinein und kroch hinterher. Drinnen fühlte ich mich sofort erleichtert, obwohl dieses Drinnen nur eine enge grüne Nylonhöhle war. Ich baute meinen kleinen Campingstuhl auf und setzte mich in den schmalen Eingang, der so hoch war, dass ich nicht mit dem Kopf oben anstieß. Dann wühlte ich in meinen Sachen nach einem Buch. Nicht nach *The Pacific Crest Trail, Volume I: California,* in dem ich hätte lesen sollen, um zu erfahren, was mich am nächsten Tag erwartete, und auch nicht nach *Staying Found,* das ich vor Beginn der Wanderung hätte studieren sollen, sondern nach dem Gedichtband von Adrienne Rich mit dem Titel *Der Traum einer gemeinsamen Sprache.*

Das Buch stellte ein zusätzliches Gewicht dar, das eigentlich nicht zu rechtfertigen war. Ich sah die missbilligenden Mienen der Autoren von *The Pacific Crest Trail, Volume I: California* förmlich vor mir. Selbst der Faulkner-Roman hatte in meinem Rucksack mehr Existenzberechtigung, wenn auch nur, weil ich ihn noch nicht gelesen hatte und er daher aus Gründen der Unterhaltung durchgehen konnte. Doch Adrienne Richs Buch hatte ich so oft gelesen, dass ich es praktisch auswendig kannte. Bestimmte Verse darin waren für mich zu Beschwörungsformeln geworden, die ich in meiner Trauer und Ratlosigkeit vor mich hin sagte. Das Buch war mir ein Trost, ein alter Freund, und als ich es an meinem ersten Abend auf dem Trail in den Händen hielt, bedauerte ich kein bisschen, dass ich es tragen musste – obwohl ich auch so schon mehr als genug zu schleppen hatte. Es stimmte, dass *The Pacific Crest Trail, Volume I: California* jetzt meine Bibel war, aber *Der Traum einer gemeinsamen Sprache* war meine Religion.

Ich schlug es auf und las das erste Gedicht so laut, dass meine Stimme das Knattern der Zeltwände im Wind übertönte. Ich las es immer wieder und wieder.

Das Gedicht trug den Titel »Kraft«.

5

Spuren

Streng genommen bin ich fünfzehn Tage älter als der Pacific Crest Trail. Ich wurde am 17. September 1968 geboren, und der Trail wurde am 2. Oktober desselben Jahres durch ein Bundesgesetz offiziell ins Leben gerufen. Teile des Trails hatten schon lange davor existiert – seit den 1930er Jahren hatte eine Gruppe von Wanderern und Naturbegeisterten, die einen Fernwanderweg von Mexiko bis Kanada schaffen wollten, einzelne Abschnitte angelegt und miteinander verknüpft. Doch erst 1968 wurde der PCT zum nationalen Projekt erhoben und erst 1993 schließlich fertiggestellt. Die offizielle Einweihung erfolgte ziemlich genau zwei Jahre, bevor ich an meinem ersten Morgen zwischen den Joshuabäumen, die mich gepiekt hatten, aufwachte. Allerdings hatte ich nicht das Gefühl, dass der Trail erst zwei Jahre alt war. Ich hatte nicht einmal das Gefühl, dass er ungefähr in meinem Alter war. Er kam mir uralt vor. Wissend. Und mir gegenüber völlig gleichgültig.

Ich erwachte im Morgengrauen, aber ich konnte mich eine Stunde lang nicht dazu durchringen, mich aufzusetzen, blieb stattdessen in meinem Schlafsack und las in meinem Führer, immer noch müde, obwohl ich zwölf Stunden geschlafen hatte – zumindest hatte ich so lange gelegen. Im Lauf der Nacht hatte mich mehrmals der böige Wind geweckt, der so heftig am Zelt rüttelte, dass mir manchmal die Zeltwand gegen den Kopf schlug. Er legte sich in den Stunden vor Tagesanbruch, doch dann weckte mich etwas anderes: die Stille. Der unwiderlegbare Beweis dafür, dass ich hier draußen vollkommen allein war.

Ich kroch aus dem Zelt und richtete mich langsam auf. Meine Muskeln waren steif von der gestrigen Wanderung, der steinige Boden piekte mich in die nackten Füße. Ich verspürte noch immer keinen Hunger, zwang mich aber zu frühstücken, indem ich zwei Löffel Sojamilchpulver in einem Topf mit Wasser verrührte und Müslimischung dazugab. Das Pulver hieß »Better Than Milk«, aber für mich schmeckte es nicht besser als Milch. Oder schlechter. Es schmeckte nach gar nichts. Genauso gut hätte ich Gras essen können. Anscheinend waren meine Geschmacksnerven abgestorben. Ich löffelte trotzdem weiter. Ich musste etwas essen, denn ich hatte einen langen Tag vor mir. Ich trank den letzten Rest Wasser in meinen Flaschen und füllte sie am Wassersack, der schwer in meinen Händen zappelte, unbeholfen wieder auf. Laut *The Pacific Crest Trail, Volume I: California* war ich einundzwanzig Kilometer von meiner ersten Wasseraufnahmestelle entfernt: Golden Oak Springs, die ich trotz meiner schwachen Vorstellung am gestrigen Tag bis zum Abend zu erreichen erwartete.

Ich packte meinen Rucksack auf dieselbe Weise, wie ich es im Motel getan hatte. Ich stopfte und drückte meine Sachen hinein, bis nichts mehr hineinpasste, und zurrte den Rest mit Spanngummis außen fest. Ich brauchte eine Stunde, um das Lager abzubrechen und loszumarschieren. Fast augenblicklich stieß ich auf einen kleinen Kothaufen, ein paar Meter von der Stelle entfernt, wo ich geschlafen hatte. Er war schwarz wie Teer. Ein Kojote, hoffte ich. Oder vielleicht ein Puma? Ich suchte auf der Erde nach Spuren, fand aber keine. Ich ließ den Blick über die Umgebung wandern, darauf gefasst, zwischen den Salbeisträuchern und Felsen ein großes Katzengesicht zu entdecken.

Ich ging weiter. Gegenüber dem Vortag kam ich mir schon erfahrener vor, war trotz des Kothaufens nicht mehr ganz so vorsichtig bei jedem Schritt und fühlte mich unter dem Rucksack stärker. Dieses Gefühl der Stärke war innerhalb einer Viertelstunde dahin, denn der Pfad führte immer steiler nach oben und Serpentine um Serpentine in die felsigen Berge hinein. Der Rucksackrahmen ächzte hinter mir bei jedem Schritt unter seiner Last. Meine Nacken- und Schultermuskeln zogen sich zu brennenden Knoten zusammen. Von Zeit zu Zeit blieb ich stehen, beugte mich vor und stützte die Hände auf die Knie, um meine Schultern für einen Augenblick vom Gewicht des Rucksacks zu entlasten, ehe ich weiterwankte.

Gegen Mittag war ich auf über 1800 Meter Höhe. Die Luft hatte merklich abgekühlt, und dann verschwand auch noch die Sonne hinter Wolken. Gestern war es in der Wüste heiß gewesen, aber jetzt fröstelte ich, und das durchgeschwitzte T-Shirt klebte mir kalt am Rücken, als ich das Mittagessen, bestehend aus einem Eiweißriegel und Dörraprikosen, zu mir nahm. Ich holte die Fleecejacke aus dem Kleidersack und zog sie an. Danach legte ich mich auf meine Plane, um ein paar Minuten auszuruhen, und schlief, ohne es zu wollen, ein.

Ich erwachte, als mir Regentropfen ins Gesicht fielen, und blickte auf meine Armbanduhr. Ich hatte fast zwei Stunden geschlafen. Ich hatte nichts geträumt, hatte überhaupt nicht gemerkt, wie ich eingeschlafen war, als hätte sich jemand von hinten an mich angeschlichen und mich mit einem Stein bewusstlos geschlagen. Als ich mich aufsetzte, bemerkte ich, dass ich in eine Wolke gehüllt war. Es war so diesig, dass ich nur wenige Schritte weit sehen konnte. Ich schnallte den Rucksack um und wanderte weiter. Es nieselte leicht, aber bei jedem Schritt hatte ich das Gefühl, durch tiefes Wasser zu waten. An den Stellen an Hüfte, Rücken und Schultern, wo ich vom Rucksack wund gescheuert war, raffte ich mein T-Shirt und meine Shorts zusammen, aber das machte es nur noch schlimmer.

Ich wanderte bis zum späten Nachmittag und in den Abend hinein, obwohl die Sicht nicht besser wurde. Ich dachte nicht mehr an

Schlangen wie noch am Vortag. Ich dachte nicht: *Ich wandere auf dem Pacific Crest Trail.* Ich dachte nicht einmal: *Worauf habe ich mich da eingelassen?* Ich dachte nur daran, irgendwie in Bewegung zu bleiben. Mein Kopf war eine Kristallvase, die nur diesen einen Wunsch enthielt. Mein Körper war das Gegenteil: ein Sack voller Glasscherben. Bei jeder Bewegung tat er weh. Ich zählte meine Schritte, um mich von den Schmerzen abzulenken, leierte in meinem Kopf stumm die Zahlen von eins bis hundert herunter und fing dann wieder von vorn an. Das machte das Gehen etwas erträglicher, als müsste ich jedes Mal nur bis zum Ende des Zahlenblocks gehen.

Während ich immer höher stieg, begriff ich, dass ich keine Ahnung hatte, was ein Berg war oder ob ich nur einen Berg oder mehrere zusammenhängende erklomm. Ich war nicht in den Bergen aufgewachsen. Ich war ein paar hinaufgewandert, aber nur auf ausgetretenen Pfaden und an einem Tag. Sie waren für mich nur richtig große Hügel gewesen, mehr nicht. Aber das waren sie nicht, wie ich jetzt begriff. Sie waren vielschichtig und komplex, unerklärlich und mit nichts vergleichbar. Jedes Mal, wenn ich dachte, ich hätte den Gipfel des Bergs oder der zusammenhängenden Berge erreicht, täuschte ich mich. Es ging immer noch weiter bergauf, selbst wenn zuerst ein kleiner Hang folgte, der trügerisch bergab führte. So stieg ich immer höher, bis ich irgendwann tatsächlich den Gipfel erreichte. Ich wusste es, als ich den Schnee sah. Nicht auf dem Boden, sondern in der Luft. Es schneite in dünnen Flocken, die der Wind zu verrückten Mustern verwirbelte.

Ich hatte nicht erwartet, dass es in der Wüste regnete, und schon gar nicht, dass es schneite. Aber wo ich aufgewachsen war, hatte es nicht nur keine Berge, sondern auch keine Wüsten gegeben, und obwohl ich einige Tagesausflüge in welche gemacht hatte, wusste ich eigentlich nichts über Wüsten. Ich hatte sie für trockene, heiße und sandige Gebiete voller Schlangen, Skorpione und Kakteen gehalten. Was sie ja auch waren. Aber eben nicht nur. Sie waren noch vieles andere mehr. Sie waren vielschichtig und komplex, unerklärlich und mit nichts vergleichbar. Meine neue Existenz war mit nichts vergleichbar, wie mir an meinem zweiten Tag auf dem Trail dämmerte.

Ich bewegte mich auf völlig neuem Terrain.

Was ein Berg und was eine Wüste war, blieb nicht das Einzige, was nicht meinen Erwartungen entsprach. Ebenso wenig hatte ich erwartet, dass ich am Steißbein, an der Hüfte und vorn an den Schultern bluten würde. Oder dass ich im Durchschnitt nur knapp anderthalb Kilometer in der Stunde schaffen würde. Aber nach meinen Berechnungen – die der höchst anschauliche Reiseführer ermöglichte – hatte ich genau so viel zurückgelegt, wobei die vielen Pausen, die ich einlegte, in die tatsächlichen Wanderzeiten mit eingerechnet waren. Im Planungsstadium der Reise hatte ich ein durchschnittliches Tagespensum von zweiundzwanzig Kilometern veranschlagt, wobei von Anfang an klar gewesen war, dass ich an den meisten Tagen ein größeres Pensum würde absolvieren müssen, da in mein Mittel auch die Ruhetage eingerechnet waren, die ich alle ein oder zwei Wochen einlegen und an denen ich überhaupt nicht wandern wollte. Aber ich hatte weder meine mangelnde Fitness noch die tatsächlichen Unbilden des Trails berücksichtigt.

Von leichter Panik ergriffen, stieg ich bergab, bis aus dem Schnee wieder Nebel wurde, der Nebel sich schließlich lichtete und den Blick freigab auf das matte Grün und Braun der Berge, die mich in der Nähe und der Ferne umgaben und deren mal sanft geschwungene, mal zackige Konturen scharf vom fahlen Himmel abstachen. Die einzigen Geräusche, die ich beim Gehen hörte, waren das Knirschen meiner Stiefel auf dem steinigen Pfad und das Quietschen meines Rucksacks, das mich langsam in den Wahnsinn trieb. Ich blieb stehen, setzte den Rucksack ab und rieb den Rahmen dort, wo ich die Ursache des Quietschens vermutete, mit Lippenbalsam ein, doch als ich mich wieder in Marsch setzte, war alles beim Alten. Ich sprach laut ein paar Worte, um mich abzulenken.

Es war erst knapp achtundvierzig Stunden her, dass ich mich von den Männern verabschiedet hatte, die mich zum Trail gefahren hatten, doch es kam mir wie eine Woche vor, und meine Stimme klang irgendwie fremd so ganz allein hier draußen. Ich war überrascht, dass ich noch keinem anderen Wanderer begegnet war, und rechnete damit, bald auf einen zu stoßen. Allerdings war mir meine Einsamkeit gelegen, als mich eine Stunde später plötzlich das Bedürfnis überkam, das zu tun, was ich in meinem Kopf »aufs Klo gehen« nannte, obwohl aufs Klo gehen hier draußen bedeutete, in schwebender Hocke in ein Loch zu kacken, das man vorher selbst gebuddelt hatte. Zu diesem Zweck hatte ich die Edelstahlkelle dabei, die in ihrem schwarzen Nylonfutteral mit dem Aufdruck *U-Dig-It* auf den Hüftgurt des Rucksacks gefädelt war.

Unter Backpackern war das so üblich, also machte ich es auch. Ich ging weiter, bis ich eine Stelle fand, wo ich es wagen konnte, mich ein paar Schritte vom Trail zu entfernen. Ich nahm den Rucksack ab, zog die Kelle aus dem Futteral, huschte hinter einen Salbeistrauch und begann zu graben. Der rötlich-beige Boden war steinig und knochenhart. Hier ein Loch buddeln zu wollen glich dem Versuch, eine Küchenanrichte aus Granit zu durchbohren. Nur ein Presslufthammer hätte hier etwas ausgerichtet. Oder ein Mann, dachte ich wütend und stach mit der Spitze der Kelle auf den Boden ein, bis ich meinte, meine Handgelenke würden brechen. Ich hackte und hackte ohne jeden Erfolg, bis mir der kalte Schweiß ausbrach. Ich musste aufstehen, damit ich mir nicht in die Hosen schiss. Ich hatte keine andere Wahl. Ich zog sie herunter – inzwischen trug ich keine Unterhose mehr, weil sie das Problem mit meinen wunden Hüften nur verschärfte –, hockte mich einfach hin, und ab die Post. Ich war so schwach vor Erleichterung, dass ich, als ich fertig war, beinahe nach hinten in meinen eigenen warmen Haufen gepurzelt wäre.

Anschließend humpelte ich umher, sammelte Steine und begrub das Corpus Delicti unter einem Steinhaufen, ehe ich meinen Weg fortsetzte.

Ich glaubte, mich den Golden Oak Springs zu nähern, aber um sieben Uhr abends waren sie immer noch nicht in Sicht. Es war mir egal. Zu müde, um hungrig zu sein, ließ ich das Abendessen erneut ausfallen und sparte so das Wasser, das ich zur Zubereitung gebraucht hätte. Ich fand eine leidlich ebene Stelle und baute das Zelt auf. Das kleine Thermometer, das seitlich an meinem Rucksack baumelte, zeigte 5,6 Grad Celsius. Ich schälte mich aus den verschwitzten Kleidern und hängte sie zum Trocknen über einen Busch, bevor ich ins Zelt kroch.

Am andern Morgen musste ich mich in die Kleider hineinzwängen. Sie waren über Nacht gefroren und steif wie ein Brett.

Ich erreichte die Golden Oak Springs nach ein paar Stunden an meinem dritten Tag. Beim Anblick des viereckigen Betonbeckens stieg meine Stimmung gewaltig, und nicht nur, weil es Wasser enthielt, sondern weil es eindeutig von Menschen gebaut war. Ich tauchte die Hände ins kühle Nass und störte dabei ein paar Insekten, die an der Oberfläche schwammen. Ich packte den Wasserfilter aus, steckte den Ansaugschlauch ins Wasser und pumpte los, so wie ich es in meiner Küchenspüle in Minneapolis geübt hatte. Es war mühsamer, als ich es in Erinnerung hatte, vielleicht weil ich beim Üben immer nur ein paarmal gepumpt hatte. Jetzt schien zum Drücken der Pumpe mehr Muskelkraft erforderlich. Und wenn ich es schaffte, sie zu drücken, flutschte der Ansaugschlauch aus dem Wasser und saugte nur Luft an. Ich pumpte und pumpte, bis ich nicht mehr konnte und eine Verschnaufpause einlegen musste. Dann pumpte ich weiter, bis die beiden Flaschen und der Wassersack voll waren. Ich brauchte fast eine Stunde dazu, aber es musste sein. Bis zu meiner nächsten Wasseraufnahmestelle waren es beängstigende dreißig Kilometer.

Ich hatte durchaus die Absicht gehabt, an diesem Tag zu wandern, doch stattdessen blieb ich in meinem Campingstuhl neben der Quelle sitzen. Es war endlich warm geworden, und die Sonne schien auf meine nackten Arme und Beine. Ich zog das T-Shirt aus, ließ die Shorts herunter, lag mit geschlossenen Augen da und erhoffte mir von der Sonne Linderung für die Hautpartien am Oberkörper, die ich mir am Rucksack aufgescheuert hatte. Als ich die Augen aufschlug, erspähte ich auf einem Stein neben mir eine kleine Eidechse. Beim Liegestützmachen, wie es aussah.

»Hallo, Eidechse«, grüßte ich, und sie hörte mit den Liegestützen auf und verharrte einen Moment völlig reglos, ehe sie blitzschnell verschwand.

Eigentlich hätte ich Zeit gutmachen müssen, denn ich war schon jetzt mit meinem Plan in Verzug, aber ich konnte mich einfach nicht dazu aufraffen, die Golden Oak Springs und die kleine grüne Oase aus Lebenseichen gleich wieder zu verlassen. Zusätzlich zu den wunden Stellen taten mir sämtliche Muskeln und Knochen weh, und meine Füße waren mit einer wachsenden Zahl von Blasen übersät. Ich setzte mich auf die Erde und untersuchte sie, obwohl ich wenig tun konnte, um zu verhindern, dass sie schlimmer wurden. Ich betastete sie vorsichtig und dann weiter oben den etwa vier Zentimeter großen blauen Fleck, der an meinem Knöchel prangte – keine Verletzung, die ich mir auf dem Trail zugezogen hatte, sondern das sichtbare Zeichen einer Dummheit, die ich vor der Wanderung begangen hatte.

Dieser blaue Fleck war der Grund, warum ich darauf verzichtet hatte, Paul anzurufen, als ich mich in dem Motel in Mojave so einsam gefühlt hatte. Der blaue Fleck stand im Mittelpunkt der Geschichte, die er aus meiner Stimme herausgehört hätte. Ich hatte mir fest vorgenommen, mich in den zwei Tagen, die ich vor dem Flug nach Los Angeles in Portland verbrachte, von Joe fernzuhalten, diesen Vorsatz aber nicht befolgt. Und das Ganze hatte damit geendet, dass wir uns wieder zusammen Heroin spritzten, obwohl ich das Zeug seit seinem Besuch in Minneapolis sechs Monate davor nicht mehr angerührt hatte.

»Jetzt bin ich dran«, hatte ich ihn in Portland gedrängt, nachdem ich zugesehen hatte, wie er sich einen Schuss setzte. Der PCT erschien mir in diesem Augenblick so weit weg in der Zukunft, obwohl es nur noch zwei Tage bis dahin waren.

»Gib mir deinen Fuß«, hatte Joe gesagt, als er an meinem Arm keine Vene fand.

Ich brachte den Tag an den Golden Oak Springs damit zu, mit dem Kompass in der Hand in *Staying Found* zu lesen. Ich fand Norden, Süden, Osten und Westen. Ich marschierte ohne Rucksack beschwingt eine Jeep-Piste entlang, die zu der Quelle heraufführte, und sah mich ein wenig um. Es war herrlich, ohne Rucksack zu laufen, trotz Blasen an den Füßen und Muskelkater. Ich hatte nicht nur das Gefühl, endlich wieder aufrecht zu gehen, sondern regelrecht gehoben zu werden, als wären von oben zwei Gummibänder an meinen Schultern befestigt. Jeder Schritt war wie ein federleichter Hopser.

An einem Aussichtspunkt blieb ich stehen und blickte ins Land. Überall nur Wüstenberge, schön und karg, und wieder Reihen weißer Windräder in der Ferne. Ich kehrte zum Lagerplatz zurück, baute den Kocher auf und versuchte, mir eine warme Mahlzeit zuzubereiten, meine erste auf dem Trail. Doch es wollte mir einfach nicht gelingen, den Kocher zum Brennen zu bringen, ganz gleich was ich versuchte. Ich kramte die Gebrauchsanweisung hervor, studierte das Kapitel »Fehlersuche« und erfuhr, dass ich den Kocher mit dem falschen Brennstoff befüllt hatte. Ich hatte bleifreies Benzin anstelle des erforderlichen Reinbenzins genommen, und jetzt war die Düse verstopft und der kleine Brennkopf verrußt.

Aber ich war ohnehin nicht hungrig. Mein Hunger war wie ein tauber Finger, der sich kaum bemerkbar machte. Ich aß eine Hand voll Thunfischflocken und schlummerte um Viertel nach sechs ein.

Bevor ich am vierten Tag aufbrach, verarztete ich meine Wunden. Ein Mitarbeiter von REI hatte mir zum Kauf einer Dose Spenco 2nd Skin geraten – das waren Gelpads, die eigentlich zur Behandlung von Verbrennungen gedacht, zufällig aber auch hervorragend gegen

Blasen waren. Ich bepflasterte meine Haut damit überall, wo sie blutete, Blasen warf oder gerötet war – vorn an den Zehen und hinten an den Fersen, an den Hüftknochen, vorn an den Schultern und im unteren Rückenbereich. Als ich fertig war, schüttelte ich meine Wollsocken aus, damit sie weicher wurden, bevor ich sie anzog. Ich hatte zwei Paar, aber beide waren steif vor Dreck und getrocknetem Schweiß. Sie fühlten sich an wie aus Pappe, obwohl ich sie alle paar Stunden wechselte und das Paar, das gerade Pause hatte, zum Trocknen an die Spanngummis am Rucksack hängte.

Als ich an diesem Morgen an der Quelle loswanderte, wieder voll beladen mit zusätzlich zwölf Kilo Wasser, kam mir zu Bewusstsein, dass ich auf eine seltsam abstrakte, rückblickende Art sehr wohl meinen Spaß hatte. Wenn ich einmal nicht von meinen diversen Blessuren gepeinigt wurde, bemerkte ich durchaus die Schönheit, die mich umgab, wunderbare Dinge, große wie kleine: die Farbe einer Wüstenblume, an der ich im Gehen vorbeistrich, oder den herrlichen Himmelsbogen über den Bergen, wenn die Sonne versank. Solchen Gedanken hing ich nach, als ich plötzlich auf losen Steinchen wegrutschte, zu Fall kam und mit dem Gesicht nach unten so hart auf dem Pfad aufschlug, dass mir die Luft wegblieb. Eine gute Minute blieb ich regungslos liegen, von dem brennenden Schmerz in meinem Bein und dem enormen Gewicht auf meinem Rücken förmlich am Boden festgenagelt. Dann kroch ich unter dem Rucksack hervor und besah mir den Schaden. Ich blutete stark aus einer klaffenden Wunde am Schienbein, unter der bereits eine faustgroße Beule wuchs. Ich goss etwas von meinem kostbaren Wasser darüber, schnippte so gut es ging Schmutz und Steinchen weg und drückte Verbandsmull darauf, bis die Blutung einigermaßen gestillt war, dann humpelte ich weiter.

Den restlichen Nachmittag heftete ich den Blick fest auf den Weg unmittelbar vor mir, da ich keinen zweiten Sturz riskieren wollte. Und dann entdeckte ich, wonach ich seit Tagen Ausschau hielt: die Spur eines Pumas. Er war vor nicht allzu langer Zeit den Pfad entlanggelaufen, und in dieselbe Richtung wie ich – auf den nächsten fünfhundert Metern waren die Abdrücke seiner Pfoten deutlich im Boden zu erkennen. Ich blieb alle paar Minuten stehen und schaute mich um. Abgesehen von wenigen grünen Tupfern präsentierte sich die Landschaft vorwiegend in blassgelben bis gelbbraunen Tönen, denselben Farben wie ein Berglöwe. Im Weitergehen dachte ich an einen Zeitungsartikel über drei Frauen in Kalifornien, auf den ich unlängst gestoßen war – alle drei waren im vergangenen Jahr bei verschiedenen Gelegenheiten von einem Puma getötet worden –, und an all die Natursendungen, die ich als Kind gesehen hatte und in denen Raubkatzen immer dem Tier nachgestellt hatten, das sie für das schwächste im Rudel hielten. Für mich stand außer Frage, dass ich dieses Tier war, das am wahrscheinlichsten in Stücke gerissen wurde. Ich sang laut die Liedchen, die mir in den Sinn kamen – »Twinkle, Twinkle, Little Star« und »Take Me Home, Country Roads« –, und hoffte, dass meine entsetzte Stimme den Berglöwen verscheuchte, fürchtete gleichzeitig aber auch, sie könnte ihn überhaupt erst auf mich aufmerksam machen, als hätten das verkrustete Blut an meinem Bein und mein mehrere Tage alter Schweißgeruch nicht genügt, um ihn anzulocken.

Während ich mit den Augen die Umgebung absuchte, fiel mir auf, dass die Landschaft sich allmählich veränderte. Sie war zwar immer noch trocken, und wie schon auf der gesamten Strecke beherrschten Chaparral und Salbeisträucher das Bild, aber der Joshuabaum, Symbol der Mojave-Wüste, trat nur noch vereinzelt auf. Zahlreicher waren Wacholderbüsche, Pinyon-Kiefern und Buscheichen. Das Gras und die leidlich hohen Bäume waren mir ein Trost. Sie standen für Wasser und Leben. Sie gaben mir zu verstehen, dass ich es schaffen konnte.

Bis mir ein Baum den Weg versperrte. Er war quer über den Trail gestürzt, und sein dicker, auf Ästen ruhender Stamm lag so dicht über dem Boden, dass ich nicht darunter durchkriechen konnte, ragte aber auch so weit in die Höhe, dass hinüberklettern ebenso wenig möglich schien, schon gar nicht mit meinem schweren Rucksack. Außen herumgehen kam auch nicht in Frage: Auf der einen Seite des Pfads fiel das Gelände steil ab, auf der anderen war das Gestrüpp zu dicht. Ich stand eine ganze Weile da und überlegte, wie ich an dem Baum vorbeikommen konnte. Ich musste, so unmöglich es auch erschien. Die Alternative hieße umkehren und in das Motel in Mojave zurückmarschieren. Bei dem Gedanken an mein kleines Achtzehn-Dollar-Zimmer geriet ich regelrecht in Verzückung, und Sehnsucht durchflutete meinen Körper. Ich stellte mich mit dem Rücken an den Baum, schnallte den Rucksack ab, wuchtete ihn nach oben, schob ihn über den rauen Stamm und ließ ihn auf der anderen Seite so vorsichtig wie möglich zu Boden fallen, damit beim Aufprall der Wassersack nicht platzte. Dann kletterte ich hinterher, wobei ich mir die Hände, die ich schon bei meinem Sturz aufgeschürft hatte, noch mehr zerkratzte. Auf den nächsten anderthalb Kilometern lagen drei weitere umgefallene Bäume im Weg. Als ich endlich an ihnen vorbei war, war die Wunde am Schienbein aufgebrochen und blutete wieder.

Am Nachmittag des fünften Tages stapfte ich gerade ein schmales und steiles Wegstück hinauf, als ich den Kopf hob und ein riesiges Tier mit Hörnern auf mich zustürmen sah.

»Ein Elch!«, brüllte ich, obwohl ich wusste, dass es kein Elch war. In der ersten Panik konnte mein Verstand nicht begreifen, was ich sah, und ein Elch kam dem, was ich sah, am nächsten. »Ein Elch!«, brüllte ich noch verzweifelter, als das Ungetüm näher kam. Ich kraxelte zwischen die Buscheichen und Bärentraubensträucher am Wegrand und zog mich an ihren scharfen Zweigen hoch, soweit es der schwere Rucksack zuließ.

Derweil kam der Angreifer immer näher, und ich begriff, dass ich drauf und dran war, von einem texanischen Longhorn-Bullen auf die Hörner genommen zu werden.

»Ein Elch!«, schrie ich noch lauter und tastete nach der gelben Schnur, mit der die lauteste Pfeife der Welt an meinem Rucksack befestigt war. Ich fand sie, führte sie an die Lippen, kniff die Augen zu und stieß mit aller Macht und so lange hinein, bis ich aufhören musste, weil mir die Puste ausging.

Als ich die Augen wieder öffnete, war der Bulle verschwunden. Ebenso die gesamte Haut an der Kuppe meines rechten Zeigefingers. In meiner Panik hatte ich sie mir an den kantigen Zweigen der Bärentraubensträucher abgerissen.

Die wichtigste Erfahrung, die ich in jenem Sommer machte – und die doch ganz simpel war wie die meisten, die man beim Wandern auf dem Pacific Crest Trail macht –, war, wie wenig Alternativen ich hatte und wie oft ich gerade das tun musste, was ich am wenigsten wollte. Es gab kein Weglaufen und kein Leugnen. Kein Runterspülen mit einem Martini und kein Überspielen mit Sex. Als ich an jenem Tag im Chaparral kauerte, meinen Finger verarztete und vor Angst, der Bulle könnte zurückkommen, bei jedem Geräusch zusammenzuckte, dachte ich über meine Alternativen nach. Es gab nur zwei, und im Grunde liefen beide auf dasselbe hinaus. Ich konnte in die Richtung zurückgehen, aus der ich gekommen war, oder ich konnte weiter in die Richtung gehen, in die ich hatte gehen wollen. Der Bulle, so musste ich mir eingestehen, konnte in jeder Richtung sein, da ich die Augen zugekniffen und deshalb nicht gesehen hatte, wohin er gerannt war. Ich hatte nur die Wahl zwischen einem Bullen, der mich zurücktrieb, und einem Bullen, der mich vorwärtstrieb.

Also ging ich weiter.

Ich musste mir alles abverlangen, um vierzehn Kilometer am Tag zu schaffen. Weit mehr, als ich körperlich je hatte leisten müssen. Mein ganzer Körper tat mir weh. Bis auf mein Herz. Ich begegnete niemandem, aber seltsamerweise vermisste ich auch niemanden. Ich sehnte mich nur nach etwas zu essen, nach etwas zu trinken und nach einer Gelegenheit, den Rucksack abzusetzen. Trotzdem schleppte ich ihn immer weiter. Die trockenen Berge hinauf und hinunter und um sie herum. Jeffrey-Kiefern und Schwarzeichen säumten den Pfad, der von Zeit zu Zeit eine Jeep-Piste kreuzte. Laster hatten ihre Spuren in die Pisten gegraben, von ihnen selbst war aber nichts zu sehen.

Am Morgen des achten Tags bekam ich Hunger und kippte meinen gesamten Proviant auf den Boden, um Inventur zu machen. Mit einem Mal sehnte ich mich nach einer warmen Mahlzeit. Obwohl mir die Strapazen auf den Appetit schlugen, hatte ich das meiste von dem gegessen, was ich nicht zu kochen brauchte – die Müslis und Nüsse, das Dörrobst, die Thunfischflocken und das Puten-Trockenfleisch, die Eiweißriegel, die Schokolade und das Sojamilchpulver. Der größte Teil vom Rest musste gekocht werden, und ich hatte keinen funktionierenden Kocher. Das nächste Versorgungspaket erwartete mich erst in Kennedy Meadows, das 215 Kilometer von meinem Startpunkt entfernt lag. Ein routinierter Wanderer hätte diese 215 Kilometer in derselben Zeit zurückgelegt, die ich bereits auf dem Trail unterwegs war. Ich hatte nicht einmal die Hälfte geschafft. Und selbst wenn mir der verbliebene Proviant bis Kennedy Meadows reichen sollte, musste ich trotzdem meinen Kocher reparieren lassen und mir den richtigen Brennstoff besorgen – und in Kennedy Meadows, eher ein Rastplatz für Jäger, Wanderer und Angler als eine richtige Ortschaft, war das wahrscheinlich nicht möglich. Während ich also zwischen lauter Ziplock-Beuteln mit Trockennahrung, die ich nicht kochen konnte, auf der Erde hockte, beschloss ich, den Trail zu verlassen. Unweit der Stelle, wo ich saß, kreuzte der PCT mehrere Jeep-Pisten, die in unterschiedliche Richtungen führten.

Ich folgte einer der Pistenstraßen, denn ich sagte mir, dass ich irgendwann auf Zivilisation stoßen musste, und zwar in Form eines Highways, der etwa dreißig Kilometer östlich parallel zum Trail verlief. Ich wusste nicht genau, auf welcher Straße ich mich befand, vertraute aber darauf, dass sie mich an mein Ziel bringen würde. Ich marschierte in der prallen Sonne. Ich konnte mich selbst riechen. Ich hatte zwar ein Deo dabei und rieb mir jeden Morgen damit die Achselhöhlen ein, aber das brachte nichts mehr. Seit über einer Woche hatte ich nicht mehr geduscht. Mein Körper starrte vor Dreck und Blut, und meine Haare, voller Staub und getrocknetem Schweiß, klebten mir unter dem Hut am Kopf. Ich spürte, dass meine Muskeln mit jedem Tag kräftiger wurden, aber auch, dass meine Sehnen und Gelenke im selben Maße abbauten. Meine Füße schmerzten innen und außen, waren wund und voller Blasen, müde vom vielen Laufen. Zum Glück war die Straße eben oder leicht abschüssig und bot eine willkommene Abwechslung zum ewigen Auf und Ab des Trails, aber ich litt trotzdem. Zeitweise versuchte ich mir vorzustellen, dass ich gar keine Füße hätte, sondern dass meine Beine in zwei unempfindlichen Stümpfen endeten, die alles aushielten.

Nach vier Stunden begann ich, meinen Entschluss zu bereuen. Ich konnte hier draußen verhungern oder von freilaufenden Longhorn-Bullen tot getrampelt werden, aber auf dem PCT wusste ich wenigstens, wo ich war. Ich zog wieder meinen Führer zurate, da mir Zweifel kamen, ob ich mich überhaupt auf einer der Straßen befand, die dort flüchtig beschrieben waren. Jede Stunde zückte ich Karte und Kompass und bestimmte meine Position. Ich kramte *Staying Found* hervor und las noch einmal genau nach, wie Karte und Kompass benutzt wurden. Ich orientierte mich zusätzlich am Stand der Sonne. Ich kam an einer kleinen Kuhherde vorbei. Die Weide war nicht eingezäunt. Beim Anblick der Tiere rutschte mir das Herz in die Hose, aber keines kam in meine Richtung. Sie hielten nur im Grasen inne, hoben die Köpfe und sahen zu, wie ich vorbeiging und ihnen dabei »brave Kühe, brave Kühe« zurief.

Der Landstrich, durch den die Straße führte, war an manchen Stellen erstaunlich grün, an anderen trocken und felsig, und zweimal kam ich an Traktoren vorbei, die einsam und gespenstisch am Straßenrand parkten. Voller Staunen über die Schönheit und die Stille ging ich weiter, aber am späten Nachmittag beschlich mich ein beklommenes Gefühl.

Ich befand mich auf einer Straße, war aber seit acht Tagen keiner Menschenseele mehr begegnet. Die Zivilisation hatte mich wieder, aber außer den freilaufenden Kühen, den beiden Traktoren und der Straße selbst war nichts von ihr zu sehen. Ich kam mir vor wie in einem Science-Fiction-Film, in dem ich der einzige Mensch auf einem Planeten war. Zum ersten Mal auf dieser Reise war mir nach Weinen zumute. Ich atmete tief durch, um die Tränen zu unterdrücken, nahm den Rucksack ab und stellte ihn auf die Erde. Ein Stück voraus machte die Straße eine Kurve, und ich ging ohne Rucksack hin, um nachzusehen, was hinter der Kurve war.

Was ich sah, war ein gelber Kleinlaster, in dessen Führerhaus drei Männer saßen.

Ein Weißer, ein Schwarzer und ein Latino.

Ich brauchte vielleicht sechzig Sekunden, bis ich bei ihnen war. Sie machten das gleiche Gesicht wie ich beim Anblick den Longhorn-Bullen am Tag zuvor. Als könnten sie jeden Moment »Ein Elch!« brüllen. Meine Erleichterung war riesengroß. Doch während ich auf sie zuging, begann ich plötzlich am ganzen Leib zu zittern, denn ich begriff, dass ich nicht mehr allein auf einem unbewohnten Planeten war. Ich war jetzt in einem Film ganz anderer Art: Ich war eine Frau, die von drei Männern, über deren Absichten, Charakter und Herkunft sie nichts wusste, aus dem Schatten eines gelben Kleinlasters heraus beobachtet wurde.

Ich schilderte ihnen meine Situation durchs offene Fahrerfenster. Sie sagten nichts und glotzten mich nur an, zunächst erschrocken, dann verwundert und schließlich spöttisch, ehe alle drei in Lachen ausbrachen.

»Wissen Sie, wo Sie hier langlaufen, junge Frau?«, fragte der Weiße, als er sich wieder eingekriegt hatte. Ich schüttelte den Kopf. Er und der Schwarze sahen aus wie über sechzig, der Latino war noch ein halber Teenager.

»Sehen Sie den Berg dahinten?«, fragte er und deutete von seinem Platz hinter dem Lenkrad durch die Windschutzscheibe nach vorn. »Wir bereiten gerade seine Sprengung vor.« Er erklärte mir, dass ein Bergbauunternehmen die Rechte an dem Stück Land gekauft habe und dort dekorative Natursteine abbaue, die Leute in ihre Gärten setzten.

»Ich heiße Frank«, sagte er und tippte an die Krempe seines Cowboyhuts. »Und streng genommen sind Sie unbefugt hier eingedrungen, junge Frau, aber das sehen wir Ihnen nach.« Er zwinkerte mich an. »Wir sind nur Bergmänner. Das Land gehört nicht uns, sonst müssten wir Sie erschießen.«

Er lachte erneut, und dann deutete er auf den Latino in der Mitte und stellte ihn mir als Carlos vor.

»Und ich bin Walter«, sagte der Schwarze, der drüben am Beifahrerfenster saß.

Sie waren die ersten Menschen, denen ich begegnete, seit mich die beiden Männer in dem Van aus Colorado vor über einer Woche am Straßenrand abgesetzt hatten. Beim Reden kam mir meine Stimme komisch vor, höher und hektischer, als ich sie in Erinnerung hatte, wie etwas, das ich nicht richtig zu fassen bekam, als sei jedes Wort ein kleiner Vogel, der davonflatterte. Sie forderten mich auf, hinten auf den Laster zu steigen, und Frank fuhr die kurze Strecke um die Kurve herum. Neben meinem Rucksack hielt er an, und alle stiegen aus. Walter hob den Rucksack hoch und war entsetzt über sein Gewicht.

»Ich war in Korea«, sagte er, nachdem er ihn unter beträchtlicher Mühe auf die Ladepritsche gewuchtet hatte. »Da haben wir nie so schwere Rucksäcke getragen. Außer vielleicht ein einziges Mal, aber das war zur Strafe.«

Ohne dass ich viel dazu sagen konnte, wurde kurzerhand beschlossen, dass mich Frank mit zu sich nach Hause nehmen sollte, wo seine Frau mir etwas zu essen machen könnte. Außerdem könnte ich dort duschen und in einem Bett schlafen. Und am nächsten Morgen würde er mich irgendwohin fahren, wo ich den Kocher reparieren lassen konnte.

»Könnten Sie mir das alles noch mal erklären?«, fragte Frank immer wieder, und jedes Mal hörten mir alle drei verwirrt und mit gespannter Aufmerksamkeit zu. Sie lebten vielleicht dreißig Kilometer vom Pacific Crest Trail entfernt und hatten noch nie davon gehört. Keiner konnte begreifen, was eine Frau dazu bewog, allein auf dem Trail zu wandern, und Frank und Walter gaben mir das durch die Blume auch zu verstehen.

»Also ich finde es irgendwie cool«, sagte Carlos nach einer Weile. Er war achtzehn und wollte, wie er mir erzählte, demnächst zum Militär.

»Vielleicht sollten Sie lieber dasselbe machen wie ich«, schlug ich vor.

»Nee!«, erwiderte er.

Die Männer stiegen wieder in den Laster und ich hinten auf die Pritsche, und wir fuhren ein paar Kilometer bis zu der Stelle, wo Walter seinen Laster geparkt hatte. Er und Carlos stiegen um und fuhren davon, und ich blieb mit Frank, der noch eine Stunde zu arbeiten hatte, allein zurück.

Ich setzte mich ins Führerhaus des gelben Lasters und sah zu, wie Frank mit einem Traktor auf und ab fuhr und die Straße planierte. Jedes Mal, wenn er vorbeikam, winkte er mir zu, und wenn er sich entfernte, erkundete ich heimlich das Innere des Lasters. Im Handschuhfach lag ein silberner Flachmann mit Whiskey. Ich nahm einen kleinen Schluck und legte ihn mit brennenden Lippen eilends wieder zurück. Dann fasste ich unter den Sitz und zog einen schmalen schwarzen Karton hervor. Ich hob den Deckel. Ein Revolver lag darin, so silbern wie der Flachmann. Ich machte den Karton wieder zu und schob ihn unter den Sitz zurück. Die Schlüssel steckten im Zündschloss, und träge überlegte ich, was wohl passieren würde, wenn ich die Kiste anließ und davonfuhr. Ich zog die Stiefel aus und massierte mir die Füße. Der kleine blaue Fleck am Knöchel, den ich mir beim Fixen in Portland geholt hatte, war noch da, hatte aber ein mattes fieses Gelb angenommen. Ich fuhr mit dem Finger darüber, über die leicht erhöhte Einstichstelle, die in der Mitte noch zu spüren war. Ich war fassungslos. Wie hatte ich das nur tun können? Ich zog die Socken wieder an, damit ich den Fleck nicht mehr zu sehen brauchte.

»Was für eine Art Frau sind Sie nur?«, fragte Frank, als er mit der Arbeit fertig war und wieder zu mir in den Laster stieg.

»Was für eine Art?«, fragte ich. Wir sahen einander in die Augen, und irgendwie fiel ein Schleier von seinen, und ich sah weg.

»Sind Sie eine Art Jane? Eine Frau, die Tarzan gefallen würde?«

»Schon möglich«, sagte ich und lachte, obwohl ich ein mulmiges Gefühl bekam und mir wünschte, Frank würde endlich den Motor anlassen und losfahren. Er war groß, schlaksig, kantig und braungebrannt. Ein Bergmann, der für mich wie ein Cowboy aussah. Seine Hände erinnerten mich an all die Hände der Männer, die ich als Kind gekannt hatte, Männer, die ihren Lebensunterhalt mit körperlicher Arbeit verdienten, Männer, deren Hände nie sauber wurden, wie sehr sie sie auch schrubbten. Wie ich so neben ihm saß, überkam mich dieses Gefühl, das mich immer überkam, wenn ich unter bestimmten Umständen mit bestimmten Männern allein war – das Gefühl, dass alles geschehen konnte. Dass er anständig und nett blieb. Oder dass er mich packte und den Dingen von einem Augenblick auf den anderen eine ganz andere Wendung gab. Ich beobachtete seine Hände, jede seiner Bewegungen. Jede Faser meines Körpers war in höchster Alarmbereitschaft, obwohl ich ganz entspannt wirkte, als wäre ich gerade aus einem Nickerchen erwacht.

»Ich habe eine Kleinigkeit für uns«, sagte er, griff ins Handschuhfach und zog den Flachmann heraus. »Das ist meine Belohnung nach einem harten Arbeitstag.« Er schraubte den Deckel ab und reichte mir die Flasche. »Ladies first.«

Ich nahm sie ihm ab, führte sie an die Lippen und ließ mir den Whiskey in den Mund rinnen.

»Ja. Die Art Frau sind Sie. So werde ich Sie nennen: Jane.« Er nahm mir den Flachmann ab und trank einen langen Schluck.

»Wissen Sie, in Wahrheit bin ich gar nicht so allein hier draußen«, platzte ich heraus und legte mir beim Sprechen eine Lüge zurecht. »Mein Mann, er heißt Paul, wandert auch. Er ist in Kennedy Meadows losgelaufen. Wissen Sie, wo das liegt? Wir wollten beide mal die Erfahrung machen, wie es ist, allein zu wandern, also wandert er nach Süden und ich nach Norden, bis wir uns in der Mitte treffen. Den restlichen Sommer wandern wir dann zusammen.«

Frank nickte und nahm noch einen Schluck aus dem Flachmann. »Dann ist er noch verrückter als Sie«, sagte er, nachdem er eine Weile überlegt hatte. »Es ist eine Sache, wenn eine Frau so verrückt ist, so was zu tun. Aber eine ganz andere, wenn ein Mann seine Frau losziehen und so was tun lässt.«

»Ja«, sagte ich, als wäre ich seiner Meinung. »Na, jedenfalls sind wir in ein paar Tagen wieder vereint.« Ich sagte das mit so viel Überzeugung, dass ich selbst dran glaubte. Ich glaubte, dass Paul mir in diesem Augenblick entgegenkam. Dass wir nicht vor zwei Monaten an einem verschneiten Apriltag die Scheidung eingereicht hatten. Dass er mich holen kam. Oder dass er wissen würde, wenn ich auf dem Trail nicht mehr weiterkam. Dass mein Verschwinden innerhalb weniger Tage bemerkt werden würde.

Doch das Gegenteil stimmte. Die Menschen in meinem Leben waren wie die Pflaster, die der Wüstenwind am ersten Tag meiner Wanderung fortgeweht hatte. Sie stoben auseinander, und dann waren sie fort. Niemand erwartete von mir, dass ich anrief, wenn ich mein erstes Etappenziel erreicht hatte. Oder das zweite oder dritte.

Frank lehnte sich in seinem Sitz zurück und rückte seine große Gürtelschnalle zurecht. »Es gibt noch etwas, womit ich mich nach einem harten Arbeitstag gern belohne«, sagte er.

»Und das wäre?«, fragte ich mit einem zaghaften Lächeln und heftigem Herzklopfen. Ich spürte ein Prickeln in den Händen, die in meinem Schoß lagen. Mir war vollauf bewusst, dass mein Rucksack zu weit weg war, hinten auf der Ladefläche. Ich beschloss, ihn zurückzulassen, falls ich gezwungen war, die Tür aufzustoßen und wegzurennen.

Frank fasste unter den Sitz, wo die kleine schwarze Schachtel mit dem Revolver stand.

Er zog eine durchsichtige Plastiktüte hervor. Sie enthielt lange dünne rote Lakritzschlangen, die wie Lassos aufgerollt waren. Er hielt mir die Tüte hin und fragte: »Möchten Sie welche, Miss Jane?«

6
Ein Bulle
in jeder Richtung

Während der Fahrt verschlang ich gut zwei Meter von Franks roter Lakritze und hätte wohl noch mal zwei Meter verschlungen, wenn sein Vorrat nicht erschöpft gewesen wäre.

»Warten Sie hier«, sagte er, als wir in der kleinen unbefestigten Zufahrt hielten, die an seinem Haus vorbeiführte – einem Mobilheim in einer kleinen Mobilheimsiedlung im Wüstenbuschland. »Ich gehe rein und sage Annette, wer Sie sind.«

Ein paar Minuten später kamen sie zusammen heraus. Annette, eine mollige Grauhaarige, musterte mich unfreundlich und argwöhnisch. »Mehr haben Sie nicht?«, raunzte sie, als Frank meinen Rucksack vom Laster zerrte. Ich folgte ihnen nach drinnen, wo Frank sofort im Badezimmer verschwand.

»Fühlen Sie sich wie zu Hause«, sagte Annette, was ich so verstand, dass ich mich an den Esstisch neben der Kochnische setzen sollte, während sie mir einen Teller auflud. Ein kleines Fernsehgerät stand am anderen Tischende und plärrte so laut, dass kaum ein Wort zu verstehen war. Wieder ein Bericht über den Prozess gegen O. J. Simpson. Ich glotzte auf den Bildschirm, bis Annette kam, den Teller vor mich hinstellte und den Fernseher ausschaltete.

»Man hört nichts anderes mehr«, sagte sie. »O. J. hier, O. J. da. Man sollte nicht meinen, dass in Afrika Kinder verhungern. Nun fangen Sie schon an.« Sie deutete auf den Teller.

»Ich kann warten«, sagte ich in einem gleichgültigen Ton, der über meinen Heißhunger hinwegtäuschte. Ich starrte auf den Teller. Er war überhäuft mit gegrillten Spareribs, Mais aus der Dose und Kartoffelsalat. Ich überlegte, ob ich aufstehen und mir die Hände waschen sollte, aber das hätte die Sache nur hinausgezögert. Es war egal. Händewaschen vor dem Essen ja oder nein, die Frage war für mich so weit weg wie die Fernsehnachrichten.

»Essen Sie!«, befahl Annette und stellte einen Plastikbecher Kool-Aid mit Kirschgeschmack neben meinen Teller.

Ich schob mir eine Gabel voll Kartoffelsalat in den Mund. Er schmeckte so gut, dass ich fast vom Stuhl fiel.

»Gehen Sie aufs College?«

»Ja«, antwortete ich, seltsam geschmeichelt, dass sie mich so einschätzte, obwohl ich verdreckt war und stank. »Das heißt, ich ging. Ich habe vor vier Jahren meinen Abschluss gemacht.« Ich nahm noch einen Bissen, mir bewusst, dass das streng genommen gelogen war. Ich hatte meiner Mutter kurz vor ihrem Tod zwar versprochen, meinen Bachelor zu Ende zu machen, aber ich hatte es nie getan. Meine Mutter war an dem Montag gestorben, an dem die einwöchigen Frühjahrsferien begannen, und am Montag darauf war ich ans College zurückgekehrt. Halb blind vor Trauer hatte ich mich durch das komplette Unterrichtspensum des letzten Quartals gequält, aber das Abschlusszeugnis bekam ich trotzdem nicht, denn ich hatte in einem Punkt versagt: Ich hatte eine fünfseitige Hausarbeit für einen Englischkurs nicht geschrieben. Unter normalen Umständen wäre das für mich ein Kinderspiel gewesen, aber jedes Mal, wenn ich anfangen wollte, konnte ich nur auf den leeren Computerbildschirm starren. Bei der Abschlussfeier erklomm ich mit Hut und Talar die Bühne und nahm die kleine Zeugnisrolle in Empfang, die mir überreicht wurde, aber ich wusste, was darin stand: dass ich meinen Bachelor-Abschluss erst bekommen würde, wenn ich diese Hausarbeit abgab. Das einzig Handfeste, das mir blieb, war mein College-Darlehen, an dem ich nach meiner Berechnung bis zu meinem dreiundvierzigsten Lebensjahr abzuzahlen haben würde.

Am nächsten Morgen setzte mich Frank an einem Gemischtwarenladen am Highway ab, verbunden mit dem Ratschlag, mir eine Fahrgelegenheit in einen Ort namens Ridgecrest zu besorgen. Ich setzte mich auf die Veranda vor dem Laden, bis ein Typ, der Tütenchips ausfuhr, vorbeikam und sich bereit erklärte, mich mitzunehmen, obwohl in seiner Firma das Mitnehmen von Trampern verboten war. Er stellte sich mir als Troy vor, als ich in seinen großen Laster geklettert war. Er fuhr an fünf Tagen in der Woche durch Südkalifornien und lieferte Chips aller Art aus. Er war seit siebzehn Jahren mit seiner großen Highschool-Liebe verheiratet, die er mit siebzehn geheiratet hatte.

»Siebzehn Jahre im Käfig und siebzehn Jahre draußen«, witzelte er, aber seine Stimme klang wehmütig. »Ich würde alles darum geben, wenn ich mit Ihnen tauschen könnte«, sagte er beim Fahren. »Ich liebe meine Freiheit, aber ich hatte nie den Mumm, sie mir zu nehmen.«

Er setzte mich an Todds Outdoor-Laden ab. Mr. Todd höchstpersönlich zerlegte und reinigte meinen Kocher, setzte einen neuen Filter ein, verkaufte mir das richtige Benzin und ließ mich sicherheitshalber den Kocher einmal zur Probe anzünden. Ich erstand außerdem Klebeband und Gelpads für meine Blessuren, ging anschließend in ein Restaurant und bestellte mir einen Schokomalz-Milchshake und einen Cheeseburger mit Pommes. Wie bei dem Festschmaus am Abend zuvor war jeder Bissen eine Wonne. Danach unternahm ich einen Spaziergang durch die Stadt. Autos zischten vorbei, und die Insassen verrenkten sich mit kühler Neugier die Hälse nach mir. Ich kam an Fast-Food-Buden und Autohäusern vorüber, unschlüssig, ob ich den Daumen raushalten oder ob ich in Ridgecrest übernachten und erst am nächsten Tag auf den PCT zurückkehren sollte. Irgendwann stand ich an einer Kreuzung und überlegte, in welche Richtung ich musste, als ein verwahrlost aussehender Mann auf einem Fahrrad daherkam. Er hielt eine zerknitterte Papiertüte in der Hand.

»Willst du aus der Stadt raus?«, fragte er.

»Vielleicht«, antwortete ich. Das Fahrrad – ein Jugendrad – war für ihn zu klein und an den Seiten mit einem knallbunten Flammenmuster bemalt.

»In welche Richtung willst du?«, fragte er. Er stank so nach altem Schweiß, dass ich beinahe würgen musste, obwohl ich selbst wahrscheinlich nicht viel besser roch. Ich hatte gestern Abend nach dem Essen bei Frank und Annette zwar gebadet, trug aber noch meine schmutzigen Sachen.

»Vielleicht übernachte ich in einem Motel«, sagte ich zu ihm.

»Tu's nicht!«, bellte er. »Mich haben sie deswegen ins Gefängnis gesteckt.«

Ich nickte. Offensichtlich hielt er mich für seinesgleichen. Für eine Landstreicherin. Eine Aussteigerin. Nicht für ein sogenanntes College-Girl, nicht mal für ein ehemaliges. Ich versuchte gar nicht erst, ihm vom PCT zu erzählen.

»Hier, kannst du haben«, sagte er und hielt mir die Tüte hin. »Da ist Brot und Fleischwurst drin. Damit kannst du dir Sandwiches machen.«

»Nein, danke«, sagte ich, angewidert und gleichzeitig gerührt über sein Angebot.

»Wo kommst du her?«, fragte er, nicht gewillt weiterzufahren.

»Aus Minnesota.«

»He!«, rief er, und ein breites Lächeln ging über sein schmutziges Gesicht. »Dann muss ich ja Schwester zu dir sagen. Ich bin aus Illinois. Illinois und Minnesota sind praktisch Nachbarn.«

»Na ja, fast Nachbarn – wenn Wisconsin nicht dazwischen wäre«, sagte ich und bereute es sofort, denn ich wollte seine Gefühle nicht verletzen.

»Aber trotzdem immer noch Nachbarn«, sagte er und hielt mir die offene Hand zum Abklatschen hin.

Ich klatschte ihn ab.

»Viel Glück«, sagte ich, als er davonradelte.

Ich ging in ein Lebensmittelgeschäft und wanderte eine ganze Weile die Gänge auf und ab, ehe ich etwas anfasste, wie geblendet von den Bergen an Lebensmitteln. Ich kaufte ein paar Sachen als Ersatz für die Vorräte, die ich aufgezehrt hatte, weil ich nicht hatte kochen können, und ging dann an einer stark befahrenen Straße entlang, bis ich ein Motel fand, das wie das billigste in der Stadt aussah.

»Ich heiße Bud«, sagte der Mann hinter dem Portierstisch, als ich nach einem Zimmer fragte. Er hatte einen Hundeblick und Raucherhusten. Braune Wangen hingen schlaff in seinem runzligen Gesicht. Als ich ihm von meiner Wanderung auf dem PCT erzählte, bestand er darauf, meine Kleider zu waschen. »Ich kann sie einfach mit der Bettwäsche und den Handtüchern in die Maschine stecken, Schätzchen«, sagte er, als ich protestierte. »Das macht überhaupt keine Umstände.«

Ich ging in mein Zimmer, zog mich aus und schlüpfte in meine Regenhose und Regenjacke, obwohl es ein heißer Junitag war, dann kehrte ich zur Rezeption zurück, reichte Bud schüchtern mein kleines Wäschebündel und dankte ihm noch einmal.

»Mir gefällt nämlich Ihr Armband«, sagte er, »deshalb habe ich es Ihnen angeboten.« Ich schob den Ärmel meiner Regenjacke hoch, und wir sahen es uns an. Es war eins von diesen POW/MIA-Armbändern, mit denen an gefallene oder vermisste Vietnam-Soldaten erinnert wurde. Meine Freundin Aimee hatte es mir umgelegt, als wir uns vor Wochen auf einer Straße in Minneapolis voneinander verabschiedeten.

»Lassen Sie mich sehen, wem es gewidmet ist.« Er fasste über den Tisch, ergriff mein Handgelenk und drehte es so, dass er die Gravur lesen konnte. »William J. Crockett«, sagte er und ließ mich wieder los. Aimee hatte Nachforschungen angestellt und mir erzählt, wer William J. Crockett war: ein Air-Force-Pilot, der zwei Monate vor seinem sechsundzwanzigsten Geburtstag mit seiner Maschine über Vietnam abgeschossen worden war. Sie hatte das Armband jahrelang getragen, ohne es ein einziges Mal abzunehmen. Auch ich hatte es nicht abgenommen, seit sie es mir geschenkt hatte. »Ich bin selbst Vietnam-Veteran, darum achte ich auf solche Dinge«, sagte Bud. »Und darum habe ich Ihnen auch das einzige Zimmer mit Badewanne gegeben. Ich war '65 drüben, mit knapp achtzehn. Aber heute bin ich gegen Krieg. Gegen jede Form von Krieg. Hundert Prozent dagegen. Bis auf bestimmte Fälle.« In einem Aschenbecher aus Kunststoff glomm eine Zigarette. Bud klemmte sie zwischen die Finger, führte sie aber nicht an die Lippen. »Ich nehme an, Sie wissen, dass oben in der Sierra Nevada dieses Jahr eine Menge Schnee liegt.«

»Schnee?«, fragte ich.

»Es war ein Rekordjahr. Total eingeschneit. Hier in der Stadt gibt es ein Büro des Landverwaltungsamts, falls Sie dort anrufen und nach den Wetterverhältnissen fragen wollen«, sagte er und nahm einen Zug. »In ein oder zwei Stunden sind Ihre Kleider fertig.«

Ich kehrte in mein Zimmer zurück, nahm eine Dusche und anschließend ein Bad. Hinterher schlug ich die Bettdecke zurück und legte mich auf das Laken. Das Zimmer hatte keine Klimaanlage, aber heiß war mir trotzdem nicht. Ich fühlte mich so gut wie noch nie in meinem Leben, jetzt, wo mich der Trail gelehrt hatte, wie miserabel ich mich fühlen konnte. Ich stand auf, fischte Faulkners *Als ich im Sterben lag* aus dem Rucksack, legte mich wieder hin und las, aber Buds Bemerkung über den Schnee ging mir nicht aus dem Kopf.

Mit Schnee kannte ich mich aus. Schließlich war ich in Minnesota aufgewachsen. Ich hatte Schnee geschippt, war durch Schnee gefahren, hatte Schneeballschlachten geschlagen. Ich hatte tagelang durchs Fenster beobachtet, wie er in Mengen fiel, die monatelang liegen blieben. Aber der Schnee hier war anders. Er bedeckte die Sierra Nevada so hartnäckig, dass das Gebirge nach ihm benannt war – das spanische »Sierra Nevada« bedeutet »verschneiter Gebirgszug«.

Es kam mir absurd vor, dass ich die ganze Zeit durch diesen verschneiten Gebirgszug gewandert sein sollte – dass die trockenen Berge, die ich überquert hatte, eigentlich zur Sierra Nevada gehörten. Aber sie gehörten eben nicht zu den High Sierras – jener eindrucksvollen Kette von Granitbergen hinter Kennedy Meadows, die der bekannte Naturforscher, Bergsteiger und Schriftsteller John Muir vor über hundert Jahren erkundet und lieben gelernt hatte. Ich hatte Muirs Bücher über die Sierra Nevada nicht gelesen, aber ich wusste, dass er eine Naturschutzorganisation namens Sierra Club gegründet und das Gebirge sein Leben lang leidenschaftlich gegen Schafzüchter, Bergbauunternehmen, touristische Erschließung und andere Bedrohungen durch die moderne Zivilisation verteidigt hatte. Ihm und seinen Mitstreitern ist es zu verdanken, dass ein Großteil der Sierra Nevada bis heute Wildnis geblieben ist. Eine Wildnis, die jetzt offenbar eingeschneit war.

So ganz überrascht war ich davon nicht. Die Autoren meines Wanderführers warnten vor Schnee in den High Sierras, und ich hatte mich vorbereitet. Zumindest so vorbereitet, wie ich es für ausreichend hielt, bevor ich mit meiner Wanderung auf dem PCT begann: Ich hatte einen Eispickel gekauft und mir in dem Paket, das ich in Kennedy Meadows abholen würde, geschickt. Beim Kauf des Pickels war ich davon ausgegangen, dass ich ihn nur zeitweise brauchen würde, nämlich auf den höchstgelegenen Etappen des Trails. Laut meinem Führer lag in einem normalen Jahr in der High Sierra Ende Juni und Juli, also in der Zeit, in der ich sie durchwanderte, kaum noch Schnee. Ich war nicht auf die Idee gekommen, mich zu erkundigen, ob dieses Jahr ein normales Jahr war.

Ich fand im Nachttisch ein Telefonbuch, blätterte darin und rief die örtliche Niederlassung des Landverwaltungsamts an.

»Oh ja, da oben liegt eine Menge Schnee«, sagte die Dame am anderen Ende der Leitung. Sie wisse zwar nichts Genaueres, könne aber mit Gewissheit sagen, dass in der Sierra dieses Jahr Rekordmengen gefallen seien. Ich erzählte ihr, dass ich auf dem PCT wanderte, darauf erbot sie sich, mich zum Trail zu fahren. Als ich auflegte, war meine Erleichterung, nicht trampen zu müssen, größer als meine Besorgnis wegen des Schnees. Er schien so weit weg, und ich konnte mir einfach nicht vorstellen, dass er Probleme machen würde.

Am folgenden Nachmittag fuhr mich die freundliche Dame vom Landverwaltungsamt zu einem Abschnitt des Trails, der Walker Pass hieß. Als ich ihr nachsah, wie sie wegfuhr, fühlte ich mich einerseits bedrückt, andererseits aber auch zuversichtlicher als zu Beginn meiner Wanderung. In den vorausgegangenen Tagen war ich von einem Longhorn-Bullen angegriffen worden, hatte mir bei Stürzen und Missgeschicken Verletzungen zugezogen und war auf einer abgelegenen Straße ahnungslos an einem Berg vorbeigelatscht, der demnächst gesprengt werden sollte. Ich war kilometerweit durch die Wüste marschiert, unzählige Berge hinauf- und hinuntergeklettert und tagelang keiner Menschenseele begegnet. Ich hatte mir Blasen an den Füßen gelaufen, mir den Körper blutig geschewert und nicht nur mich selbst durch eine schroffe Wildnis geschleppt, sondern auch einen Rucksack, der mehr als die Hälfte meines Körpergewichts wog. Und das alles ganz allein.

Das war doch was, oder?, dachte ich, als ich über den rustikalen Campingplatz am Walker Pass stapfte und mir einen Platz für mein Zelt suchte. Es war spät, aber noch hell, die letzte Frühlingswoche im Juni. Ich baute das Zelt auf, kochte mir auf dem reparierten

Kocher meine erste warme Trail-Mahlzeit, bestehend aus Bohnen und Reis, beobachtete das großartige Farbenspiel des Himmels über den Bergen und fühlte mich wie der glücklichste Mensch auf Erden. Bis Kennedy Meadows waren es noch dreiundachtzig Kilometer, fünfundzwanzig bis zu meiner ersten Wasseraufnahmestelle.

Am Morgen belud ich den Rucksack wieder mit einem vollen Wasservorrat und überquerte den Highway 178. Die nächste Straße, die quer durch die Sierra Nevada führte, verlief 240 Kilometer Luftlinie weiter nördlich bei Tuolumne Meadows. Ich folgte dem ansteigenden, felsigen Pfad des PCT in der heißen Morgensonne. Rundherum Berge, wohin ich auch blickte: die Scodies im Süden, die El Paso Mountains weit im Osten und die Domeland Wilderness, die ich in ein paar Tagen erreichen würde, im Nordwesten. Sie sahen für mich alle gleich aus, obwohl es feine Unterschiede gab. Ich hatte mich an den ständigen Anblick von Bergen gewöhnt. Meine Wahrnehmung hatte sich in der letzten Woche verändert. Ich hatte mich auf die kilometerweiten Panoramen eingestellt und war inzwischen damit vertraut, dass ich dort wanderte, wo das Land an den Himmel stieß. Auf dem Rücken der Berge.

Doch die meiste Zeit schaute ich gar nicht auf. Mein Blick war fest auf den sandigen und steinigen Pfad geheftet, auf dem ich immer wieder ins Rutschen geriet, wenn es bergauf oder bergab ging. Mein Rucksack quietschte bei jedem Schritt, was mir umso mehr auf die Nerven ging, als die Stelle, die das Geräusch verursachte, nur Zentimeter von meinem Ohr entfernt war.

Ich zwang mich, nicht an die Körperteile zu denken, die mir wehtaten – Schultern, Nacken, Füße und Hüften –, doch das gelang mir nur zeitweise. Als ich die Ostflanke des Mount Jenkins überquerte, legte ich mehrmals eine Pause ein und genoss den weiten Blick über die Wüste, die sich unter mir bis zum östlichen Horizont erstreckte. Am Nachmittag gelangte ich an die Schutthalde eines Bergsturzes und blieb stehen. Ich schaute den Berg hinauf und folgte dem Weg des Sturzes mit den Augen bis ganz nach unten. Ein breites Trümmerfeld aus kantigen, faustgroßen Gesteinsbrocken bedeckte den ebenen, knapp einen Meter breiten Pfad, der für jeden normalen Menschen begehbar gewesen war. Und ich war nicht mal ein normaler Mensch. Ich war ein Mensch mit einer Wahnsinnslast auf dem Rücken und ohne Wanderstock, der mir Halt hätte geben können. Warum ich darauf verzichtet hatte, einen Wanderstock mitzunehmen, dafür aber eine Klappsäge, war mir ein Rätsel. Mir hier oben einen Stock zu suchen war sinnlos – die wenigen Krüppelbäume lieferten nichts Geeignetes. Mir blieb keine andere Wahl, als weiterzumarschieren.

Meine Beine zitterten, als ich mit gebeugten Knien die Sturzhalde betrat, da ich fürchtete, meine gewohnt bucklige Haltung könnte die Steine in Aufruhr versetzen und veranlassen, massenhaft weiter den Abhang hinunterzurutschen und mich mitzureißen. Einmal strauchelte ich und landete unsanft auf den Knien. Danach setzte ich meinen Weg noch vorsichtiger und zögerlicher fort. Bei jedem Schritt schwappte der Inhalt des großen Wassersacks auf meinem Rücken. Als ich endlich auf der anderen Seite des Trümmerfelds ankam, war ich so erleichtert, dass mir mein Knie egal war, obwohl es blutete und vor Schmerzen pochte. *Das hätte ich hinter mir*, dachte ich voller Dankbarkeit, doch ich irrte mich.

Am selben Nachmittag musste ich noch drei weitere Bergstürze durchqueren.

In der Nacht kampierte ich auf einem Bergsattel zwischen dem Mount Jenkins und dem Mount Owens, von Anstrengung gepeinigt, obwohl ich nur dreizehneinhalb Kilometer zurückgelegt hatte. Ich hatte mir selbst die schlimmsten Vorwürfe gemacht, weil ich nicht zügiger vorankam, aber als ich jetzt in meinem Campingstuhl saß und mir aus dem heißen Topf, der zwischen meinen Füßen auf dem Boden stand, mit krampfhaften Bewegungen das Abendessen in den Mund löffelte, war ich froh, dass ich überhaupt so weit gekommen war. Ich befand mich in 2100 Meter Höhe, nur Himmel um mich herum. Im Westen tauchte die untergehende Sonne das hügelige Land in ein Farbspektakel aus Rot- und Orangetönen, im Osten dehnte sich das scheinbar endlose Wüstental, ehe es sich in der Ferne verlor.

Die Sierra Nevada ist ein einzelner, aufgefalteter Block der Erdkruste. Ihr Westhang nimmt neunzig Prozent des gesamten Gebirgszugs ein, die Gipfel fallen stufenweise zu den fruchtbaren Tälern hin ab, die schließlich der kalifornischen Küstenebene weichen – die ungefähr 320 Kilometer westlich vom PCT und fast auf der gesamten Strecke parallel zu ihm verläuft. Ganz anders der Osthang der Sierra Nevada: Hier fällt das Gebirge jäh in die große Wüstenebene ab, die sich bis zum Great Basin in Nevada erstreckt. Ich hatte die Sierra Nevada vorher nur einmal gesehen, als ich mit Paul ein paar Monate nach unserem Wegzug aus New York in den Westen gereist war. Wir hatten im Death Valley gecampt und waren tags darauf stundenlang durch eine Landschaft gefahren, die so trostlos war, als wäre sie nicht von dieser Welt. Gegen Mittag tauchte die Sierra Nevada am westlichen Horizont auf, eine große, weiße, unüberwindliche Wand, die aus dem Land emporwuchs. Als ich jetzt auf dem hohen Bergsattel saß, war es mir nahezu unmöglich, dieses Bild noch einmal heraufzubeschwören. Ich betrachtete die Wand nicht mehr aus der Ferne. Ich saß auf ihr drauf, wie berauscht vom Blick über das Land, zu müde, um auch nur aufzustehen und zu meinem Zelt zu gehen. Über mir stieg strahlend der Mond in den Himmel, und unter mir, in weiter Ferne, glitzerten die Lichter von Ridgecrest und Inyokern. Die Stille war gewaltig. Die Weite wie ein Gewicht. Deswegen bin ich hierhergekommen, dachte ich. Das habe ich bekommen.

Als ich endlich aufstand und mich zum Schlafen fertig machte, fiel mir auf, dass ich zum ersten Mal auf dem Trail bei Sonnenuntergang nicht in meine Fleece-Jacke geschlüpft war. Ich hatte nicht einmal ein langärmeliges Hemd angezogen. Es war überhaupt nicht kühl, obwohl ich mich in so großer Höhe befand. An diesem

Abend war ich dankbar für die milde, warme Luft an meinen nackten Armen, doch am nächsten Morgen um zehn war meine Dankbarkeit verflogen.

Die unerbittliche Hitze hatte sie vertrieben.

Gegen Mittag war die Hitze so erbarmungslos und der Trail so schutzlos der Sonne ausgesetzt, dass ich mich allen Ernstes fragte, ob ich das überleben würde. Es war so heiß, dass ich alle zehn Minuten fünf Minuten Pause machen musste. Das Wasser in meiner Trinkflasche war so heiß wie Tee. Ich stöhnte beim Gehen, als könnte mir das Kühlung und Erleichterung verschaffen, aber nichts änderte sich. Die Sonne brannte weiter gnadenlos auf mich herab und scherte sich keinen Deut darum, ob ich lebte oder starb. Die dürren Sträucher und kümmerlichen Bäume standen teilnahmslos und ungerührt da, wie sie es immer getan hatten und immer tun würden.

Ich war ein Stein. Ich war ein Blatt. Ich war der zackige Ast eines Baums. Ich war für sie nichts, und sie waren für immer alles.

Ich ruhte mich aus, wenn ich etwas Schatten fand, und träumte von kühlem Wasser. Die Hitze war so groß, dass sie sich meinem Gedächtnis nicht als ein Gefühl eingeprägt hat, sondern als ein Geräusch, ein Wimmern, das zu einem jämmerlichen Wehklagen anschwoll, dessen Zentrum mein Kopf war. Ich hatte auf dem Trail schon einiges durchgemacht, aber ich hatte nie ans Aufgeben gedacht. Nun aber, nach zehn Tagen, war ich am Ende. Ich wollte nicht mehr.

Ich schleppte mich nach Norden in Richtung Kennedy Meadows, wütend auf mich selbst, weil ich auf diese hirnrissige Idee verfallen war. Anderswo waren die Leute am Grillen und verlebten einen geruhsamen Tag, faulenzten an einem See und hielten ein Nickerchen. Sie hatten Eiswürfel und Limonade und Zimmer, in denen es angenehm kühl war. Ich kannte diese Leute. Ich liebte diese Leute. Ich hasste sie auch, weil sie mir so fern waren und noch nie von einer Nahtoderfahrung auf einem Wanderweg gehört hatten. Ich würde aufgeben. *Aufgeben, aufgeben, aufgeben,* sagte ich andauernd vor mich hin, während ich weitermarschierte und alle zehn Minuten fünf Minuten Pause machte. Ich würde mich bis Kennedy Meadows schleppen, mein Versorgungspaket abholen, sämtliche Schokoriegel aus dem Paket verdrücken und dann in die nächstbeste Stadt trampen, in die mich ein Autofahrer mitnahm. Ich würde mir einen Busbahnhof suchen und irgendwohin fahren.

Nach Alaska, beschloss ich spontan. Denn in Alaska gab es auf jeden Fall Eis.

Kaum hatte sich der Gedanke ans Aufgeben eingeschlichen, wartete ich schon mit dem nächsten Argument auf, warum diese ganze Wanderung auf dem PCT eine selten blöde Idee gewesen wäre. Ich hatte mir diesen Trip vorgenommen, um über mein Leben nachzudenken. Um mir darüber klar zu werden, woran ich zerbrochen war, und um mein Herz wieder zu kitten. Doch in Wahrheit wurde ich, zumindest bis dahin, voll und ganz von den einfachsten körperlichen Leiden in Anspruch genommen. Seit Beginn der Wanderung hatten die Kämpfe meines Lebens nur gelegentlich meine Gedanken gestreift. Warum, warum nur war meine Mutter gestorben, und wie sollte ich ohne sie weiterexistieren und aus meinem Leben etwas machen? Wie hatte meine Familie, die so fest zusammengehalten hatte, nach ihrem Tod so schnell und gründlich auseinanderfallen können? Warum hatte ich meine Ehe mit Paul ruiniert – mit diesem verlässlichen, zärtlichen Mann, der mich so standhaft geliebt hatte? Wie war ich nur auf so traurige Abwege geraten, mit Heroin und Joe und Sex mit Männern, die ich kaum kannte?

Das waren die Fragen, die ich den ganzen Winter und Frühling über, während ich mich auf den Pacific Crest Trail vorbereitete, vor mir hergeschoben hatte. Fragen, die mich immer wieder zum Heulen gebracht hatten und über die ich mich in quälender Ausführlichkeit in meinem Tagebuch ausgelassen hatte. Ich hatte mir vorgenommen, sie während der Wanderung zu lösen. Ich hatte mir vorgestellt, dass ich beim Anblick von Sonnenuntergängen und unberührten Bergseen in aller Ruhe darüber nachdenken würde. Mir vorgestellt, dass ich an jedem Tag der Reise heilsame Tränen der Trauer und Freude vergießen würde. Stattdessen stöhnte ich nur, und nicht weil mein Herz schmerzte, sondern weil mir die Füße wehtaten, der Rücken und die immer noch offenen Wunden an der Hüfte. Und in dieser zweiten Woche auf dem Trail, kurz vor dem kalendarischen Sommeranfang, auch deshalb, weil es so heiß war, dass ich dachte, mein Kopf würde platzen.

Wenn ich einmal nicht mit meinem körperlichen Zustand haderte, hörte ich in einer Endlosschleife irgendwelche Melodiefetzen von Liedern und Werbesongs, als hätte ich einen Hitradiosender im Kopf. Mein Gehirn reagierte auf die Stille mit Textfragmenten aus Stücken, die ich irgendwann im Verlauf meines Lebens gehört hatte – mit Zeilen aus Songs, die ich mochte, aber auch mit Jingles aus Werbespots, die mich fast in den Wahnsinn trieben. Stundenlang versuchte ich, Reklame für Doublemint-Kaugummi und Burger King aus meinem Kopf zu verbannen. Einen Nachmittag lang war ich damit beschäftigt, mir die nächste Zeile aus einem Stück der Alternative-Country-Band Uncle Tupelo in Erinnerung zu rufen, das folgendermaßen anfing: »Falling out the window. Tripping on a wrinkle in the rug …« Und einen ganzen Tag lang mühte ich mich, die Strophen von »Something About What Happens When We Talk« von Lucinda Williams zusammenzustoppeln.

Meine Füße und meine wund gescheuerten Hüften brannten, meine Muskeln und Gelenke schmerzten, der Finger, an dem ich mir auf der Flucht vor dem Bullen Haut abgerissen hatte, war leicht entzündet und pochte, mein Kopf glühte und dröhnte von irgendwelchem Gedudel, als ich mich am Ende des sengend heißen zehnten Tags meiner Wanderung mit letzter Kraft in den Schatten eines Hains aus Pappeln und Weiden schleppte, der nach Auskunft meines Wanderführers Spanish Needle Creek hieß. Im Unterschied zu vielen anderen im Führer erwähnten Orten, die das Wort »creek« im

Namen führten und falsche Hoffnungen weckten, war der Spanish Needle Creek tatsächlich ein Bach, auch wenn er nur ein paar Zentimeter Wasser über einem steinigen, schattigen Bett zu bieten hatte – mir genügten sie vollauf. Ich warf den Rucksack ab, zog Stiefel und Kleider aus, setzte mich nackt in das kühle, seichte Nass und bespritzte mir Gesicht und Kopf. In meinen zehn Tagen auf dem Trail war ich noch keinem Menschen begegnet, und so genoss ich das Bad in vollen Zügen und ohne Sorge, dass jemand vorbeikommen könnte, pumpte mühsam das kalte Wasser durch meinen Wasserfilter und schüttete eine Flasche nach der anderen in mich hinein.

Als ich am nächsten Morgen vom leisen Plätschern des Spanish Needle Creek erwachte, blieb ich im Zelt liegen und sah durch die Zeltplane zu, wie der Himmel sich lichtete. Ich knabberte einen Müsliriegel und las in meinem Führer, um mich auf die nächste Etappe vorzubereiten. Schließlich stand ich auf, ging an den Bach und nahm, den Luxus auskostend, ein letztes Bad. Es war erst neun, aber schon heiß, und mir graute davor, das schattige Fleckchen am Bach zu verlassen. In dem zehn Zentimeter tiefen Wasser sitzend, beschloss ich, nicht bis Kennedy Meadows zu wandern. Bei meinem Tempo war selbst das zu weit. Im Wanderführer war eine Straße erwähnt, die neunzehn Kilometer von hier den Trail kreuzte. Dort würde ich dasselbe tun, was ich schon einmal getan hatte: Ich würde an der Straße entlanglaufen, bis mich jemand mitnahm. Nur würde ich diesmal nicht zurückkommen.

Als ich zum Aufbruch rüstete, hörte ich von Süden ein Geräusch und drehte mich um. Ein bärtiger Mann mit Rucksack kam den Trail heraufgestapft. Sein Wanderstock erzeugte bei jedem Schritt ein scharfes Klicken auf der harten Erde.

»Hallo!«, rief er mir lächelnd zu. »Sie müssen Cheryl Strayed sein.«

»Ja«, antwortete ich zögernd, gleichermaßen erstaunt, einen Menschen zu sehen, wie meinen Namen aus seinem Mund zu hören.

»Ich habe Ihren Eintrag im Trail-Register gelesen«, erklärte er, als er meine Verwunderung bemerkte. »Ich bin seit Tagen hinter Ihnen.« Ich sollte mich bald daran gewöhnen, dass mich Leute in der Wildnis so vertraut ansprachen. Das Trail-Register diente den ganzen Sommer über als eine Art Nachrichtenbörse. »Ich heiße Greg«, stellte er sich vor, drückte mir die Hand und deutete auf meinen Rucksack. »Schleppen Sie das Ding tatsächlich?«

Wir setzten uns in den Schatten und machten uns miteinander bekannt. Er war ein vierzigjähriger Buchhalter aus Tacoma, Washington, der auf mich auch wie ein Buchhalter wirkte, sachlich und korrekt. Seit Anfang Mai war er unterwegs. Er war an der mexikanischen Grenze, wo der PCT anfing, eingestiegen und wollte bis Kanada durchwandern. Zum ersten Mal traf ich jemanden, der im Grunde dasselbe tat wie ich, nur dass er viel weiter wanderte. Ihm brauchte ich nicht zu erklären, was ich hier draußen machte. Er verstand es auch so.

Ich freute mich über seine Gesellschaft und fühlte mich gleichzeitig geschmeichelt, da mir im Verlauf unseres Gesprächs immer klarer wurde, dass er von einem ganz anderen Kaliber war: Im Unterschied zu mir war er gründlich vorbereitet und wusste vieles über den Trail, von dem ich keine Ahnung hatte. Er hatte seine Wanderung jahrelang geplant, hatte mit Leuten, die den PCT in früheren Sommern abgewandert waren, korrespondiert, Informationen gesammelt und Treffen von Fernwanderern besucht. Er rasselte Entfernungs- und Höhenangaben herunter und sprach sehr detailliert über die Vor- und Nachteile von Rucksäcken mit Außen- und Innengestellen. Mehrfach kam er auf einen Mann namens Ray Jardine zu sprechen, einen Fernwanderer, von dem ich noch nie gehört hatte, der offenbar aber einen legendären Ruf genoss, wie mir Greg in ehrfurchtsvollem Ton erzählte. Jardine war der unumstrittene Experte und Guru in allen Fragen, die mit dem PCT zusammenhingen, und ein glühender Verfechter des Wanderns mit ultraleichtem Gepäck. Greg fragte mich nach meinem Wasserfilter, nach meiner täglichen Proteinzufuhr und sogar nach der Sockenmarke, die ich trug. Er wollte wissen, wie ich meine Blasen behandelte und wie viele Kilometer ich im Durchschnitt pro Tag zurücklegte. Er selbst schaffte im Schnitt fünfunddreißig. An diesem Morgen hatte er bereits die elf Kilometer bewältigt, über die ich mich den gesamten Vortag gequält hatte.

»Es ist härter, als ich dachte«, gestand ich geknickt und in der Erkenntnis, dass ich noch bescheuerter war, als ich anfangs gedacht hatte. »Ich schaffe höchstens elf oder zwölf«, log ich.

»Ist doch klar«, erwiderte Greg, alles andere als überrascht. »So war es bei mir am Anfang auch, Cheryl. Machen Sie sich deswegen keine Sorgen. Ich habe dreiundzwanzig oder vierundzwanzig Kilometer geschafft, wenn ich Glück hatte, und danach war ich fix und fertig. Dabei habe ich vorher trainiert, am Wochenende Wanderungen mit vollem Gepäck unternommen und so weiter. Aber hier draußen ist es noch einmal anders. Der Körper braucht ein paar Wochen, um sich an die weiten Strecken zu gewöhnen.«

Ich nickte, fühlte mich enorm erleichtert, weniger durch seine Antwort als durch seine Gegenwart. Er war mir haushoch überlegen, aber doch auch irgendwie verwandt. Wobei ich mir nicht sicher war, ob er das ebenso empfand. »Was machen Sie eigentlich abends mit Ihrem Proviant?«, fragte ich in banger Erwartung seiner Antwort.

»Normalerweise schlafe ich damit.«

»Ich auch«, stieß ich erleichtert hervor. Vor der Reise hatte ich nämlich gehört, dass jeder gute Backpacker seine Vorräte nachts sorgfältig in Bäume hängt. Bisher war ich immer zu erschöpft gewesen, um auch nur daran zu denken. Stattdessen hatte ich den Proviantsack mit ins Zelt genommen – wovor eindringlich gewarnt wurde – und als Kissen zum Hochlegen meiner geschwollenen Füße benutzt.

»Ich stelle ihn ins Zelt«, sagte Greg und entzündete damit wieder ein Flämmchen in mir. »So machen es die Park-Ranger auch.

Nur erzählen sie niemandem davon, denn sie würden in Teufels Küche kommen, wenn ein Nachahmer von einem Bären zerfleischt wird. In den touristischeren Abschnitten des Trails, wo die Bären an Menschen gewöhnt sind, werde ich meinen Proviant aufhängen, aber bis dahin würde ich mir deswegen keinen Kopf machen.«

Ich nickte vertrauensvoll in der Hoffnung, den Eindruck zu erwecken, ich wüsste ganz genau, wie man einen Proviantsack in einen Baum hängte, damit kein Bär an ihn herankam.

»Aber andererseits wäre es natürlich auch möglich, dass wir gar nicht so weit kommen«, sagte Greg.

»Gar nicht so weit kommen?«, fragte ich und errötete bei dem absurden Gedanken, er könnte irgendwie erraten haben, dass ich ans Aufgeben dachte.

»Wegen des Schnees.«

»Ach ja. Der Schnee. Es soll eine Menge geben.« Vor lauter Hitze hatte ich das ganz vergessen. Bud, die Dame vom Landverwaltungsamt, Mr. Todd und der Mann, der mir seine Tüte mit Brot und Wurst angeboten hatte, kamen mir inzwischen wie aus einem fernen Traum vor.

»Die Sierra ist komplett zugeschneit«, sagte Greg, das wiederholend, was ich von Bud gehört hatte. »Viele Wanderer haben aufgegeben, weil der Schnee dieses Jahr Rekordhöhen erreicht. Da durchzukommen dürfte schwierig werden.«

»Wow«, sagte ich mit einer Mischung aus Schrecken und Erleichterung – jetzt hatte ich eine Ausrede und die dazu passende Formulierung: *Ich wollte ja auf dem PCT wandern, aber es ging nicht. Er war zugeschneit!*

»In Kennedy Meadows werden wir uns etwas überlegen müssen«, sagte Greg. »Ich lege dort ein paar Ruhetage ein. Ich werde also noch da sein, wenn Sie ankommen. Dann lassen wir uns etwas einfallen.«

»Wunderbar«, sagte ich, da ich es nicht übers Herz brachte, ihm zu beichten, dass ich, wenn er in Kennedy Meadows eintraf, bereits in einem Bus nach Anchorage sitzen würde.

»Gleich dahinter werden wir auf Schnee stoßen, und dann wird der Trail auf einer Strecke von mehreren hundert Kilometern unter Schnee begraben sein.« Er stand auf und schulterte seinen Rucksack wie nichts. Seine behaarten Beine waren wie Stegpfosten an einem See in Minnesota. »Wir haben uns das falsche Jahr für den PCT ausgesucht.«

»Sieht ganz so aus«, sagte ich und versuchte, lässig meinen Rucksack hochzunehmen und die Arme durch die Gurte zu stecken, so wie Greg es eben getan hatte, als hätte der bloße Wunsch, einer Blamage zu entgehen, meine Muskeln plötzlich auf die doppelte Größe anwachsen lassen. Aber der Rucksack war zu schwer und hob keinen Zentimeter vom Boden ab.

Er trat auf mich zu und half mir. »Der ist vielleicht schwer«, sagte er, während wir ihn mühsam auf meinen Rücken hievten. »Viel schwerer als meiner.«

»Es war schön, Sie getroffen zu haben«, sagte ich, als ich den Rucksack aufhatte und mühsam den Eindruck erwecken wollte, dass ich nicht deshalb so krumm dastand, weil ich nicht anders konnte, sondern weil ich mich absichtlich nach vorn beugte. »Ich bin bisher noch niemandem auf dem Trail begegnet. Ich hätte gedacht, dass mehr Wanderer unterwegs sind.«

»Auf dem PCT wandern nie viele. Und dieses Jahr schon gar nicht, bei den Schneemassen. Viele Leute haben davon gehört und ihre Wanderung auf nächstes Jahr verschoben.«

»Ich frage mich, ob wir das nicht auch tun sollten«, sagte ich in der Hoffnung, er würde antworten, es sei eine großartige Idee, nächstes Jahr wiederzukommen.

»Bisher habe ich noch keine Frau getroffen, die allein unterwegs ist. Sie sind die erste. Und auch die Einzige, die sich im Register eingetragen hat, soweit ich sehen konnte. Das ist irgendwie toll.«

Ich antwortete mit einem gequälten Lächeln.

»Sind Sie abmarschbereit?«

»Bereit!«, sagte ich mit mehr Elan, als ich hatte. Ich folgte ihm auf dem Trail so schnell ich konnte und passte meine Schritte dem Klicken seines Wanderstocks an. Als wir fünfzehn Minuten später an mehrere Serpentinen kamen, blieb ich stehen und trank einen Schluck Wasser. Er ging weiter.

»Greg!«, rief ich ihm nach. »Es war schön, Sie getroffen zu haben.«

Er blieb stehen und drehte sich um. »Es sind nur ungefähr fünfzig Kilometer bis Kennedy Meadows.«

»Ja«, sagte ich und nickte leicht. Er würde am nächsten Morgen dort sein. Ich würde ganze drei Tage brauchen, wenn ich so weitermachte.

»Dort oben wird es kühler sein«, sagte Greg. »Es liegt dreihundert Meter höher.«

»Schön«, antwortete ich matt.

»Sie werden es schon schaffen, Cheryl«, sagte er. »Machen Sie sich deswegen keine Sorgen. Sie sind unerfahren, aber Sie sind auch zäh. Und darauf kommt es hier draußen am meisten an. Was Sie tun, kann nicht jeder.«

»Danke«, sagte ich, so ermutigt durch seine Worte, dass es mir vor Rührung die Kehle zuschnürte.

»Wir sehen uns dann oben in Kennedy Meadows«, sagte er und wanderte weiter.

»Kennedy Meadows«, rief ich ihm mit einer Überzeugung nach, die ich nicht empfand.

»Wegen des Schnees werden wir uns etwas überlegen«, rief er, bevor er meinem Blick entschwand.

Ich wanderte an diesem heißen Tag mit frischem Elan. Gregs Vertrauen in mich beflügelte mich so, dass ich nicht mehr ans Aufgeben dachte. Stattdessen dachte ich an den Eispickel in meinem Versorgungspaket. Den Eispickel, der mir gehörte, auch wenn der Gedanke immer noch gewöhnungsbedürftig für mich war. Er war schwarz und silbrig und sah gefährlich aus, ein knapp sechzig Zentimeter langer Metalldolch mit einem kürzeren, schärferen Dolch, der quer am oberen Ende saß. Ich hatte ihn zu Hause gekauft und in das an Kennedy Meadows adressierte Paket gepackt in der Hoffnung, dass ich, wenn ich dort ankam, endlich wusste, wie man damit umging – dass ich mich auf wundersame Weise in eine erfahrene Bergsteigerin verwandelt haben würde.

Inzwischen war ich klüger. Der Trail hatte mich demütig gemacht. Soviel stand fest: Ohne irgendeine Art von Eispickel-Training war die Wahrscheinlichkeit, dass ich mich mit dem Ding aufspießte, größer, als dass ich mich mit seiner Hilfe davor bewahrte, einen steilen Berghang hinunterzurutschen. In den Pausen, die ich an diesem Tag einlegte, blätterte ich bei fast vierzig Grad in meinem Wanderführer und suchte etwas über die richtige Handhabung eines Eispickels. Ich fand nichts. Über das Wandern in verschneitem Gelände stand dort nur, dass Steigeisen und Eispickel ebenso unerlässlich seien wie der sichere Umgang mit dem Kompass, »ein sachkundiger Respekt vor Lawinen« und »viel Bergsteigersinn«.

Ich knallte das Buch zu und wanderte in der Hitze weiter in die Domeland Wilderness, getragen von der Hoffnung, in Kennedy Meadows von Greg einen Crashkurs im Gebrauch des Eispickels zu bekommen. Ich kannte ihn kaum, und dennoch war er für mich ein Vorbild geworden, mein Leitstern, der mich nach Norden führte. Wenn er es schaffte, schaffte ich es auch, dachte ich grimmig. Er war nicht zäher als ich. Niemand war das, sagte ich mir, ohne es wirklich zu glauben. Ich machte das in jenen Tagen zu meinem Mantra. Wenn ich wieder einmal vor einer Reihe von Serpentinen eine Pause einlegte oder einen halsbrecherischen Hang hinunterrutschte, wenn beim Sockenausziehen ganze Hautfetzen mitgingen oder wenn ich nachts einsam in meinem Zelt lag, stellte ich mir, und häufig laut, die Frage: *Wer ist zäher als ich?*

Die Antwort war immer dieselbe, und obwohl ich wusste, dass sie nicht stimmte, sagte ich jedes Mal: *Niemand.*

Die Wüste ging langsam in eine Waldlandschaft über. Die Bäume wurden höher und saftiger, die flachen Bachbetten führten immer häufiger wenigstens ein Rinnsal Wasser, Wildblumen bedeckten die Wiesen. Auch in der Wüste hatte es Blumen gegeben, aber längst nicht so viele, und sie waren fremdartiger und prachtvoller gewesen. Die Wildblumen, die ich jetzt sah, waren viel schlichter, bildeten einen leuchtenden Teppich oder säumten die schattigen Ränder des Pfads. Viele kannte ich, denn die gleichen oder zumindest verwandte Arten wuchsen im Sommer auch in Minnesota. Als ich an ihnen vorüberging, spürte ich die Gegenwart meiner Mutter so deutlich, als wäre sie wirklich da. Einmal blieb ich sogar stehen und sah mich nach ihr um, bevor ich weitergehen konnte.

Am Tag nach der Begegnung mit Greg sah ich nachmittags meinen ersten Bären auf dem Trail. Genauer gesagt, ich hörte ihn zuerst. Ein unverwechselbares, kräftiges Brummen. Ich blieb wie angewurzelt stehen und schaute auf. Ein Tier, groß wie ein Kühlschrank, stand zehn Meter vor mir auf dem Pfad. Unsere Blicke trafen sich, und über sein Gesicht huschte der gleiche Ausdruck des Erschreckens wie über meines.

»Ein Bär!«, schrie ich und griff nach meiner Pfeife. Im selben Moment machte er kehrt und rannte davon. Sein dickes Hinterteil wackelte in der Sonne, als meine Pfeife in ohrenbetäubender Lautstärke losschrillte.

Es dauerte ein paar Minuten, ehe ich den Mut aufbrachte weiterzugehen. Und nicht nur, weil ich in dieselbe Richtung musste, in die der Bär geflüchtet war. Zusätzlich zu denken gab mir, dass er überhaupt nicht wie ein Schwarzbär ausgesehen hatte. Ich hatte schon viele Schwarzbären gesehen. In den Wäldern im Norden Minnesotas gab es jede Menge. Oft hatte ich sie dort auf die gleiche Weise aufgeschreckt, beim Spazierengehen oder wenn ich unsere Schotterstraße entlanggerannt war. Aber diese Schwarzbären hatten anders ausgesehen als der, dem ich eben begegnet war. Sie waren schwarz gewesen. Pechschwarz. Schwarz wie die Blumenerde, die man in großen Plastiksäcken in der Gärtnerei kaufte. Dieser Bär hier war anders. Sein Fell war zimtbraun, an manchen Stellen fast hell.

Meine Schritte wurden zaghafter, und ich versuchte mir einzureden, dass es sich bei dem Bären unmöglich um einen Grizzly, den gefährlicheren Vetter des Schwarzbären, gehandelt haben konnte. Ausgeschlossen. Ich wusste, dass das nicht sein konnte. In Kalifornien gab es keine Grizzlys mehr, sie waren schon vor langer Zeit ausgerottet worden. Und dennoch: Warum war der Bär, den ich gesehen hatte, ohne jeden Zweifel *nicht* schwarz gewesen?

Eine Stunde lang behielt ich die Pfeife in der Hand, jederzeit bereit hineinzustoßen, und schmetterte mit gekünstelt tapferer Stimme Lieder, um den kühlschrankgroßen Bären, von welcher Art auch immer, nicht zu überraschen, falls ich erneut auf ihn stoßen sollte. Es waren dieselben Lieder, auf die ich schon vor einer Woche zurückgegriffen hatte, als ich mich von einem Puma belauert wähnte – »Twinkle, twinkle, little star« und »Country roads, take me home«. Später schaltete ich das Hitradio in meinem Kopf ein und sang einfach Zeilen aus Songs, die ich jetzt gern gehört hätte: »A mulatto, an albino, a mosquito, my libido. Yeah!«

Genau wegen dieser Singerei wäre ich beinahe auf eine Klapperschlange getreten, denn ich hatte nicht realisiert, dass das nachdrückliche und immer lauter werdende Rasseln tatsächlich von einer Rassel herrührte. Und nicht von irgendeiner Rassel, sondern von einer, die das Schwanzende einer Schlange zierte, die so dick wie mein Unterarm war.

»Iiih!«, kreischte ich beim Anblick der Schlange, die ein paar Schritte vor mir zusammengerollt auf dem Pfad lag. Hätte ich springen können, hätte ich es getan. Ich versuchte es, aber meine Füße verließen nicht den Boden. Also machte ich, vor Entsetzen schreiend, dass ich von dem kleinen, stumpfen Schlangenkopf wegkam. Es dauerte gut zehn Minuten, bis ich mir am ganzen Leib zitternd ein Herz fasste und in einem weiten Bogen um sie herumging.

Den restlichen Tag kam ich nur im Trauermarschtempo voran. Ich suchte unablässig mit den Augen Boden und Horizont ab, zuckte bei jedem Geräusch zusammen und sagte vor mich hin: *Ich habe keine Angst*. Obwohl mir der Schreck noch in den Gliedern steckte, empfand ich auch eine gewisse Dankbarkeit. Endlich hatte ich ein paar von den Tieren gesehen, die in dieser Landschaft lebten, die, wie ich spürte, ein klein wenig auch meine zu werden begann. Gegen Ende meiner ersten Etappe merkte ich, dass ich den PCT trotz aller Strapazen langsam ins Herz schloss. Mein Rucksack kam mir, so schwer er auch war, fast wie ein Gefährte aus Fleisch und Blut vor. Er war nicht mehr der lächerliche VW Käfer, den ich vor zwei Wochen in dem Motelzimmer in Mojave so mühsam gebuckelt hatte. Mein Rucksack hatte jetzt einen Namen: Monster.

Ich meinte das auf die denkbar netteste Weise. Es verblüffte mich, dass ich alles, was ich zum Leben brauchte, auf meinem Rücken tragen konnte. Dass ich das Untragbare tragen konnte. Diese Erkenntnis über die physische, materielle Seite meines Lebens beeinflusste zwangsläufig auch die psychische und geistige Seite. Dass mein kompliziertes Leben so einfach sein konnte, war erstaunlich, und so fragte ich mich immer öfter, ob es nicht vielleicht ganz in Ordnung war, dass ich meine Tage auf dem Trail nicht damit zugebracht hatte, über meinen Kummer und mein Leben nachzudenken. Und ob nicht vielleicht gerade der Umstand, dass ich mich auf mein körperliches Leid konzentrieren musste, mein seelisches Leid etwas linderte. Am Ende dieser zweiten Woche fiel mir auf, dass ich seit Beginn der Wanderung keine einzige Träne vergossen hatte.

Die letzten Kilometer bis zu dem schmalen Flachstück, wo ich mein letztes Nachtlager vor Kennedy Meadows aufschlug, legte ich unter den üblichen Qualen zurück, die meine ständigen Begleiter geworden waren. Mit Erleichterung sah ich, dass ein umgefallener dicker Baum den Lagerplatz begrenzte. Er war abgestorben, die Rinde längst abgefallen, der verwitterte Stamm grau und glatt. Er bildete eine hohe, glatte Sitzbank, auf der ich Platz nehmen und bequem den Rucksack abschnallen konnte. Sobald ich den Rucksack los war, legte ich mich auf den Stamm wie auf ein Sofa – eine willkommene Abwechslung zur nackten Erde. Der Baum war gerade so breit, dass ich, wenn ich mich nicht bewegte, darauf liegen konnte, ohne auf einer Seite herunterzufallen. Es war ein herrliches Gefühl. Ich war durstig, hungrig und müde, aber das alles war nichts im Vergleich zu dem stechenden Schmerz, der von den Verspannungen in meinem Nacken ausstrahlte. Ich schloss die Augen und seufzte vor Erleichterung.

Ein paar Minuten später spürte ich ein Kribbeln am Bein. Ich schaute an mir hinunter und sah, dass ich voller schwarzer Ameisen war. Eine ganze Armee von Ameisen kam in einer langen Polonaise aus einem Loch im Baum marschiert und schwärmte über meinen Körper aus. Laut schreiend, lauter noch als beim Anblick des Bären und der Klapperschlange, sprang ich von dem Stamm und schlug nach den harmlosen Ameisen, außer mir vor Angst. Und nicht nur vor den Ameisen, sondern vor allem. Vor der Tatsache, dass ich nicht von dieser Welt war, auch wenn ich darauf beharrte.

Ich kochte mir ein Abendessen und verkroch mich so bald wie möglich, lange vor dem Dunkelwerden, ins Zelt, nur damit ich drinnen sein konnte, auch wenn »drinnen« nur bedeutete, dass ich von dünnem Nylon umgeben war. Vor Beginn der Wanderung hatte ich mir vorgestellt, dass ich mich nur bei drohendem Regen ins Zelt zurückziehen und in den meisten Nächten unter den Sternen schlafen würde, aber darin hatte ich mich, wie in so vielem anderen, getäuscht. Jeden Abend sehnte ich mich nach dem Schutz des Zeltes, nur um wenigstens andeutungsweise das Gefühl zu haben, dass mich etwas vom Rest der Welt abschirmte, nicht etwa, um mich vor einer Gefahr zu schützen, sondern vor ihrer unermesslichen Weite. Ich liebte das schummrige, klamme Dunkel meines Zeltes, die heimelige Vertrautheit meiner wenigen Habseligkeiten, die ich jeden Abend um mich herum arrangierte. Ich holte *Als ich im Sterben lag* hervor, knipste die Stirnlampe an, rückte den Proviantsack unter meinen Waden zurecht und sprach ein kleines Gebet, dass der Bär, den ich am Nachmittag gesehen hatte – der Schwarzbär, wie ich betonte –, nicht mein Zelt zerfetzen möge, um ihn mir zu stehlen.

Als ich um elf von Kojotengeheul geweckt wurde, leuchtete meine Stirnlampe nur noch schwach, und der Faulkner-Roman lag aufgeschlagen auf meiner Brust.

Am Morgen konnte ich kaum aufstehen. Doch das war nicht nur am Morgen dieses vierzehnten Tages so. Die ganze letzte Woche war es mir so ergangen. Täglich kamen neue Schmerzen und Beschwerden hinzu, die es mir unmöglich machten, wie ein normaler Mensch zu stehen oder zu gehen, wenn ich aus dem Zelt kroch. Als wäre ich plötzlich eine uralte Frau, die hinkend den Tag anging. Ich hatte es geschafft, das Monster hundertfünfzig Kilometer weit durch schwieriges und bisweilen steiles Gelände zu schleppen, aber am Morgen konnte ich nicht einmal mehr mein eigenes Gewicht ertragen, die Füße empfindlich und geschwollen von den Strapazen des Vortags, die Knie zu steif, um das zu leisten, was ihnen normales Gehen abverlangte.

Ich war eine Zeitlang barfuß um mein Lager herumgelaufen, hatte gerade zusammengepackt und wollte aufbrechen, als von Süden zwei Männer auf dem Trail auftauchten. Wie Greg begrüßten sie mich mit Namen, noch bevor ich ein Wort gesagt hatte. Sie hießen Albert und Matt und waren Vater und Sohn. Sie stammten aus Georgia und wanderten den gesamten Trail ab. Albert war zweiundfünfzig, Matt vierundzwanzig. Beide hatten bei den Pfadfindern den höchsten Rang des Eagle Scouts erreicht, und man sah es ihnen an. Sie verströmten eine Grundanständigkeit und eine soldatische Korrektheit, die im krassen Gegensatz standen zu ihren struppigen Bärten, ihren staubverkrusteten Waden und der strengen Duftwolke, die sie im Umkreis von zwei Metern umgab, sobald sie sich bewegten.

»Herrjeh«, entfuhr es Albert, als er das Monster erblickte. »Was haben Sie denn da drin, junge Frau? Wohl so ziemlich alles bis auf die Küchenspüle.«

»Nur Wandersachen«, erwiderte ich, vor Scham errötend. Ihre Rucksäcke waren etwa halb so groß wie meiner.

»Ich wollte Sie nur aufziehen«, sagte Albert freundlich, und dann plauderten wir über den brütend heißen Trail hinter und den gefrorenen vor uns. Dabei erging es mir genauso wie bei der Begegnung mit Greg: Ich war ganz aufgeregt vor Freude, obwohl in ihrer Gegenwart nur noch deutlicher wurde, wie unzureichend ich auf die Wanderung vorbereitet war. Ich spürte ihre Blicke und las in ihren Augen, was sie dachten, wenn sie meinen grotesken Rucksack musterten oder registrierten, wie lückenhaft meine Kenntnisse des Wanderer-ABC waren. Doch andererseits erkannten sie auch an, dass viel Mut dazugehörte, es allein bis hierher zu schaffen. Matt war ein wahrer Hüne, gebaut wie ein Linebacker im Football. Seine rotbraunen Haare kräuselten sich weich über seinen Ohren und glänzten golden an seinen gewaltigen Beinen. Er war nur zwei Jahre jünger als ich, aber schüchtern wie ein Kind. Die meiste Zeit überließ er seinem Dad das Reden und hielt sich etwas abseits.

»Verzeihen Sie die Frage«, sagte Albert, »aber wie oft urinieren Sie am Tag bei dieser Hitze?«

»Äh … ich habe nicht gezählt. Sollte ich denn?« Schon wieder fühlte ich mich als der Wildnisneuling entlarvt, der ich war. Hoffentlich, so dachte ich, hatten sie letzte Nacht nicht in der Nähe kampiert und mein Gekreische wegen der Ameisen gehört.

»Im Idealfall siebenmal«, sagte Albert knapp. »So lautet die alte Pfadfinderregel, aber in Anbetracht der Hitze und der Trockenheit auf dem Trail in Verbindung mit der extremen Anstrengung können wir froh sein, wenn wir es auf dreimal bringen.«

»Ja. Ich auch«, sagte ich, obwohl ich während der ärgsten Hitze vierundzwanzig Stunden lang kein einziges Mal gemusst hatte. »Südlich von hier habe ich einen Bären gesehen«, platzte ich heraus, um das Thema zu wechseln. »Einen braunen Bären, obwohl es natürlich ein Schwarzbär war. Aber er sah braun aus. Farblich, meine ich, der Schwarzbär.«

»Hier in der Gegend sind sie zimtbraun«, sagte Albert. »Von der kalifornischen Sonne gebleicht, nehme ich an.« Er tippte sich an die Hutkrempe. »Wir sehen uns dann oben in Kennedy Meadows, Miss. War mir ein Vergnügen, Ihre Bekanntschaft zu machen.«

»Vor mir ist noch ein Mann namens Greg«, sagte ich. »Ich habe ihn vor zwei Tagen getroffen, und er hat gesagt, er würde noch dort sein.« Mein Herz tat einen Sprung, als ich Gregs Namen aussprach, und das einzig und allein deshalb, weil er der Einzige auf dem Trail war, den ich kannte.

»Wir folgen ihm schon eine ganze Weile, deshalb freue ich mich darauf, ihn endlich kennenzulernen«, sagte Albert. »Hinter uns sind noch zwei Kollegen. Die können jeden Augenblick auftauchen.« Er drehte sich um und spähte den Trail entlang in die Richtung, aus der wir gekommen waren. »Zwei junge Burschen namens Doug und Tom, etwa im selben Alter wie ihr beide. Sie sind kurz vor Ihnen losgewandert, ein Stück weiter im Süden.«

Ich winkte Albert und Matt hinterher, setzte mich und dachte ein paar Minuten über Doug und Tom nach, dann stand ich wieder auf und wanderte los. In den folgenden Stunden legte ich mich so mächtig ins Zeug wie noch nie, denn ich wollte von den beiden auf keinen Fall eingeholt werden, bevor ich in Kennedy Meadows war. Natürlich brannte ich darauf, sie kennenzulernen – aber ich wollte sie als die Frau kennenlernen, die sie abgehängt hatte, und nicht als die, die sie eingeholt hatten. Albert und Matt waren wie Greg an der mexikanischen Grenze eingestiegen. Sie hatten inzwischen reichlich Erfahrung gesammelt und legten jeden Tag über dreißig Kilometer zurück. Aber mit Doug und Tom verhielt es sich anders. Sie waren wie ich erst neulich losgewandert – *kurz vor Ihnen,* hatte Albert gesagt, und nur *ein Stück weiter im Süden.* Seine Worte geisterten mir unablässig durch den Kopf, als könnte ihnen die ständige Wiederholung eine zusätzliche und genauere Bedeutung abringen. Als könnte ich ihnen entnehmen, wie schnell oder wie langsam ich im Vergleich zu Doug und Tom wanderte. Als wäre die Antwort auf diese Frage der Schlüssel zu meinem Erfolg oder Misserfolg in dieser Sache, die das Schlimmste war, was ich jemals durchgemacht hatte.

Ich blieb wie angewurzelt stehen. Die Wanderung auf dem PCT das Schlimmste, was ich jemals durchgemacht hatte? Ich korrigierte den Gedanken sofort. Meine Mutter sterben zu sehen und ohne sie weiterleben zu müssen, das war das Schlimmste, was ich jemals durchgemacht hatte. Paul zu verlassen und unsere Ehe und mein bisheriges Leben zu zerstören, und zwar einfach nur deshalb, weil ich das Gefühl hatte, es tun zu müssen, auch das war schlimm gewesen. Aber auf dem PCT zu wandern war auf andere Weise schlimm. Auf eine Weise, die allen anderen schlimmen Dingen ein wenig die Spitze nahm. Das war merkwürdig, aber wahr. Und vielleicht hatte ich das irgendwie von Anfang an gewusst. Vielleicht war der spontane Entschluss, den PCT-Führer zu kaufen, ein erster Schritt zur Selbstheilung gewesen, ein erster Versuch, meinen zerrissenen Lebensfaden wiederaufzunehmen und neu zu knüpfen.

Ich konnte fühlen, wie er sich hinter mir abspulte – der alte Faden, den ich verloren hatte, der neue, den ich spann –, als ich an diesem Morgen wanderte. Im Gehen sah ich gelegentlich die Schneegipfel der High Sierra. Aber ich dachte nicht an diese Gipfel. Vielmehr stellte ich mir vor, wie ich am Nachmittag im Gemischtwarenladen von Kennedy Meadows stand, und malte mir bis ins Kleinste aus, was ich mir zu essen und zu trinken kaufen würde – eisgekühlte Limonade, Schokoriegel und, was ich im normalen Leben nur selten tat, Junkfood. Ich stellte mir vor, wie ich mein erstes Versorgungspaket in Empfang nahm – ein Augenblick, der für mich einen gewaltigen Meilenstein markierte, denn er war der greifbare Beweis, dass ich es zumindest so weit geschafft hatte. *Hallo,* sagte ich zu mir in Vorfreude auf den Augenblick, wenn ich in den Laden kam. *Ich wandere auf dem PCT und möchte mein Paket abholen. Ich heiße Cheryl Strayed.*

Cheryl Strayed. Cheryl Strayed. Cheryl Strayed – der Name ging mir immer noch irgendwie zögernd über die Lippen. Cheryl war schon immer mein Vorname gewesen, aber Strayed war neu – mein offizieller Name seit meiner Scheidung im April. Paul und ich hatten bei unserer Heirat den Nachnamen des anderen mit angenommen, sodass ein viersilbiger Name mit Bindestrich dabei herausgekommen war. Ich hatte ihn nie gemocht. Er war zu kompliziert und umständlich. Kaum jemand hatte ihn auf Anhieb richtig verstanden, und selbst ich stolperte häufig darüber. *Cheryl Bindestrich-Bindestrich,* so hatte mich ein brummiger, alter Mann genannt, für den ich vorübergehend arbeitete. Mein richtiger Name hatte ihn verwirrt, und ich konnte es ihm nachfühlen.

In dieser Zeit der Ungewissheit, als Paul und ich sieben Monate lang getrennt lebten, uns aber nicht sicher waren, ob wir uns scheiden lassen sollten, setzten wir uns zusammen hin und sahen die Unterlagen für eine einvernehmliche Scheidung, die wir telefonisch angefordert hatten, durch, als könnte es uns bei der Entscheidungsfindung helfen, wenn wir sie in Händen hielten. Beim Durchblättern der Unterlagen stießen wir auf die Frage, welchen Namen jeder von uns nach der Scheidung führen wollte. Die Zeile unter der Frage war völlig leer. Zu meinem Erstaunen konnte man alles eintragen. Jeder x-Beliebige werden. Damals lachten wir darüber und dachten uns unpassende neue Namen für uns aus – Namen von Filmstars, Comicfiguren und skurrile Wortkombinationen, die eigentlich gar keine Namen waren.

Später jedoch, als ich allein in meiner Wohnung war, hing mir diese leere Zeile nach. Für mich stand fest, dass ich mir im Fall einer Scheidung einen neuen Namen zulegen würde. Cheryl Bindestrich-Bindestrich konnte ich nicht bleiben. Und ich konnte auch nicht wieder den Namen annehmen, den ich auf der Highschool getragen hatte, und wieder das Mädchen werden, das ich früher gewesen war. So kam es, dass ich in der Zeit, als die Zukunft unserer Ehe in der Schwebe war, über meinen künftigen Nachnamen nachdachte. Ich überlegte, was klanglich gut zu Cheryl passte, und machte mir eine Liste von Romanfiguren, die ich bewunderte. Nichts passte, bis mir eines Tages das Wort »strayed« in den Sinn kam. Ich schlug es im Wörterbuch nach und wusste sofort, dass ich so heißen wollte. Die vielschichtigen Bedeutungen des Wortes waren wie ein Spiegelbild meines Lebens und brachten sogar eine poetische Saite zum Schwingen: *vom rechten Weg abkommen, vom direkten Kurs abweichen, sich verirrt haben, verwildern, ohne Vater oder Mutter sein, kein Zuhause haben, auf der Suche nach etwas ziellos umherwandern, sich entfernen oder sich verlieren.*

Ich war vom Weg abgekommen, ziellos umhergewandert und verwildert. Ich wählte das Wort nicht deshalb zu meinem neuen Namen, weil es die negativen Seiten meiner Lebensumstände beschrieb, sondern weil ich selbst in meinen dunkelsten Stunden – in ebenden Stunden, in denen ich mir selbst einen Namen gab – die Kraft sah, die aus der Dunkelheit erwuchs. Denn ich sah, dass ich tatsächlich vom rechten Weg abgekommen war, dass ich eine Streunerin war und dass ich in der Wildnis, in die mich mein Umherirren geführt hatte, Dinge erfahren hatte, die ich vorher nicht hatte wissen können.

In meinem Tagebuch schrieb ich wiederholt ganze Seiten mit *Cheryl Strayed* voll wie ein Mädchen, das von einem Jungen schwärmt, den es heiraten will. Nur dass es diesen Jungen gar nicht gab. Es war mein eigener Junge, der mitten in meiner Wurzellosigkeit Wurzeln schlug. Trotzdem hatte ich noch Zweifel. Ein Wort aus dem Wörterbuch herauszupicken und zu seinem Namen zu machen kam mir leicht aufgesetzt vor, ein wenig kindisch oder albern und sogar eine Spur heuchlerisch. Jahre davor hatte ich mich insgeheim über Leute in meinen linken, kunstbeflissenen Hippie-Kreisen lustig gemacht, die sich selbst ausgedachte Namen zugelegt hatten. Jennifers und Michelles waren zu Sequoias und Lunas, Mikes und Jasons zu Oaks und Thistles geworden. Ich ließ mich davon nicht beirren, vertraute ein paar Freunden an, wofür ich mich entschieden hatte, und bat sie, mich mit dem neuen Namen anzusprechen, um ihn auszuprobieren. Ich unternahm eine längere Reise mit dem Auto, und jedes Mal, wenn mir ein Anmeldebuch vorgelegt wurde, trug ich mich als *Cheryl Strayed* ein, mit leicht zitternder Hand und einem Anflug von schlechtem Gewissen, als ob ich einen Scheck fälschte.

Zu dem Zeitpunkt, als Paul und ich beschlossen, die Scheidungsunterlagen auszufüllen, hatte ich mich an den neuen Namen schon so gewöhnt, dass ich ihn ohne Zögern in die leere Zeile eintrug. Zu denken gaben mir nur die anderen Zeilen, diese endlosen Zeilen, in denen wir mit unserer Unterschrift die Auflösung unserer Ehe besiegeln sollten. Die füllte ich weitaus zaghafter aus. Ich wollte mich von Paul scheiden lassen. Und doch auch wieder nicht. Ich war davon überzeugt, dass Scheidung der richtige Schritt war, und gleichzeitig war ich fast ebenso davon überzeugt, dass ich dadurch das Beste, was ich besaß, zerstörte. Ich tat damals genau das Gleiche wie später auf dem Trail, als ich begriff, dass in beiden Richtungen ein Bulle warten könnte: Ich machte einfach den Schritt ins Ungewisse und ging weiter, dorthin, wo ich noch nicht gewesen war.

Wir unterschrieben die Scheidungsunterlagen an einem Apriltag in Minneapolis. Es schneite, und die Flocken fielen in dichten Wirbeln und verzauberten die Stadt. Wir saßen an einem Tisch einer Frau namens Val gegenüber, einer zugelassenen Notarin, die wir zufällig kannten. Durch ein breites Fenster ihrer Kanzlei in der

Stadt beobachteten wir den Schnee und machten Scherze, wenn es sich ergab. Ich hatte Val erst ein paarmal getroffen und wusste nur wenig über sie. Sie war nett, geradeheraus, unglaublich klein und mindestens zehn Jahre älter als wir. Ihr Haar war blond gefärbt und sehr kurz geschnitten bis auf eine längere, rosa Strähne, die ihr wie ein kleiner Flügel in die Augen fiel. Silberne Ohrstecker rahmten ihre Ohrläppchen, und ein buntes Tattoo-Geflecht bedeckte ihre Arme wie Ärmel.

Und trotzdem hatte sie einen richtigen Job in einem richtigen Büro in Innenstadtlage mit einem großen, breiten Fenster und obendrein eine Zulassung als Notarin. Wir hatten sie ausgewählt, weil wir wollten, dass unsere Scheidung reibungslos über die Bühne ging. Wir wollten keinen Stress. Wir wollten glauben, dass wir immer noch liebe, nette Leute waren. Dass alles, was wir einander sechs Jahre zuvor gesagt hatten, der Wahrheit entsprochen hatte. *Was haben wir noch mal gesagt?*, hatten wir uns halb betrunken ein paar Wochen zuvor in meiner Wohnung gefragt, als wir beschlossen, die Sache endgültig durchzuziehen.

»Hier steht's«, hatte ich gebrüllt, nachdem ich mich durch einen Papierstapel gewühlt und das von uns unterschriebene Ehegelübde gefunden hatte, drei zusammengeheftete, vergilbte Blätter. Wir hatten ihnen eine Überschrift gegeben: *Der Tag, an dem die Gänseblümchen blühten.* »Der Tag, an dem die Gänseblümchen blühten!«, johlte ich, und wir lachten uns kaputt über uns, über die Menschen, die wir gewesen waren. Und dann legte ich das Gelübde auf den Stapel zurück, in dem ich es gefunden hatte, denn ich konnte nicht weiterlesen.

Wir hatten sehr jung geheiratet, was so wenig zu uns passte, dass sogar unsere Eltern fragten, warum wir denn nicht einfach nur zusammenlebten. Wir konnten nicht einfach nur zusammenleben, obwohl ich damals erst neunzehn und er einundzwanzig war. Wir waren zu heftig verliebt und glaubten, wir müssten zum Beweis dafür etwas Verrücktes tun, also taten wir das Verrückteste, was uns einfiel, und heirateten. Aber selbst verheiratet fühlten wir uns nicht wie ein Ehepaar – wir lebten monogam, aber wir dachten gar nicht daran, uns häuslich niederzulassen. Wir packten unsere Fahrräder in Kartons und flogen damit nach Irland, wo ich einen Monat später zwanzig wurde. Wir mieteten eine Wohnung in Galway, überlegten es uns dann anders, zogen nach Dublin und suchten uns einen Job in der Gastronomie – er in einer Pizzeria, ich in einem vegetarischen Café. Vier Monate später zogen wir nach London und streiften so abgebrannt durch die Straßen, dass wir die Bürgersteige nach Geldstücken absuchten. Schließlich flogen wir wieder nach Hause. Nicht lange danach starb meine Mutter, und wir taten all die Dinge, die uns hierher, in Vals Büro, geführt hatten.

Paul und ich hielten unter dem Tisch Händchen und sahen zu, wie Val systematisch die von uns ausgefüllten Anträge auf eine einvernehmliche Scheidung durchsah. Sie prüfte eine Seite, dann die nächste und so weiter und so fort, um sich zu vergewissern, dass wir alle fünfzig oder sechzig korrekt ausgefüllt hatten. Während sie noch damit beschäftigt war, regte sich in mir eine Art solidarisches Aufbäumen, das mich mit Paul gegen jeden etwaigen Einwand von ihrer Seite vereinte, als beantragten wir, den Rest unseres Lebens zusammenbleiben zu dürfen, und nicht das Gegenteil.

»Sieht alles gut aus«, sagte sie schließlich und schenkte uns ein schmales Lächeln. Und dann ging sie die Seiten noch einmal durch, zügiger diesmal, drückte ihren großen Notarsstempel auf einige Seiten und schob uns Dutzende anderer zum Unterschreiben über den Tisch.

»Ich liebe ihn«, platzte ich heraus, als wir fast durch waren, und meine Augen füllten sich mit Tränen. Es fehlte nicht viel, und ich hätte meinen Ärmel hochgekrempelt und ihr zum Beweis die Kompresse gezeigt, die mein frisches Pferde-Tattoo bedeckte, aber ich stammelte nur weiter. »Ich meine, wir tun das nicht wegen fehlender Liebe, sondern einfach so, verstehen Sie? Ich liebe ihn, und er liebt mich …« Ich sah Paul an und wartete darauf, dass er etwas sagte, dass er mir zustimmte und seine Liebe bekannte, aber er schwieg. »Einfach so«, wiederholte ich. »Damit Sie uns nicht falsch verstehen.«

»Ich weiß«, sagte Val und schob die rosa Strähne beiseite, sodass ich sehen konnte, wie ihr Blick nervös zu mir hoch sprang und sich dann wieder auf die Papiere senkte.

»Es ist alles nur meine Schuld«, sagte ich mit erhobener, zittriger Stimme. »Er hat nichts getan. Ich war es. Ich habe mir selbst das Herz gebrochen.«

Paul legte mir eine Hand aufs Knie, um mich zu trösten. Ich konnte ihn nicht ansehen. Hätte ich es getan, wäre ich in Tränen ausgebrochen. Wir hatten das gemeinsam beschlossen, aber ich wusste: Hätte ich ihn jetzt angesehen und vorgeschlagen, die Scheidung zu vergessen und uns wieder zusammenzutun, hätte er Ja gesagt. Ich sah ihn nicht an. In mir surrte eine Maschine, die ich in Gang gesetzt hatte, aber nicht mehr anhalten konnte. Ich fasste nach Pauls Hand auf meinem Knie.

Manchmal fragten wir uns gemeinsam, ob vielleicht alles anders gekommen wäre, wenn nur ein einziges Ereignis nicht eingetreten wäre. Wie zum Beispiel: Hätte ich ihn betrogen, wenn meine Mutter nicht gestorben wäre? Oder: Hätte ich ihn nicht betrogen, hätte er dann mich betrogen? Und was, wenn gar nichts passiert wäre – wenn meine Mutter nicht gestorben wäre und keiner den anderen betrogen hätte? Hätten wir uns dann trotzdem scheiden lassen, einfach weil wir zu jung geheiratet hatten? Wir konnten es nicht wissen, aber wir hätten es gern gewusst. So nahe wir uns auch gewesen waren, als wir noch zusammengelebt hatten, jetzt, als wir nach den Gründen fragten, waren wir uns noch näher. Endlich sagten wir einander alles, Dinge, die so tief gingen, dass wir das Gefühl hatten, sie wären möglicherweise noch nie zwischen zwei Menschen ausgesprochen worden. Wir sagten alles, was schön, hässlich und wahr war.

»Jetzt, wo wir das alles durchgemacht haben, sollten wir eigentlich zusammenbleiben«, sagte ich halb im Scherz in der zärtlichen

Stimmung nach unserem letzten herzzerreißenden Gespräch, bei dem wir unser Innerstes nach außen gekehrt hatten – und bei dem wir endlich entscheiden mussten, ob wir uns scheiden lassen wollten oder nicht. Wir saßen auf der Couch in meiner dunklen Wohnung, hatten den ganzen Nachmittag bis in den Abend hinein geredet und waren, als es dunkel wurde, beide zu erledigt, um aufzustehen und Licht zu machen.

»Ich hoffe, du kannst es irgendwann mit einer anderen«, sagte ich, als er nicht antwortete, obwohl mir der bloße Gedanke an eine andere Frau einen Stich versetzte.

»Ich hoffe, du auch«, sagte er.

Ich saß im Dunkeln neben ihm und wollte glauben, dass ich fähig war, wieder eine solche Liebe wie zwischen uns zu finden, nur ohne sie beim nächsten Mal zu zerstören. Es erschien mir unmöglich. Ich dachte an meine Mutter. An die vielen schrecklichen Dinge in den letzten Tagen ihres Lebens. Kleine schreckliche Dinge. Ihr wirres, delirierendes Gemurmel. Die dunklen Hämatome an den Armen. Ihr Flehen, das nicht einmal ein Flehen um Gnade war, sondern um etwas anderes, das weniger als Gnade war, was immer das sein mochte. Um etwas, wofür wir kein Wort haben. Damals dachte ich, dies wären die schlimmsten Tage, doch als sie starb, hätte ich alles getan, um diese Tage zurückzuholen. Einen kurzen, schrecklichen, wunderbaren Tag nach dem anderen. Vielleicht würde es mir mit Paul ebenso ergehen, dachte ich, als ich an dem Abend, an dem wir die Scheidung beschlossen, neben ihm saß. Vielleicht würde ich mich auch nach diesen schrecklichen Tagen später zurücksehnen.

»Woran denkst du?«, fragte er, aber ich antwortete nicht. Ich beugte mich nur vor und knipste das Licht an.

Paul und ich mussten die notariell beglaubigten Scheidungsunterlagen selbst abschicken. Wir traten zusammen aus dem Gebäude hinaus in den Schnee und gingen den Gehweg entlang, bis wir einen Briefkasten fanden. Danach lehnten wir uns gegen die kalte Backsteinmauer eines Hauses und küssten uns, weinten und beteuerten, wie leid es uns tue.

»Was tun wir jetzt?«, fragte Paul nach einer Weile.

»Abschied nehmen«, antwortete ich. Ich spielte mit dem Gedanken, ihn zu bitten, mit zu mir zu kommen, wie ich es während unserer einjährigen Trennung schon einige Male getan hatte, um dann mit ihm für eine Nacht oder einen Nachmittag ins Bett zu fallen, aber ich brachte es nicht über mich.

»Mach's gut«, sagte er.

»Du auch«, sagte ich.

Ich stand dicht vor ihm, mein Gesicht an seinem, und hielt ihn vorn an seinem Mantel fest. Ich spürte die grausame Dumpfheit des Gebäudes auf der einen Seite, den grauen Himmel und die weißen Straßen wie ein schlummerndes großes Tier auf der anderen, und uns dazwischen, allein in einem Tunnel. Schneeflocken schmolzen in seinen Haaren, und ich hätte sie gern berührt, tat es aber nicht. Wir standen schweigend da und sahen einander in die Augen, als wäre es das letzte Mal.

»Cheryl Strayed«, sagte er nach einer ganzen Weile, und mein neuer Name klang sehr fremd aus seinem Mund.

Ich nickte und ließ seinen Mantel los.

7

Das einzige Mädchen
in den Wäldern

»Cheryl Strayed?«, fragte die Frau im Gemischtwarenladen von Kennedy Meadows, ohne zu lächeln. Als ich energisch nickte, drehte sie sich um und verschwand ohne ein weiteres Wort in einem Nebenraum.

Ich sah mich um, wie berauscht vom Anblick der verpackten Lebensmittel und Getränke. Ich konnte es kaum erwarten, mir in den kommenden Stunden einiges davon einzuverleiben, und ich genoss das Gefühl, den Rucksack los zu sein, der draußen auf der Veranda stand.

Ich war hier. Ich hatte mein erstes Etappenziel erreicht. Es kam mir vor wie ein Wunder. Irgendwie hatte ich erwartet, Greg, Matt und Albert im Laden zu treffen, aber sie waren nicht zu sehen. Nach Auskunft meines Wanderführers lag der Lagerplatz weitere fünf Kilometer von hier, und ich ging davon aus, dass ich sie dort finden würde, zusammen mit Doug und Tom. Da ich mich ins Zeug gelegt hatte, hatten die beiden es nicht geschafft, mich einzuholen.

Kennedy Meadows, das waren ausgedehnte Kiefernwälder und Salbeiwiesen in über 1900 Metern Höhe am South Fork Kern River. Dabei handelte es sich nicht um eine richtige Ortschaft, sondern eher um einen Außenposten der Zivilisation, der sich über mehrere Kilometer erstreckte und aus einem Gemischtwarenladen, einem Restaurant namens Grumpie's und einem bescheidenen Campingplatz bestand.

↳ GUTEN MORGEN "

»Bitte sehr«, sagte die Frau, als sie wiederkam und mein Paket auf die Ladentheke stellte. »Es ist das einzige, das an eine Frau adressiert ist. Deshalb wusste ich es.« Ihre Hand kam über die Theke. »Das da ist auch für Sie gekommen.«

Sie hielt mir eine Postkarte hin. Ich nahm sie und las. *Ich hoffe, du hast es so weit geschafft,* stand da in einer vertrauten Handschrift. *Irgendwann möchte ich dein cleaner Freund sein. Ich liebe dich. Joe.* Auf der anderen Seite war ein Foto des Sylvia Beach Hotel an der Küste von Oregon, in dem wir mal zusammen abgestiegen waren. Ich starrte eine Weile auf das Foto, und unterschiedliche Gefühle durchfluteten mich in Wellen: Dankbarkeit für eine Nachricht von jemandem, den ich kannte, Sehnsucht nach Joe, Enttäuschung, weil er der Einzige war, der mir geschrieben hatte, und, so unsinnig es auch war, Wehmut, weil es nicht Paul war, der mir als Einziger geschrieben hatte.

Ich kaufte zwei Flaschen Snapple-Limonade, einen Butterfinger-Riegel King Size und eine Tüte Doritos, ging nach draußen und setzte mich auf die Eingangstreppe, wo ich die Einkäufe verschlang und dabei immer wieder die Postkarte las. Nach einer Weile bemerkte ich in der Ecke der Veranda eine Kiste, die bis zum Rand vollgestopft war, hauptsächlich mit verpackter Backpacker-Kost. Darüber hing ein Schild, auf dem von Hand geschrieben stand:

> *Umsonstkiste für PCT-Wanderer!!!*
> *Lass hier, was du nicht brauchst!*
> *Nimm mit, was du willst!*

Ein Skistock lehnte hinter der Kiste, genau so einer, wie ich ihn brauchte. Ein Skistock wie für eine Prinzessin: weiß und mit kaugummirosa Halteschlaufe aus Nylon. Ich ging zur Probe ein paar

Schritte damit. Er hatte genau die richtige Länge. Er würde mir nicht nur durch den Schnee helfen, sondern auch durch die vielen Bachfurten und Geröllhalden, die mich ohne Zweifel erwarteten.

Eine Stunde später stapfte ich mit ihm den Feldweg entlang, der in einem Bogen um den Campingplatz herumführte, und hielt nach Greg, Matt und Albert Ausschau. Es war ein Sonntagnachmittag im Juni, aber der Platz war fast leer. Ich kam an einem Mann vorbei, der gerade sein Angelzeug zusammenpackte, dann an einem Paar mit Kühltasche und Ghettoblaster und gelangte schließlich in eine Ecke, in der Zelte standen. Ein grauhaariger Mann mit nacktem Oberkörper und braungebranntem Bauch saß an einem Picknicktisch und las in einem Buch. Er schaute auf, als ich näher kam.

»Sie müssen die berühmte Cheryl mit dem Riesenrucksack sein«, rief er mir zu.

Ich lachte zustimmend.

»Ich heiße Ed.« Er kam mir entgegen und drückte mir die Hand. »Ihre Freunde sind hier. Sie sind eben zum Laden gefahren – Sie müssen sie knapp verpasst haben –, aber sie haben mich gebeten, nach Ihnen Ausschau zu halten. Sie können da drüben Ihr Zelt aufbauen, wenn Sie mögen. Sie campen alle hier – Greg und Albert und sein Sohn.« Er deutete auf die Zelte um ihn herum. »Wir haben gewettet, wer zuerst hier ist. Sie oder die beiden Jungs aus dem Osten, die hinter Ihnen waren.«

»Wer hat gewonnen?«, fragte ich.

Ed überlegte einen Moment. »Keiner«, sagte er und brach in Lachen aus. »Keiner von uns hat auf Sie gewettet.«

Ich stellte den Rucksack auf den Picknicktisch, schnallte ihn ab und ließ ihn dort stehen, um mir die Mitleid erregende Gewichthebernummer zu ersparen, wenn ich ihn später wieder aufsetzen musste.

»Willkommen in meiner bescheidenen Hütte«, sagte Ed und deutete auf einen kleinen Klappwohnwagen, aus dem seitlich eine Markise ragte, die eine provisorische Campingküche beschirmte. »Haben Sie Hunger?«

Auf dem Campingplatz gab es keine Duschen, und so ging ich, während Ed etwas zu essen machte, zum Fluss, um mich zu waschen, so gut es eben ging, wenn man die Kleider anbehielt. Nach den trockenen Landstrichen, die ich durchwandert hatte, war der Fluss wie ein Schock. Und der South Fork Kern River war nicht irgendein Fluss, sondern ein reißender Strom, dessen tosende, eisige Fluten ein deutlicher Hinweis darauf waren, dass weiter oben in den Bergen jede Menge Schnee lag. Die Strömung war so stark, dass ich mich nicht einmal bis zu den Knöcheln hineinwagte, und so strich ich am Ufer entlang, bis ich eine ruhige Stelle mit Kehrwasser fand, und watete hinein. Schon nach kurzer Zeit spürte ich in dem kalten Wasser meine Füße nicht mehr. Ich kauerte mich nieder, befeuchtete meine schmutzigen Haare und schaufelte mir mit den Händen Wasser unter die Kleider, um mich zu waschen. Ich war wie aufgeputscht von dem vielen Zucker, den ich intus hatte, dem Triumphgefühl, es bis hierher geschafft zu haben, und der Vorfreude auf die Gespräche, die ich in den nächsten Tagen führen würde.

Als ich fertig war, erklomm ich die Uferböschung und ging über eine feuchte und kalte Wiese zurück. Schon von weitem sah ich, wie Ed Schüsseln, Ketchup-Flaschen, Senfgläser und Coladosen von seiner Campingküche zum Picknicktisch trug. Ich kannte ihn erst seit ein paar Minuten, und dennoch war er mir, wie die anderen Männer, die ich kennengelernt hatte, schon so vertraut, als könnte ich mich beinahe blind auf ihn verlassen. Wir setzten uns einander gegenüber, und während wir aßen, erzählte er mir von sich. Er war fünfzig, Hobbydichter und Sommervagabund, kinderlos und geschieden. Ich versuchte, so gemächlich zu essen wie er und immer nur dann einen Bissen zu nehmen, wenn er einen nahm, so wie ich mich ein paar Tage zuvor bemüht hatte, meine Schritte dem Tempo Gregs anzupassen, aber ich konnte nicht. Ich war zu ausgehungert. Im Nu hatte ich zwei Hot Dogs, eine Riesenportion Baked Beans und einen Berg Pommes verdrückt und saß dann da mit Hunger auf mehr. Derweil stocherte Ed eher lustlos in seinem Essen, legte eine Pause ein, schlug sein Tagebuch auf und las mir laut Gedichte vor, die er am Vortag verfasst hatte. Wie er mir erzählte, lebte er den größten Teil des Jahres in San Diego, schlug aber jeden Sommer in Kennedy Meadows sein Lager auf, um die durchkommenden PCT-Wanderer zu begrüßen. Er war das, was man im Jargon der Wanderer einen *Trail Angel* nannte, aber das wusste ich damals noch nicht. Ich wusste noch nicht einmal, dass es einen Jargon der PCT-Wanderer gab.

»Seht mal, Jungs, wir haben alle die Wette verloren«, rief Ed den Männern zu, als sie vom Laden zurückkamen.

»Ich nicht!«, protestierte Greg, der zu mir trat und mir die Schulter drückte. »Ich habe mein Geld auf Sie gesetzt, Cheryl«, beteuerte er, obwohl die anderen seine Behauptung bestritten.

Wir saßen um den Picknicktisch, sprachen über den Trail, und nach einer Weile zerstreuten sich alle, um ein Nickerchen zu machen – Ed ging in seinen Wohnwagen, Greg, Albert und Matt legten sich in ihre Zelte. Ich blieb am Tisch, da ich zu aufgeregt zum Schlafen war, und wühlte mich durch den Inhalt des Pakets, das ich selbst vor Wochen gepackt hatte. Die Sachen darin rochen nach den Nag-Champa-Räucherstäbchen, deren Duft meine Wohnung erfüllt hatte und mir jetzt wie aus einer fernen Welt vorkam, wie aus einem anderen Leben, das ich früher einmal geführt hatte. Die Ziplock-Tüten und Verpackungen der Lebensmittel waren noch unbeschadet und glänzten. Das frische T-Shirt roch nach dem Lavendel-Waschmittel, das ich in dem Genossenschaftsladen, in dem ich Mitglied war, immer lose gekauft hatte. Der geblümte Einband von Flannery O'Connors *The Complete Stories* war noch wie neu.

Das Gleiche konnte man von Faulkners *Als ich im Sterben lag* nicht behaupten, vielmehr von dem dünnen Teil des Buches, der noch in meinem Rucksack steckte. Ich hatte den Umschlag abgetrennt und alle Seiten, die ich am Abend zuvor gelesen hatte, herausgerissen und in der kleinen Alubackform, die ich zum Schutz gegen verirrte Funken immer unter den Kocher stellte, verbrannt. Ich hatte zugesehen, wie die Flammen Faulkners Namen verzehrten, und ein wenig das Gefühl gehabt, ein Sakrileg zu begehen – ich hätte mir nie träumen lassen, dass ich mal Bücher verbrennen würde –, aber ich musste unbedingt mein Gepäck leichter machen. Das Gleiche hatte ich mit dem Teil von *The Pacific Crest Trail, Volume I: California* getan, den ich bereits abgewandert hatte.

Es tat mir weh, aber es musste sein. Schon in meinem normalen Leben vor dem PCT hatte ich Bücher immer geliebt, doch auf dem Trail hatten sie eine noch größere Bedeutung für mich bekommen. In ihrer Welt konnte ich mich verlieren, wenn die Welt, in der ich wirklich war, zu hart und zu schwer zu ertragen war, wenn ich mich zu einsam in ihr fühlte. Abends, wenn ich das Lager aufschlug, erledigte ich Arbeiten wie Zeltaufbauen, Wasserfiltern und Kochen in aller Eile, damit ich mich hinterher im Schutz des Zeltes in meinen Campingstuhl setzen konnte. Den Topf mit dem warmen Essen zwischen die Knie geklemmt, aß ich dann mit dem Löffel in der einen und einem Buch in der anderen Hand und las im Schein meiner Stirnlampe, wenn sich der Himmel verdunkelte. In der ersten Woche meiner Wanderung war ich oft zu müde, um mehr als ein oder zwei Seiten zu lesen, bevor ich einschlief, doch als meine Kondition besser wurde, las ich mehr und konnte es abends kaum erwarten, der Eintönigkeit meiner Tage zu entfliehen. Und jeden Morgen verbrannte ich, was ich am Abend zuvor gelesen hatte.

Als ich das noch unversehrte Buch mit O'Connors Kurzgeschichten in der Hand hielt, tauchte Albert aus seinem Zelt auf. »Anscheinend fällt es Ihnen schwer, sich von gewissen Dingen zu trennen«, sagte er. »Wollen Sie Hilfe?«

»Eigentlich ja«, antwortete ich mit gequältem Lächeln.

»Also gut. Ich möchte, dass Sie jetzt Folgendes tun: Packen Sie, als wollten Sie zu Ihrer nächsten Etappe aufbrechen, dann sehen wir weiter.« Er ging zum Fluss, in der Hand den Stummel einer

Zahnbürste, deren Griff er abgesägt hatte, natürlich um Gewicht zu sparen.

Ich machte mich ans Werk, kombinierte das Neue mit dem Alten, kam mir aber vor wie bei einer Prüfung, bei der ich nur durchfallen konnte. Als ich fertig war, kehrte Albert zurück und packte meinen Rucksack Stück für Stück wieder aus. Er legte jedes Ausrüstungsteil auf einen von zwei Haufen – der eine sollte zurück in den Rucksack, der andere in den jetzt leeren Karton meines Versorgungspakets, den ich anschließend entweder nach Hause schicken oder zu der Umsonstkiste für PCT-Wanderer auf der Veranda des Gemischtwarenladens stellen konnte. In den Karton wanderten die Klappsäge, das Minifernglas und das 1000-Watt-Blitzgerät für die Kamera, die ich noch gar nicht benutzt hatte. Vor meinen Augen sortierte Albert das Deo aus, dessen Nutzen ich überschätzt hatte, dann den Einwegrasierer, den ich in der vagen Vorstellung mitgenommen hatte, mir die Beine und die Achseln zu rasieren, und, oberpeinlich, die dicke Rolle Kondome, die ich in mein Erste-Hilfe-Set gesteckt hatte.

»Brauchen Sie die wirklich?«, fragte Albert und hielt die Kondome in die Höhe. Albert, der Eagle Scout und Familienvater aus Georgia, dessen Ehering in der Sonne blitzte, der den Stiel seiner Zahnbürste gekappt hatte und der todsicher eine Bibel im Taschenformat in seinem Rucksack mitführte. Er betrachtete mich mit steinerner Miene, während das Dutzend extradünner, in weißen Plastikbeuteln verpackter Trojan-Kondome ohne Gleitmittel knisternd aus seiner Hand sprang wie eine Luftschlange.

»Nein«, sagte ich und wäre vor Scham am liebsten im Erdboden versunken. Der Gedanke, hier draußen Sex zu haben, kam mir jetzt absurd vor, obwohl er mir beim Zusammenstellen der Ausrüstung durchaus angebracht erschienen war, damals, als ich noch keine Ahnung hatte, wie mich das Wandern auf dem Pacific Crest Trail körperlich schlauchen würde. Seit der Nacht in dem Motel in Ridgecrest hatte ich mich nicht mehr in einem Spiegel gesehen, doch als die Männer schlafen gegangen waren, hatte ich die Gelegenheit genutzt und einen Blick in den Außenspiegel von Eds Pickup geworfen. Mein Gesicht war braun gebrannt und schmutzig, obwohl ich mich kurz davor im Fluss gewaschen hatte. Ich war etwas schmaler geworden und mein dunkelblondes Haar eine Spur heller, durch das kombinierte Einwirken von getrocknetem Schweiß, Flusswasser und Staub zugleich glatter und voller.

Ich sah nicht wie eine Frau aus, die zwölf Kondome brauchte.

Doch Albert hielt sich nicht damit auf, über solche Dinge nachzudenken – ob ich Sex haben würde oder nicht, ob ich hübsch war. Er plünderte weiter meinen Rucksack, erkundigte sich jedes Mal ernst, bevor er wieder einen Gegenstand, den ich für unentbehrlich erachtet hatte, auf den Weg-damit-Haufen warf. Ich nickte beinahe jedes Mal, wenn er etwas hochhielt. Nur bei *The Complete Stories* und bei meiner geliebten, unversehrten Ausgabe von *Der Traum einer gemeinsamen Sprache* blieb ich hart. Ebenso bei meinem Tagebuch, dem ich alles anvertraute, was ich in diesem Sommer tat. Und als Albert einmal nicht hersah, zupfte ich ein Kondom vom Ende der Rolle, die er aussortiert hatte, und ließ es in der Gesäßtasche meiner Shorts verschwinden.

»Was hat Sie eigentlich hierhergeführt?«, fragte Albert, als er fertig war. Er saß auf der Bank am Picknicktisch, die breiten Hände vor sich gefaltet.

»Warum ich auf dem PCT wandere?«, fragte ich.

Er nickte und sah zu, wie ich die Sachen, die ich behalten durfte, wieder im Rucksack verstaute. »Ich will Ihnen sagen, warum ich es tue«, fuhr er eilends fort, bevor ich antworten konnte. »Ich habe mein Leben lang davon geträumt. Als ich von dem Trail hörte, dachte ich mir: ›Das würde ich gern machen, bevor ich vor meinen Schöpfer trete.‹« Er schlug sachte mit der Faust auf den Tisch. »Und was ist mit Ihnen, junge Frau? Nach meiner Theorie haben die meisten Leute einen Grund. Irgendetwas, was sie hier heraustreibt.«

»Ich weiß nicht«, zögerte ich. Ich hatte keine Lust, einem über fünfzigjährigen Christen und Pfadfinder aus Georgia zu sagen, warum ich drei volle Monate allein durch die Wälder wanderte, ganz gleich wie freundlich seine Augen blitzten, wenn er lächelte. Die Gründe, die mich zu der Wanderung bewogen hatten, hätten in seinen Ohren nur anstößig und in meinen nur zweifelhaft geklungen. Sie hätten uns beiden nur offenbart, wie fragwürdig dieses ganze Unternehmen war.

»In der Hauptsache«, sagte ich, »weil ich dachte, es würde Spaß machen.«

»Das nennen Sie Spaß?«, fragte er, und wir lachten beide.

Ich drehte mich um, lehnte mich gegen das Monster und schob die Arme in die Gurte. »Mal sehen, ob es etwas gebracht hat«, sagte ich, zog die Schnallen an und wuchtete ihn vom Tisch. Ich staunte, wie leicht er sich anfühlte, obwohl er mit frischem Proviant für elf Tage und meinem neuen Eispickel bepackt war. Ich strahlte Albert an. »Vielen Dank.«

Er gluckste nur und schüttelte den Kopf.

Glücklich drehte ich mit meinem Rucksack auf dem Feldweg eine Proberunde um den Campingplatz. Ich hatte zwar immer noch den größten Rucksack von allen – da ich solo wanderte, musste ich Dinge tragen, die andere, die zu zweit unterwegs waren, untereinander aufteilen konnten –, doch im Vergleich zu vorher war er so leicht, dass ich meinte, Luftsprünge damit machen zu können. Nach der Hälfte der Runde blieb ich stehen und sprang.

Ich hob nur ein paar Zentimeter vom Boden ab, aber immerhin.

»Cheryl?«, rief genau in diesem Moment eine Stimme. Ich schaute auf und sah einen attraktiven jungen Mann mit Rucksack auf mich zukommen.

»Doug?«, fragte ich und lag damit richtig. Als Antwort winkte er und stieß einen Jauchzer aus, dann kam er direkt auf mich zu und umarmte mich.

»Wir haben deinen Eintrag im Register gelesen und versucht, dich einzuholen.«

»Und hier bin ich«, stammelte ich, verblüfft über seine Begeisterung und sein gutes Aussehen. »Wir kampieren alle da drüben.« Ich deutete hinter mich. »Wir sind ein ganzer Haufen. Wo steckt dein Freund?«

»Er wird gleich hier sein«, sagte Doug und jauchzte noch einmal, ohne besonderen Grund. Er erinnerte mich an all die Sonnyboys, die ich in meinem Leben kennengelernt hatte – gut aussehend im klassischen Sinn, charmant und der geborene Sieger, überzeugt, dass ihm die Welt gehörte, und unbeleckt von Selbstzweifeln. Als ich neben ihm stand, hatte ich das Gefühl, er würde jeden Moment meine Hand nehmen und wir würden dann zusammen mit einem Fallschirm von einer Klippe springen und lachend nach unten schweben.

»Tom!«, brüllte Doug, als am Ende des Feldwegs sein Freund auftauchte. Wir gingen ihm entgegen. Schon von weitem erkannte ich, dass Tom physisch und psychisch das Gegenteil von Doug war – knochendürr, blass, Brille. Das Lächeln, das sich in sein Gesicht schlich, als wir näher kamen, wirkte zaghaft und leicht verunsichert.

»Hallo«, begrüßte er mich, als wir nahe genug waren, und gab mir die Hand.

In den wenigen Minuten, die wir bis zu Eds Lagerplatz brauchten, machten wir uns auf die Schnelle miteinander bekannt. Tom war vierundzwanzig, Doug einundzwanzig. *Blaublüter aus Neuengland* hätte meine Mutter sie genannt, wie mir sofort klar war, noch bevor sie mir groß etwas erzählt hatten – was für Mom allerdings nur bedeutet hätte, dass sie reich waren und irgendwo aus der Gegend östlich von Ohio und nördlich von Washington stammten. In den folgenden Tagen sollte ich alles über sie erfahren. Dass ihre Eltern Chirurgen, Bürgermeister und Finanzmanager waren. Dass sie beide ein schickes Internat besucht hatten, das einen so tollen

Ruf genoss, dass sogar ich seinen Namen kannte. Dass sie ihre Sommerferien normalerweise in Nantucket und auf Privatinseln vor der Küste von Maine verbrachten, ihre Frühjahrsferien beim Skifahren in Vail. Aber von alldem wusste ich jetzt noch nichts. Ich wusste noch nicht, dass ihr Leben in vielerlei Hinsicht für mich ebenso unbegreiflich war wie meines für sie. Ich wusste nur, dass sie mir in einer ganz speziellen Hinsicht sehr verwandt waren. Sie waren keine Ausrüstungsfreaks, keine Wanderexperten und keine PCT-Alleswisser. Sie waren weder an der mexikanischen Grenze losgelaufen, noch hatten sie den Trip zehn Jahre lang geplant. Und was noch besser war: Nach der Strecke, die sie bisher zurückgelegt hatten, waren sie beinahe ebenso fix und fertig wie ich. Dabei waren sie zu zweit und hatten im Unterschied zu mir nicht tagelang auf Gesellschaft verzichten müssen. Und ihre Rucksäcke hatten eine vernünftige Größe, sodass ich bezweifelte, dass sie eine Klappsäge mitschleppten. Doch als ich Doug in die Augen sah, spürte ich sofort, dass er bei aller Selbstsicherheit und Lockerheit einiges durchgemacht hatte. Und als Tom mir die Hand drückte, konnte ich ihm am Gesicht ablesen, was er dachte: *Ich muss aus diesen verdammten Stiefeln raus.*

Augenblicke später, als wir im Lager ankamen und die Männer sich um uns scharten, um sich vorzustellen, setzte er sich auf die Bank an Eds Picknicktisch und zog sie aus. Ich beobachtete, wie er vorsichtig die dreckigen Socken von seinen Füßen schälte und wie dabei Haut mitging. Seine Füße sahen aus wie meine: weiß wie Fisch und übersät mit blutigen, nässenden Wunden, halb bedeckt mit abgeriebenen Hautfetzen, die noch schmerzhaft an Fleischpartien hingen, die den langsamen PCT-Tod erst noch sterben mussten. Ich nahm den Rucksack ab, öffnete den Reißverschluss eines Faches und holte mein Erste-Hilfe-Set heraus.

»Hast du die schon probiert?«, fragte ich Tom und hielt ihm einen Bogen 2nd-Skin-Gelpads hin – zum Glück hatte ich Nachschub in mein Versorgungspaket gepackt. »Die haben mich gerettet«, erklärte ich. »Ich weiß nicht, ob ich ohne die weitergekonnt hätte.«

Tom sah mich nur verzweifelt an und nickte, ohne darauf einzugehen.

»Du kannst sie gern haben, wenn du willst«, sagte ich. Ihre durchsichtige blaue Verpackung erinnerte mich an das Kondom in meiner Gesäßtasche. Ich fragte mich, ob auch Tom welche eingepackt hatte. Oder Doug. Und ob es tatsächlich eine so blöde Idee von mir gewesen war, welche mitzunehmen. In Gegenwart der beiden kam sie mir nicht mehr ganz so blöde vor.

»Wir haben uns gedacht, wir gehen alle zusammen um sechs ins Grumpie's«, sagte Ed und schaute auf seine Uhr. »Das sind noch ein paar Stunden hin. Wir fahren in meinem Pick-up.« Er blickte zu Tom und Doug. »Aber vorher würde ich euch Jungs gern noch einen Imbiss machen.«

Die Männer setzten sich an den Picknicktisch, futterten Eds Kartoffelchips und kalte Baked Beans und fachsimpelten darüber, warum sie sich für welchen Rucksack entschieden hatten und worin seine Vor- und Nachteile bestanden. Jemand zückte ein Kartenspiel, und dann wurde gepokert. Am anderen Ende des Tischs blätterte Greg in seinem Wanderführer. Ich stand neben ihm, immer noch verblüfft über die wundersame Wandlung meines Rucksacks. In vorher prallvollen Taschen war jetzt sogar etwas Platz.

»Jetzt sind Sie praktisch ein Jardi-Nazi«, sagte Albert verschmitzt, als er bemerkte, wie ich meinen Rucksack anstarrte. »So nennt man die Anhänger von Ray Jardine, falls Sie das nicht wissen. Die sind ganz eigen, was das Rucksackgewicht angeht.«

»Das ist der Mann, von dem ich Ihnen erzählt habe«, fügte Greg hinzu.

Ich nickte cool, um meine Unwissenheit zu verbergen. »Ich mache mich fürs Abendessen fertig«, sagte ich und schlenderte zum Rand des Campingplatzes. Ich schlug mein Zelt auf, kroch hinein, breitete den Schlafsack aus, legte mich darauf, starrte an die grüne

Nylondecke und lauschte dem Gemurmel der Männer und ihrem gelegentlichen Gelächter. Ich sollte mit sechs Männern in ein Restaurant gehen und hatte nichts anzuziehen bis auf das, was ich bereits trug, dachte ich niedergeschlagen: ein T-Shirt über einem Sport-BH und Shorts mit nichts darunter. Da fiel mir ein, dass mein Versorgungspaket ein frisches T-Shirt enthielt. Ich setzte mich auf und zog es an. Der gesamte Rücken des Shirts, das ich seit Mojave getragen hatte, war von dem Dauerschwitzbad auf dem Trail voller braungrüner Flecken. Ich knüllte es zusammen und stopfte es in eine Zeltecke, um es später im Laden in den Müll zu werfen. Alles, was ich sonst noch zum Anziehen dabeihatte, war für kalte Witterung gedacht. Ich erinnerte mich an die Halskette, die ich getragen hatte, bis es mir so heiß wurde, dass ich sie nicht mehr anbehalten konnte. Ich nahm sie aus der Ziplock-Tüte, in der ich auch meinen Führerschein und mein Geld aufbewahrte, und legte sie um. Sie bestand aus einem kleinen, in Silber gefassten Türkis-Ohrhänger, der meiner Mutter gehört hatte. Da mir der andere abhandengekommen war, hatte ich den verbliebenen mit Hilfe einer Flachzange in einen Anhänger umgebogen und an einer feinen Silberkette befestigt. Ich hatte sie mitgenommen, weil sie für mich ein kostbares Erinnerungsstück war. Aber jetzt war ich einfach nur froh, sie zu haben, weil ich mir damit hübscher vorkam. Ich fuhr mir mit den Fingern durch die Haare, versuchte, sie unter Zuhilfenahme meines kleinen Kamms in eine ansehnliche Form zu bringen, gab es aber schließlich auf und klemmte sie mir hinter die Ohren.

Ebenso gut konnte ich mir erlauben, einfach so auszusehen, so zu riechen und mich so zu fühlen, wie ich es tat. Schließlich war ich, wie es Ed nicht ganz korrekt ausgedrückt hatte, *das einzige Mädchen in den Wäldern,* allein unter Männern. Und ich sah mich hier draußen auf dem Trail gezwungen, die Männer, denen ich begegnete, sexuell zu »neutralisieren«, indem ich, soweit das möglich war, einer von ihnen wurde.

Das war nie meine Art gewesen. Ich war mit Männern nie so umgegangen, als wäre ich einer von ihnen. Und als ich in meinem Zelt saß und hörte, wie die Männer draußen Karten spielten, spürte ich, dass mir das schwerfallen würde. Schließlich hatte ich mich auf die Macht, die mir das Frausein verlieh, stets verlassen. Der Gedanke, auf diese Macht zu verzichten, bereitete mir Unbehagen. Wenn ich einer von den Jungs wurde, konnte ich nicht mehr die Frau sein, die ich unter Männern zu sein gelernt hatte. Ich hatte diese Seite an mir schon als Elfjährige entdeckt, denn ich hatte immer ein prickelndes Gefühl der Macht verspürt, wenn erwachsene Männer die Köpfe nach mir drehten, pfiffen oder gerade so laut *He, hübsches Kind* sagten, dass ich es hören konnte. Auf diese Seite hatte ich meine gesamte Highschool-Zeit über vertraut, indem ich mich schlank hungerte und das süße Dummchen spielte, nur um beliebt und geliebt zu werden. Und ich hatte sie auch in meinen frühen Erwachsenenjahren gepflegt, indem ich verschiedene Rollen ausprobierte – als bodenständiges Mädchen, Punkerin, Cowgirl, Riot Girl und Draufgängerin. Es war die Seite meines Ichs, für die hinter jedem scharfen Paar Stiefel, jedem sexy Röckchen oder jeder aufregenden Frisur eine Falltür lauerte, die mich noch weiter von meinem wahren Ich entfernte.

Jetzt gab es nur eine Seite. Auf dem PCT blieb mir nichts anderes übrig, als diese Seite ganz zu leben und mein schmutziges Gesicht der Welt zu zeigen. Die, zumindest vorläufig, nur aus sechs Männern bestand.

»Cheryl?«, rief Dougs Stimme leise aus wenigen Metern Entfernung. »Bist du da drin?«

»Ja«, antwortete ich.

»Wir wollen zum Fluss runter. Komm doch mit.«

»Okay«, sagte ich und fühlte mich gegen meinen Willen geschmeichelt. Als ich mich aufsetzte, knisterte das Kondom in meiner Gesäßtasche. Ich zog es heraus, steckte es in das Erste-Hilfe-Set, kroch aus dem Zelt und ging zum Fluss.

Doug, Tom und Greg wateten an derselben Stelle, an der ich mich ein paar Stunden zuvor gewaschen hatte, im seichten Wasser. Hinter ihnen toste der Fluss mit reißender Gewalt und überspülte Felsblöcke so groß wie mein Zelt. Ich dachte an den Schnee, auf den ich bald stoßen würde, falls ich mit dem Eispickel, mit dem ich noch nicht umgehen konnte, und dem weißen Skistock mit der niedlichen rosa Halteschlaufe, den mir der Zufall in die Hände gespielt hatte, die Wanderung fortsetzen sollte. Ich hatte mich noch nicht damit beschäftigt, wie es auf dem Trail weiterging. Ich hatte nur zugehört und genickt, als Ed mir erzählte, dass die meisten Wanderer, die in den vorausgegangenen drei Wochen durch Kennedy Meadows gekommen waren, beschlossen hatten, hier auszusteigen, weil die Rekordschneemengen den Trail auf den nächsten sieben- bis achthundert Kilometern weitgehend unpassierbar machten. Laut Ed fuhren sie per Anhalter oder mit dem Bus weiter nach Norden, um in niedrigeren Höhenlagen wieder einzusteigen. Einige beabsichtigten, später im Sommer wiederzukommen und den Teil abzuwandern, den sie übersprungen hatten. Andere wollten ihn ganz auslassen. Ein paar hatten die Wanderung komplett abgebrochen, wie mir bereits Greg erzählt hatte, und wollten es in einem schneeärmeren Jahr noch einmal probieren. Und noch weniger waren weitermarschiert, fest entschlossen, dem Schnee zu trotzen.

Dankbar für meine billigen Lagersandalen bahnte ich mir durch die Steine am Ufer einen Weg zu den Männern. Das Wasser war so kalt, dass mir sogar die Knochen wehtaten.

»Ich habe etwas für dich«, sagte Doug, als ich bei ihm ankam, und streckte mir die Hand hin. Darin lag eine Feder, etwa dreißig Zentimeter lang und so schwarz, dass sie in der Sonne blau schimmerte.

»Wofür?«, fragte ich und nahm sie.

»Als Glücksbringer«, sagte er und berührte mich am Arm.

Als er die Hand wieder wegzog, brannte die Stelle, wo sie gelegen hatte – mir wurde bewusst, wie wenig ich in den letzten vierzehn Tagen berührt worden war, wie allein ich gewesen war.

»Ich habe über den Schnee nachgedacht«, sagte ich laut, um das Rauschen des Flusses zu übertönen. »Die Leute, die hier durchgekommen sind, waren alle ein oder zwei Wochen früher dran als wir. Inzwischen ist doch viel Schnee geschmolzen, sodass es jetzt vielleicht machbar ist.« Ich sah Greg an und dann die schwarze Feder und streichelte sie.

»Am ersten Juni lag auf dem Bighorn Plateau doppelt so viel Schnee wie zur gleichen Zeit im letzten Jahr«, sagte er und warf einen Stein ins Wasser. »In einer Woche wird sich daran nicht viel geändert haben.«

Ich nickte, als wüsste ich, was das Bighorn Plateau war oder was es bedeutete, wenn dort doppelt so viel Schnee lag wie vor einem Jahr. Ich kam mir wie eine Hochstaplerin vor, weil ich dieses Gespräch überhaupt führte, wie ein Maskottchen unter Spielern, als wären die anderen die wahren PCT-Wanderer und ich nur zufällig hier. Als wäre ich aufgrund meiner Unerfahrenheit und der Tatsache, dass ich lächerlich langsam vorankam, keine einzige Zeile von Ray Jardine kannte und es für sinnvoll gehalten hatte, eine Klappsäge mitzunehmen, irgendwie gar nicht wirklich vom Tehachapi Pass nach Kennedy Meadows gewandert, sondern getragen worden.

Aber ich war hierhergewandert, und ich war nicht gewillt aufzugeben, ohne die High Sierra gesehen zu haben. Auf diesen Abschnitt des Trails hatte ich mich am meisten gefreut, auf die Schönheit seiner unberührten Natur, von der das Autorenquartett von *The Pacific Crest Trail, Volume I: California* in den höchsten Tönen schwärmte und der John Muir vor hundert Jahren mit seinen Büchern ein Denkmal gesetzt hatte. Der Naturforscher hatte diesen Teil der Bergkette das »Gebirge des Lichts« genannt. Mit ihren Viertausendern, ihren kalten, klaren Seen und tiefen eingeschnittenen Canyons bildete die High Sierra offensichtlich den landschaftlichen Höhepunkt der Tour in Kalifornien. Außerdem hätte ein Überspringen katastrophale logistische Folgen für mich gehabt. Ich wäre einen Monat früher in Ashland gewesen als geplant.

»Ich würde gern weiterwandern, wenn es irgend geht«, sagte ich und wedelte schwungvoll mit der Feder. Meine Füße taten überhaupt nicht mehr weh. Sie waren in dem eisigen Wasser völlig taub geworden.

»Na ja«, sagte Doug, »die nächsten rund sechzig Kilometer sind relativ locker, bevor es richtig hart wird – von hier bis rauf zum Trail Pass. Dort oben kreuzt ein anderer Pfad den PCT und führt dann talwärts zu einem Campingplatz. Bis dahin könnten wir es zumindest versuchen. Dann werden wir ja sehen, wie es läuft – und wie viel Schnee da oben liegt. Und können aussteigen, wenn wir wollen.«

»Was halten Sie davon, Greg?«, fragte ich. Was er tun würde, würde auch ich tun.

Er nickte. »Ich finde den Vorschlag gut.«

»Dann werde ich es so machen«, sagte ich. »Ich bin gerüstet. Ich habe jetzt meinen Eispickel.«

Greg sah mich an. »Können Sie auch damit umgehen?«

Am nächsten Morgen gab er mir Unterricht.

»Das ist der Schaft«, sagte er und fuhr an dem Pickel entlang. »Und das ist die Spitze«, fügte er hinzu und legte einen Finger auf das scharfe Ende. »Und auf der anderen Seite ist der Kopf.«

Schaft? Kopf? Spitze? Ich versuchte, nicht zu kichern wie eine Achtklässlerin im Sexualkundeunterricht, aber es gelang mir nicht.

»Was ist?«, fragte Greg, die Hand fest um den Schaft des Pickels, aber ich schüttelte nur den Kopf. »Der Kopf hat zwei Teile«, fuhr er fort. »Der breitere ist die Schaufel. Damit kann man Trittstufen ins Eis schlagen. Das andere ist die Haue. Damit rettet man seinen Arsch, wenn man von einem Berghang rutscht.« Er sprach in einem Ton, als wüsste ich das bereits und als wiederhole er nur die Grundlagen, bevor wir richtig anfingen.

»Alles klar. Der Schaft, der Kopf, die Spitze, die Schaufel, der Hauer«, sagte ich.

»Die *Haue*«, korrigierte er. Wir standen auf einer steilen Böschung am Fluss, die von allem, was wir gefunden hatten, einem vereisten Berghang am nächsten kam. »Nehmen wir an, Sie stürzen«, sagte Greg und warf sich auf die Böschung, um es mir zu demonstrieren. Im Fallen rammte er den Pickel in den Dreck. »Sie müssen den Pickel so fest wie möglich hineintreiben und sich dann mit der einen Hand am Schaft und mit der anderen am Kopf festhalten. So wie ich jetzt. Und sobald Sie gesichert sind, versuchen Sie, mit den Füßen Halt zu finden.«

Ich sah ihn an. »Was ist, wenn man mit den Füßen keinen Halt findet?«

»Na, dann halten Sie sich weiter hier fest«, antwortete er und bewegte die Hände am Pickel.

»Was ist, wenn ich mich nicht so lange festhalten kann? Ich meine, ich habe meinen Rucksack auf und alles, und ich schaff nicht mal einen einzigen Klimmzug.«

»Sie halten sich fest«, sagte er nüchtern. »Sonst rutschen Sie den Berg runter.«

Ich ging ans Werk. Wieder und wieder warf ich mich auf die Böschung, die mit der Zeit immer schlammiger wurde, tat so, als käme ich auf Eis ins Rutschen, und rammte die Haue in den Boden, während Greg zusah, mir Tipps gab und meine Technik kritisierte.

Doug und Tom saßen in der Nähe und taten so, als schenkten sie uns keinerlei Beachtung. Albert und Matt lagen auf einer Matte, die wir im Schatten eines Baumes neben Eds Pick-up für sie ausgebreitet hatten, denn es ging ihnen schlecht, so schlecht, dass sie im Viertelstundentakt aufs Plumpsklo mussten. Beide waren mitten in der Nacht vor Übelkeit aufgewacht, und angesichts ihrer Symptome waren mittlerweile alle davon überzeugt, dass sie sich Giardien eingefangen hatten. Das sind im Wasser lebende Parasiten, die schweren Durchfall und Übelkeit verursachen, eine Behandlung mit rezeptpflichtigen Medikamenten erfordern und auf dem Trail fast immer mindestens eine Woche Zwangspause bedeuten. Sie waren der Grund, warum PCT-Wanderer immer so ausgiebig über Wasserfilter und dergleichen fachsimpelten. Jeder hatte Angst, einen Fehler zu machen und dafür büßen zu müssen. Ich hatte keine Ahnung, wo sich Matt und Albert infiziert hatten, aber ich hoffte inständig, dass ich verschont blieb. Am späten Nachmittag standen wir alle bei ihnen. Sie lagen schlapp und bleich auf der Plane, und wir überredeten sie, sich ins Krankenhaus nach Ridgecrest fahren zu lassen. Zu schwach, um sich zu widersetzen, sahen sie zu, wie wir ihre Ausrüstung zusammenpackten und ihre Rucksäcke hinten auf Eds Pick-up luden.

»Danke, dass Sie mir geholfen haben, meinen Rucksack leichter zu machen«, sagte ich zu Albert, als wir vor der Abfahrt einen Augenblick allein waren. »Ohne Sie hätte ich das nie geschafft.«

Er schenkte mir ein schwaches Lächeln und nickte.

»Übrigens«, setzte ich hinzu, »wollte ich Ihnen noch sagen, warum ich mich zu der Wanderung auf dem PCT entschlossen habe. Ich habe eine Scheidung hinter mir. Ich war verheiratet und bin vor kurzem geschieden worden. Außerdem ist vor vier Jahren meine Mutter gestorben. Sie war erst fünfundvierzig und hat plötzlich Krebs bekommen. Es war für mich eine schwere Zeit, und irgendwie ist mein Leben aus der Bahn geraten. Deshalb bin ich hier …« Er sah mich mit großen Augen an. »Ich dachte, hier draußen könnte ich vielleicht wieder zu mir finden.« Ich machte eine unbeholfene Geste, da mir nichts mehr einfiel, selbst etwas erstaunt über meine Redseligkeit.

»Und jetzt wissen Sie wieder, wo es langgeht?«, sagte er, setzte sich auf und strahlte mich trotz seiner Übelkeit an. Er erhob sich, ging langsam zu Eds Pick-up und stieg neben seinem Sohn ein. Ich kletterte auf die Ladefläche zu ihren Rucksäcken und dem Karton mit meinen ausrangierten Sachen und fuhr bis zum Gemischtwarenladen mit. Dort angekommen, hielt Ed kurz an. Ich stieg mit meinem Karton aus, winkte Albert und Matt und rief: »Viel Glück!«

Leichte Wehmut überkam mich, als ich sie wegfahren sah. Ed würde in ein paar Stunden zurückkommen, aber Albert und Matt würde ich höchstwahrscheinlich nie wiedersehen. Am nächsten Morgen würde ich mit Doug und Tom in die High Sierra aufbrechen und mich auch von Ed und Greg verabschieden müssen – Greg legte in Kennedy Meadows noch einen Ruhetag ein. Natürlich würde er mich bald einholen, aber es würde bei einer flüchtigen Begegnung bleiben, und dann würde auch er wieder aus meinem Leben verschwinden.

Ich erklomm die Veranda des Gemischtwarenladens und legte alle meine Sachen in die Umsonstkiste, bis auf die Klappsäge, das Hightech-Blitzgerät für meine Kamera und das Minifernglas. Die packte ich in den Karton meines Versorgungspakets und schickte sie an Lisa in Portland. Als ich den Karton mit Klebeband, das ich mir von Ed geliehen hatte, zuklebte, hatte ich das komische Gefühl, dass etwas fehlte.

Später, als ich zum Zeltplatz zurückging, kam ich dahinter, was es war: die dicke Rolle Kondome.

Sie waren alle weg.

Teil Drei

Das Gebirge des Lichts

Wir sind jetzt in den Bergen,
und sie sind in uns.

JOHN MUIR
My First Summer in the Sierra

Wenn dein Mut sich dir verweigert –
geh über deinen Mut hinweg –

EMILY DICKINSON

8
Rabenkunde

Kennedy Meadows wird auch das Tor zur High Sierra genannt, und durch dieses Tor schritt ich am nächsten Morgen in aller Frühe. Doug und Tom begleiteten mich, aber nach den ersten paar hundert Metern blieb ich stehen und sagte zu ihnen, sie sollten weitergehen, da ich etwas aus meinem Rucksack holen müsse. Wir umarmten uns, wünschten einander alles Gute und nahmen Abschied, ob für immer oder für fünf Minuten, wussten wir nicht. Ich lehnte mich mit dem Rucksack gegen einen Felsblock, um meinen Rücken etwas zu entlasten, und schaute ihnen nach.

Ich war traurig über die Trennung, allerdings auch erleichtert, als ich sie unter den dunklen Bäumen verschwinden sah. Ich hatte nichts aus meinem Rucksack holen müssen. Ich hatte nur allein sein wollen. Alleinsein war für mich schon immer wie ein richtiger Ort gewesen, als wäre es kein Zustand, sondern ein Zimmer, in das ich mich zurückziehen und in dem ich so sein konnte, wie ich wirklich war. Dieses Gefühl hatte sich durch das extreme Alleinsein auf dem PCT verändert. Alleinsein war jetzt kein Zimmer mehr, sondern die ganze Welt, und ich war allein auf dieser Welt und bewohnte sie in einer Weise, wie ich es nie zuvor getan hatte. So ungebunden zu leben und nicht einmal ein Dach über dem Kopf zu haben, das ließ sie mir zugleich größer und kleiner erscheinen. Bis dahin hatte ich die Weite der Welt nie richtig begriffen – nicht ein-

171

mal, wie weit ein Kilometer sein konnte –, bis ich jeden Kilometer im Schritttempo wahrnahm. Und doch empfand ich auch das Gegenteil, empfand ich mittlerweile eine seltsame Verbundenheit mit dem Trail, eine Vertrautheit mit den Pinyon-Kiefern und Gauklerblumen, an denen ich vorüberkam, mit den seichten Bächen, die ich durchwatete, obwohl ich sie noch nie gesehen, sie noch nie durchquert hatte.

Als ich an diesem kühlen Vormittag zum rhythmischen Klicken meines neuen Skistocks wanderte, spürte ich, wie das verringerte, aber immer noch horrende Gewicht des Monsters verrutschte und dann irgendwann zur Ruhe kam. Beim Aufbruch am Morgen hatte ich angenommen, ich würde mich auf dem Trail jetzt anders fühlen und das Wandern würde mir leichter fallen. Schließlich war der Rucksack leichter, und nicht nur weil Albert ihn entrümpelt hatte, sondern auch, weil ich auf diesem weniger trockenen Abschnitt des Trails nie mehr als zwei Flaschen Wasser gleichzeitig mitführen musste. Doch als ich nach anderthalb Stunden stehen blieb, um eine kurze Pause einzulegen, plagten mich die altbekannten Schmerzen. Gleichzeitig spürte ich aber auch, wenn auch noch so schwach, dass mein Körper zäher wurde, genau wie mir Greg prophezeit hatte.

Es war der erste Tag der dritten Woche – die letzte Juniwoche und somit offiziell Sommer –, und als ich in die South Sierra Wilderness hinaufstieg, wechselte ich nicht nur in eine andere Jahreszeit, sondern auch in ein anderes Land. Auf den fünfundsechzig Kilometern zwischen Kennedy Meadows und dem Trail Pass würde ich von 1860 Meter auf gut 3300 Meter Höhe klettern. Und obwohl es an diesem ersten Nachmittag nach meiner Rückkehr auf den Trail sehr heiß war, spürte ich, dass es in der Nacht empfindlich abkühlen würde. Kein Zweifel, ich war jetzt in der Sierra, in Muirs geliebtem Gebirge des Lichts. Ich wanderte unter hohen dunklen Bäumen, die alle kleineren Pflanzen darunter fast ganz in Schatten tauchten. Ich kam an großen Wiesen mit Wildblumen vorbei und überwand Schmelzwasserbäche, indem ich mit Hilfe des Skistocks von einem wackligen Stein zum nächsten hüpfte. Im Schritttempo erschien mir die Sierra Nevada gerade noch überwindlich. Ich brauchte ja immer nur einen Fuß vor den anderen zu setzen. Nur wenn ich um eine Kurve bog und die weißen Gipfel vor mir erblickte, kamen mir Zweifel. Nur wenn ich daran dachte, wie weit ich noch zu gehen hatte, verlor ich den Glauben, dass ich es schaffen konnte.

In regelmäßigen Abständen entdeckte ich Dougs und Toms Spuren auf dem mal schlammigen, mal staubigen Pfad, und am Nachmittag holte ich sie ein. Sie saßen an einem Bach und blickten erstaunt, als ich auftauchte. Ich setzte mich zu ihnen, pumpte Wasser und unterhielt mich eine Weile mit ihnen.

»Du solltest heute bei uns kampieren, wenn du uns einholst«, sagte Tom, bevor sie weiterwanderten.

»Ich habe euch doch schon eingeholt«, erwiderte ich, und wir lachten.

Am Abend spazierte ich auf die kleine Lichtung, auf der sie ihre Zelte aufgebaut hatten. Nach dem Essen saßen wir warm eingemummt im Gras und leerten zusammen die zwei Dosen Bier, die sie aus Kennedy Meadows mitgebracht hatten. Beim Trinken fragte ich mich, welcher von beiden wohl die elf extradünnen Kondome ohne Gleitmittel eingesteckt hatte. Eigentlich konnte es nur einer von ihnen gewesen sein.

Am nächsten Tag, als ich wieder allein wanderte, stieß ich an einem Steilhang auf ein breites Schneefeld, das wie eine riesige, eisverkrustete Decke über dem Pfad lag. Es kam mir wie das Geröllfeld des Bergsturzes vor, nur noch Furcht einflößender, ein Fluss aus Eis statt aus Steinen. Wenn ich bei dem Versuch, es zu durchqueren, ausglitt, würde ich den Hang hinunterrutschen und unten in die Felsen krachen oder, schlimmer noch, in den Abgrund stürzen, der, wie es von oben aussah, gleich dahinter begann. Wenn ich es gar nicht erst versuchte, musste ich nach Kennedy Meadows zurückkehren. Die Idee erschien mir gar nicht so schlecht. Andererseits – wo ich nun schon mal hier war.

Mist, dachte ich. Verdammter Mist. Ich holte den Eispickel heraus und betrachtete den Schnee, als wollte ich mir im Kopf eine Route abstecken. Doch in Wahrheit stand ich nur minutenlang da und nahm meinen Mut zusammen. An den Spuren und Löchern im Schnee konnte ich erkennen, dass Doug und Tom hinübergekommen waren. Ich hielt den Pickel so, wie Greg es mir beigebracht hatte, und trat in eines der Löcher. Ihr Vorhandensein machte mir die Sache zugleich schwerer und leichter. Ich brauchte zwar keine eigenen Stufen zu hacken, aber die der Männer waren ungeschickt gesetzt und rutschig und manchmal so tief, dass ich mit dem Stiefel darin hängen blieb, das Gleichgewicht verlor und stürzte, wobei mir der unhandliche Eispickel mehr eine Last als eine Hilfe war. *Abbremsen,* dachte ich immer wieder und rief mir ins Gedächtnis, was ich mit dem Pickel zu tun hatte, falls ich ins Rutschen geriet. Der Schnee war anders als der Schnee in Minnesota. An manchen Stellen war er so verharscht und fest, dass ich mich an den harten Eisbelag in einem Kühlschrank erinnert fühlte, der abgetaut werden muss. An anderen Stellen gab er nach und war matschiger, als es zunächst den Anschein hatte.

Ich blickte kein einziges Mal zu den Felsen in der Tiefe, bis ich auf dem schlammigen Pfad jenseits des Schneefelds stand, zitternd, aber erleichtert. Ich wusste, dass das nur ein kleiner Vorgeschmack auf das Kommende war. Falls ich beschloss, am Trail Pass weiterzuwandern, würde ich bald den Forester Pass erreichen, den mit 4011 Metern höchsten Punkt des PCT. Und falls ich beim Überqueren des Passes nicht einen Hang hinunterrutschte, würde ich wochenlang nur durch Schnee stapfen. Und dieser Schnee war mit Sicherheit viel tückischer als der, den ich eben durchquert hatte und der mir, obwohl nur ein Klacks, deutlich vor Augen geführt hatte, was mich erwartete. Nein, mir blieb nichts anderes übrig, als diesen Abschnitt zu umgehen. Ich war nicht einmal für eine PCT-

Wanderung in einem normalen Jahr richtig vorbereitet, geschweige denn in einem Jahr, in dem doppelt oder dreimal so viel Schnee lag wie im Vorjahr. Seit 1983 hatte es keinen so schneereichen Winter mehr gegeben, und auch in den folgenden zwölf Jahren sollte keiner an ihn heranreichen.

Außerdem galt es nicht nur den Schnee zu bedenken. Hinzu kamen andere erschwerende Faktoren, die mit dem Schnee zusammenhingen: die gefährlich angeschwollenen Flüsse und Bäche, die durchquert werden mussten, die Kälte und das damit verbundene Risiko der Unterkühlung, die Notwendigkeit, auf einer längeren Strecke ausschließlich nach Karte und Kompass zu wandern, da der Pfad unter Schnee begraben war – und dies alles wog umso schwerer, als ich allein war. Ich hatte nicht die erforderliche Ausrüstung. Ich besaß weder die Kenntnisse noch die Erfahrung, die man dafür brauchte. Und da ich allein war, durfte ich mir nicht den kleinsten Fehler erlauben. Wenn ich dem Beispiel der meisten anderen PCT-Wanderer folgte und hier ausstieg, verpasste ich zwar den schönsten Teil, die High Sierra. Aber wenn ich es nicht tat, setzte ich mein Leben aufs Spiel.

»Am Trail Pass steige ich aus«, sagte ich zu Doug und Tom, als wir an diesem Abend zusammen aßen. Ich war den ganzen Tag allein gewandert, hatte zum zweiten Mal über vierundzwanzig Kilometer geschafft und war wieder zu ihnen gestoßen, als sie gerade ihr Lager aufschlugen. »Ich werde nach Sierra City hinauffahren und dort auf den Trail zurückkehren.«

»Wir haben beschlossen weiterzumachen«, sagte Doug.

»Wir haben darüber gesprochen und finden, du solltest dich uns anschließen«, sagte Tom.

»Mich euch anschließen?«, fragte ich und spähte aus dem Tunnel meiner dunklen Fleece-Kapuze. Ich trug alles, was ich an Kleidern dabeihatte, am Leib, denn die Temperatur war nahe dem Gefrierpunkt. An sonnengeschützten Stellen um uns herum lag Schnee unter den Bäumen.

»Allein zu gehen ist zu gefährlich«, sagte Doug.

»Von uns beiden würde keiner allein gehen«, setzte Tom hinzu.

»Aber im Schnee ist es so oder so gefährlich, ob nun allein oder zusammen«, sagte ich.

»Wir möchten es versuchen«, sagte Tom.

»Ich danke euch«, sagte ich. »Euer Angebot rührt mich, aber ich kann nicht.«

»Warum denn nicht?«, fragte Doug.

»Ich muss die Wanderung allein machen, das ist für mich ja gerade der springende Punkt.«

Wir saßen eine Weile schweigend da, dann aßen wir zu Abend, wobei jeder mit behandschuhten Händen aus einem warmen Topf Reis, Bohnen oder Nudeln löffelte. Es stimmte mich traurig, dass ich ablehnen musste. Nicht nur weil das bedeutete, dass ich die High Sierra ausließ, sondern auch weil ich in ihrer Gesellschaft ruhiger war. Wenn ich Tom und Doug nachts in meiner Nähe wusste, brauchte ich mir nicht ständig *Ich habe keine Angst* zu sagen, wenn ich in der Dunkelheit einen Zweig knacken hörte oder der Wind so heftig am Zelt rüttelte, dass ich das Gefühl hatte, es müsste gleich etwas Schlimmes passieren. Aber ich war nicht hier draußen, um dieser Angst aus dem Weg zu gehen. Ich war hier draußen, um mich dieser Angst zu stellen, sie zu überwinden, ja, um alles zu überwinden – alles, was ich mir angetan hatte, und alles, was mir angetan worden war. Das konnte ich nicht, wenn ich mich anderen anschloss.

Nach dem Essen lag ich im Zelt, mit Flannery O'Connors *Complete Stories* auf der Brust, da ich zu müde war, das Buch zu halten. Und das nicht nur, weil ich fror und vom Wandern erschöpft war: Auch die dünne Luft in dieser Höhe machte mir zu schaffen. Trotzdem konnte ich nicht richtig einschlafen. In einer Art Dämmerzustand dachte ich darüber nach, welche Konsequenzen es hatte, dass ich die High Sierra ausließ. Im Grunde warf es meine gesamte Planung über den Haufen. Sämtliche Vorbereitungen bis zum letzten Versorgungspaket und zur letzten Mahlzeit. Ich würde 720 Kilometer des Trails überspringen, die ich ursprünglich hatte abwandern wollen. Statt Mitte September würde ich schon Anfang August in Ashland ankommen.

»Doug?«, rief ich in die Dunkelheit, da sein Zelt nur eine Armlänge von meinem entfernt stand.

»Ja?«

»Ich habe mir was überlegt. Wenn ich die High Sierra auslasse, könnte ich stattdessen ganz Oregon durchwandern.« Ich drehte mich auf die Seite und blickte in die Richtung, in der sein Zelt stand, halb in dem Wunsch, er würde zu mir kommen und sich neben mich legen – oder irgendein anderer. Es war dasselbe Verlangen, dasselbe Gefühl der Leere, das ich in dem Motel in Mojave empfunden hatte, als ich mir Gesellschaft wünschte. Nicht jemanden zum Lieben. Nur jemanden, an den ich meinen Körper schmiegen konnte. »Weißt du zufällig, wie lang der Trail in Oregon ist?«

»Rund achthundert Kilometer«, antwortete er.

»Das ist perfekt«, sagte ich, und mein Herz schlug schneller bei dem Gedanken, bevor ich die Augen schloss und in tiefen Schlaf fiel.

Am Nachmittag darauf wurde ich kurz vor dem Trail Pass Trail, wo ich abbiegen wollte, von Greg eingeholt.

»Ich überspringe«, gestand ich ihm schweren Herzens.

»Ich auch«, erwiderte er.

»Tatsächlich?«, fragte ich erleichtert und erfreut.

»Hier oben liegt einfach zu viel Schnee«, sagte er, und wir blickten in die Runde zu den windschiefen Fuchsschwanzkiefern zwischen den Felsblöcken am Rand des Wanderpfads. Berge und Kämme waren unter dem klaren blauen Himmel kilometerweit zu sehen. Vom höchsten Punkt des Trails trennten uns nur fünfundfünfzig Wanderkilometer. Der Gipfel des Mount Whitney, des höchsten Berges der USA außerhalb Alaskas, lag noch näher, einen kurzen Abstecher vom PCT entfernt.

Gemeinsam folgten wir dem Trail Pass Trail gut drei Kilometer bergab bis zu einem Rast- und Zeltplatz bei Horseshoe Meadows. Dort trafen wir Doug und Tom und fuhren per Anhalter nach Lone Pine, was ich ursprünglich gar nicht vorgehabt hatte. Manche PCT-Wanderer hatten sich Versorgungspakete nach Lone Pine geschickt, aber ich hatte eigentlich bis zu der Ortschaft Independence, die achtzig Trail-Kilometer weiter im Norden lag, durchwandern wollen. Ich hatte noch Proviant für mehrere Tage im Rucksack, doch als wir in das Städtchen kamen, ging ich sofort in ein Lebensmittelgeschäft und füllte meine Vorräte auf. Ich brauchte genug für die 155 Kilometer von Sierra City nach Belden Town. Anschließend suchte ich mir ein Telefon, rief Lisa an und sprach ihr eine Nachricht auf den Anrufbeantworter. Ich erläuterte ihr kurz meinen neuen Plan und bat sie, das Paket für Belden Town sofort aufzugeben und mit der Versendung aller anderen zu warten, bis ich ihr Näheres über meine geänderte Route mitteilte.

Ich fühlte mich niedergeschlagen, als ich den Hörer auflegte, und längst nicht so aufgeregt, wieder in einer Stadt zu sein, wie ich erwartet hatte. Ich ging die Hauptstraße entlang, bis ich die Männer fand.

»Wir machen uns jetzt wieder auf den Weg nach oben«, sagte Doug, und unsere Blicke trafen sich. Ich hatte ein beklemmendes Gefühl in der Brust, als ich ihn und Tom zum Abschied umarmte. Ich hatte sie irgendwie lieb gewonnen, vor allem aber machte ich mir Sorgen um sie.

»Seid ihr sicher, dass ihr hinauf in den Schnee wollt?«, fragte ich.

»Bist du sicher, dass du nicht willst?«, erwiderte Tom.

»Du hast noch den Glücksbringer«, sagte Doug und deutete auf die schwarze Feder, die er mir in Kennedy Meadows geschenkt hatte. Ich hatte sie an den Rahmen des Monsters geklemmt, direkt oberhalb meiner rechten Schulter.

»Als Andenken an euch«, sagte ich, und wir lachten.

Als sie fort waren, machte ich mich mit Greg auf den Weg zu dem Mini-Markt, der auch als örtliche Greyhound-Station diente. Wir kamen an Bars vorbei, die sich als Original-Western-Saloons anpriesen, und an Geschäften, die Cowboyhüte und gerahmte Bilder von Männern, die auf bockenden, halbwilden Pferden ritten, in ihren Schaufenstern ausstellten.

»Haben Sie *Entscheidung in der Sierra* mit Humphrey Bogart gesehen?«, fragte Greg.

Ich schüttelte den Kopf.

»Der wurde hier gedreht. Und viele andere Filme auch. Western.«

Ich nickte, keineswegs überrascht. Die Landschaft sah tatsächlich aus wie aus einem Hollywood-Film – eine eher karge, mit Salbei bedeckte Hochfläche, felsig und baumlos, mit einem Blick, der kilometerweit reichte. Die weißen Gipfel der Sierra Nevada ragten so dramatisch in den blauen Himmel, dass sie mir beinahe unwirklich vorkamen, wie eine traumhaft schöne Kulisse.

»Das ist unser Bus«, sagte Greg und deutete auf einen großen Greyhound, als wir uns dem Parkplatz vor dem Laden näherten.

Aber er irrte sich. Wie wir erfuhren, gab es keinen Bus, der direkt bis Sierra City fuhr. Wir würden am Abend einen Bus nach Reno, Nevada, nehmen und nach siebenstündiger Fahrt in einen zweiten nach Truckee, Kalifornien, umsteigen müssen, der noch einmal eine Stunde unterwegs war. Von dort aus gab es keine andere Möglichkeit, als die letzten siebzig Kilometer nach Sierra City zu trampen. Wir kauften uns zwei Fahrkarten und einen Arm voll Snacks, setzten uns auf den warmen Bürgersteig neben dem Parkplatz und warteten auf den Bus. Wir verputzten tütenweise Chips und tranken dazu Mineralwasser aus Dosen, während wir uns unterhielten: über den Pacific Crest Trail, über Wanderausrüstung und noch einmal über den Rekordschnee, dann über Theorie und Praxis des von Ray Jardine und seinen Anhängern propagierten Wanderns mit ultraleichtem Gepäck – wer die dahintersteckende Philosophie verstanden hatte und wer nicht – und schließlich über uns selbst. Ich fragte ihn nach seinem Beruf und wie er in Tacoma so lebte. Er hatte keine Haustiere, keine Kinder und eine Freundin, mit der er seit einem Jahr zusammen war und die sich wie er fürs Wandern begeisterte. Er führte, soviel wurde klar, ein geordnetes Leben. Es kam mir langweilig vor und versetzte mich gleichzeitig in Erstaunen. Wie ihm meines vorkam, wusste ich nicht.

Der Greyhound nach Reno war fast leer, als wir einstiegen. Wir gingen bis zur Mitte des Busses und nahmen links und rechts vom Gang zwei Doppelsitze in Beschlag, die einander direkt gegenüberlagen.

»Ich werde jetzt etwas schlafen«, sagte er, sobald der Bus auf den Highway einbog.

»Ich auch«, erwiderte ich, obwohl ich wusste, dass das nicht stimmte. Ich konnte während der Fahrt nie schlafen, egal in welchem Fortbewegungsmittel, nicht einmal wenn ich müde war, und an diesem Abend war ich nicht müde. Ich war zurück in der Welt und deshalb hellwach. Ich schaute aus dem Fenster, während Greg schlief. Niemand, der mich länger als eine Woche kannte, hatte eine Ahnung, wo ich war. *Ich bin auf dem Weg nach Reno, Nevada,* dachte ich irgendwie verwundert. Ich war noch nie in Reno gewesen. Es erschien mir absurd, dorthin zu fahren, so angezogen und verdreckt, wie ich war, mit Haaren, die aussahen wie eine Filzmatte. Ich kramte alles Geld aus meinen Taschen und zählte im Licht der Stirnlampe die Scheine und Münzen. Ich kam auf lächerliche vierundvierzig Dollar und siebenundfünfzig Cent. Bei dem Anblick wurde mir ganz mulmig zumute. Ich hatte viel mehr ausgegeben als erwartet. Ich hatte weder die Aufenthalte in Ridgecrest und Lone Pine eingeplant noch die Busfahrkarte nach Truckee. Ich würde erst wieder Geld bekommen, wenn ich in etwas mehr als einer Woche in Belden Town mein nächstes Versorgungspaket abholte, und dann auch nur zwanzig Dollar. Greg und ich hatten vereinbart, uns in Sierra City Zimmer zu nehmen, um nach der langen Fahrt eine

Nacht durchzuschlafen, aber ich hatte das ungute Gefühl, dass ich mir stattdessen einen Platz zum Campen würde suchen müssen.

Daran war nichts zu ändern. Ich hatte keine Kreditkarte. Ich musste mit dem über die Runden kommen, was ich hatte. Ich verfluchte mich dafür, dass ich nicht mehr Geld in meine Pakete getan hatte, obwohl ich wusste, dass das nicht möglich gewesen wäre. Ich hatte alles, was ich besaß, in die Pakete getan. Ich hatte den ganzen Winter und Frühling über meine Trinkgelder gespart und einen Großteil meiner Habe verhökert, und mit diesem Geld hatte ich den Proviant und die Ausrüstung gekauft, die ich auf dem Motelbett in Mojave ausgebreitet hatte. Außerdem hatte ich Lisa zwei Schecks ausgestellt: einen für das Paketporto und einen zweiten für vier Monatsraten des Studiendarlehens, das ich die nächsten zwanzig Jahre abbezahlen musste, obwohl ich gar keinen Abschluss gemacht hatte. Was nach Abzug dieser Beträge übrig geblieben war, konnte ich auf dem PCT ausgeben.

Ich steckte das Geld wieder ein, knipste die Stirnlampe aus und blickte traurig aus dem Fenster nach Westen. Ich hatte Heimweh, aber ich wusste nicht, ob nach meinem früheren Leben oder nach dem PCT. Am mondhellen Himmel zeichnete sich schwach die dunkle Silhouette der Sierra Nevada ab. Sie sah wieder wie eine unüberwindliche Wand aus, so wie vor ein paar Jahren, als ich sie zum ersten Mal gesehen hatte, damals, als ich mit Paul darauf zugefahren war, aber ich empfand sie jetzt nicht mehr als unüberwindlich. Ich konnte mich auf ihr vorstellen, in ihr, als Teil von ihr. Ich wusste, wie es war, sie zu Fuß zu durchwandern. Ich würde bald wieder dort sein, wenn ich von Sierra City aus loswanderte. Ich ließ zwar die High Sierra aus – verpasste die Nationalparks Sequoia, Kings Canyon und Yosemite, die Tuolumne Meadows und die Naturschutzgebiete John Muir Wilderness und Desolation Wilderness und vieles andere mehr –, aber dahinter hatte ich immer noch 160 Kilometer Sierra Nevada zu durchwandern, bevor ich die Cascade Range erreichte.

Als der Bus morgens um vier auf dem Busbahnhof in Reno hielt, hatte ich keine Minute geschlafen. Greg und ich mussten bis zur Abfahrt des Busses nach Truckee eine Stunde totschlagen, und so schlenderten wir, übernächtigt und mit den Rucksäcken auf dem Rücken, durch das kleine Casino, das an die Busstation angrenzte. Ich war müde, aber aufgedreht und trank einen heißen Lipton-Tee aus einem Styroporbecher. Greg spielte Blackjack und gewann drei Dollar. Ich fischte drei Fünfundzwanzig-Cent-Stücke aus meiner Tasche, versenkte alle drei in einem Automaten und verlor.

Greg bedachte mich mit einem trockenen Ich-hab's-dir-ja-ge-sagt-Lächeln, als hätte er es kommen sehen.

»He, man weiß nie«, sagte ich. »Ich war mal in Las Vegas – nur durchgefahren, vor ein paar Jahren. Da habe ich ein Fünf-Cent-Stück in einen Automaten geworfen und sechzig Dollar gewonnen.«

Er blickte unbeeindruckt.

Ich ging auf die Toilette. Als ich mir vor dem neonbeleuchteten Spiegel über einer Batterie von Waschbecken die Zähne putzte, sagte eine Frau: »Deine Feder gefällt mir«, und deutete auf die an meinem Rucksack.

»Danke«, sagte ich, und unsere Blicke begegneten sich im Spiegel. Sie war blass, hatte braune Augen, eine höckerige Nase und einen langen Zopf, der ihr auf den Rücken hing. Sie trug ein gebatiktes T-Shirt, abgeschnittene Flicken-Jeans und Birkenstock-Sandalen. »Die hat mir mein Freund geschenkt«, nuschelte ich, während mir Zahnpasta aus dem Mund tropfte. Es kam mir wie eine Ewigkeit vor, dass ich das letzte Mal mit einer Frau gesprochen hatte.

»Die muss von einem Rabenvogel sein«, sagte sie und befühlte sie vorsichtig. »Entweder von einem Raben oder einer Krähe. Ein Symbol der Leere«, fügte sie in geheimnisvollem Ton hinzu.

»Der Leere?«, fragte ich geknickt.

»Das ist etwas Gutes«, sagte sie. »Der Ort, wo Dinge geboren werden, wo sie beginnen. Denk nur daran, wie ein Schwarzes Loch

Energie absorbiert und dann als etwas Neues und Lebendiges wieder freisetzt.« Sie hielt inne und sah mir bedeutungsvoll in die Augen. »Mein Exfreund ist Ornithologe«, erklärte sie in weniger ätherischem Ton. »Sein Forschungsgebiet ist Rabenkunde. Er hat seine Doktorarbeit über Raben geschrieben, und weil ich einen Master in Englisch habe, musste ich das ganze Scheißteil ungefähr zehnmal lesen, deshalb weiß ich mehr über sie als nötig.« Sie blickte wieder in den Spiegel und strich sich die Haare zurück. »Bist du zufällig auf dem Weg zum Rainbow Gathering?«

»Nein, ich bin …«

»Du solltest mitkommen. Das ist echt cool. Das Treffen findet dieses Jahr oben im Shasta-Trinity National Forest statt, am Toad Lake.«

»Ich war letztes Jahr beim Rainbow Gathering«, sagte ich. »Da war es in Wyoming.«

»Genau«, sagte sie in diesem gedehnten Ton, in dem Leute immer »genau« sagen. Dann kniff sie mich in den Arm und wünschte mir »Gute Reise«. Auf dem Weg zur Tür rief sie »Rabenkunde!«, drehte sich noch einmal zu mir und meiner Feder um und reckte aufmunternd die Daumen in die Höhe.

Um acht waren Greg und ich in Truckee. Um elf standen wir immer noch in der Hitze am Straßenrand und versuchten, nach Sierra City zu trampen.

»He!«, brüllte ich stinksauer einem vorbeifahrenden VW-Bus nach. In den vergangenen Stunden waren mindestens sechs achtlos an uns vorbeigerauscht. Dass ich von Leuten, die einen VW-Bus fuhren, nicht mitgenommen wurde, empfand ich als besonders empörend. »Scheiß Hippies«, sagte ich zu Greg.

»Ich dachte, Sie sind selber ein Hippie«, erwiderte er.

»Schon. Irgendwie. Aber nur ein bisschen.« Ich setzte mich in den Schotter auf dem Randstreifen und band meinen Schnürsenkel neu, doch als ich fertig war, stand ich nicht wieder auf. Mir war ganz schwummrig vor Müdigkeit. Ich hatte seit anderthalb Tagen nicht geschlafen.

»Sie sollten sich weiter vorn hinstellen und allein trampen«, sagte Greg. »Ich würde das verstehen. Wenn Sie allein wären, hätte Sie schon längst jemand mitgenommen.«

»Nein«, sagte ich, obwohl er natürlich recht hatte – eine Frau allein wirkt weniger bedrohlich als eine Frau in Begleitung eines Mannes. Die Leute wollen einer Frau, die allein ist, helfen. Oder ihr an die Wäsche gehen. Aber wir waren jetzt zusammen, also blieben wir auch zusammen. Eine Stunde später hielt ein Wagen und nahm uns nach Sierra City mit. Es war eine malerische Ortschaft aus weniger als einem Dutzend Holzhäusern in knapp 1300 Metern Höhe, eingeklemmt zwischen dem North Yuba River und den mächtigen Sierra Buttes, die braun in den klaren blauen Himmel im Norden ragten.

Unser Fahrer setzte uns am Gemischtwarenladen in der Ortsmitte ab, einem urigen, nostalgisch anmutenden Haus mit bemalter Veranda, die – der vierte Juli stand vor der Tür – voll von Touristen war, die an Eiswaffeln lutschten.

»Möchten Sie ein Eis?«, fragte Greg und zückte ein paar Dollarscheine.

»Nein. Vielleicht später«, sagte ich in unbeschwertem Ton, um meine Verzweiflung zu verbergen. Natürlich wollte ich ein Eis. Nur traute ich mich nicht, mir eins zu kaufen, weil ich mir dann vielleicht kein Zimmer leisten konnte. Als wir in den kleinen, überfüllten Laden traten, versuchte ich, die Lebensmittel zu ignorieren. Stattdessen stellte ich mich neben die Kasse und sah mir, während Greg einkaufte, die Hochglanzprospekte für Touristen an.

»Die ganze Ortschaft wurde 1852 von einer Lawine ausgelöscht«, sagte ich zu ihm, als er wiederkam, und fächelte mir mit dem Prospekt Luft zu. »Der Schnee auf den Buttes ist abgegangen.« Er nickte, als wäre ihm das bereits bekannt, und leckte an einem Schokoladeneis. Ich drehte mich weg, denn der Anblick war die reine Folter für mich. »Ich hoffe, es macht Ihnen nichts aus, aber ich muss mir etwas Billiges suchen. Für heute Nacht, meine ich.« Genau genommen brauchte ich eigentlich eine Gratisunterkunft, aber zum Campen war ich definitiv zu müde. Als ich das letzte Mal geschlafen hatte, war ich noch auf dem Trail in der High Sierra gewesen.

»Wie wär's damit«, sagte Greg und deutete auf ein altes Holzhaus auf der anderen Straßenseite.

Im Erdgeschoss waren eine Bar und ein Restaurant, im Obergeschoss wurden Zimmer mit Bad auf dem Flur vermietet. Es war erst halb zwei, aber die Frau in der Bar erlaubte uns, früher einzuchecken. Nachdem mein Zimmer bezahlt war, besaß ich noch dreizehn Dollar.

»Wollen wir heute Abend unten zusammen essen?«, fragte Greg, als wir an unseren Zimmern ankamen und vor den benachbarten Türen standen.

»Klar«, antwortete ich und errötete leicht. Ich fühlte mich nicht von ihm angezogen, und trotzdem hoffte ich, dass er sich von mir angezogen fühlte, obwohl ich wusste, wie lächerlich das war. Vielleicht hatte er ja die Kondome eingesteckt. Bei dem Gedanken durchlief mich ein Schauer.

»Sie können zuerst, wenn Sie mögen«, sagte er und deutete den Flur hinunter zu dem Badezimmer, das wir uns mit allen Bewohnern unserer Etage teilten. Wie es aussah, waren wir bis jetzt die Einzigen.

»Danke«, sagte ich, schloss die Tür zu meinem Zimmer auf und trat ein. An der einen Wand stand eine abgenutzte, altmodische Kommode mit einem runden Spiegel, an der anderen ein Doppelbett mit klapperigem Nachttisch und Stuhl. Mitten im Zimmer baumelte eine nackte Glühbirne von der Decke. Ich schnallte das Monster ab und setzte mich aufs Bett. Es quietschte, senkte sich ab und wackelte bedenklich unter meinem Gewicht, fühlte sich aber trotzdem herrlich an. Einfach nur auf dem Bett zu sitzen tat so gut, dass ich es kaum aushielt. Der Campingstuhl, der mir auch als Iso-matte diente, hatte nicht viel Polsterung zu bieten, wie sich nun herausstellte. In den meisten Nächten auf dem PCT hatte ich tief und fest geschlafen, aber nicht weil ich bequem lag: Ich war ein-fach zu kaputt gewesen, um mich darum zu scheren.

Ich hätte gern geschlafen, aber meine Beine und Arme starrten vor Dreck, und ich stank beachtlich. Mich in diesem Zustand ins Bett zu legen wäre mir wie ein Verbrechen vorgekommen. Seit der Über-nachtung in dem Motel in Ridgecrest vor fast zwei Wochen hatte ich nicht mehr richtig gebadet. Ich ging den Flur entlang zum Badezim-mer. Eine Dusche gab es nicht, nur eine große Badewanne mit Klau-enfüßen und ein Regal, in dem sich Handtücher stapelten. Ich nahm mir eins und atmete den herrlichen Waschmittelduft ein, dann zog ich mich aus und betrachtete mich in dem Ganzkörperspiegel.

Ich bot einen erschreckenden Anblick.

Ich sah weniger wie eine Frau aus, die seit drei Wochen mit dem Rucksack in der Wildnis unterwegs war, als vielmehr wie eine Frau, die das Opfer eines bizarren Gewaltverbrechens geworden war. Prellungen in allen Farbschattierungen von Gelb bis Schwarz verunzierten Arme und Beine, Rücken und Hintern, als wäre ich mit dem Stock verprügelt worden. Hüften und Schultern waren übersät mit Blasen und Ausschlägen, entzündeten Striemen und dort, wo sich die Haut am Rucksack aufgescheuert hatte, mit dunk-len Schorfkrusten. Unter den Prellungen, den Wunden und dem Dreck entdeckte ich ganz neue Muskelstränge, und an Stellen, wo mein Fleisch bis vor kurzem noch schlaff herabgehangen hatte, war es jetzt straff.

Ich ließ Wasser in die Wanne einlaufen, stieg hinein und schrubb-te mich mit einem eingeseiften Waschlappen. Innerhalb von Minu-ten war das Wasser so dunkel von Dreck und Blut, dass ich es ab-laufen ließ und die Wanne neu füllte.

Im zweiten Badewasser legte ich mich zurück, so dankbar wie vielleicht noch nie in meinem ganzen Leben. Nach einer Weile untersuchte ich meine Füße. Sie waren übersät mit Blasen und Druckstellen, und zwei Zehennägel waren mittlerweile total blau. Ich betastete vorsichtig einen und stellte dabei fest, dass er ziemlich lose war. Diese Zehe plagte mich seit Tagen, war immer dicker angeschwollen, als wollte sie den Nagel einfach absprengen, aber jetzt tat sie kaum weh. Beherzt riss ich an dem Nagel. Ein kurzer, scharfer Schmerz, und ich hielt ihn in der Hand. Was darunter zum Vorschein kam, war weder Haut noch Nagel, sondern eine durchsichtige, leicht glänzende Schicht von etwas, das aussah wie Klarsichtfolie.

»Ich habe einen Zehennagel verloren«, sagte ich beim Abendessen zu Greg.

»Sie verlieren Zehennägel?«, fragte er.

»Nur einen«, sagte ich mürrisch, obwohl ich wusste, dass wahrscheinlich weitere folgen würden, was nur ein neuerlicher Beweis für meine grenzenlose Dummheit war.

»Dann sind wahrscheinlich Ihre Stiefel zu klein«, sagte er, als die Kellnerin zwei Teller Spaghetti und einen Korb mit Knoblauchbrot brachte.

Ich hatte mir beim Bestellen eigentlich Zurückhaltung auferlegen wollen, zumal ich am Nachmittag fürs Wäschewaschen – ich hatte mir mit Greg eine Maschine geteilt – weitere fünfzig Cent ausgegeben hatte. Doch sobald wir saßen, konnte ich mich einfach nicht beherrschen und machte Greg alles nach – bestellte zum Essen eine Cola mit Rum und sagte auch zum Knoblauchbrot nicht Nein. Ich versuchte, mir nicht anmerken zu lassen, dass ich beim Essen im Kopf meine Zeche zusammenrechnete. Greg wusste bereits, wie unvorbereitet ich die Wanderung auf dem PCT angegangen war. Er brauchte nicht zu erfahren, dass ich mich auch in anderer Hinsicht komplett idiotisch anstellte.

Aber idiotisch stellte ich mich an. Als wir die Rechnung bekamen, ein Trinkgeld drauflegten und halbe-halbe machten, blieben mir noch fünfundsechzig Cent.

Nach dem Essen wieder in meinem Zimmer, schlug ich *The Pacific Crest Trail, Volume I: California* auf und las den Teil über die bevorstehende Etappe. Mein nächster Stopp war ein Ort namens Belden Town, wo mich mein Versorgungspaket mit den zwanzig Dollar erwartete. Ich konnte doch mit fünfundsechzig Cent nach Belden kommen, oder? Schließlich würde ich ja durch die Wildnis wandern und ohnehin kein Geld ausgeben können, sagte ich mir, aber die Angst blieb. Ich schrieb Lisa einen Brief, in dem ich sie bat, von dem bisschen Geld, das ich bei ihr gelassen hatte, einen PCT-Wanderführer über den Abschnitt in Oregon zu kaufen und mir zu schicken und die Pakete für das restliche Kalifornien neu zu adressieren. Ich ging die Liste mehrmals durch, vergewisserte mich, dass alles seine Richtigkeit hatte, stimmte die Entfernungen mit den Daten und Orten ab.

Als ich das Licht löschte und in meinem quietschenden Bett lag, hörte ich, wie auf der anderen Seite der Wand Greg sich in seinem quietschenden Bett bewegte, so nah und doch so fern. In diesem Augenblick fühlte ich mich mit einem Mal so einsam, dass ich vor Kummer am liebsten losgeheult hätte. Ich wusste nicht genau, warum. Ich wollte nichts von ihm, und doch wollte ich auch alles. Was würde er tun, wenn ich an seine Tür klopfte? Was würde ich tun, wenn er mich hineinließe?

Ich wusste, was ich tun würde. Ich hatte es so oft getan.

»Sexuell bin ich wie ein Mann«, hatte ich zu einem Therapeuten gesagt, den ich im Jahr davor aufgesucht hatte, einem gewissen Vince, der ehrenamtlich in einer Community Clinic in der Innenstadt von Minneapolis arbeitete, in die Leute wie ich gehen und für zehn Dollar pro Sitzung mit Leuten wie ihm reden konnten.

»Wie ist denn ein Mann?«, hatte er gefragt.

»Distanziert«, antwortete ich. »Oder jedenfalls viele. Ich bin auch so. Ich kann distanziert sein, was Sex angeht.« Ich sah Vince an. Er war um die vierzig, mit dunklem Haar, das in der Mitte gescheitelt war und wie zwei kleine Flügel sein Gesicht rahmte. Ich machte mir nichts aus ihm, aber wäre er jetzt aufgestanden, hätte das Zimmer durchquert und mich geküsst, so hätte ich seinen Kuss erwidert. Ich hätte alles getan.

Aber er stand nicht auf. Er nickte nur, ohne etwas zu sagen, und in seinem Schweigen schwang Skepsis mit. »Wer hat *Sie* denn auf Distanz gehalten?«, fragte er schließlich.

»Keine Ahnung«, sagte ich und lächelte so, wie ich immer lächelte, wenn ich mich unbehaglich fühlte. Ich sah ihn nicht direkt an. Stattdessen blickte ich zu dem gerahmten Poster, das hinter ihm hing, ein schwarzes Rechteck mit einem weißen Wirbel darin, der die Milchstraße darstellen sollte. Ein Pfeil deutete auf das Zentrum des Wirbels, und darüber stand: SIE BEFINDEN SICH HIER. Dieses Bild war auf T-Shirts ebenso allgegenwärtig geworden wie als Poster, und ich war immer etwas irritiert, wenn ich es sah, da ich nicht recht wusste, wie ich es verstehen sollte, ob es lustig oder ernst gemeint war, ob es auf die Größe unseres Lebens oder seine Belanglosigkeit hinweisen wollte.

»Mit mir hat nie jemand Schluss gemacht, falls Sie das meinen«, sagte ich. »Ich war immer diejenige, die eine Beziehung beendet hat.« Plötzlich spürte ich, wie mein Gesicht glühte. Ich merkte, dass ich im Sitzen die Arme ineinandergeschlungen und auch die Beine regelrecht verknotet hatte – wie in einer Yoga-Adlerstellung. Ich versuchte, mich zu entwirren und normal hinzusetzen, aber es war mir unmöglich. Widerstrebend sah ich ihm in die Augen. »Kommt jetzt der Teil, wo ich Ihnen von meinem Vater erzähle?«, fragte ich mit einem falschen Lachen.

Für mich hatte immer meine Mutter im Mittelpunkt gestanden, aber in diesem Raum mit Vince spürte ich plötzlich meinen Vater wie einen Pflock in meinem Herzen. *Ich hasse ihn,* hatte ich als Teenager immer gesagt. Was ich jetzt für ihn empfand, wusste ich nicht. Die Erinnerung an ihn war wie ein Amateurfilm, der in meinem Kopf ablief und dessen Geschichte zerrissen und lückenhaft war. Es gab große dramatische Szenen und unerklärliche, zeitentrückte Augenblicke, vielleicht weil das meiste von dem, woran ich mich noch erinnerte, in meinen ersten sechs Lebensjahren geschehen war. Mein Vater, wie er vor Wut unsere vollen Teller an die Wand warf. Mein Vater, wie er rittlings auf meiner am Boden liegenden Mutter saß, sodass sie kaum Luft bekam, und ihren Kopf gegen die Wand schlug. Mein Vater, wie er, als ich fünf war, meine Schwester und mich mitten in der Nacht aus dem Bett holte und fragte, ob wir für immer mit ihm fortgehen wollten, während meine Mutter, blutverschmiert und meinen kleinen schlafenden Bruder im Arm, danebenstand und ihn anflehte, damit aufzuhören. Als wir weinten, statt zu antworten, fiel er auf die Knie, drückte seine Stirn gegen den Boden und schrie so verzweifelt, dass ich mir sicher war, wir würden jetzt alle gleich sterben.

Einmal, bei einem seiner Wutanfälle, drohte er damit, meine Mutter »mitsamt ihren Kindern« nackt auf die Straße zu jagen, als wären wir nicht ebenso auch seine Kinder gewesen. Damals wohnten wir in Minnesota. Es war Winter, als er diese Drohung ausstieß. Ich war in einem Alter, in dem man alles wörtlich nimmt. Und ich hätte ihm so etwas ohne weiteres zugetraut. Ich sah uns vier schon nackt und schreiend durch Eis und Schnee laufen. Als wir in Pennsylvania wohnten, sperrte er Leif, Karen und mich ein paarmal aus, wenn unsere Mutter bei der Arbeit war und er sich um uns kümmern sollte, aber seine Ruhe haben wollte. Er befahl uns, in den Garten hinterm Haus zu gehen, und schloss die Tür ab. Unser kleiner Bruder konnte damals kaum laufen, und meine Schwester und ich hielten ihn an seinen Gummihändchen. Wir gingen weinend durchs Gras, vergaßen unseren Schrecken und spielten Vater-Mutter-Kind und Rodeo Queen. Als es uns nach einer Weile langweilig wurde, kehrten wir zur Hintertür zurück, hämmerten wütend dagegen und brüllten. Ich erinnere mich noch ganz deutlich an die Tür und an die drei Betonstufen, die zu ihr hinaufführten, und wie ich mich auf die Zehenspitzen stellen musste, damit ich durch die Glasscheibe in der oberen Türhälfte schauen konnte.

Die schönen Erinnerungen sind kein Film. Es sind nicht genug für einen Film. Die schönen Erinnerungen sind ein Gedicht, kaum länger als ein Haiku. Zum Beispiel seine Liebe zu Johnny Cash und den Everly Brothers. Oder die Schokoriegel, die er aus dem Lebensmittelgeschäft, in dem er arbeitete, mit nach Hause brachte. All die hochfliegenden Pläne, die er hatte, seine Sehnsucht, so hilflos und bemitleidenswert, dass selbst ich es spürte und ihn bedauerte, obwohl ich noch ein Kind war. Wie er dieses Lied von Charlie Rich sang, in dem es heißt: »Hey, did you happen to see the most beautiful girl in the world?«, und wie er dann sagte, dass es von mir, meiner Schwester und meiner Mutter handele, dass wir die schönsten Mädchen auf der Welt seien. Aber selbst darauf liegt ein Schatten. Es sagte das nur, wenn er meine Mutter dazu rumkriegen wollte, zu ihm zurückzukommen, verbunden mit leeren Versprechungen wie, dass sich jetzt alles ändern werde, dass er nie wieder so etwas tun werde.

Er tat es immer wieder. Er war ein Lügner und ein Charmeur, ein Herzensbrecher und ein Schläger.

Meine Mutter packte uns ein, verließ ihn und kehrte zu ihm zurück, verließ ihn und kehrte zu ihm zurück. Wir kamen nie weit. Wir konnten nirgendwohin. Wir hatten keine Verwandten in der Nähe, und meine Mutter war zu stolz, um ihre Freunde zu behelligen. Das erste Frauenhaus in den Vereinigten Staaten wurde erst 1974 eröffnet, im selben Jahr, in dem meine Mutter meinen Vater endgültig verließ. Stattdessen fuhren wir immer die ganze Nacht durch, Leif vorn bei unserer Mutter, meine Schwester und ich auf dem Rücksitz, wo wir abwechselnd schliefen und die fremdartigen grünen Lichter auf dem Armaturenbrett beobachteten.

Am Morgen waren wir dann wieder zu Hause. Unser Vater war nüchtern, machte Rühreier und sang irgendwann dieses Lied von Charlie Rich.

Ein Jahr nach unserem Umzug von Pennsylvania nach Minnesota machte meine Mutter endgültig mit ihm Schluss. Ich war damals sechs. Ich weinte und flehte meine Mutter an, es nicht zu tun. Scheidung war für mich damals das Schlimmste, was passieren konnte. Trotz allem liebte ich meinen Dad, und ich ahnte, dass ich ihn verlieren würde, wenn meine Mutter sich von ihm scheiden ließ, und ich hatte recht. Nach ihrer endgültigen Trennung blieben wir in Minnesota, und er kehrte nach Pennsylvania zurück und ließ nur sporadisch von sich hören. Ein- oder zweimal im Jahr kam ein Brief, adressiert an Karen, Leif und mich, und wir rissen ihn mit freudiger Erwartung auf. Doch er enthielt nur Schmähungen gegen unsere Mutter: dass sie eine Hure sei, eine blöde Sozialschnorrerin und Schlampe, die von der Stütze lebe. Eines Tages würde er uns alle kriegen, drohte er. Eines Tages würden wir dafür bezahlen.

»Aber wir haben nicht dafür bezahlt«, hatte ich zu Vince bei unserer zweiten und letzten Sitzung gesagt – bei unserem nächsten Treffen sollte er mir eröffnen, dass er den Beratungsjob aufgebe, und mir den Namen und die Telefonnummer eines Kollegen geben. »Nach der Scheidung meiner Eltern«, fuhr ich fort, »erkannte ich, dass die Trennung von meinem Vater, so traurig das auch klingen mag, gut für mein Leben war. Es gab keine Gewalt mehr. Ich meine, stellen Sie sich vor, wie mein Leben ausgesehen hätte, wenn ich von meinem Vater großgezogen worden wäre.«

»Stellen Sie sich vor, wie Ihr Leben ausgesehen hätte, wenn Sie einen Vater gehabt hätten, der Sie so liebte, wie es ein Vater tun sollte«, entgegnete Vince.

Ich versuchte, es mir vorzustellen, aber es wollte mir nicht gelingen. Ich konnte das Ganze nicht in einzelne Punkte aufdröseln, um dann bei Liebe oder Geborgenheit, bei Vertrauen oder Zugehörigkeitsgefühl zu landen. Ein Vater, der einen so liebte, wie es ein Vater tun sollte, war mehr als seine Teile. Er war wie der weiße Wirbel auf dem »Sie befinden sich hier«-Poster an der Wand hinter Vince. Er war ein riesiges, unerklärliches Ding, das eine Million anderer Dinge in sich barg, und da ich nie einen gehabt hatte, fürchtete ich, mich in diesem großen weißen Wirbel niemals zu finden.

»Was ist mit Ihrem Stiefvater?«, fragte Vince. Er blickte in das Notizbuch auf seinem Schoß und las, was er hineingekritzelt hatte, vermutlich über mich.

»Eddie. Auch er geht auf Distanz«, sagte ich leichthin, als bedeute mir das nichts, als fände ich es beinahe amüsant. »Das ist eine lange Geschichte«, sagte ich mit einem Blick auf die Uhr, die neben dem Poster hing. »Und die Zeit ist fast rum.«

»Noch mal Glück gehabt«, sagte Vince, und wir lachten.

Im matten Licht der Straßenlaternen, das in mein Zimmer in Sierra City fiel, konnte ich die Umrisse des Monsters sehen. Die Feder, die Doug mir geschenkt hatte, ragte dort, wo ich sie festgeklemmt hatte, aus dem Rahmen. Ich dachte über Rabenkunde nach. Ich fragte mich, ob die Feder wirklich ein Symbol oder einfach nur ein Gegenstand war, den ich mitschleppte. So fest ich an manche Dinge glaubte, so wenig glaubte ich an andere. Ich war eine Suchende und eine Zweifelnde. Ich wusste nicht, woran ich glauben sollte, ob es etwas gab, woran ich glauben konnte. Ja, ich wusste nicht einmal, was das Wort Glaube in seiner ganzen Komplexität überhaupt bedeutete. Alles konnte wahr, aber ebenso gut auch ein Schwindel sein. »Du bist eine Suchende«, hatte meine Mutter eine Woche vor ihrem Tod auf dem Sterbebett zu mir gesagt, »wie ich.« Aber ich wusste nicht, was meine Mutter eigentlich suchte. Wusste sie es? Dies war die eine Frage, die ich nie gestellt hatte, aber selbst wenn sie es mir gesagt hätte, hätte ich daran gezweifelt und sie gedrängt, mir zu erklären, woran sie glaubte, sie gefragt, wie es sich beweisen ließe. Ich zweifelte sogar an Dingen, die nachweislich wahr waren. Du solltest zu einem Therapeuten gehen, hatten mir alle nach dem Tod meiner Mutter geraten, und schließlich – in meinen dunkelsten Stunden in dem Jahr vor der Wanderung – hatte ich es auch getan. Aber ich verlor den Glauben. Ich rief den anderen Therapeuten, den mir Vince empfohlen hatte, nie an. Ich hatte Probleme, die ein Therapeut nicht lösen konnte, Kummer, den kein Mensch in einem Zimmer lindern konnte.

Ich stieg nackt aus dem Bett, band mir ein Handtuch um, trat barfüßig auf den Gang hinaus und tapste an Gregs Tür vorbei. Im Badezimmer angekommen, schloss ich die Tür hinter mir, drehte den Hahn an der Badewanne auf und stieg hinein. Das heiße Wasser war wunderbar. Sein Rauschen erfüllte den Raum, bis ich es abdrehte, und die Stille, die dann eintrat, erschien mir noch stiller als die davor. Ich legte mich in der perfekt geformten Keramik zurück und starrte an die Wand, bis es an die Tür klopfte.

»Ja?«, rief ich, aber es kam keine Antwort, nur das Geräusch sich entfernender Schritte auf dem Flur. »Besetzt«, rief ich, obwohl das offensichtlich war. Jemand war hier drin. Ich war hier drin. Ich war es. Ich spürte es wie seit Ewigkeiten nicht mehr: das Ich in mir, das meinen Platz in der unergründlichen Milchstraße besetzte.

Ich nahm einen Waschlappen aus dem Regal neben der Wanne und wusch mich damit, obwohl ich schon sauber war. Ich schrubbte mir das Gesicht, den Hals, die Brust und den Bauch, den Rücken und den Hintern, die Arme, die Beine und die Füße.

»Als ihr auf die Welt gekommen seid, habe ich zuallererst jeden Körperteil von euch geküsst«, sagte meine Mutter immer zu meinen Geschwistern und mir. »Ich habe jeden Finger, jede Zehe, jede Wimper gezählt. Ich bin eure Handlinien nachgefahren.«

Ich erinnerte mich nicht daran, und doch hatte ich es nie vergessen. Es war genauso ein Teil von mir wie die Drohung meines Vaters, mich aus dem Fenster zu werfen. Mehr.

Ich lehnte mich zurück und schloss die Augen, tauchte meinen Kopf unter Wasser, bis es mein Gesicht bedeckte. Ich hatte dasselbe Gefühl wie als Kind, wenn ich das getan hatte: als wäre die bekannte Welt des Badezimmers verschwunden und, einfach nur durch das Untertauchen, zu einem fremden, geheimnisvollen Ort geworden. Die gewohnten Geräusche und Sinneseindrücke waren gedämpft, wirkten weit weg und abstrakt, und andere Geräusche und Sinneseindrücke, die ich normalerweise nicht wahrnahm, traten an ihre Stelle.

Ich hatte gerade erst angefangen. Ich war erst drei Wochen unterwegs, aber alles in mir fühlte sich verändert an. Ich lag so lange im Wasser, wie ich die Luft anhalten konnte, allein in diesem fremden neuen Land, während die wirkliche Welt um mich herum sich weiterdrehte.

9
Kurs halten

Ich war dem Schnee aus dem Weg gegangen. Hatte ihn übersprungen. Ich war jetzt außer Gefahr. Der Weg durch das restliche Kalifornien war frei – nahm ich jedenfalls an. Danach durch Oregon nach Washington. Mein neues Ziel war eine Brücke, die den Columbia River, der die Grenze zwischen den beiden Staaten bildete, überspannte. Die Brücke der Götter. Sie war 1622 Trail-Kilometer entfernt. Bisher hatte ich nur 274 zurückgelegt, aber mein Tempo wurde besser.

Am Morgen wanderten Greg und ich auf dem Randstreifen der Straße zweieinhalb Kilometer aus Sierra City hinaus bis zu der Stelle, wo sie den PCT kreuzte. Dann folgten wir dem Trail ein paar Minuten lang zusammen, ehe wir stehen blieben und uns voneinander verabschiedeten.

»Viel Glück«, sagte er und sah mich aus seinen braunen Augen an.

»Auch Ihnen viel Glück.« Ich zog ihn in eine feste Umarmung.

»Bleiben Sie am Ball, Cheryl«, sagte er, drehte sich um und wanderte los.

»Sie auch«, rief ich ihm nach, als würde er das nicht ohnehin tun.

Zehn Minuten später war er meinem Blick entschwunden.

Ich freute mich, wieder auf dem Trail zu sein, 720 PCT-Kilometer nördlich von der Stelle, wo ich ausgestiegen war. Die verschneiten Gipfel und hohen Granitfelsen der High Sierra waren nicht mehr zu sehen, und dennoch kam mir der Trail unverändert vor. In vielerlei Hinsicht sah er genauso aus. Trotz der endlosen Berg- und Wüstenpanoramen, die ich gesehen hatte, war mir der Anblick des einen halben Meter breiten Wanderpfads noch am vertrautesten. Meine Augen waren fast ununterbrochen darauf gerichtet, hielten Ausschau nach Wurzeln und Ästen, Schlangen und Steinen. Manchmal war der Pfad sandig, dann wieder felsig, schlammig oder steinig oder dicht mit Kiefernnadeln bedeckt. Er konnte schwarz oder braun, grau oder beige sein, aber er war immer der PCT. Mein Zuhause.

Ich wanderte unter Kiefern, Eichen und Weihrauchzedern, dann, als der Trail sich bergauf schlängelte, durch einen Wald aus Douglasien. Ich sah den ganzen Vormittag über keinen Menschen, aber ich spürte Gregs Nähe. Dieses Gefühl schwand mit jedem Kilometer, denn ich nahm an, dass sein Vorsprung ständig wuchs, wenn er sein übliches Höllentempo anschlug. Der Trail führte aus dem schattigen Wald auf einen baumlosen Kamm, der mir einen weiten Blick in den Canyon unter und auf die Felstürme über mir bot. Gegen Mittag befand ich mich in 2100 Metern Höhe. Der Pfad wurde schlammig, obwohl es seit Tagen nicht geregnet hatte, und wenig später stieß ich hinter einer Biegung auf ein Schneefeld. Jedenfalls hielt ich es für ein Schneefeld, denn ich ging davon aus, dass es ein Ende hatte. Ich blieb am Rand stehen und suchte nach Gregs Fußstapfen, entdeckte aber keine. Der Schnee lag nicht an einem Hang, sondern auf einer ebenen Fläche zwischen schütterem Wald, und das war gut so, denn ich hatte meinen Eispickel nicht mehr. Ich hatte ihn am Morgen in der Umsonstkiste für PCT-Wanderer an der Poststelle von Sierra City zurückgelassen, als ich mit Greg zur Stadt hinausmarschiert war. Mangels Geld hatte ich ihn nicht Lisa schicken können, was ich sehr bedauerte, wenn ich daran dachte, wie viel er gekostet hatte, aber ich hatte ihn auch nicht mitschleppen wollen, da ich annahm, dass ich keine Verwendung für ihn haben würde.

Ich rammte den Skistock in den Schnee, trat auf die verharschte Oberfläche und marschierte los, kam aber nur mühsam voran. An manchen Stellen rutschte ich weg, an anderen brach ich ein, manchmal bis fast zu den Knien. Bald stand knöchelhoch Schnee in meinen Stiefeln, und meine Unterschenkel brannten, als wäre mir mit einem stumpfen Messer das Fleisch abgekratzt worden.

Das bereitete mir allerdings weniger Sorge als der Umstand, dass ich den Trail nicht mehr sehen konnte, da er unter dem Schnee begraben war. Die Richtung schien trotzdem einigermaßen klar, und um mich zu vergewissern, behielt ich den Wanderführer in der Hand und las im Gehen darin. Nach einer Stunde blieb ich stehen. Ich bekam es mit der Angst. War ich noch auf dem PCT? Ich hatte die ganze Zeit nach den kleinen, rautenförmigen PCT-Schildern Ausschau gehalten, die gelegentlich an Bäumen befestigt waren, aber kein einziges entdeckt. Das war nicht unbedingt ein Grund zur Beunruhigung. Meiner Erfahrung nach war auf diese Schilder kein Verlass. Auf manchen Streckenabschnitten tauchte alle paar Kilometer eines auf, dann wieder konnte man tagelang wandern, ohne ein einziges zu entdecken.

Ich zog die topografische Karte der Gegend aus der Hosentasche. Dabei rutschte das Fünf-Cent-Stück mit heraus und fiel in den Schnee. Ich bückte mich, etwas wackelig mit dem schweren Rucksack, und wollte es aufheben, doch in dem Moment, als ich es mit den Fingern leicht berührte, sank es tiefer ein und verschwand. Ich durchwühlte den Schnee, doch es blieb verschwunden.

Jetzt hatte ich nur noch sechzig Cent.

Ich dachte an das Fünf-Cent-Stück, mit dem ich in Las Vegas an den Automaten gespielt und sechzig Dollar gewonnen hatte. Ich musste laut lachen, denn irgendwie hatte ich das Gefühl, dass diese beiden Geldstücke etwas verband. Ich weiß auch nicht, warum. Der verrückte Gedanke kam mir einfach so, während ich dort im Schnee stand. Vielleicht brachte mir der Verlust des Geldstücks ja auf die gleiche Weise Glück wie die schwarze Feder, die zwar Leere symbolisierte, in Wirklichkeit aber für etwas Positives stand. Vielleicht steckte ich momentan gar nicht in genau den Schwierigkeiten, die ich unbedingt hatte vermeiden wollen. Vielleicht hatte der Schnee hinter der nächsten Biegung ja ein Ende.

Ich zitterte mittlerweile in meinen Shorts und meinem durchgeschwitzten T-Shirt, wagte aber nicht weiterzugehen, solange ich nicht genau wusste, wo ich war. Ich schlug den Führer auf und las, was die Autoren von *The Pacific Crest Trail, Volume I: California* über diesen Abschnitt des Wanderwegs zu sagen hatten. »Vom Trail aus blickt man auf einen gleichmäßigen, von Sträuchern gesäumten Anstieg«, beschrieben sie die Stelle, an der ich zu stehen glaubte. »Schließlich flacht der Trail ab und mündet auf eine kleine, spärlich bewaldete Hochfläche …« Ich drehte mich langsam im Kreis und blickte in die Runde. War das eine kleine, spärlich bewaldete Hochfläche? Es hatte ganz den Anschein, aber sicher war es nicht. Sicher war nur, dass alles mit Schnee bedeckt war.

Ich griff nach meinem Kompass, der neben der lautesten Pfeife der Welt mit einer Schnur am Rucksack befestigt war. Seit jenem Tag nach meiner anstrengenden ersten Woche auf dem Trail, an dem ich diese Straße entlangmarschiert war, hatte ich ihn nicht mehr benutzt. Ich legte ihn auf die Karte, ermittelte so gut es ging meinen Standort und setzte meinen Weg fort, wobei ich abwechselnd über den verharschten Schnee rutschte oder einbrach und mir dabei jedes Mal die Schienbeine und Waden noch etwas mehr aufscheuerte. Eine Stunde später erspähte ich an einem schneebedeckten Baum eine Metallraute, auf der PACIFIC CREST TRAIL stand, und atmete erleichtert auf. Ich wusste zwar noch immer nicht genau, wo ich mich befand, aber wenigstens hatte ich jetzt die Gewissheit, dass ich auf dem PCT war.

Am späten Nachmittag gelangte ich auf einen Bergkamm, von dem ich in einen verschneiten Talkessel blicken konnte.

»Greg!«, rief ich, um festzustellen, ob er in der Nähe war. Ich hatte den ganzen Tag keine Spur von ihm entdeckt, rechnete aber ständig mit seinem Auftauchen, denn ich hoffte, er kam im Schnee so langsam voran, dass ich ihn irgendwann einholte und wir unseren Weg gemeinsam fortsetzen konnten. Ich hörte leise Rufe und entdeckte auf einem Bergrücken jenseits des Talkessels drei Skifahrer, nahe genug, um sie zu hören, aber unmöglich zu erreichen. Sie winkten mir mit rudernden Armen zu, und ich winkte zurück. Sie waren so weit entfernt und so dick in Skikleidung eingemummt, dass ich nicht erkennen konnte, ob es Männer oder Frauen waren.

»Wo sind wir hier?«, rief ich über das Tal hinweg.

»Was?«, hörte ich sie nur schwach zurückrufen.

Ich wiederholte meine Frage immer wieder und wieder, bis ich heiser wurde. Ich glaubte ungefähr zu wissen, wo ich mich befand, aber ich hätte es mir gern von ihnen bestätigen lassen, nur um sicherzugehen. Ich rief und rief, ohne zu ihnen durchzudringen, und so unternahm ich einen letzten Versuch, indem ich alle Kräfte mobilisierte und so laut brüllte, dass ich vor Anstrengung fast vom Berg fiel: *»WO SIND WIR HIER?«*

Es folgte eine Pause, die mir verriet, dass sie endlich verstanden hatten, und dann brüllten sie wie mit einer Stimme zurück: *»KALIFORNIEN!«*

An der Art, wie sie sich gegenseitig anstießen, merkte ich, dass sie lachten.

»Danke!«, rief ich sarkastisch, doch meine Stimme wurde vom Wind davongetragen.

Sie riefen etwas zurück, das ich nicht verstand. Sie wiederholten es noch ein paarmal, aber ich wurde einfach nicht daraus schlau, bis sie schließlich langsam ein Wort nach dem anderen riefen.

»HABEN«

»SIE«

»SICH«

»VERIRRT?«

Ich überlegte einen Moment. Wenn ich mit Ja antwortete, würden sie mich retten kommen, und ich wäre mit diesem gottverlassenen Trail fertig.

»*NEIN!*«, brüllte ich. Ich hatte mich nicht verirrt.

Ich hatte mich nur in die Scheiße geritten.

Ich blickte zu den Bäumen, durch die schräg das schwindende Tageslicht drang. Bald wurde es Abend, und ich musste mir einen Lagerplatz suchen. Ich würde im Schnee mein Zelt aufbauen, im Schnee aufwachen und im Schnee weiterwandern. Dabei hatte ich alles getan, um genau das zu vermeiden.

Ich ging weiter und fand schließlich einen Platz für mein Zelt, der leidlich gemütlich war, sofern man einen gefrorenen Schneehaufen unter einem Baum als gemütlich bezeichnen kann. Ich fröstelte, als ich, meinen gesamten Kleidervorrat einschließlich Regenzeug am Leib, in den Schlafsack kroch, war aber sonst okay. Die Trinkflaschen drückte ich an mich, damit ihr Inhalt nicht einfror.

Am Morgen blühten Eisblumen an den Zeltwänden, Kondenswasser meines Atems, das in der Nacht gefroren war. Ich blieb eine Weile still liegen, denn ich wollte noch nicht in den Schnee hinaus, und lauschte dem Gezwitscher der Vögel. Ihre Namen kannte ich nicht, aber ihr Gesang war mir mittlerweile vertraut. Als ich mich aufsetzte und den Reißverschluss am Eingang aufzog, sah ich sie von Baum zu Baum flattern, elegante und schlichte Vögel, die mich überhaupt nicht beachteten.

Ich holte meinen Topf, löste Sojamilchpulver in Wasser auf und rührte Müslimischung dazu, dann setzte ich mich in den offenen Zelteingang und aß. Als ich fertig war, rieb ich mit einer Hand voll Schnee den Topf aus, stand auf und ließ den Blick über die Landschaft schweifen. Ringsum Felsen und Bäume, die aus eisigem Schnee ragten. Ob ich noch auf dem PCT war? Ich war besorgt und gleichzeitig voller Bewunderung für die Schönheit dieser weiten, unberührten Landschaft. Sollte ich weitergehen oder umkehren?, fragte ich mich, aber tief im Inneren kannte ich die Antwort bereits. Natürlich würde ich weitergehen. Etwas anderes kam gar nicht in Frage. Ich hatte zu schwer gerackert, um so weit zu kommen. Umkehren wäre sinnvoll gewesen. Ich hätte auf demselben Weg nach Sierra City zurückkehren und noch ein Stück weiter nach Norden trampen können, wo kein Schnee lag und wo ich außer Gefahr war. Das wäre vernünftig gewesen. Wahrscheinlich hätte ich das tun sollen. Aber alles in mir sträubte sich dagegen.

Ich wanderte den ganzen Tag, schleppte mich mühsam dahin, rutschte immer wieder aus, fiel hin und stützte mich so fest auf den Skistock, dass ich Blasen an der Hand bekam. Ich nahm ihn in die andere Hand und bekam auch an der Blasen. Hinter jeder Biegung, hinter jedem Bergkamm, hinter jeder Wiese hoffte ich auf ein Ende des Schnees. Doch er nahm kein Ende, und nur an vereinzelten Stellen lugte ein brauner Fleck aus dem Weiß hervor. *Ist das der PCT?*, fragte ich mich immer, wenn ich richtige Erde sah. Ich konnte mir nie sicher sein. Nur die Zeit würde es zeigen.

Ich schwitzte unter dem Rucksack. Mein Rücken war ständig von oben bis unten nass, ganz gleich wie kalt es war oder was ich anhatte. Wenn ich stehen blieb, begann ich schon nach wenigen Minuten zu zittern, da meine feuchten Kleider eiskalt wurden. Meine Muskeln hatten sich mittlerweile an die Anforderungen des Fernwanderns gewöhnt, aber nun wurde ihnen mehr abverlangt, als mich nur auf den Beinen zu halten. Wenn ich einen Hang querte, musste ich vor jedem Schritt eine Stufe hacken, damit ich festen Stand fand und nicht in die Tiefe rutschte und unten in Felsen, Büsche oder Bäume krachte oder, schlimmer noch, in einen Abgrund stürzte. Meter für Meter musste ich in die vereiste Schneekruste Löcher stampfen, die mir sicheren Halt gaben. Greg hatte mir in Kennedy Meadows beigebracht, wie man so etwas mit einem Eispickel machte. Jetzt dachte ich voller Wehmut an meinen Pickel und stellte mir vor, wie er nutzlos in der Umsonstkiste in Sierra City stand. Vom ständigen Treten und Stampfen bekam ich Blasen an den Füßen, nicht nur an den Stellen, wo ich mir schon in den ersten Tagen der Wanderung welche gelaufen hatte. Und wieder scheuerte ich mir an den Gurten des Monsters Hüften und Schultern wund.

Ich kam nur quälend langsam voran, wie auf einem Büßergang. An den meisten Tagen hatte ich bisher etwa drei Kilometer in der Stunde geschafft, aber im Schnee war alles anders: mühsamer, gefährlicher. Bis Belden Town hatte ich sechs Tage veranschlagt, doch als ich meinen Proviantbeutel entsprechend bestückte, hatte ich nicht ahnen können, was mich erwartete. Unter diesen Bedingungen würden mir sechs Tage nie und nimmer reichen, und nicht nur, weil das Wandern im Schnee eine körperliche Strapaze war. Bei jedem Schritt musste ich auch darauf achten, dass ich wenigstens ungefähr der Route des PCT folgte. Mit Karte und Kompass in der Hand versuchte ich, mir die Lektionen aus meinem Kompasshandbuch *Staying Found*, das ich längst verbrannt hatte, ins Gedächtnis zu rufen. Viele Methoden wie Triangulation oder Kreuzpeilung hatten mich schon verwirrt, als ich das Buch noch besaß und darin nachschlagen konnte. Ohne Buch war es mir unmöglich, sie einigermaßen sicher anzuwenden. Ich hatte nie einen Sinn für Mathematik gehabt. Ich konnte Formeln und Zahlen einfach nicht im Kopf behalten. Mit dieser Art von Logik konnte ich nie viel anfangen. Für mich war die Welt keine Kurve, keine Formel, keine Gleichung. Sie war eine Geschichte. Deshalb hatte ich mich in erster Linie an die Beschreibungen im Wanderführer gehalten, sie immer wieder gelesen, mit den Karten abgeglichen und versucht, Sinn und Zweck jedes Wortes oder Satzes zu erraten. Als hätte ich eine Prüfungsfrage zu lösen: *Wenn Cheryl auf einem Bergkamm eine Stunde lang in einem Tempo von 2,5 Kilometern pro Stunde nach Norden wandert, dann nach Westen zu einem Sattel, von dem sie im Osten zwei lang gestreckte Seen sehen kann, steht sie dann auf der Südflanke von Gipfel 7503?*

Ich stellte Vermutungen an, nahm Messungen vor, las, legte Pausen ein, rechnete und zählte, bevor ich von dem, was mir richtig erschien, wirklich überzeugt war. Zum Glück lieferte dieser Abschnitt des Trails viele Orientierungshilfen in Form von Gipfeln, Felsen, Seen und Teichen, die vom Pfad aus zu sehen waren. Ich hatte immer noch das gleiche Gefühl wie zu Anfang, als ich die Sierra Nevada von Süden her zu durchwandern begann – das Gefühl, von oben auf die Welt hinabzublicken. Ich wanderte von Kamm zu Kamm, atmete erleichtert auf, wenn ich dort, wo die Sonne den Schnee weggeschmolzen hatte, nackte Erde sah, zitterte vor Freude, wenn von mir identifizierte Gewässer oder Felsformationen mit dem übereinstimmten, was in der Karte verzeichnet oder im Wanderführer beschrieben war. In solchen Augenblicken fühlte ich mich stark und ruhig, doch schon wenig später blieb ich wieder stehen, überprüfte noch einmal meine Position und gelangte zu der Überzeugung, dass mein Entschluss, weiterzugehen, eine Riesendummheit gewesen war. Manche Bäume am Wegrand kamen mir so verdächtig bekannt vor, dass ich das Gefühl hatte, ich wäre vor einer Stunde schon einmal an ihnen vorbeigekommen. Oder ich blickte auf eine lang gestreckte Bergkette, die mich stark an die lang gestreckte Bergkette erinnerte, die ich davor gesehen hatte. In der Hoffnung, die beruhigende Spur eines Menschen zu entdecken, suchte ich den Schnee nach Fußstapfen ab, aber ich entdeckte keine. Ich fand nur Tierfährten – zickzackförmige Spuren von Kaninchen oder dreieckige Stapfen, die ich Stachelschweinen oder Waschbären zuschrieb. Manchmal war die Luft erfüllt vom Rauschen der Bäume im Wind, dann wieder herrschte die tiefe Stille einer endlosen Schneelandschaft. Alles außer mir war sich seiner selbst offenbar vollkommen gewiss. Der Himmel fragte sich nicht, wo er war.

»HALLO!«, brüllte ich in regelmäßigen Abständen, obwohl ich wusste, dass niemand antworten würde, aber ich musste einfach eine Stimme hören, und wenn es nur meine eigene war. Meine Stimme würde mich beschützen, so glaubte ich, mich davor bewahren, dass ich in dieser verschneiten Wildnis für immer verloren ging.

Beim Wandern drängten sich wieder Liedfetzen in das Hitradio in meinem Kopf, gelegentlich unterbrochen von Pauls Stimme, die mir sagte, wie dumm es von mir gewesen sei, allein durch den Schnee zu wandern. Er würde alles tun, was getan werden musste, falls ich tatsächlich nicht zurückkehren sollte. Trotz unserer Scheidung war er immer noch mein nächster Verwandter oder zumindest der Einzige, der einer solchen Aufgabe gewachsen gewesen wäre. Ich dachte daran, wie er mich im vergangenen Herbst aus den Fängen des Heroins befreit und anschließend auf der Fahrt von Portland nach Minneapolis zusammengestaucht hatte. »Du hättest sterben können, ist dir das klar?«, hatte er voller Abscheu gesagt, als wünschte er sich halb, ich hätte es getan, nur um zu beweisen, dass er recht hatte. »Jedes Mal, wenn du Heroin nimmst, ist das wie russisch Roulette. Du hältst dir einen Revolver an den Kopf und betätigst den Abzug. Du weißt nie, ob eine Patrone in der Kammer ist.«

Ich hatte nichts zu meiner Verteidigung vorzubringen. Er hatte recht, auch wenn es mir damals nicht so vorkam.

Aber auf einem Weg zu wandern, den ich mir selbst bahnte – und von dem ich hoffte, dass es der PCT war –, war das Gegenteil von Heroinnehmen. Der Abzug, den ich betätigt hatte, als ich mich in den Schnee wagte, brachte mich mehr zur Besinnung als alles andere zuvor. Trotz aller Unsicherheit marschierte ich weiter, und ich hatte dabei ein gutes Gefühl, als hätte allein schon die Tatsache, dass ich es tat, etwas zu bedeuten. Dass ich hier mitten durch die unberührte Wildnis wanderte, bedeutete vielleicht, dass auch ich meine Unschuld wiedererlangen konnte, unabhängig davon, was ich verloren hatte oder was mir genommen worden war, ungeachtet der bedauernswerten Dinge, die ich anderen oder mir selbst angetan hatte, oder der bedauernswerten Dinge, die mir angetan worden waren. Trotz aller Zweifel, die ich hatte – an einem zweifelte ich nicht: Die Wildnis hatte eine Klarheit, die auch mich einschloss.

Traurig und dennoch beschwingt wanderte ich durch die kühle Luft. Der Schnee glitzerte im Sonnenlicht, das durch die Bäume drang, und blendete mich, obwohl ich meine Sonnenbrille aufhatte. So allgegenwärtig der Schnee auch war, ich spürte, dass er schwand, dass er mit jeder Minute weiter schmolz. In seinem Sterben erschien er mir so lebendig wie ein summender Bienenstock. Manchmal vernahm ich ein Gluckern, als fließe unter dem Schnee ein Bach, den ich nicht sehen konnte. Bei anderen Gelegenheiten fiel der Schnee in großen nassen Haufen aus den Bäumen.

Am dritten Tag, nachdem ich in Sierra City losmarschiert war, hockte ich am offenen Eingang meines Zeltes und verarztete die Blasen an meinen Füßen, als mir plötzlich einfiel, dass tags zuvor der vierte Juli gewesen war. Ich konnte mir lebhaft vorstellen, was meine Freunde und viele andere Menschen in den Vereinigten Staaten getan hatten, und das entfernte mich von allem noch mehr. Sie hatten Partys gefeiert und an Festparaden teilgenommen, hatten sich Sonnenbrände geholt und Feuerwerkskörper abgebrannt, während ich hier war, allein in der Kälte. Plötzlich konnte ich mich von weit oben sehen, ein Fleck in einer grünen und weißen Masse, nicht bedeutender oder unbedeutender als einer der namenlosen Vögel in den Bäumen. Hier konnte der vierte Juli oder der zehnte Dezember sein. Diese Berge zählten die Tage nicht.

Am nächsten Morgen stapfte ich stundenlang durch Schnee, bis ich auf eine Lichtung kam, auf der ein großer, umgestürzter Baum lag, ohne Äste und ohne Schnee darauf. Ich nahm den Rucksack ab und kletterte auf den Stamm, dessen Rinde ich rau unter mir spürte. Ich zog ein paar Streifen Trockenfleisch aus dem Rucksack, setzte mich hin, aß und trank dazu Wasser. Nach einer Weile sah ich zu meiner Rechten etwas Rotes auftauchen. Geräuschlos trat ein Fuchs auf die Lichtung. Er blickte geradeaus, ohne mich anzusehen, ja, er schien mich nicht einmal bemerkt zu haben, obwohl ich das für ausgeschlossen hielt. Als er vielleicht noch drei, vier Meter von mir entfernt war, blieb er stehen, drehte den Kopf, blickte gelassen in meine Richtung und schnupperte, ohne mir direkt in die Augen zu schauen. Er sah halb wie eine Katze, halb wie ein Hund aus, das Gesicht scharf geschnitten und gedrungen, der Körper angespannt.

Mein Herz raste, aber ich rührte mich nicht und unterdrückte den Drang, aufzuspringen und hinter dem Baum in Deckung zu gehen. Ich wusste nicht, was der Fuchs als Nächstes tun würde. Ich glaubte nicht, dass er mich angreifen wollte, und dennoch hatte ich Angst. Er reichte mir kaum bis zu den Knien, aber er war zweifellos stark und mir offenkundig überlegen. Er konnte jeden Moment über mich herfallen. Dies war seine Welt. Er war sich seiner so sicher wie der Himmel.

»Fuchs«, flüsterte ich so sanft wie möglich, als könnte ich mich dadurch, dass ich ihm einen Namen gab, vor ihm schützen und ihn gleichzeitig näher locken. Er hob den zierlichen roten Kopf, rührte sich aber nicht von der Stelle und musterte mich ein paar Sekunden lang, dann drehte er sich seelenruhig um, trottete weiter quer über die Lichtung und verschwand unter den Bäumen.

»Komm zurück«, rief ich leichtfertig, und dann schrie ich plötzlich: »MOM! MOM! MOM!« Ich wusste vorher nicht, welches Wort mir über die Lippen kommen würde, bis es kam.

Und dann, ebenso plötzlich, verstummte ich wieder, erschöpft.

Am nächsten Morgen stieß ich auf eine Straße. In den vorangegangenen Tagen hatte ich mehrmals schmale, holprige Jeep-Pisten gekreuzt, aber keine war so breit und so eindeutig eine Straße gewesen. Bei dem Anblick fiel ich fast auf die Knie. Die Schönheit der verschneiten Berge war unbestreitbar, aber die Straße, das war meine Welt. Wenn es die war, die ich vermutete, dann war die bloße Tatsache, dass ich sie erreicht hatte, ein Sieg. Denn es bedeutete, dass ich dem PCT gefolgt war. Und dass in beiden Richtungen eine Stadt lag. Ich konnte nach rechts oder links abbiegen, und die Straße würde mich in eine Gegend bringen, in der das Wetter Anfang

Juli so war, wie ich es mir vorstellte. Ich nahm den Rucksack ab, setzte mich auf einen Schneehaufen und überlegte, was ich tun sollte. Wenn ich dort war, wo ich vermutete, dann hatte ich in den vier Tagen, seit ich in Sierra City losmarschiert war, neunundsechzig PCT-Kilometer hinter mich gebracht, obwohl die tatsächlich zurückgelegte Strecke wahrscheinlich größer war in Anbetracht meiner Unsicherheiten im Umgang mit Karte und Kompass. Bis Belden Town waren es weitere siebenundachtzig Kilometer, die überwiegend durch Schnee führten. Jeder Gedanke daran war Zeitverschwendung. Ich hatte nur noch Proviant für ein paar Tage im Rucksack. Wäre ich weitermarschiert, wäre er mir ausgegangen. Ich folgte der Straße in Richtung einer Stadt namens Quincy.

Die Straße war wie die Wildnis, die ich in den letzten Tagen durchwandert hatte, still und mit Schnee bedeckt, nur musste ich jetzt nicht alle paar Minuten stehen bleiben und überlegen, welche Richtung ich einzuschlagen hatte. Ich folgte ihr talwärts, bis der Schnee in Matsch überging. Mein Wanderführer gab keine genaue Auskunft, wie weit es bis Quincy war. Er sprach nur von einem »langen Tagesmarsch«. In der Hoffnung, bis zum Abend dort zu sein, legte ich einen Zahn zu. Was ich freilich mit nur sechzig Cent in der Tasche dort anfangen sollte, stand auf einem anderen Blatt.

Gegen elf bog ich um eine Kurve und erblickte einen grünen Geländewagen, der am Straßenrand geparkt war.

»Hallo!«, rief ich, allerdings verhaltener als noch zu den Zeiten, als ich dasselbe Wort in die weiße Einöde gebrüllt hatte. Niemand antwortete. Ich näherte mich dem Wagen und spähte hinein. Ein Sweatshirt mit Kapuze lag auf dem Vordersitz, und auf dem Armaturenbrett stand ein Kaffeebecher aus Pappe zwischen anderen aufregenden Gegenständen, die mich an mein früheres Leben erinnerten. Ich ging weiter. Nach einer halben Stunde hörte ich von hinten ein Auto nahen und drehte mich um.

Es war der grüne Geländewagen. Augenblicke später hielt er neben mir. Ein Mann saß am Steuer und eine Frau auf dem Beifahrersitz.

»Wir fahren zur Packer Lake Lodge, falls Sie mitwollen«, sagte die Frau, nachdem sie die Scheibe heruntergekurbelt hatte. Ich bedankte mich und stieg hinten ein, war aber tief enttäuscht. Tage zuvor hatte ich in meinem Wanderführer etwas über die Packer Lake Lodge gelesen. Von Sierra City aus hätte ich sie auf einem Nebenpfad an nur einem Tag erreichen können, hatte aber davon abgesehen, nachdem ich beschlossen hatte, auf dem PCT zu bleiben. Während der Fahrt spürte ich förmlich, wie mein Geländegewinn in Richtung Norden wieder zerrann – die vielen Kilometer, die ich unter größter Anstrengung gutgemacht hatte, waren in weniger als einer Stunde wieder dahin –, und trotzdem fühlte ich mich in dem Wagen wie im Himmel. Ich wischte mir ein Guckloch in die beschlagene Scheibe und beobachtete, wie draußen die Bäume vorbeizogen. Wir krochen mit höchstens dreißig Stundenkilometern durch die vielen Kurven, und trotzdem hatte ich das Gefühl, dass wir unfassbar schnell fuhren, was die Landschaft zu etwas Abstraktem machte, das mich nicht mehr einschloss, sondern abseits von mir stand.

Ich dachte an den Fuchs. Ob er wohl zu dem umgestürzten Baum zurückgekehrt war und sich meiner erinnert hatte? Ich dachte an den Augenblick, als er im Wald verschwunden war und ich nach meiner Mutter gerufen hatte. Nach meinem Gefühlsausbruch hatte tiefe Stille geherrscht, eine Art machtvolle Stille, die alles in sich zu bergen schien. Den Gesang der Vögel und das Ächzen der Bäume. Das Vergehen des Schnees und das Gluckern des unsichtbaren Wassers. Die flimmernde Sonne. Den selbstgewissen Himmel. Den Revolver, in dessen Trommel keine Patrone steckte. Und die Mutter. Immer wieder die Mutter. Die nie mehr zu mir kommen würde.

10
Das Gebirge des Lichts

Der bloße Anblick der Packer Lake Lodge war wie ein Schlag ins Gesicht. Es war ein Restaurant. Und ich hätte ebenso gut ein Hund sein können. Ich roch das Essen, sobald ich aus dem Wagen stieg. Ich bedankte mich bei dem Paar, das mich mitgenommen hatte, ging zu dem kleinen Gebäude, stellte das Monster auf der Veranda ab und trat ein. Das Lokal war voll mit Touristen, hauptsächlich Leuten, die eine der rustikalen Hütten in der Umgebung gemietet hatten. Sie schienen nicht zu bemerken, wie ich beim Gang zur Theke auf ihre Teller starrte – Berge von Pfannkuchen, gebratener Speck, herrlich lockeres Rührei und, am schmerzlichsten von allem, Cheeseburger mit Bergen von Pommes frites. Der Anblick war für mich niederschmetternd.

»Wissen Sie etwas über die Schneehöhen nördlich von hier?«, fragte ich die Frau an der Kasse. An der Art, wie sie die Bedienung beobachtete, die mit einer Kaffeekanne in der Hand durch das Lokal kurvte, merkte ich, dass sie die Chefin war. Ich war dieser Frau noch nie begegnet, aber ich hatte schon tausendmal für sie gearbeitet. Ich spielte kurz mit dem Gedanken, sie nach einem Job für den Sommer zu fragen und aus dem PCT auszusteigen.

»Da oben ist alles ziemlich zugeschneit«, antwortete sie. »Dieses Jahr sind alle Hiker vom Trail heruntergekommen. Sie wandern stattdessen am Gold Lake Highway entlang.«

»Am Gold Lake Highway?«, fragte ich verdutzt. »War in den letzten Tagen ein Mann hier, so um die vierzig? Er heißt Greg. Braunes Haar und Bart.«

Sie schüttelte den Kopf, aber die Kellnerin klinkte sich ein und sagte, sie habe mit einem PCT-Wanderer gesprochen, auf den die Beschreibung passe. Wie er heiße, wisse sie allerdings nicht.

»Sie können Platz nehmen, falls Sie etwas essen wollen«, sagte die Frau.

Auf der Theke lag eine Speisekarte. Aus reiner Neugier schlug ich sie auf. »Haben Sie etwas, was sechzig Cent oder weniger kostet?«, fragte ich in scherzhaftem Ton und so leise, dass meine Stimme kaum den allgemeinen Lärm übertönte.

»Für fünfundsiebzig Cent bekommen Sie eine Tasse Kaffee«, antwortete sie. »Nachschenken kostenlos.«

»Eigentlich habe ich mein Mittagessen im Rucksack«, sagte ich und ging zur Tür, vorbei an beiseitegeschobenen Tellern, auf denen sich noch absolut genießbare Speisereste türmten, die niemand außer mir und den Bären zu essen bereit gewesen wäre. Ich trat hinaus auf die Veranda, setzte mich neben das Monster, zog die sechzig Cent aus der Tasche und betrachtete die silbernen Geldstücke in meiner Hand, als könnten sie sich vermehren, wenn ich sie nur fest genug anstarrte. Ich dachte an das Paket mit dem Zwanzigdollarschein darin, das mich in Belden Town erwartete. Ich hatte Hunger, und ja, ich hatte in meinem Rucksack etwas zu essen, aber ich war zu deprimiert zum Essen. Stattdessen blätterte ich in meinem Wanderführer und versuchte, einen neuen Plan zu schmieden.

»Ich habe zufällig gehört, wie Sie drinnen vom Pacific Crest Trail gesprochen haben«, sprach mich eine Frau an. Sie war mittleren Alters und schlank, das mattblonde Haar modisch kurz geschnitten. An jedem Ohr funkelte ein Diamantstecker.

»Ich wandere für ein paar Monate auf dem Trail«, sagte ich.

»Das muss toll sein.« Sie lächelte. »Ich habe mich immer gefragt, was das wohl für Leute sind, die so etwas machen. Ich weiß, dass der Trail da oben ist.« Sie deutete nach Westen. »Aber ich war noch nie da.« Sie trat näher, und im ersten Augenblick dachte ich, sie wollte mich umarmen, aber sie tätschelte nur meinen Arm. »Sie sind doch nicht etwa allein unterwegs, oder?« Als ich nickte, lachte sie und legte sich eine Hand auf die Brust. »Und was um alles in der Welt sagt Ihre Mutter dazu?«

»Sie ist tot«, sagte ich, zu verzagt und zu hungrig, um die Antwort mit einer entschuldigenden Bemerkung abzuschwächen, wie ich es sonst meistens tat.

»Du meine Güte, das ist ja schrecklich.« Sie fasste nach der Sonnenbrille, die sie an einer Kette aus glitzernden Pastellperlen um den Hals trug, und setzte sie auf. Sie heiße Christine und bewohne mit ihrem Mann und ihren beiden halbwüchsigen Töchtern eine Hütte in der Nähe, erzählte sie mir. »Möchten Sie mitkommen und bei uns duschen?«, fragte sie.

Christines Mann, Jeff, machte mir ein Sandwich, während ich duschte. Als ich aus dem Badezimmer kam, lag es auf einem Teller, diagonal durchgeschnitten und mit Tortillachips aus blauem Mais und einer Essiggurke garniert.

»Wenn Sie mehr Fleisch drauf haben wollen, tun Sie sich keinen Zwang an«, sagte Jeff und schob eine Platte mit kaltem Truthahnbraten über den Tisch. Er war ein gut aussehender, rundlicher Mann mit dunklem, welligem Haar, das an den Schläfen ergraute. Von Beruf Rechtsanwalt, wie mir Christine auf dem kurzen Weg vom Restaurant zur Hütte erzählt hatte. Sie lebten in San Francisco, aber die erste Juliwoche verbrachten sie jedes Jahr hier.

»Vielleicht noch ein paar Scheiben, danke«, sagte ich und langte mit gespielter Unbekümmertheit nach dem Truthahn.

»Das ist bio, falls Sie darauf Wert legen«, sagte Christine. »Und aus artgerechter Haltung. Daran halten wir uns, wenn es irgend geht. Du hast den Käse vergessen«, schalt sie Jeff und eilte zum Kühlschrank. »Möchten Sie Havarti mit Dill auf Ihr Sandwich, Cheryl?«

212

»Ist nicht nötig, danke«, sagte ich höflichkeitshalber. Sie schnitt trotzdem eine Scheibe herunter und brachte sie mir, und ich verputzte sie so schnell, dass sie wortlos zur Anrichte zurückging und mir noch mehr herunterschnitt. Sie griff in die Tüte mit den Chips und lud mir noch eine Hand voll auf den Teller, dann knackte sie die Dose Rootbeer und stellte sie vor mich hin. Sie hätte den Kühlschrank komplett ausräumen können, ich hätte alles verputzt. »Danke«, sagte ich jedes Mal, wenn sie wieder etwas auffuhr.

Durch die Glasschiebetür am anderen Ende der Küche konnte ich ihre Töchter draußen auf der Veranda sehen. Sie saßen in Adirondack-Stühlen und blätterten, Kopfhörer im Ohr, in *Seventeen* und *People*.

»Wie alt sind sie?«, fragte ich und nickte in die Richtung der beiden.

»Sechzehn und knapp achtzehn«, antwortete Christine. »Sie gehen in die zehnte und zwölfte Klasse.«

Sie spürten, dass wir sie ansahen, und schauten auf. Ich winkte, und sie winkten schüchtern zurück, bevor sie wieder in ihre Zeitschriften schauten.

»Es würde mir gefallen, wenn sie so etwas machen würden wie Sie«, sagte Christine. »Wenn sie so mutig und stark wären wie Sie. Aber so mutig dann vielleicht auch wieder nicht. Ich glaube, ich hätte Angst, wenn eine von ihnen da draußen wäre. Haben Sie denn keine Angst, so ganz allein?«

»Manchmal«, antwortete ich. »Aber nicht so sehr, wie man meinen könnte.« Wasser tropfte aus meinen nassen Haaren auf mein schmutziges T-Shirt. Mir war bewusst, dass meine Kleider stanken, aber darunter fühlte ich mich so sauber wie noch nie. Die Dusche war wie eine übersinnliche Erfahrung gewesen, nachdem ich tagelang in der Kälte unter meinen Kleidern geschwitzt hatte. Das heiße Wasser und die Seife hatten mich rein gewaschen. Ich bemerkte ein paar Bücher, die verstreut am anderen Ende des Tischs lagen – *Die Maßnahme* von Norman Rush, *Tausend Morgen* von Jane Smiley und *Schiffsmeldungen* von Annie Proulx. Ich hatte diese Bücher gelesen und liebte sie. Ihre Umschläge waren für mich wie vertraute Gesichter, ihr bloßer Anblick gab mir ein heimeliges Gefühl. Vielleicht ließen mich Jeff und Christine hier bei ihnen wohnen, dachte ich unsinnigerweise. Ich könnte mich wie ihre Töchter auf der Veranda bräunen lassen und Zeitschriften lesen. Hätten sie es mir angeboten, ich hätte angenommen.

»Lesen Sie gern?«, fragte Christine. »Das tun wir immer, wenn wir hier heraufkommen. Das verstehen wir unter Ausspannen.«

»Lesen ist meine Belohnung am Ende des Tages«, sagte ich. »Im Moment lese ich Kurzgeschichten von Flannery O'Connor.« Das Buch steckte noch komplett im Rucksack. Ich hatte die gelesenen Seiten nicht verbrannt, da ich wegen des Schnees und meiner Routenänderung nicht wusste, wann ich mein nächstes Versorgungspaket erhalten würde. Ich hatte das Buch bereits ganz gelesen und am Abend zuvor wieder von vorn angefangen.

»Nun, Sie können gern eins von denen haben«, sagte Jeff, stand auf und ergriff *Die Maßnahme.* »Wir sind damit durch. Aber falls das nicht nach Ihrem Geschmack ist, hätte ich noch etwas anderes für Sie.« Er verschwand im Schlafzimmer neben der Küche, kam mit einem dicken Taschenbuch zurück und legte es neben meinen jetzt leeren Teller.

Ich sah es mir an. Es war von James Michener und trug den Titel *Dresden, Pennsylvania.* Ich kannte es nicht und hatte auch noch nie davon gehört, obwohl James Michener der Lieblingsautor meiner Mutter gewesen war. Erst auf dem College hatte ich erfahren, dass es an Michener etwas zu beanstanden gab. »Unterhaltungsliteratur für die breite Masse«, hatte einer meiner Dozenten gespöttelt, nachdem er mich gefragt hatte, was ich las. Michener, so riet er mir, sei kein Autor, mit dem ich mich beschäftigen sollte, wenn ich wirklich Schriftstellerin werden wolle. Ich fühlte mich beschämt. Als Teenager war ich mir immer wie eine Intellektuelle vorgekommen, wenn ich in *Mazurka, Die Kinder von Torremolinos, Sternen-*

214

jäger oder *Sayonara* schmökerte. In meinem ersten Monat am College lernte ich schnell, dass ich keine Ahnung hatte, wer wichtig war und wer nicht.

»Du weißt, dass das keine *richtige* Literatur ist«, hatte ich herablassend zu meiner Mutter gesagt, als ihr noch im selben Jahr jemand Micheners Roman *Texas* zu Weihnachten schenkte.

»Keine richtige Literatur?« Meine Mutter sah mich fragend und amüsiert an.

»Ich meine, keine ernsthafte«, erwiderte ich. »Keine richtige Literatur, für die sich die Zeit lohnt.«

»Na ja, meine Zeit ist nie viel wert gewesen, wenn du es genau wissen willst, denn ich habe nie mehr als einen Minimallohn verdient und mich meistens für nichts abgerackert.« Sie lachte geringschätzig und gab mir einen Klaps auf den Arm. Wie immer setzte sie sich einfach über mein Urteil hinweg.

Als meine Mutter starb und die Frau, die Eddie schließlich heiratete, einzog, holte ich mir alle Bücher, die ich wollte, aus dem Regal meiner Mutter. Ich nahm die, die sie in den frühen Achtzigerjahren gekauft hatte, als wir auf unser Stück Land zogen: ein Lexikon des biologischen Gartenbaus und ein Buch über Partneryoga. Einen Wildblumenführer und eine Anleitung zum Selbstschneidern von Quilt-Westen. Ein Songbook für Dulcimer und ein Buch übers Brotbacken. Dann noch eines über die Verwendung von Heilpflanzen und *I Always Look Up the Word »Egregious«* von Maxwell Nurnberg. Außerdem die Bücher, die sie mir vorgelesen hatte, als ich selbst noch nicht lesen konnte: die ungekürzten Ausgaben von *Bambi, Black Beauty* und *Unsere kleine Farm.* Und die, die sie als Studentin in den Jahren vor ihrem Tod gekauft hatte: *The Sacred Hoop* von Paula Gunn Allen, *Die Schwertkämpferin* von Maxine Hong Kingston und *This Bridge Called My Back* von Cherríe Moraga und Gloria Anzaldúa. Schließlich noch Herman Melvilles *Moby Dick*, Mark Twains *Huckleberry Finn* und Walt Whitmans *Grashalme.* Aber die Romane von James

Michener, die Lieblingsbücher meiner Mutter, hatte ich stehen lassen.

»Danke«, sagte ich jetzt zu Jeff und nahm *Dresden, Pennsylvania* vom Tisch. »Ich gebe Ihnen dafür die Kurzgeschichten von Flannery O'Connor. Ein unglaubliches Buch.« Ich verkniff mir die Bemerkung, dass ich es am Abend im Wald würde verbrennen müssen, wenn er ablehnte.

»Absolut«, antwortete er lachend. »Aber ich glaube, ich mache dabei das bessere Geschäft.«

Nach dem Essen chauffierte mich Christine zu der Ranger-Station in Quincy, doch der Waldhüter, mit dem ich sprach, war offensichtlich nicht auf dem Laufenden: Er sei dieses Jahr noch gar nicht oben gewesen, da der PCT noch zugeschneit sei, sagte er und zeigte sich überrascht, dass ich oben gewesen war. Wieder in Christines Wagen, zog ich meinen Wanderführer zurate. Die einzige vernünftige Stelle, wo ich auf den Trail zurückkehren konnte, war zweiundzwanzig Kilometer weiter westlich, wo er eine Straße kreuzte.

»Die Mädchen da sehen so aus, als könnten sie etwas wissen«, sagte Christine und deutete über den Parkplatz zu einer Tankstelle, wo zwei junge Frauen neben einem Van standen, der mit dem Namen eines Ferienlagers beschriftet war.

Ich ging zu ihnen, stellte mich vor, und ein paar Minuten später umarmte ich Christine zum Abschied und kletterte hinten in den Van. Die beiden Frauen waren Studentinnen. Sie jobbten in einem Sommercamp und mussten direkt an der Stelle vorbeifahren, wo der PCT die Straße kreuzte. Sie waren gern bereit, mich mitzunehmen, hatten vorher aber noch Besorgungen zu machen. Solange sie einkauften, setzte ich mich in den Schatten ihres klobigen Vans auf dem Parkplatz eines Lebensmittelladens und las in *Dresden, Pennsylvania*. Es war sommerlich warm und schwül – ganz anders als noch am Morgen oben im Schnee. Beim Lesen spürte ich die Gegenwart meiner Mutter so deutlich und ihre Abwesenheit so schmerzlich, dass ich mich nur schwer auf den Text konzentrieren konnte. Warum hatte ich mich darüber lustig gemacht, dass sie Michener liebte? Ich selbst hatte ihn ja auch gemocht – mit fünfzehn hatte ich *Die Kinder von Torremolinos* gleich viermal verschlungen. Zu den schlimmsten Seiten am frühen Verlust meiner Mutter gehörte, dass es so viel zu bedauern gab. Kleinigkeiten, die jetzt wehtaten: die vielen Male, als ich verächtlich die Augen verdrehte, wenn sie nett war, oder mich ihr entzog, wenn sie mich anfassen wollte, oder das eine Mal, als ich zu ihr sagte: »Wundert es dich eigentlich nicht, dass ich mit zweiundzwanzig viel anspruchsvoller bin, als du es warst?« Der Gedanke an meine jugendliche Überheblichkeit verursachte mir jetzt Übelkeit. Ich war ein arrogantes Arschloch gewesen, und mitten in dieser Zeit starb meine Mutter. Ja, ich war eine liebende Tochter gewesen, und ja, ich war für sie da gewesen, als es darauf ankam, aber ich hätte besser sein können. Ich hätte das sein können, was ich unbedingt aus ihrem Mund hatte hören wollen: die beste Tochter der Welt.

Ich klappte *Dresden, Pennsylvania* zu und saß zerknirscht da, bis die Frauen mit einem Einkaufswagen wiederkamen. Ich half ihnen, die Tüten in den Van zu laden. Die beiden waren vier oder fünf Jahre jünger als ich, Haare und Gesichter glänzend und frisch. Beide trugen modische Shorts, Tanktops und bunte Flechtbänder um Handgelenke und Fußknöchel.

»Das ist ziemlich heftig, allein zu wandern«, sagte die eine, als wir mit dem Einladen fertig waren.

»Was sagen denn deine Eltern dazu?«, fragte die andere.

»Nichts. Ich meine, ich habe keine Eltern. Meine Mutter ist tot, und einen Vater habe ich nicht – ich meine, natürlich habe ich einen, nur habe ich keinen Kontakt zu ihm.« Ich kletterte in den Van und verstaute *Dresden, Pennsylvania* im Monster, damit ich die Betretenheit, die über ihre sonnigen Gesichter huschte, nicht zu sehen brauchte.

»Wow«, sagte die eine.

»Ja«, die andere.

»Das Positive daran ist, dass ich frei bin. Ich kann tun und lassen, was ich will.«

»Ja«, sagte die, die vorhin »Wow« gesagt hatte.

»Wow«, die andere, die vorhin »Ja« gesagt hatte.

Sie stiegen vorn ein, und wir fuhren los. Ich schaute aus dem Fenster zu den hohen Bäumen, die draußen vorbeizogen, und dachte an Eddie. Ich verspürte einen Anflug von schlechtem Gewissen, weil ich ihn nicht erwähnt hatte, als die Frauen nach meinen Eltern fragten. Mittlerweile war er für mich wie jemand, den ich früher einmal gekannt hatte. Ich hatte ihn noch gern, und ich hatte ihn sofort gerngehabt, schon am ersten Abend, als ich ihn mit zehn kennenlernte. Er war nicht wie die anderen Männer, mit denen meine Mutter in den Jahren nach ihrer Scheidung zusammen gewesen war. Mit den meisten war es nur ein paar Wochen gut gegangen, weil sie kalte Füße bekamen, wie ich bald begriff. Wenn sie mit meiner Mutter zusammen sein wollten, mussten sie auch mit Karen, Leif und mir zusammen sein. Aber Eddie liebte uns alle vier von Anfang an. Er arbeitete zu der Zeit in einer Fabrik, die Autoteile produzierte, obwohl er Zimmermann von Beruf war. Er hatte sanfte blaue Augen, eine scharf geschnittene Nase und lange braune Haare, die ihm, zu einem Pferdeschwanz gebunden, über den halben Rücken fielen.

An dem Abend, als ich ihn kennenlernte, kam er zum Essen in die Siedlung, in der wir wohnten. Sie hieß Tree Loft und war bereits unsere dritte seit der Trennung unserer Eltern. Alle Wohnhäuser standen im Umkreis von einem Kilometer. Die Ortschaft hieß Chaska und lag eine Autostunde von Minneapolis entfernt. Wir zogen immer sofort um, wenn meine Mutter eine billigere Wohnung fand. Als Eddie kam, stand meine Mutter noch in der Küche, und so ging er mit uns Kindern nach draußen auf den kleinen Rasen vor dem Haus. Wir spielten Fangen, und wenn er uns erwischte, hob er uns in die Höhe und ließ uns mit dem Kopf nach unten in der Luft baumeln, um festzustellen, ob uns Geldstücke aus den Taschen fielen. Wenn ja, klaubte er sie aus dem Gras und rannte davon und wir hinter ihm her, quietschend vor Freude, jener besonderen Freude, die uns bis dahin versagt geblieben war, weil uns nie ein Mann richtig geliebt hatte. Er kitzelte uns und sah zu, wie wir Tanznummern vorführten und Räder schlugen. Er brachte uns lustige Lieder und komplizierte Handzeichen bei. Er stahl uns Nasen und Ohren und zeigte sie uns, indem er den Daumen durch die Finger steckte, ehe er sie uns lachend wieder zurückgab. Als unsere Mutter zum Essen rief, war ich so vernarrt in ihn, dass ich überhaupt keinen Appetit mehr hatte.

In unserer Wohnung gab es kein Esszimmer. Wir hatten zwei Schlafzimmer, ein Badezimmer und ein Wohnzimmer mit einer kleinen Ecknische, in der ein paar Küchenschränke, Arbeitsplatte, Herd und Kühlschrank untergebracht waren. Mitten im Raum stand ein großer runder Holztisch, dessen Beine so weit abgesägt waren, dass er nur kniehoch war. Meine Mutter hatte ihn den Vormietern für zehn Dollar abgekauft. Beim Essen saßen wir auf dem Boden um den Tisch herum. Wir sagten, wir seien Chinesen, ohne zu ahnen, dass es in Wahrheit die Japaner waren, die an so niedrigen Tischen aßen. Haustiere waren in der Tree-Loft-Siedlung nicht gestattet. Wir hielten trotzdem einen Hund namens Kizzy und einen Kanarienvogel namens Canary, der frei in der Wohnung herumflog.

Es war ein wohlerzogener Vogel. Er kackte auf ein Stück Zeitungspapier in einem Katzenklo in der Ecke. Ob ihn meine Mutter darauf dressiert hatte oder ob er es von allein tat, weiß ich nicht. Jedenfalls landete er ein paar Minuten, nachdem wir uns alle um den Tisch gesetzt hatten, auf Eddies Kopf. Wenn er sich auf einem von uns niederließ, blieb er normalerweise nur ganz kurz sitzen und flog dann wieder weg, aber auf Eddies Kopf blieb er. Wir kicherten. Eddie sah uns an und fragte mit gespielter Ahnungslosigkeit, worüber wir lachten.

»Da sitzt ein Kanarienvogel auf deinem Kopf«, antworteten wir.

»Was?«, rief er und schaute sich scheinbar verwundert im Zimmer um.

»Da sitzt ein Kanarienvogel auf deinem Kopf!«, kreischten wir.

»Wo?«, fragte er.

»Auf deinem Kopf!« Wir gerieten völlig außer Rand und Band vor Begeisterung.

Da saß ein Kanarienvogel auf seinem Kopf, und wie durch ein Wunder blieb er das ganze Essen über dort sitzen und auch noch danach, ehe er es sich gemütlich machte und vor lauter Wohlgefühl einschlief.

Auch Eddie fühlte sich wohl.

Zumindest bis zum Tod meiner Mutter. Ihre Krankheit hatte uns beide anfangs einander sogar noch nähergebracht. In den Wochen ihres Leidens waren wir Kameraden geworden – wechselten uns im Krankenhaus ab, berieten uns in medizinischen Fragen, weinten zusammen, als wir erfuhren, dass das Ende nahe war, gingen nach ihrem Tod zusammen zum Bestattungsunternehmer. Doch bald danach zog sich Eddie von meinen Geschwistern und mir zurück. Er verhielt sich wie unser Freund und nicht wie unser Vater. Dann verliebte er sich in eine andere Frau, und wenig später zog sie mit ihren Kindern in unser Haus ein. Als der Todestag meiner Mutter sich zum ersten Mal jährte, waren Karen, Leif und ich weitgehend auf uns allein gestellt. Die meisten Sachen meiner Mutter hatte ich in Kartons gepackt und weggeräumt. Wir hätten uns noch gern, sagte Eddie, aber das Leben gehe weiter. Er sei noch unser Vater, behauptete er, aber er tat nichts, um es zu beweisen. Ich empörte mich darüber, aber schließlich musste ich mich damit abfinden, dass meine Familie nicht mehr existierte.

Man kann einen Hund nicht zum Jagen tragen, hatte meine Mutter oft gesagt.

Als die jungen Frauen mit ihrem Van auf dem schmalen Highway rechts ranfuhren, verdeckten die hohen Bäume am Straßenrand die untergehende Sonne fast vollständig. Ich dankte ihnen fürs Mitnehmen und sah mich um, als sie weiterfuhren. Ich stand neben einem Wegweiser der Forstverwaltung zum WHITEHORSE CAMPGROUND. Der PCT sei gleich dahinter, hatten die beiden Frauen mir beim Aussteigen gesagt. Ich hatte mir nicht die Mühe gemacht, während der Fahrt einen Blick in die Karte zu werfen. Nach den Tagen ständiger Wachsamkeit war ich es leid, immer wieder im Wanderführer nachzusehen. Ich hatte einfach nur die Fahrt genossen und darauf vertraut, dass die beiden schon wussten, wo sie hinfuhren. Von dem Campingplatz aus, so hatten sie gesagt, hätte ich nur noch ein kurzes Stück bis zum PCT zu gehen. Ich folgte dem gewundenen asphaltierten Weg in Richtung Zeltplatz und las im Gehen die frischen Seiten, die ich aus meinem Wanderführer herausgerissen hatte. Im Dämmerlicht war der Text nur schwer zu entziffern. Mein Herz tat vor Erleichterung einen Sprung, als ich auf das Wort WHITEHORSE CAMPGROUND stieß, und rutschte mir gleich darauf in die Hose, als ich weiterlas und erfuhr, dass ich bis zum PCT gut drei Kilometer zu gehen hatte. »Gleich dahinter« hatte für die Frauen in dem Van offensichtlich eine andere Bedeutung als für mich.

Auf dem Campingplatz angekommen, sah ich mich ein wenig um. Wasserhähne, ein paar braune Sanitärhäuschen und eine große Tafel, auf der erklärt wurde, wie man für eine Übernachtung bezahlen sollte, nämlich indem man einen Umschlag mit dem Geld in einen Holzkasten mit Schlitz warf. Abgesehen von ein paar Wohnmobilen und vereinzelten Zelten war der Campingplatz gespenstisch leer. Ich folgte dem asphaltierten Weg noch ein Stück und überlegte, was ich tun sollte. Ich hatte kein Geld für die Campinggebühr, aber es war zu dunkel, um jetzt noch in den Wald zu gehen. Ich entdeckte einen Platz ganz am Rand des Geländes, fernab von der Tafel mit den Zahlungsmodalitäten. Wer sollte mich hier schon sehen?

Ich baute mein Zelt auf, kochte und aß im Schein meiner Stirnlampe luxuriös an dem Picknick-Tisch. Dann pinkelte ich bequem in dem Plumpsklo, kroch in mein Zelt und schlug *Dresden, Pennsylvania* auf. Ich hatte vielleicht drei Seiten gelesen, als das Zelt plötzlich in helles Licht getaucht wurde. Ich öffnete den Reißverschluss am Eingang und schlüpfte hinaus. Ein älteres Paar stand im blendenden Scheinwerferlicht eines Pick-ups.

»Hallo«, grüßte ich zögernd.

»Sie müssen für den Platz bezahlen«, bellte die Frau als Antwort.

»Ich muss bezahlen?«, fragte ich mit gespielter Arglosigkeit und Überraschung. »Ich dachte, nur Leute mit Autos müssen bezahlen. Ich bin zu Fuß. Ich habe nur einen Rucksack dabei.« Das Paar hörte schweigend zu, Zorn in den runzeligen Gesichtern. »Morgen früh bin ich ganz schnell weg. Spätestens um sechs.«

»Wenn Sie hierbleiben wollen, müssen Sie bezahlen«, wiederholte die Frau.

»Das macht zwölf Dollar für die Nacht«, setzte der Mann keuchend hinzu.

»Ich habe aber zufällig überhaupt kein Geld bei mir. Ich mache eine Fernwanderung. Ich wandere auf dem Pacific Crest Trail. Nur leider liegt in den Bergen eine Menge Schnee. Es ist ein Rekordjahr. Na, jedenfalls habe ich den Trail verlassen. Ich wollte eigentlich gar nicht hierher, aber die Frauen, die mich im Auto mitgenommen haben, haben mich versehentlich an einer falschen Stelle abgesetzt, und jetzt …«

»Das ändert nichts daran, dass Sie bezahlen müssen, junge Frau«, brüllte der Mann zu meiner Überraschung mit einer Stimme wie ein Nebelhorn und brachte mich zum Verstummen.

»Wenn Sie nicht bezahlen können, müssen Sie zusammenpacken und weiterziehen«, sagte die Frau. Sie trug ein Sweatshirt, auf dem zwei Waschbärenbabys schüchtern aus einer Baumhöhle spähten.

»Hier ist doch überhaupt niemand! Außerdem ist es mitten in der Nacht! Wen stört es denn, wenn ich einfach …«

»So sind die Vorschriften«, stieß der Mann hervor, drehte sich um und stieg, fertig mit mir, wieder in den Pick-up.

»Tut uns leid, Miss, aber wir führen hier die Aufsicht und haben dafür zu sorgen, dass sich jeder an die Vorschriften hält«, sagte die Frau. Ihre Miene besänftigte sich kurz entschuldigend, dann schürzte sie die Lippen und setzte hinzu: »Wir würden nur sehr ungern die Polizei rufen.«

Ich senkte den Blick und sprach zu den Waschbären. »Ich will doch nur … Ich störe hier doch überhaupt nicht. Ich meine, niemand würde den Platz nutzen, selbst wenn ich nicht hier wäre«, sagte ich ruhig in einem letzten Versuch, sie umzustimmen, von Frau zu Frau.

»Wir sagen ja nicht, dass Sie gehen müssen«, schrie sie mich an wie einen Hund, den sie zum Schweigen bringen wollte. »Wir sagen nur, dass Sie bezahlen müssen!«

»Ich kann aber nicht.«

»Gleich hinter den Waschräumen beginnt ein Weg, der zum PCT führt«, sagte die Frau und deutete hinter sich. »Sie können aber auch an der Straße entlanggehen, etwa anderthalb Kilometer. Ich glaube, an der Straße lang ist kürzer. Wir lassen die Scheinwerfer an, solange Sie zusammenpacken«, sagte sie und stieg zu ihrem Mann in den Pick-up. Ihre Gesichter waren hinter den Scheinwerfern nicht mehr zu sehen.

Ich drehte mich fassungslos meinem Zelt zu. Irgendwann hatte ich auf der Wanderung ja mal Leuten begegnen müssen, die alles andere als freundlich waren. Ich kroch hinein, setzte mit zitternden Händen die Stirnlampe auf und stopfte alles, was ich ausgepackt hatte, in den Rucksack zurück, ohne auf die sonstige Ordnung zu achten. Ich wusste nicht, was ich tun sollte. Es war mittlerweile stockdunkel, nur ein Halbmond stand am Himmel. Das Einzige, was mir mehr Angst machte als die Vorstellung, im Dunkeln auf einem unbekannten Weg zu wandern, war, im Dunkeln an einer unbekannten Straße entlangzugehen. Ich setzte das Monster auf und winkte dem Paar in dem Pick-up zu. Ob sie zurückwinkten, war nicht zu sehen.

Ich trug die Stirnlampe in der Hand. Die Batterien waren so schwach, dass ich kaum erkennen konnte, wo ich hintrat. Ich folgte dem Asphalt bis zu den Waschräumen und entdeckte dahinter den Weg, den die Frau erwähnt hatte. Zögernd ging ich ein paar Schritte. Ich fühlte mich inzwischen sicher im Wald, sogar bei Nacht, aber im Dunkeln durch den Wald zu gehen war etwas ganz anderes, denn ich konnte nichts sehen. Ich konnte auf Nachttiere stoßen oder über eine Wurzel stolpern. Ich konnte eine Abzweigung verpassen und von der gewünschten Richtung abkommen. Ich ging langsam, nervös, wie auf den ersten Kilometern meiner Wanderung, als ich jede Sekunde befürchtete, von einer Klapperschlange angefallen zu werden.

Nach einer Weile traten schemenhaft Bäume aus dem Dunkel hervor. Ich war in einem Wald aus hohen Kiefern und Fichten, deren kahle gerade Stämme sich weit über mir zu einem dichten Dach verzweigten. Zu meiner Linken gluckerte ein Bach, und unter meinen Stiefeln knisterte ein weicher, trockener Nadelteppich. Ich marschierte so konzentriert wie noch nie und spürte den Pfad und meinen Körper deswegen intensiver als sonst, als wäre ich nackt und barfüßig. Ich musste daran denken, wie ich als Kind reiten gelernt hatte. Meine Mutter hatte es mir beigebracht, mit ihrem Pferd, das Lady hieß. Ich saß im Sattel, und sie ließ Lady an einer Longe im Kreis laufen. Anfangs hielt ich mich ängstlich mit beiden Händen an der Mähne fest, selbst wenn Lady nur im Schritt ging, aber mit der Zeit wurde ich kühner, und meine Mutter forderte mich auf, die Augen zu schließen und zu erspüren, wie sich das Pferd unter mir bewegte und wie mein Körper seine Bewegungen mitmachte. Später tat ich dasselbe mit weit ausgebreiteten Armen und überließ meinen Körper ganz Ladys Bewegungen, wenn wir im Kreis ritten.

Ich folgte dem Pfad ungefähr zwanzig Minuten, dann lichtete sich der Wald. Ich nahm den Rucksack ab, kroch im Schein der Stirnlampe auf allen vieren auf dem Boden herum und untersuchte die Stelle. Sie machte einen ganz passablen Eindruck. Ich baute mein Zelt auf, kroch hinein und schlüpfte in meinen Schlafsack, obwohl ich jetzt überhaupt nicht mehr müde war, da ich nach der Vertreibung und der nächtlichen Wanderung unter Strom stand.

Ich schlug *Dresden, Pennsylvania* auf, aber meine Stirnlampe flackerte und wurde immer schwächer. Ich schaltete sie aus und blieb im Dunkeln liegen. Ich schlang die Arme um mich und strich mir selbst über die Oberarme. Ich spürte das Tattoo unter den Fingern meiner rechten Hand, konnte immer noch die Umrisse des Pferdes nachfahren. Die Tätowiererin hatte gesagt, dass es noch ein paar Wochen hervorstehen würde, aber mittlerweile waren Monate vergangen, und es hatte sich nichts geändert, als wäre das Pferd in meine Haut geprägt und nicht mit Tinte gestochen. Es war nicht irgendein Pferd, dieses Tattoo. Es war Lady – das Pferd, von dem meine Mutter gesprochen hatte, als sie den Arzt in der Mayo Clinic fragte, ob sie noch reiten dürfe, nachdem er ihr mitgeteilt hatte, dass sie sterben würde. Lady war nicht der richtige Name der Stute, wir nannten sie nur so. Sie war ein registriertes American Saddlebred, und ihr offizieller Name stand in seiner ganzen Pracht im mitgelieferten Zertifikat des Pferdezüchterverbands: Stonewall's Highland Nancy, Vater Stonewall Sensation und Mutter Mack's Golden Queen. Meine Mutter hatte Lady wider alle Vernunft in dem schrecklichen Winter gekauft, als sie sich endgültig von meinem Vater trennte. Sie hatte in dem Restaurant, in dem sie bediente, ein Ehepaar kennengelernt, das günstig eine reinrassige zwölfjährige Stute verkaufen wollte, und obwohl sich meine Mutter nicht einmal ein billiges Pferd leisten konnte, sah sie sich die Stute an und einigte sich mit dem Paar auf einen Preis von dreihundert Dollar, zahlbar innerhalb von sechs Monaten. Und mit einem anderen Ehepaar, das in der Nähe einen Stall besaß, in dem sie Lady unterstellen konnte, traf sie die Vereinbarung, als Ersatz für die Stallgebühren Arbeiten zu übernehmen.

»Sie ist umwerfend«, sagte meine Mutter jedes Mal, wenn sie Lady beschrieb, und das war sie. Widerristhöhe fast 1,65 Meter, schlank und langbeinig, mit stolzem Gang und elegant wie eine Königin. Sie hatte einen weißen Stern auf der Stirn, aber das übrige Fell hatte das gleiche rötliche Kastanienbraun wie der Fuchs, den ich im Schnee gesehen hatte.

Ich war sechs, als meine Mutter sie kaufte. Wir lebten in einer Souterrainwohnung in einem Wohnkomplex namens Barbara Knoll. Meine Mutter hatte sich gerade endgültig von meinem Vater getrennt. Wir hatten kaum genug Geld zum Leben, aber meine Mutter musste dieses Pferd einfach haben. Obwohl noch ein Kind, spürte ich, dass Lady meiner Mutter das Leben rettete. Sie gab ihr neuen Mut. Pferde waren die Religion meiner Mutter. Als Kind hätte sie all die Sonntage, an denen sie Kleider anziehen und zur Messe gehen musste, viel lieber mit Pferden verbracht. Die Geschichten, die sie mir über Pferde erzählte, bildeten einen Kontrapunkt zu den anderen Geschichten, die sie mir über ihre katholische Erziehung erzählte. Sie tat alles, um reiten zu können. Sie mistete Ställe aus und polierte Zaumzeug, fuhr Heu und schüttete Stroh auf, erledigte alle erdenklichen Arbeiten, nur damit sie die Erlaubnis bekam, sich in irgendeinem Stall in der Nähe aufzuhalten und jemandes Pferd zu reiten.

Von Zeit zu Zeit kamen mir Bilder aus ihrem früheren Cowgirl-Leben in den Sinn, Momentaufnahmen so klar und deutlich, als hätte ich sie in einem Buch gesehen. Von den nächtlichen Überlandritten, die sie mit ihrem Vater in New Mexico unternommen hatte. Von den waghalsigen Rodeo-Tricks, die sie mit ihren Freundinnen eingeübt und vorgeführt hatte. Mit sechzehn bekam sie ein eigenes Pferd, einen Palomino namens Pal, den sie bei Turnieren und Rodeos in Colorado ritt. Die Preisschleifen, die sie dabei gewonnen hatte, bewahrte sie bis zu ihrem Tod auf. Ich hatte sie in einen Karton gepackt, der nun in Lisas Keller in Portland stand. Eine gelbe für einen dritten Platz im Tonnenrennen; eine rosafarbene für einen fünften Platz in den drei Grundgangarten; eine grüne für einen sechsten Platz in der Disziplin Showmanship, bei der die Jury bewertet, wie der Reiter sein Pferd am Halfter vorstellt; und eine blaue für einen ersten Platz in einer Disziplin, bei der sie mit dem Pferd in allen Grundgangarten einen Hindernisparcours mit Schlammlöchern und engen Kurven absolvieren und dabei unter lautem Getröte und Gelächter von Clowns in der ausgestreckten Hand auf einem Löffel ein Ei balancieren musste, was ihr länger gelang als allen anderen.

In dem Stall, in dem Lady zuerst untergestellt war, verrichtete meine Mutter die gleichen Arbeiten wie als Kind, säuberte die Boxen, schüttete Stroh auf und fuhr mit einem Schubkarren Sachen hin und her. Oft nahm sie Karen, Leif und mich mit. Wir spielten in der Scheune, während sie arbeitete. Hinterher sahen wir zu, wie sie mit Lady im Kreis ritt, und wenn sie fertig war, durften auch wir abwechselnd aufsitzen. Als wir auf das Stück Land im Norden Minnesotas zogen, besaßen wir bereits ein zweites Pferd, einen Mischlingswallach namens Roger, den meine Mutter gekauft hatte, weil ich mich sofort in ihn verliebt hatte und sein Besitzer bereit gewesen war, ihn für einen Apfel und ein Ei abzugeben. Wir transportierten beide mit einem Pferdeanhänger nach Norden. Ihre Weide nahm ein Viertel unserer sechzehn Hektar ein.

Als ich fast drei Jahre nach dem Tod meiner Mutter Anfang Dezember nach Hause fuhr, um Eddie zu besuchen, war ich schockiert über Ladys abgemagerten und schwachen Zustand. Sie war jetzt fast einunddreißig, was für ein Pferd sehr alt ist, und selbst wenn es möglich gewesen wäre, sie wieder hochzupäppeln, hätte niemand die Zeit dazu gehabt. Eddie und seine Freundin lebten abwechselnd in dem Haus, in dem ich aufgewachsen war, und in einem Wohnwagen in einer Kleinstadt nahe Minneapolis. Die zwei Hunde, zwei Katzen und vier Hühner, die wir beim Tod meiner

Mutter noch besessen hatten, waren entweder gestorben oder weggegeben worden. Nur die beiden Pferde, Roger und Lady, waren noch übrig. Oft wurden sie nur notdürftig von einem Nachbarn versorgt, den Eddie dafür angeheuert hatte.

Bei meinem Besuch Anfang Dezember sprach ich Eddie auf Ladys Zustand an. Zuerst reagierte er aggressiv und sagte, er wisse nicht, warum die Pferde sein Problem seien. Ich wollte nicht mit ihm darüber streiten, warum er, als Witwer meiner Mutter, für ihre Pferde verantwortlich war. Ich sprach nur über Lady und bestand darauf, sich auf einen Plan zu verständigen, und nach einer Weile mäßigte er seinen Ton, und wir kamen überein, Lady einschläfern zu lassen. Sie war alt und krank, hatte erschreckend an Gewicht verloren, und ihre Augen waren trübe geworden. Ich hatte bereits mit dem Tierarzt gesprochen. Er war bereit, zu uns herauszukommen und Lady mit einer Spritze einzuschläfern. Eine andere Möglichkeit war, sie zu erschießen.

Eddie war für Letzteres. Wir waren beide völlig pleite. Außerdem wurden Pferde seit Generationen auf diese Weise von ihren Leiden erlöst. Seltsamerweise erschien uns das beiden humaner – wenn sie durch die Hand von jemandem starb, den sie kannte und dem sie vertraute, und nicht durch die Hand eines Fremden. Eddie versprach mir, das zu übernehmen, bevor Paul und ich in ein paar Wochen, zu Weihnachten, wiederkämen. Es sollte kein Familientreffen werden: Paul und ich würden in dem Haus allein sein. Eddie hatte die Absicht, Weihnachten bei seiner Freundin und deren Kindern zu verbringen. Und auch Karen und Leif hatten eigene Pläne – Leif wollte bei der Familie seiner Freundin feiern und Karen mit ihrem Mann, den sie in dem Jahr geheiratet hatte.

Ich hatte ein ungutes Gefühl, als ich ein paar Wochen später an Heiligabend mit Paul in die Zufahrt einbog. Immer wieder hatte ich mir vorgestellt, wie es sein würde, auf die Weide zu blicken und nur Roger zu sehen. Doch als ich aus dem Wagen stieg, war Lady noch da. Sie stand in ihrem Stall, zitternd und bis auf die Knochen abgemagert. Der bloße Anblick tat weh. Es war klirrend kalt mit Rekordtemperaturen um dreißig Grad unter null, und der Wind ließ es noch kälter erscheinen.

Ich rief Eddie nicht an, um zu fragen, warum er sein Versprechen nicht gehalten hatte. Stattdessen rief ich den Vater meiner Mutter in Alabama an. Er war sein Leben lang geritten. Wir sprachen eine Stunde lang über Lady. Er stellte mir eine Frage nach der anderen, und am Ende des Gesprächs bestand er darauf, dass sie sofort eingeschläfert werden müsste. Ich sagte ihm, dass ich eine Nacht darüber schlafen müsse. Am nächsten Morgen klingelte kurz nach Tagesanbruch das Telefon.

Es war mein Großvater. Aber er rief nicht an, um mir fröhliche Weihnachten zu wünschen. Er rief an, um mich zu bitten, sofort etwas zu unternehmen. Lady eines natürlichen Todes sterben zu lassen sei grausam und unmenschlich, sagte er, und ich wusste, dass er recht hatte. Ich wusste auch, dass es meine Aufgabe war, das Notwendige zu tun. Ich hatte nicht das Geld, den Tierarzt zu rufen, und selbst wenn ich es gehabt hätte, bezweifelte ich, dass er an Weihnachten zu uns herausgekommen wäre. Mein Großvater erklärte mir in allen Einzelheiten, wie man ein Pferd erschoss. Als ich sagte, dass ich Angst davor hätte, versicherte er mir, dass es schon immer so gemacht worden sei. Außerdem wusste ich nicht, was ich mit Ladys Kadaver anfangen sollte. Der Boden war so tief gefroren, dass begraben unmöglich war.

»Lass sie liegen«, sagte er. »Die Kojoten werden sie holen.«

»Was soll ich nur tun?«, schrie ich Paul an, nachdem ich aufgelegt hatte. Wir wussten es nicht, aber es war unser letztes gemeinsames Weihnachten. Ein paar Monate später beichtete ich ihm meine Seitensprünge, und er zog aus. An dem folgenden Weihnachten sprachen wir über Scheidung.

»Tu, was du für richtig hältst«, sagte er an diesem Weihnachtsmorgen. Wir saßen am Küchentisch. Jede Ritze und Kerbe in der

Platte war mir vertraut, und dennoch fühlte ich mich weit weg von zu Hause, wie allein auf einer Eisscholle.

»Ich weiß nicht, was richtig ist«, sagte ich, aber das stimmte nicht. Ich wusste sehr wohl, was zu tun war. Dasselbe, was ich nun so häufig tun musste: das kleinere von zwei Übeln wählen. Aber ohne meinen Bruder konnte ich es nicht. Paul und ich hatten uns zuvor schon eine Waffe gekauft – Leif hatte uns im letzten Winter beigebracht, wie man damit umging –, aber keiner von uns beiden traute es sich zu. Leif war zwar kein passionierter Jäger, aber er kannte sich wenigstens einigermaßen mit solchen Dingen aus. Ich rief ihn an, und er kam noch am selben Abend.

Am nächsten Morgen besprachen wir im Einzelnen, was zu tun war. Ich berichtete ihm alles, was ich von unserem Großvater erfahren hatte.

»Okay«, sagte er. »Bereite alles vor.«

Draußen schien die Sonne, der Himmel war kristallblau. Gegen elf hatte es sich auf 27 Grad unter null erwärmt. Wir mummten uns dick ein. Es war so kalt, dass die Rinden der Bäume aufplatzten und so laut knallten, dass ich es in der Nacht, in der ich kein Auge zugetan hatte, sogar im Bett gehört hatte.

Ich redete Lady gut zu, als ich ihr das Halfter umlegte, sagte ihr, wie sehr ich sie liebte, und führte sie aus dem Stall. Paul schloss die Tür hinter uns, damit uns Roger nicht folgen konnte. Ich führte sie durch den verharschten Schnee und drehte mich um, um ein letztes Mal ihren Gang zu bewundern. Sie schritt immer noch mit unbeschreiblicher Eleganz und Kraft, zeigte die eindrucksvoll ausholende und hohe Bewegung der Vorderbeine, die meiner Mutter immer den Atem geraubt hatte. Ich führte sie zu einer Birke, die Paul und ich am Nachmittag zuvor ausgewählt hatten, und band sie mit ihrem Führstrick daran fest. Der Baum stand ganz am Rand der Weide. Dahinter begann dichter Wald. Außerdem war die Stelle so weit vom Haus entfernt, dass ich hoffte, die Kojoten würden in der Nacht kommen und den Kadaver holen. Ich sprach mit ihr und streichelte ihr kastanienbraunes Fell, flüsterte zärtliche und kummervolle Worte, bat sie um Verzeihung und Verständnis.

Als ich aufschaute, stand mein Bruder mit seinem Gewehr da.

Paul nahm meinen Arm, und zusammen stapften wir durch den Schnee und stellten uns hinter Leif. Wir waren nur zwei Meter von Lady entfernt. Ihr warmer Atem war wie eine seidene Wolke. Die gefrorene Schneekruste trug uns noch einen Augenblick, dann sanken wir bis zu den Knien ein.

»Genau zwischen die Augen«, sagte ich zu Leif, noch einmal die Worte unseres Großvaters wiederholend. Auf diese Weise, so hatte er mir versichert, könnten wir sie mit einem einzigen sauberen Schuss töten.

Leif ließ sich auf ein Knie sinken. Lady tänzelte und scharrte mit den Vorderhufen im Eis, dann senkte sie den Kopf und sah uns an. Ich sog scharf die Luft ein, und Leif drückte ab. Die Kugel traf Lady genau zwischen die Augen, mitten in den weißen Stern, wie wir gehofft hatten. Sie prallte so heftig zurück, dass ihr Lederstrick riss und zu Boden fiel, und dann stand sie reglos da und sah uns erstaunt an.

»Schieß noch mal«, stieß ich hervor, und Leif feuerte ihr in rascher Folge drei weitere Kugeln in den Kopf. Sie taumelte und zuckte, aber sie fiel nicht um und lief auch nicht weg, obwohl sie nicht mehr festgebunden war. Ihre Augen blickten uns an, verstört, schockiert über unser Tun, das Gesicht voller blutloser Löcher. In diesem Augenblick begriff ich, dass wir das Falsche taten, nicht weil wir sie töteten, sondern weil wir geglaubt hatten, wir müssten es selber tun. Ich hätte darauf bestehen sollen, dass Eddie es tat oder auf seine Kosten den Tierarzt kommen ließ. Ich hatte mir falsche Vorstellungen davon gemacht, was es hieß, ein Tier zu töten. So etwas wie einen sauberen Schuss gab es nicht.

»Erschieß sie! *Erschieß sie!*«, flehte ich mit kehlig jammernder Stimme, die ich nicht als meine erkannte.

»Ich habe keine Munition mehr!«, brüllte Leif.

»Lady!«, kreischte ich. Paul packte mich an den Schultern und zog mich an sich, doch ich stieß ihn weg, schnaufend und wimmernd.

Lady machte einen wackeligen Schritt und fiel dann auf die Vorderknie. Ihr Rumpf neigte sich hässlich nach vorn wie ein großes Schiff, das langsam im Meer versank. Sie wiegte den Kopf und gab ein tiefes Stöhnen von sich. Plötzlich schoss aus ihren Nüstern ein Schwall Blut, so warm, dass es zischte, als das Blut auf dem Schnee auftraf. Sie hustete und hustete, und jedes Mal ergoss sich ein neuer, fürchterlicher Schwall aus ihrem Maul. In quälender Langsamkeit gaben die Hinterläufe unter ihr nach. Wie schwebend verharrte sie, versuchte auf groteske Weise, sich wieder aufzurichten, und fiel schließlich auf die Seite, schlug wild mit den Beinen um sich, verdrehte den Hals und versuchte abermals aufzustehen.

»Lady!«, heulte ich. »Lady!«

Leif packte mich. »Schau nicht hin!«, schrie er, und wir drehten uns weg.

»SCHAU WEG!«, brüllte er Paul an, und Paul gehorchte.

»Bitte hol sie«, rief Leif immer wieder, während ihm Tränen übers Gesicht liefen. »Hol sie. Hol sie. Hol sie.«

Als ich mich umdrehte, lag Ladys Kopf im Schnee, doch ihre Beine zuckten, und ihr Leib hob und senkte sich noch. Wir taumelten, wieder bis zu den Knien im verharschten Schnee versunken, zu ihr. Sie atmete in schweren, langsamen Stößen, dann gab sie einen Seufzer von sich und rührte sich nicht mehr.

Das Pferd unserer Mutter, Lady, Stonewall's Highland Nancy war tot.

Ich weiß nicht, ob es fünf Minuten oder eine Stunde gedauert hatte. Ich hatte meine Fäustlinge und meine Mütze verloren, aber ich brachte es nicht über mich, sie aufzuheben. Meine Wimpern waren zu Klumpen gefroren. Haarsträhnen, die mir der Wind in das von Rotz und Tränen nasse Gesicht geweht hatte, waren zu Eiszapfen erstarrt, die klirrten, wenn ich mich bewegte. Ich schob sie weg, wie benommen und ohne jedes Gefühl für die Kälte. Ich kniete neben Ladys Bauch nieder und strich über ihren blutbespritzten Körper. Sie war noch warm, so wie meine Mutter, als ich in das Krankenhauszimmer gekommen war und gesehen hatte, dass sie ohne mich gestorben war. Ich blickte zu Leif und fragte mich, ob auch er in diesem Augenblick daran dachte. Ich kroch zu ihrem Kopf und strich über ihre Ohren. Sie waren kalt und weich wie Samt. Ich legte die Hände auf die schwarzen Einschusslöcher in dem weißen Stern. Die tiefen Höhlen, die das Blut um Lady herum in den Schnee gebrannt hatte, froren bereits wieder zu.

Paul und ich sahen zu, wie Leif ein Messer zückte und büschelweise Haare aus Ladys Mähne und Schwanz schnitt.

»Jetzt kann Mom ans andere Ufer«, sagte er und sah mir in die Augen, als gäbe es nur uns beide auf der Welt. »Das glauben die Indianer – wenn ein großer Krieger stirbt, muss man auch sein Pferd töten, damit er den Fluss überqueren und ans andere Ufer kommen kann. Auf diese Weise erweist man ihm Respekt. Jetzt kann Mom davonreiten.«

Ich stellte mir vor, wie unsere Mutter auf Ladys kräftigem Rücken über einen großen Fluss ritt und uns drei Jahre nach ihrem Tod endgültig verließ. Ich hätte mir gewünscht, dass es wahr wäre. Hätte ich einen Wunsch frei gehabt, so hätte ich mir das gewünscht. Nicht dass meine Mutter zu mir zurückkam – obwohl ich das natürlich wollte –, sondern dass sie und Lady zusammen fortritten. Dann wäre das Schlimmste, was ich jemals getan hatte, etwas Heilsames und keine Metzelei gewesen.

Nach meiner Vertreibung vom Whitehorse Campground schlief ich irgendwo im Wald. Und ich träumte von Schnee. Nicht von dem Schnee, in dem mein Bruder und ich Lady getötet hatten, sondern von dem Schnee, durch den ich oben in den Bergen gewandert war. Die Erinnerung daran war beängstigender, als es das Erlebnis selbst gewesen war. Die ganze Nacht träumte ich Dinge, die gar nicht geschehen waren, aber hätten geschehen können. Ich rutschte einen tückischen Hang hinunter und über die Kante einer Felswand hinaus oder prallte unten gegen die Felsen. Ich marschierte und stieß nie auf diese Straße, sondern irrte verhungernd umher.

Beim Frühstück am nächsten Morgen las ich in meinem Wanderführer. Wenn ich wie geplant auf den PCT zurückkehrte, musste ich wieder durch Schnee wandern, soviel war klar. Vor dem Gedanken graute mir, und beim Blick in die Karte begriff ich, dass ich das gar nicht brauchte. Ich konnte zum Whitehorse Campground zurück und weiter nach Westen zum Bucks Lake. Von dort schlängelte sich eine Jeep-Piste nach Norden und stieß bei den Three Lakes auf den PCT. Die Ausweichroute war etwa genauso lang wie der PCT, ungefähr fünfundzwanzig Kilometer, verlief aber in so geringer Höhe, dass Aussicht bestand, dass sie schneefrei war. Ich packte meine Sachen zusammen, ging denselben Weg zurück, den ich am Vorabend gekommen war, und stiefelte trotzig über den Whitehorse Campground.

Den ganzen Morgen über wanderte ich in westlicher Richtung nach Bucks Lake, dann nach Norden und wieder nach Westen, ehe ich auf die zerfurchte Jeep-Piste stieß, die mich zum PCT zurückbringen sollte, und die ganze Zeit dachte ich an das Versorgungspaket, das mich in Belden Town erwartete. Weniger an das Paket als an die zwanzig Dollar darin. Und weniger an die zwanzig Dollar als an die Leckereien und Getränke, die ich mir damit kaufen konnte. Stundenlang schwelgte ich in halb ekstatischen, halb qualvollen Träumen von Kuchen und Cheeseburgern, Schokolade, Bananen, Äpfeln und gemischtem grünen Salat. Vor allem aber von Snapple-Limonade. Das war Unsinn. In meinem Leben vor dem PCT hatte ich nur ein paarmal Snapple-Limonade getrunken und mochte sie zwar ganz gern, aber mehr auch nicht. Sie war nie mein Lieblingsgetränk gewesen. Aber jetzt ging sie mir nicht aus dem Sinn. Rosa oder gelb, das war egal. Kein Tag verging, an dem ich mir nicht in allen Einzelheiten vorstellte, wie es wäre, eine Flasche in der Hand zu halten und an meinen Mund zu führen. An manchen Tagen verbot ich mir solche Gedanken, sonst wäre ich völlig durchgedreht.

Ich konnte sehen, dass die Straße zu den Three Lakes erst seit kurzem schneefrei war. Der Frost hatte tiefe Löcher in die Fahrbahn gerissen, und Ströme von Schmelzwasser flossen in tiefen, breiten Rinnen an der Seite. Ich folgte der Straße unter einem dichten Dach von Bäumen, ohne jemandem zu begegnen. Am Nachmittag spürte ich ein vertrautes Ziehen im Unterleib. Ich bekam meine Periode. Das erste Mal auf dem Trail. Ich hatte kaum noch daran gedacht. Seit Beginn der Wanderung nahm ich meinen Körper auf eine neue Weise war, die alte Gewohnheiten verdrängte. Ich zerbrach mir nicht mehr den Kopf darüber, ob ich vielleicht eine Idee dicker oder dünner war als am Tag zuvor. Es gab keine Tage, an denen die Haare nicht richtig liegen wollten. All die kleinen inneren Regungen wurden überdeckt von den blanken Schmerzen, die mich unablässig plagten, in den Füßen oder in den Schultern und im oberen Rücken, wo sich die Muskeln so verspannten, dass ich mehrmals innerhalb einer Stunde stehen bleiben und verschiedene Lockerungsübungen machen musste, um mir vorübergehend etwas Linderung zu verschaffen. Ich setzte den Rucksack ab, kramte das Erste-Hilfe-Set heraus und holte den Menstruationsschwamm heraus, ein Stück Naturschwamm, das ich vor der Reise in einen kleinen Ziplock-Beutel gepackt hatte. Ich hatte ihn vor der Reise nur ein paarmal probehalber benutzt. In Minneapolis war er mir in Anbetracht der Umstände auf dem Trail noch ganz praktisch vorgekommen, aber jetzt, wo ich ihn in der Hand hielt, war ich mir da nicht mehr so sicher. Ich wusch mir die Hände mit Wasser aus der Trinkflasche, tränkte dabei den Schwamm und presste ihn aus, dann zog ich meine Hose herunter, hockte mich auf die Straße, führte ihn so weit wie möglich in meine Vagina ein und drückte ihn gegen meinen Gebärmutterhals.

Als ich die Hose wieder hochzog, vernahm ich Motorengeräusch, und gleich darauf bog ein roter Pick-up mit verlängertem

Führerhaus und überdimensionierten Reifen um die Ecke. Bei meinem Anblick trat der Fahrer vor Schreck auf die Bremse. Auch ich erschrak, war aber heilfroh, dass ich nicht mehr auf der Straße hockte, halbnackt und die Hand im Schritt. Ich winkte nervös, als der Pick-up neben mir zum Stehen kam.

»Hallo!«, grüßte der Fahrer und streckte mir durchs Fenster die Hand entgegen. Ich drückte sie, mir bewusst, was ich mit meiner eben noch getan hatte. Außer ihm saßen noch zwei weitere Männer im Wagen, der eine vorn und der andere auf dem Rücksitz mit zwei Jungen. Die Männer waren schätzungsweise Mitte dreißig, die Jungen vielleicht acht.

»Wollen Sie zu den Three Lakes?«, fragte der Mann.

»Ja.«

Er war eine gepflegte Erscheinung und Weißer, wie der Mann neben ihm und die Jungen auf dem Rücksitz. Der dritte Mann war Latino, hatte lange Haare und einen prallen Schmerbauch.

»Wir wollen da oben angeln. Wir würden Sie ja mitnehmen, aber wir sind voll.« Er deutete auf die Ladepritsche, auf der eine Huckepack-Wohnkabine saß.

»Schon in Ordnung. Ich gehe gern zu Fuß.«

»Heute Abend gibt es Hawaiian Screwdriver. Wenn Sie vorbeischauen möchten.«

»Danke«, sagte ich und sah ihnen nach, wie sie davonfuhren.

Den ganzen restlichen Nachmittag dachte ich an Hawaiian Screwdriver. Ich wusste nicht genau, woraus dieser Cocktail bestand, aber der Name klang für mich nicht viel anders als Snapple-Limonade. Oben angekommen, sah ich, dass die Männer mit dem roten Pick-up am westlichsten der drei Seen ihr Lager aufgeschlagen hatten. Der PCT verlief gleich dahinter. Ich folgte einem Trampelpfad, der am östlichen Seeufer entlangführte, und fand einen abgeschiedenen Platz zwischen den Felsblöcken, die vereinzelt den See umgaben. Ich baute das Zelt auf, schlüpfte in den Wald, drückte den Schwamm aus und setzte ihn wieder ein. Dann ging ich zum See, wusch mir Hände und Gesicht, filterte Wasser. Ich spielte mit dem Gedanken, ein Bad zu nehmen, aber das Wasser war eiskalt, und in der Gebirgsluft fror ich ohnehin schon. Vor Beginn der Wanderung hatte ich mir vorgestellt, dass ich unzählige Male in Seen, Flüssen und Bächen baden würde, tatsächlich aber ging ich nur selten ins Wasser. Abends war ich oft fix und fertig und zitterte, als hätte ich Fieber, aber das lag nur an der Erschöpfung und der Verdunstungskühle meines Schweißes. Meistens spritzte ich mir nur Wasser ins Gesicht, zog die nass geschwitzten Wandersachen aus und schlüpfte in den warmen Fleece-Anorak und die Leggins.

Ich zog meine Stiefel aus, befreite meine Füße von den Gelpads und hielt sie in das eisige Wasser. Als ich sie abtrocknete, hielt ich plötzlich wieder einen blauen Zehennagel in der Hand, den zweiten, den ich bisher verloren hatte. Der See war ruhig und klar, umsäumt von hoch aufragenden Bäumen und grünen Büschen zwischen den Felsen. Ich entdeckte eine grüne Eidechse im Schlamm. Sie verharrte eine Weile reglos auf der Stelle, dann huschte sie pfeilschnell davon. Das Lager der Männer lag nicht weit von mir entfernt am Seeufer, aber sie hatten mich noch nicht bemerkt. Bevor ich sie besuchte, putzte ich mir die Zähne, trug Lippenbalsam auf und zog mir einen Kamm durchs Haar.

»Da kommt sie ja«, rief der Mann, der auf dem Beifahrersitz gesessen hatte, als ich angeschlendert kam. »Und gerade richtig.«

Er reichte mir einen roten Plastikbecher mit einem gelben Getränk – Hawaiian Screwdriver, wie ich vermutete. Eiswürfel. Wodka. Und Ananassaft. Als ich daran nippte, dachte ich, mir schwinden die Sinne. Nicht wegen des Alkohols, sondern weil die Kombination von Zucker und Schnaps einfach traumhaft schmeckte.

Die beiden Weißen waren Feuerwehrmänner. Der Latino war begeisterter Hobbymaler und Zimmermann von Beruf. Er hieß Francisco, aber alle nannten ihn Paco. Er war der Cousin eines der Weißen und aus Mexico City zu Besuch, obwohl alle drei im selben Viertel in Sacramento aufgewachsen waren, in dem die Feuerwehrmänner nach wie vor lebten. Paco war vor zehn Jahren nach Mexiko gereist, um seine Urgroßmutter zu besuchen, hatte sich während des Aufenthalts in eine Mexikanerin verliebt und war geblieben. Wir saßen um eine Feuerstelle, neben der die Männer Brennholz für ein späteres Feuer aufgeschichtet hatten. Derweil spielten die Söhne der Feuerwehrleute Krieg, flitzten um uns herum, schrien und produzierten explosionsartige Geräusche, wenn sie mit ihren Plastikgewehren hinter Felsblöcken hervor aufeinander schossen.

»Sie wollen mich wohl auf den Arm nehmen!«, riefen die Feuerwehrmänner abwechselnd, als ich ihnen erklärte, was ich tat, und ihnen meine geschundenen Füße mit den acht verbliebenen Zehennägeln zeigte. Sie schüttelten verwundert den Kopf, stellten mir eine Frage nach der anderen und drängten mir noch einen Hawaiian Screwdriver mit Tortilla-Chips auf.

»Die Frauen sind es, die Mumm haben«, sagte Paco, der eine Schüssel Guacamole zubereitete. »Wir Männer bilden uns ein, wir wären es, aber das ist ein Irrtum.« Er hatte sich die langen Haare mit gewöhnlichen Gummibändern zu einem dicken Pferdeschwanz zusammengebunden, der ihm wie eine mehrgliedrige Schlange auf den Rücken fiel. Als das Feuer brannte und die Forelle, die einer von ihnen im See gefangen hatte, und das Hirschragout von einem Tier, das einer von ihnen im Winter erlegt hatte, gegessen waren, saßen nur noch Paco und ich am Lagerfeuer, während die anderen Männer ihren Söhnen im Zelt vorlasen.

»Möchten Sie einen Joint mit mir rauchen?«, fragte er und zog einen aus der Hemdtasche. Er zündete ihn an, nahm einen Zug und reichte ihn mir. »Das ist also die Sierra!«, sagte er und blickte auf den dunklen See hinaus. »In meiner Jugend habe ich es nie bis hier herauf geschafft.«

»Das Gebirge des Lichts«, sagte ich und gab ihm den Joint zurück. »So hat John Muir die Sierra genannt. Ich verstehe inzwischen, warum. Ich habe noch nie so ein Licht gesehen wie hier draußen. Die vielen Sonnenuntergänge und Sonnenaufgänge in den Bergen.«

»Sind Sie auf einer spirituellen Wanderung?«, fragte Paco, ins Feuer blickend.

»Ich weiß nicht«, antwortete ich. »Vielleicht könnte man es so nennen.«

»Ganz bestimmt sogar«, sagte er, sah mich durchdringend an und stand auf. »Ich habe da was, was ich Ihnen gern schenken würde.« Er ging zum Heck des Pick-ups, kam mit einem T-Shirt zurück und gab es mir. Ich hielt es in die Höhe. Vorn drauf war ein riesiges Foto von Bob Marley, seine Dreadlocks umrahmt von elektrischen Gitarren und präkolumbischen Profilköpfen. Auf dem Rücken prangte, in einen rot-grün-goldenen Farbwirbel eingefasst, das Konterfei Haile Selassies, jenes Mannes, den die Rastafari für den Mensch gewordenen Gott hielten. »Das ist ein heiliges Hemd«, sagte Paco, während ich es im Feuerschein betrachtete. »Ich möchte, dass Sie es bekommen, denn ich spüre, dass Sie mit den Geistern der Tiere wandern, mit den Geistern der Erde und des Himmels.«

Ich nickte, sprachlos vor Ergriffenheit und, halb betrunken und komplett stoned, wie ich war, fest davon überzeugt, dass das Shirt wirklich heilig war. »Danke«, sagte ich.

Zurück in meinem Lager, stand ich da und blickte, das Shirt in der Hand, zu den Sternen, bevor ich in mein Zelt kroch. Durch die kühle Luft wieder etwas nüchterner, sann ich darüber nach, was Paco gesagt hatte. Mit den Geistern wandern. Was hatte das überhaupt zu bedeuten? Wanderte ich mit den Geistern? Oder meine Mutter? Wohin war sie nach ihrem Tod gegangen? Wo war Lady? Waren sie wirklich über den Fluss ans andere Ufer geritten? Der Verstand sagte mir, dass sie nur gestorben waren, mehr nicht, obwohl sie mir wiederholt im Traum erschienen waren. Meine Träume von Lady waren das Gegenteil der Träume, die ich von meiner

Mutter gehabt hatte – die, in denen sie mir immer wieder befohlen hatte, sie zu töten. In den Träumen von Lady musste ich niemanden töten. Ich musste nur einen riesigen und fantastisch bunten Blumenstrauß entgegennehmen, den sie mir in ihrem weichen Maul brachte. Sie stupste mich jedes Mal so lange mit der Nase, bis ich ihn nahm, und mit diesem Geschenk, das wusste ich, wurde mir verziehen. Aber stimmte das? War das wirklich ihr Geist, oder kam alles nur aus der Tiefe meines Unterbewusstseins?

Ich trug Pacos Shirt, als ich am nächsten Morgen auf den PCT zurückkehrte und in Richtung Belden Town weiterwanderte. Unterwegs bekam ich immer wieder flüchtig den Lassen Peak zu sehen. Der schneebedeckte und 3187 Meter hohe Vulkan lag rund achtzig Kilometer weiter nördlich und stellte für mich nicht nur wegen seiner majestätischen Größe einen Orientierungspunkt dar, sondern auch weil er der erste Berg der Cascade Range war, in die ich direkt hinter Belden Town vorstoßen würde. Vom Lassen aus reihten sich die Gipfel der High Cascades zwischen Hunderten anderen, weniger bekannten Bergen in Richtung Norden. An ihnen würde ich in den kommenden Wochen ablesen können, wie ich vorankam. Sie erschienen mir wie ein Klettergerüst, an dem ich als Kind geturnt hatte. Jedes Mal, wenn ich mich von einer Strebe zur anderen gehangelt hatte, wartete schon die nächste. Auf den Lassen Peak folgt der Mount Shasta, dann der Mount McLoughlin, der Mount Thielsen und die Three Sisters – unterteilt in die südliche, die mittlere und die nördliche »Schwester« –, dann der Mount Washington, der Three Fingered Jack, der Mount Jefferson und schließlich der Mount Hood, nach dessen Überquerung mich nur noch rund achtzig Kilometer von der Brücke der Götter trennen würden. Alle diese Berge waren Vulkane und zwischen 2400 und 4200 Meter hoch. Sie gehörten zum Pazifischen Feuerring, einer 40.000 Kilometer langen Reihe von Vulkanen, die den Pazifischen Ozean hufeisenförmig umschließt, beginnend in Chile, dann an der Westküste Mittel- und Nordamerikas hinauf, hinüber nach Russland und wieder hinunter nach Japan, Indonesien und Neuseeland, bevor sie in der Antarktis endet.

An meinem letzten Tag in der Sierra Nevada führte der Trail ununterbrochen bergab. Von den Three Lakes bis Belden waren es nur elf Kilometer, aber auf acht davon überwand der Trail gnadenlose 1200 Meter Höhenunterschied. Als ich in Belden ankam, hatte ich Fußblessuren ganz neuer Art: An den Zehenspitzen hatten sich Blasen gebildet. Bei jedem Schritt waren die Füße nach vorn gerutscht und hatten von innen gegen den Schuh gedrückt. Eigentlich hatte ich erwartet, einen gemütlichen Tag zu verleben, und dann schleppte ich mich qualvoll humpelnd nach Belden Town, das, wie sich herausstellte, gar keine Stadt war. Es war ein großes, verwinkeltes Haus neben einer Bahnlinie, das eine Bar und einen kleinen Laden beherbergte, der auch als Postamt, Waschsalon und öffentliche Duschanstalt diente. Ich zog auf der Veranda vor dem Laden meine Stiefel aus, schlüpfte in meine Lagersandalen, humpelte hinein und holte mein Paket ab. Beim Anblick des Umschlags mit den zwanzig Dollar war ich so erleichtert, dass ich meine Zehen für eine Minute vergaß. Ich kaufte mir zwei Flaschen Snapple-Limonade, kehrte auf die Veranda zurück und trank sie, eine nach der anderen.

»Cooles T-Shirt«, sprach mich eine Frau an. Sie hatte lockiges, graues Haar und führte einen großen weißen Hund an der Leine. »Das ist Odin.« Sie bückte sich und kraulte ihm den Nacken, dann richtete sie sich wieder auf, rückte die kleine runde Brille auf ihrer Nase wieder zurecht und musterte mich neugierig. »Wanderst du zufällig auf dem PCT?«

Ihr Name war Trina. Sie war vierundfünfzig, unterrichtete Englisch an der Highschool und stammte aus Colorado, wo sie erst vor wenigen Tagen in den PCT eingestiegen war. Sie war von Belden Town aus nach Norden gewandert, wegen des vielen Schnees aber wieder umgekehrt. Was sie berichtete, deprimierte mich. Sollte ich dem Schnee denn nie entrinnen? Während wir uns unterhielten, stieß eine weitere Wanderin zu uns – eine Frau namens Stacy, die am Vortag begonnen hatte und auf derselben Strecke zu den Three Lakes gewandert war wie ich.

Endlich traf ich mal Frauen auf dem Trail! Wir machten uns rasch miteinander bekannt. Trina war eine begeisterte Wochenend-Backpackerin, Stacy eine erfahrene Trekkerin, die im letzten Jahr mit einer Freundin auf dem PCT von Mexiko bis Belden Town gewandert war. Stacy und ich unterhielten uns über die Orte am Trail, durch die wir beide gekommen waren, über Ed in Kennedy Meadows, den sie im Sommer zuvor kennengelernt hatte, und über ihr Leben in einer südkalifornischen Wüstenstadt, wo sie im väterlichen Unternehmen als Buchhalterin arbeitete. Sie war dreißig Jahre alt und hübsch, hatte einen blassen Teint und schwarze Haare und stammte aus einer großen irischen Familie.

»Lasst uns heute Nacht zusammen kampieren und überlegen, wie es weitergeht«, schlug Trina vor. »Da drüben auf der Wiese ist ein guter Platz.« Sie deutete auf eine Stelle, die vom Laden aus zu sehen war. Wir gingen hin und bauten unsere Zelte auf. Ich packte mein Paket aus, während sich Trina und Stacy im Gras unterhielten. Wellen des Wohlbehagens durchströmten mich, als ich einen Gegenstand nach dem anderen in die Hand nahm und mir automatisch an die Nase hielt. Die ladenneuen Packungen mit Lipton-Nudeln oder mit Trockenbohnen und Reis, die mein tägliches Abendessen bildeten, die noch glänzenden Energieriegel und die makellosen Ziplock-Tüten mit Dörrobst und Nüssen. All diese Sachen hingen mir eigentlich zum Hals heraus, aber sie so frisch und unangetastet zu sehen, versöhnte mich wieder etwas mit ihnen. Außerdem enthielt das Paket ein sauberes T-Shirt, das ich jetzt, wo ich das Bob-Marley-Shirt hatte, nicht mehr brauchte, zwei nagelneue Paar Wollsocken und den Roman *Der Sommervogel* von Margaret Drabble, für den ich noch nicht ganz bereit war – ich hatte *Dresden, Pennsylvania* erst zur Hälfte gelesen und die Seiten am Morgen in Pacos Feuer geworfen. Und, ganz wichtig, einen frischen Vorrat Gelpads.

Ich setzte mich hin, zog meine Stiefel aus und verarztete meine ramponierten Füße. Als Trinas Hund losbellte, schaute ich auf und erblickte einen jungen Mann, blond, blauäugig und schlaksig. An seinem schleppenden Gang erkannte ich sofort, dass er PCT-Hiker war. Sein Name war Brent, und nachdem er sich vorgestellt hatte, begrüßte ich ihn wie einen alten Freund, obwohl ich ihm noch nie begegnet war. In Kennedy Meadows hatte ich einige Geschichten über ihn gehört. Wie ich von Greg, Albert und Matt wusste, war er in einer Kleinstadt in Montana aufgewachsen. Einmal war er in einer südkalifornischen Stadt unweit des Trails in einen Feinkost-laden geschlappt, hatte ein Sandwich mit zwei Pfund Roastbeef bestellt und mit sechs Bissen verschlungen. Er lachte, als ich ihn darauf ansprach, dann nahm er den Rucksack ab, setzte sich zu mir und sah sich meine Füße genauer an.

»Deine Stiefel sind zu klein«, sagte er und wiederholte damit das, was mir Greg schon in Sierra City gesagt hatte. Ich sah ihn verständnislos an. Meine Stiefel konnten unmöglich zu klein sein. Ich hatte keine anderen.

»Ich glaube«, sagte ich, »das lag nur an dem langen Abstieg von den Three Lakes.«

»Aber genau das ist der springende Punkt«, erwiderte Brent. »Mit der richtigen Stiefelgröße könntest du jeden Berg runterstei-gen, ohne dir die Füße kaputt zu machen. Dafür sind Stiefel ja schließlich da.«

Ich dachte an die guten Leute bei REI. Ich erinnerte mich an den Mann, der mich nur aus diesem Grund im Laden eine kleine Holz-rampe rauf- und runtermarschieren ließ: um sicherzustellen, dass die Stiefel den Zehen genug Platz ließen, wenn ich bergab, und nicht hinten an den Fersen rieben, wenn ich bergauf ging. Im La-den hatte ich nicht den Eindruck gehabt. Entweder hatte ich mich geirrt, oder meine Füße waren inzwischen gewachsen. Denn eins ließ sich nicht mehr bestreiten: Solange ich diese Stiefel an den Füßen hatte, durchlitt ich die Hölle auf Erden.

Aber daran war nichts zu ändern. Ich hatte kein Geld für ein neues Paar, und selbst wenn ich es gehabt hätte, hätte ich mir hier keines kaufen können. Ich zog meine Campingsandalen an, kehrte zum Laden zurück, nahm eine Dusche, die mich einen Dollar kostete, und wartete in meinem Regenzeug, bis meine Kleider im Waschsalon gewaschen und getrocknet waren. Ich nutzte die Zeit, um Lisa anzurufen, und war ganz aus dem Häuschen, als sie tatsächlich abhob. Sie erzählte mir, was sie so machte, und ich erzählte ihr vom Trail, soweit das möglich war. Wir gingen zusammen meine Route durch. Nach dem Gespräch trug ich mich ins PCT-Register ein und sah nach, ob Greg hier durchgekommen war. Sein Name stand nicht da. Ich konnte nicht glauben, dass er hinter mir sein sollte.

»Hast du etwas von Greg gehört?«, fragte ich Brent, als ich mit sauberen Kleidern am Leib zurückkehrte.

»Er ist wegen des Schnees ausgestiegen.«

Ich sah ihn verblüfft an. »Bist du sicher?«

»Jedenfalls haben mir das die Australier erzählt. Hast du sie getroffen?«

Ich schüttelte den Kopf.

»Ein Brautpaar auf Hochzeitsreise. Aber die hatten vom PCT auch genug. Sie sind abgereist und wollen stattdessen den AT machen.«

Erst nach meinem Entschluss, auf dem PCT zu wandern, hatte ich zum ersten Mal vom AT gehört, dem Appalachian Trail, dem weitaus populäreren und besser ausgebauten Vetter des PCT. Beide wurden 1968 als *National Scenic Ways* ausgewiesen, als Fernwanderwege von besonderem landschaftlichem Reiz. Der AT ist mit einer Länge von 3500 Kilometern fast 800 Kilometer kürzer als der PCT und durchquert die Appalachen von Georgia bis Maine.

»Ist Greg ebenfalls zum AT?«, fragte ich zaghaft.

»Nein. Er hatte keine Lust mehr, weil er wegen der vielen Umwege und Ausweichstrecken so viel vom Trail verpasste. Er will nächstes Jahr wiederkommen. Haben mir jedenfalls die Australier gesagt.«

»Wow«, sagte ich, traurig über die Neuigkeit. Seit dem Tag, an dem ich Greg getroffen hatte, und zwar genau zu dem Zeitpunkt, als ich beschlossen hatte aufzugeben, war er für mich eine Art Glücksbringer gewesen. Wenn er es schafft, schaffe ich es auch, hatte ich mir gesagt, und jetzt war er fort. Und die Australier auch, ein Paar, dem ich nie begegnet war, von denen ich mir aber sofort ein Bild machte. Ich wusste, ohne es wissen zu können, dass sie durchtrainiert und draufgängerisch waren und aufgrund ihrer australischen Abstammung für das Leben in der rauen Wildnis in einer Weise geeignet, wie ich es niemals sein würde. »Warum willst du nicht lieber auf dem AT wandern?«, fragte ich in der bangen Erwartung, er würde mir verraten, dass er genau das vorhabe.

Er dachte eine Weile darüber nach. »Zu viel Verkehr«, sagte er und betrachtete Bob Marley, dessen Gesicht so groß auf meiner Brust prangte, als habe er noch mehr zu sagen. »Übrigens, das T-Shirt ist echt geil.«

Ich hatte nie einen Fuß auf den AT gesetzt, aber ich hatte von den Jungs in Kennedy Meadows viel darüber gehört. Er kam dem PCT noch am nächsten und war doch in vielerlei Hinsicht ganz anders. Rund zweitausend Leute machten sich jeden Sommer auf, um den AT in seiner ganzen Länge abzuwandern, und nur ein paar hundert schafften es, was immer noch weit mehr waren als die rund hundert, die jedes Jahr den PCT in Angriff nahmen. Wanderer auf dem AT übernachteten meistens in oder in der Nähe von Herbergen, die es entlang des Weges gab. Die Abstände zwischen den Versorgungsstationen waren kürzer, und die meisten lagen in richtigen Städten im Unterschied zum PCT, wo sie oft nur aus einer Poststelle, einer Bar und einem kleinen Laden bestanden. Ich stellte mir die australischen Flitterwöchler vor, wie sie jetzt ein paar Kilometer von ihrem Trail entfernt in einem Pub Cheeseburger aßen und Bier süffelten und später unter einem Holzdach nächtigten. Wahrscheinlich hatten sie von ihren Wanderkollegen Spitznamen bekommen, noch so eine Gepflogenheit, die auf dem AT weit üblicher war als auf dem PCT, obwohl man auch hier dazu neigte. Als Greg, Matt und Albert von Brent erzählten, hatten sie die halbe Zeit nur von »dem Jungen« geredet, obwohl er nur ein paar Jahre jünger war als ich. Greg selbst war gelegentlich als »der Statistiker« tituliert worden, weil er so viele Fakten und Zahlen über den Trail im Kopf hatte und Buchhalter von Beruf war. Matt und Albert waren »die Eagle Scouts«, und Doug und Tom »die Popper«. Ich glaubte nicht, dass ich auch einen Spitznamen hatte, und wenn, dann wollte ich ihn lieber nicht wissen.

Trina, Stacy, Brent und ich aßen in der Bar neben dem Laden zu Abend. Nach dem Duschen, Wäschewaschen und dem Kauf der Snapple-Limonade und ein paar Snacks und sonstigen Ausgaben besaß ich noch ungefähr vierzehn Dollar. Ich bestellte einen grünen Salat und einen Teller Pommes, die beiden Speisen auf der Karte, die sowohl billig waren als auch meine stärksten Gelüste befriedigten, die ganz gegensätzlicher Natur waren: nach etwas Frischem und nach etwas Frittiertem. Zusammen kosteten sie mich fünf Dollar, sodass mir für die gesamte Strecke bis zu meinem nächsten Paket noch neun Dollar blieben. Es erwartete mich im 215 Kilometer entfernten McArthur-Burney Falls Memorial State Park, in dem es einen Laden gab, den die PCT-Hiker als Versorgungsstation nutzen durften. Ich nippte lustlos an meinem Eiswasser, während die anderen Bier schlürften. Beim Essen sprachen wir über die bevorstehende Etappe. Nach allem, was man so hörte, lag auf längeren Streckenabschnitten immer noch Schnee. Der gut aussehende Barkeeper hörte unser Gespräch zufällig mit, trat an unseren Tisch und berichtete von Gerüchten, wonach im Lassen Volcanic National Park noch fünf Meter Schnee lägen. Angeblich sprengte man die Straßen mit Dynamit frei, damit sie für die ohnehin schon kurze Touristensaison geöffnet werden konnten.

»Wollen Sie etwas trinken?«, fragte er mich und sah mir in die Augen. »Auf Kosten des Hauses«, setzte er hinzu, als ich zögerte.

Er brachte mir ein Glas kalten Grauburgunder, voll bis zum Rand. Schon beim ersten Schluck wurde mir ganz schwummrig vor Wonne, genau wie bei dem Hawaiian Screwdriver am Abend zuvor. Als wir die Rechnung bezahlten, waren wir darin übereingekommen, am Morgen aus Belden aufzubrechen und auf den nächsten achtzig Kilometern teils auf dem PCT, teils auf niedriger gelegenen Jeep-Pisten zu wandern, dann per Anhalter den eingeschneiten Abschnitt des Trails im Lassen Volcanic National Park zu umgehen und an einem Ort namens Old Station auf den PCT zurückzukehren.

Wieder im Lager, setzte ich mich in meinen Stuhl und schrieb auf einem Blatt Papier, das ich aus meinem Tagebuch gerissen hatte, einen Brief an Joe. Er hatte bald Geburtstag, und der Wein hatte meine Sehnsucht nach ihm geweckt. Ich musste daran denken, wie ich an einem Abend vor einem Jahr in einem Minirock ohne etwas darunter mit ihm in einem Park spazieren gegangen war und dann in einem entlegenen Winkel an einer Mauer Sex mit ihm gehabt hatte. Ich erinnerte mich an die Aufregung, die mich jedes Mal befallen hatte, wenn wir Heroin beschafften, und an die blauen Flecken, die seine gefärbten Haare auf meinem Kopfkissenbezug hinterlassen hatten. Ich ließ mich nicht dazu hinreißen, solche Dinge in dem Brief zu erwähnen. Ich saß da, mit dem Stift in der Hand, erinnerte mich nur und überlegte, was ich ihm über meine Zeit auf dem PCT erzählen könnte. Ich glaubte nicht, dass ich ihm begreiflich machen konnte, was in dem Monat seit unserer letzten Begegnung in Portland geschehen war. So fremd, wie mir meine Erinnerungen an den letzten Sommer waren, so fremd würde ihm wahrscheinlich alles vorkommen, was ich über diesen Sommer zu berichten hatte, also stellte ich ihm nur eine lange Reihe von Fragen. Wie es ihm gehe. Was er so mache. Mit wem er seine Zeit verbringe. Und ob er den in der Postkarte, die er mir nach Kennedy Meadows geschickt hatte, angedeuteten Ausstieg aus dem Heroin geschafft habe und clean sei. Ich hoffte es. Nicht um meinetwillen, um seinetwillen. Ich faltete das Blatt zusammen und steckte es in einen Umschlag, den mir Trina gegeben hatte. Ich pflückte auf der Wiese ein paar Blumen und legte sie in den Umschlag, bevor ich ihn zuklebte.

»Ich werfe den kurz ein«, sagte ich zu den anderen und ging im Schein meiner Stirnlampe durchs Gras und dann den Feldweg entlang zu dem Briefkasten, der vor dem geschlossenen Laden stand.

»Hallo, schöne Frau!«, rief mir eine Männerstimme nach, als ich den Brief eingeworfen hatte. Ich sah nur die Glut einer brennenden Zigarette auf der dunklen Veranda.

»Hey«, antwortete ich unsicher.

»Ich bin's, der Barkeeper«, sagte der Mann und trat vor in das schwache Licht, sodass ich sein Gesicht sehen konnte. »Wie hat Ihnen der Wein geschmeckt?«, fragte er.

»Oh. Hey. Ja, das war wirklich nett von Ihnen. Danke.«

»Ich arbeite noch«, sagte er und schnippte die Asche seiner Zigarette in einen Pflanztopf. »Aber nachher habe ich frei. Mein Wohnwagen steht gleich da drüben. Vielleicht haben Sie Lust, rüberzukommen und ein bisschen zu feiern. Ich kann eine Flasche von dem Grauburgunder besorgen, wenn Sie möchten.«

»Danke«, sagte ich. »Aber ich muss morgen früh raus und weiterwandern.«

Er nahm noch einen Zug von der Zigarette, deren Spitze hell aufglomm. Ich hatte ihn eine Weile beobachtet, nachdem er mir den Wein gebracht hatte. Ich schätzte ihn auf dreißig. Er sah gut aus in seinen Jeans. Warum sollte ich nicht zu ihm gehen?

»Na, Sie können es sich ja noch überlegen«, sagte er. »Vielleicht ändern Sie Ihre Meinung.«

»Ich habe dreißig Kilometer vor mir«, erwiderte ich, als ob ihm das irgendetwas sagte.

»Sie könnten bei mir schlafen«, sagte er. »Sie können mein Bett haben. Ich kann auf der Couch schlafen, wenn Sie möchten. Ich wette, ein Bett tut gut, wenn man ständig nur auf dem Boden geschlafen hat.«

»Ich habe da drüben alles schon aufgebaut.« Ich deutete in Richtung Wiese.

Mit einem mauen Gefühl kehrte ich zu meinem Lagerplatz zurück. Ich fühlte mich durch sein Interesse gleichermaßen verwirrt wie geschmeichelt, und ein begehrliches Kribbeln ließ mich erschauern. Die Frauen hatten sich bereits zum Schlafen in ihre Zelte zurückgezogen, als ich wiederkam, aber Brent war noch auf, stand im Dunkeln und blickte zu den Sternen.

»Schön, nicht?«, flüsterte ich und schaute mit ihm nach oben. Dabei kam mir zu Bewusstsein, dass ich kein einziges Mal geweint hatte, seit ich auf dem Trail war. Wie war das möglich? In den letzten Jahren hatte ich so oft geweint, dass ich es kaum fassen konnte. Doch es stimmte. Bei der Erkenntnis brach ich fast in Tränen aus, doch stattdessen lachte ich.

»Was ist denn so lustig?«, fragte Brent.

»Nichts.« Ich blickte auf meine Uhr. Es war Viertel nach zehn. »Normalerweise schlafe ich um die Zeit tief und fest.«

»Ich auch«, sagte Brent.

»Aber heute Abend bin ich hellwach.«

»Das liegt an der Aufregung, weil wir in einer Stadt sind«, sagte er.

Wir lachten beide. Ich hatte die Gesellschaft der Frauen den Tag über genossen und war dankbar für die Art von Gesprächen, die ich seit Beginn der Wanderung nur selten gehabt hatte, aber seltsamerweise fühlte ich mich Brent näher, wenn auch nur, weil er mir vertraut vorkam. Während ich so neben ihm stand, wurde mir bewusst, dass er mich an meinen Bruder erinnerte, den ich, trotz der Distanz zwischen uns, mehr liebte als jeden anderen.

»Wir sollten uns was wünschen«, sagte ich zu Brent.

»Muss man dazu nicht warten, bis man eine Sternschnuppe sieht?«, fragte er.

»Normalerweise schon«, antwortete ich. »Aber wir können neue Regeln aufstellen. Ich wünsche mir zum Beispiel Stiefel, in denen mir die Füße nicht wehtun.«

»Man darf es nicht laut sagen!«, protestierte er. »Das ist wie beim Ausblasen der Geburtstagskerzen. Man darf niemandem sagen, was man sich wünscht. Sonst geht es nicht in Erfüllung. Deine Füße sind total im Eimer.«

»Nicht unbedingt«, sagte ich empört, obwohl ich wusste, dass er recht hatte.

»Okay, ich habe mir was gewünscht«, sagte er. »Jetzt du.«

Ich starrte einen Stern an, aber mir gingen so viele Dinge durch den Kopf, dass ich nichts festhalten konnte.

»Wann brichst du morgen auf?«, fragte ich.

»Sobald es hell wird.«

»Ich auch«, sagte ich. Ich wollte mich am nächsten Morgen nicht von ihm verabschieden. Trina, Stacy und ich hatten beschlossen, in den kommenden Tagen zusammen zu wandern, aber Brent wanderte schneller als wir und würde folglich allein gehen.

»Und? Hast du dir was gewünscht?«, fragte er.

»Ich überlege noch.«

»Es ist ein guter Zeitpunkt, sich was zu wünschen«, sagte er. »Es ist unsere letzte Nacht in der Sierra Nevada.«

»Auf Wiedersehen, Gebirge des Lichts«, sagte ich in den Himmel.

»Du könntest dir ein Pferd wünschen«, sagte Brent. »Dann bräuchtest du dir wegen deiner Füße keine Sorgen zu machen.«

Ich sah ihn im Dunkeln an. Es stimmte – der PCT stand Wanderern und Lasttieren offen, obwohl ich auf dem Trail noch keinem Reiter begegnet war. »Ich hatte mal ein Pferd«, sagte ich und blickte wieder zum Himmel. »Sogar zwei.«

»Na, dann kannst du von Glück sagen«, erwiderte er. »Nicht jeder bekommt ein Pferd.«

Wir schwiegen zusammen noch eine Weile.

Ich wünschte mir etwas.

Teil Vier

Ungebändigt

Wenn ich kein Dach hatte,
machte ich mir Kühnheit zum Dach.

ROBERT PINSKY
Samurai Song

Niemals aufgeben. Nie, nie, nie.

WINSTON CHURCHILL

11
Lou

Ich stand am Stadtrand von Chester neben dem Highway und hielt den Daumen raus, als ein Mann in einem silbernen Chrysler LeBaron anhielt und ausstieg. In den vorausgegangenen rund fünfzig Stunden war ich mit Stacy, Trina und dem Hund von Belden Town aus achtzig Kilometer zu einem Ort namens Stover Camp getrampt, hatte mich aber zehn Minuten zuvor von ihnen getrennt, als ein Paar in einem Honda Civic anhielt und erklärte, dass es nur Platz für zwei hatte. »Fahr du mit«, hatte eine zur anderen gesagt, »nein du«, bis ich mich am Ende durchsetzte. Stacy und Trina waren eingestiegen, Odin hatte sich irgendwie dazugequetscht, und ich hatte ihnen versichert, dass ich schon klarkommen werde.

Und ich *würde* klarkommen, sagte ich mir, als der Mann aus dem Chrysler LeBaron auf dem geschotterten Randstreifen auf mich zukam, obwohl ich ein mulmiges Gefühl bekam und zu erkennen versuchte, was er vorhatte. Er sah eigentlich ganz nett aus, ein paar Jahre älter als ich. Er *war* nett, beschloss ich, als mir die Stoßstange seines Wagens ins Auge stach. Darauf prangte ein grüner Aufkleber, auf dem IMAGINE WHIRLED PEAS stand.

Hat es je einen Serienmörder gegeben, der vom Weltfrieden träumte und witzige Wortspiele mochte?

»Hallo«, rief ich freundlich, plötzlich die lauteste Pfeife der Welt in der Hand. Ohne dass ich es gemerkt hatte, war meine Hand um das Monster herum zu der Nylonschnur gewandert, die am Rucksackrahmen baumelte. Ich hatte die Pfeife seit dem Bärenangriff nicht mehr benutzt, aber seit damals war mir ihre Gegenwart jederzeit geradezu körperlich bewusst, als wäre sie nicht nur am Rucksack festgebunden, sondern mit einer zweiten, unsichtbaren Schnur auch an mir.

»Guten Morgen«, sagte der Mann und streckte mir die Hand entgegen, wobei ihm die braunen Haare in die Augen fielen. Er sagte, er heiße Jimmy Carter – nein, weder verwandt noch verschwägert – und könne mich leider nicht mitnehmen, da er keinen Platz im Wagen habe. Ich schaute hin und sah, dass es stimmte. Bis auf den Fahrersitz war der gesamte Innenraum bis zu den Fenstern vollgestopft mit Zeitungen, Büchern, Kleidern, Getränkedosen und diversen anderen Sachen. Stattdessen fragte er, ob er mit mir reden könne. Er arbeite als Reporter für eine Zeitschrift namens *Hobo Times,* fahre im Land herum und interviewe Leute, die als Hobos lebten.

»Ich bin kein Hobo«, erwiderte ich amüsiert. »Ich bin eine Fernwanderin.« Ich ließ die Pfeife los, streckte den Arm in Richtung Straße und hielt einem vorbeifahrenden Van den Daumen hin. »Ich wandere auf dem Pacific Crest Trail«, erklärte ich ihm und sah ihn an. Ich wollte, dass er wieder in seinen Wagen stieg und wegfuhr. Ich brauchte noch zwei Mitfahrgelegenheiten auf zwei verschiedenen Highways, um nach Old Station zu kommen, und er war mir dabei nur hinderlich. Ich war verdreckt, und meine Kleider waren noch verdreckter, aber ich war immer noch eine allein reisende Frau. Jimmy Carters Gegenwart verkomplizierte die Dinge, denn sie veränderte das Bild aus der Sicht vorbeikommender Autofahrer. Ich musste daran denken, wie lange ich an der Straße gestanden hatte, als ich mit Greg versuchte, nach Sierra City zu kommen. Solange Jimmy Carter bei mir stand, würde niemand anhalten.

»Wie lange leben Sie denn schon auf der Straße?«, fragte er und zog einen Stift und einen langen, schmalen Reporterblock aus der

Gesäßtasche seiner dünnen Kordhose. Seine Haare waren zottig und ungewaschen. Die Stirnfransen verbargen seine dunklen Augen oder auch nicht, je nachdem wie der Wind gerade blies. Er kam mir vor wie jemand, der in irgendeinem exotischen Fach, unter dem sich kaum jemand etwas vorstellen konnte, seinen Doktor gemacht hatte. »Geschichte des Bewusstseins« etwa oder »Vergleichende Studien zu Diskurs und Gesellschaft«.

»Ich habe Ihnen doch gesagt, dass ich nicht auf der Straße lebe«, erwiderte ich und lachte. Da ich dringend eine Mitfahrgelegenheit brauchte, war ich von Jimmy Carters Gesellschaft natürlich wenig begeistert. »Ich wandere auf dem Pacific Crest Trail«, wiederholte ich und zeigte zur Verdeutlichung auf den Wald, der bis an die Straße heranreichte, obwohl der PCT in Wahrheit rund vierzehn Kilometer weiter westlich verlief.

Er starrte mich verdutzt und verständnislos an. Es war mitten am Vormittag und schon sehr warm, einer von den Tagen, an denen es mittags brütend heiß wird. Ich fragte mich, ob er mich riechen konnte. Ich selbst war über den Punkt hinaus, wo ich mich riechen konnte. Ich trat einen Schritt zurück und ließ resigniert den Daumen sinken. Solange er hier herumstand, hielt sowieso niemand an.

»Der gehört zu den staatlich ausgewiesenen Fernwanderwegen«, erklärte ich ihm, aber er sah mich nur weiter an, einen geduldigen Ausdruck im Gesicht, den Notizblock in der Hand. Während ich ihm erklärte, was der PCT war und was ich hier tat, fiel mir auf, dass Jimmy Carter gar nicht schlecht aussah. Ich fragte mich, ob er vielleicht etwas zu essen im Wagen hatte.

»Aber wenn Sie auf einem Wildnispfad wandern, was machen Sie dann hier?«, fragte er.

Ich erklärte ihm, dass ich die Schneemassen im Lassen Volcanic National Park umging.

»Wie lange sind Sie schon auf der Straße?«, fragte er wieder.

»Ich bin seit einem Monat auf dem *Trail*«, antwortete ich und sah zu, wie er sich das notierte. Ich fragte mich, ob ich nicht vielleicht doch ein wenig Hobo war, wenn ich bedachte, wie viel Zeit ich mit Trampen und Umgehen zubrachte, hielt es aber für ratsam, den Gedanken für mich zu behalten.

»Wie oft hatten Sie in diesem Monat nachts ein Dach über dem Kopf?«, fragte er.

»Dreimal«, antwortete ich nach kurzem Überlegen – die Nacht bei Frank und Annette und jeweils eine Nacht in den Motels in Ridgecrest und Sierra City.

»Ist das alles, was Sie besitzen?«, fragte er und deutete mit dem Kopf auf meinen Rucksack und meinen Skistock.

»Ja. Das heißt, ich habe noch ein paar Sachen auf Lager, aber im Moment ist das alles.« Ich legte die Hand auf das Monster. Er kam mir immer wie ein Freund vor, aber in Jimmy Carters Gesellschaft noch mehr.

»Na, dann würde ich Sie als Hobo bezeichnen!«, sagte er fröhlich und bat mich, meinen Vornamen und Nachnamen zu buchstabieren.

Ich tat es und bereute es sofort.

»Das gibt's doch nicht!«, rief er, als er alles auf seinem Blatt hatte. »Heißen Sie wirklich so?«

»Ja«, antwortete ich und drehte mich weg, als hielte ich nach einem Auto Ausschau, damit er das Zögern in meinem Gesicht nicht bemerkte. Es war gespenstisch still, bis ein Langholzlaster um die Ecke kam und vorbeidonnerte, ohne von meinem flehenden Daumen Notiz zu nehmen.

»Dann«, fuhr Jimmy Carter fort, als der Laster vorüber war, »könnte man ja sagen, dass Sie Ihrem Namen alle Ehre machen.«

»So würde ich das nicht sehen«, stammelte ich. »Ein Hobo und ein Wanderer sind nicht miteinander zu vergleichen.« Ich schob die Hand in die rosa Halteschlaufe des Skistocks, kratzte mit der Spitze in die Erde und zog eine Linie, die nirgendwohin führte. »Ich bin nicht so eine Wanderin, wie Sie sich vielleicht vorstellen«, erklärte ich. »Ich bin eher eine Extremwanderin. Ich lege fünfundzwanzig bis dreißig Kilometer am Tag zurück, die Berge rauf und runter, fernab von Straßen und Menschen und allem. Oft sehe ich tagelang keine Menschenseele. Vielleicht sollten Sie lieber darüber einen Artikel schreiben.«

Er schaute kurz von seinem Notizblock auf, die Haare flatterten ihm wirr ins blasse Gesicht. Er kam mir vor wie so viele Leute, die ich kannte. Ich fragte mich, ob es ihm mit mir ebenso erging.

»Ich treffe selten einen weiblichen Hobo«, flüsterte er halb, als vertraue er mir ein Geheimnis an, »deshalb finde ich das unheimlich cool.«

»*Ich bin kein Hobo!*«, entgegnete ich, diesmal etwas energischer.

»Weibliche Hobos sind schwer zu finden«, beharrte er.

Das liege daran, erwiderte ich, dass Frauen zu unterdrückt seien, um Hobos zu werden. Und dass wahrscheinlich alle Frauen, die gerne Hobos geworden wären, mit einer schnatternden Kinderschar zu Hause hockten. Mit Kindern, die männliche Hobos gezeugt hätten, ehe sie sich aus dem Staub machten.

»Ah, verstehe«, sagte er. »Sie sind Feministin.«

»Ja«, sagte ich. Es tat gut, wenigstens einmal einer Meinung zu sein.

»Das gefällt mir«, sagte er und schrieb in seinen Notizblock, ohne zu sagen, was genau ihm gefiel.

»Aber das ist doch alles Quatsch!«, rief ich. »Denn ich selbst bin kein Hobo. Was ich tue, ist völlig normal, verstehen Sie? Ich bin nicht die Einzige, die auf dem PCT wandert. Viele Leute tun es. Haben Sie schon mal vom Appalachian Trail gehört? Der ist so ähnlich. Nur drüben im Osten.« Ich stand da und sah ihm beim Schreiben zu, hatte aber das Gefühl, dass er mehr schrieb, als ich gesagt hatte.

»Ich würde gern ein Foto von Ihnen machen«, sagte Jimmy Carter, fasste in seinen Wagen und zog eine Kamera heraus. »Ein cooles T-Shirt, nebenbei bemerkt. Ich liebe Bob Marley. Und

Ihr Armband gefällt mir auch. Viele Hobos sind Vietnam-Veteranen.«

Ich senkte den Blick auf William J. Crocketts Namen an meinem Handgelenk.

»Bitte lächeln«, sagte er und machte ein Foto. Er forderte mich auf, in der Herbstausgabe von *Hobo Times* nach seinem Artikel über mich zu suchen, als wäre ich regelmäßige Leserin des Blatts. »Manche Artikel werden auch im *Harper's Magazine* nachgedruckt«, fügte er hinzu.

»Im *Harper's*?«, fragte ich verblüfft.

»Ja, das ist eine Zeitschrift, die …«

»Ich weiß, was das *Harper's* ist«, unterbrach ich ihn scharf. »Und ich möchte nicht ins *Harper's*. Das heißt, ich möchte schon ins *Harper's,* aber nicht, weil ich ein Hobo bin.«

»Ich dachte, Sie sind gar kein Hobo«, sagte er, drehte sich um und öffnete den Kofferraum seines Wagens.

»Bin ich auch nicht, deshalb halte ich das Ganze auch für keine gute Idee und finde, Sie sollten diesen Artikel lieber nicht schreiben, denn …«

»Das Standard-Paket für Hobos«, sagte er, drehte sich wieder um und drückte mir eine eiskalte Dose Budweiser in die Hand, dazu eine Einkaufstüte aus Plastik, die ein paar Artikel enthielt.

»Aber ich bin kein Hobo«, wiederholte ich zum letzten Mal, allerdings nicht mehr so vehement, da ich fürchtete, er könnte mir doch noch glauben und das Standard-Paket für Hobos wieder wegnehmen.

»Danke für das Interview«, sagte er und klappte den Kofferraum zu. »Passen Sie da draußen auf sich auf.«

»Ja«, sagte ich. »Sie auch.«

»Ich nehme an, Sie haben eine Waffe. Hoffe ich zumindest.«

Ich zuckte mit den Schultern, nicht gewillt, darüber Auskunft zu geben.

»Ich weiß, dass Sie von Süden kommen und nach Norden wollen, und das bedeutet, dass Sie bald Bigfoot-Land betreten.«

»Bigfoot-Land?«

»Ja. Auch Sasquatch genannt. Kein Witz. Den ganzen Weg hinauf bis zur Grenze und nach Oregon hinein wandern Sie durch das Gebiet, in dem die meisten Bigfoot-Sichtungen auf der ganzen Welt verzeichnet sind.« Er drehte sich zu den Bäumen, als könnte einer von dort auf uns losstürmen. »Viele Leute glauben, dass es sie gibt. Viele Hobos – Leute, die hier draußen leben. Leute, die sich auskennen. Ich höre ständig Bigfoot-Geschichten.«

»Ich komme ganz gut zurecht, denke ich. Jedenfalls bis jetzt«, sagte ich und lachte, obwohl mein Magen einen kleinen Purzelbaum machte. Als ich mir in den Wochen vor meiner Wanderung vorgenommen hatte, vor nichts Angst zu haben, hatte ich an Bären, Schlangen, Pumas und Fremde gedacht, denen ich unterwegs begegnen würde. Stark behaarte Affenmenschen hatte ich dabei nicht auf dem Radar.

»Aber wahrscheinlich wird Ihnen nichts passieren. Ich würde mir keine Sorgen machen. Aller Wahrscheinlichkeit nach werden sie Sie in Ruhe lassen. Besonders wenn Sie eine Waffe haben.«

»Genau.« Ich nickte.

»Viel Glück auf Ihrer Wanderung«, sagte er und stieg in sein Auto.

»Viel Glück … bei Ihrer Suche nach Hobos«, sagte ich und winkte ihm nach, als er davonfuhr.

Ich blieb noch eine Weile stehen und ließ mehrere Autos vorbeifahren, ohne den Daumen rauszuhalten. Ich fühlte mich wie der einsamste Mensch auf der Welt. Die Sonne brannte heiß auf mich herunter, obwohl ich meine Mütze aufhatte. Ich fragte mich, wo Stacy und Trina wohl waren. Der Mann, bei dem sie eingestiegen waren, hatte sie nur bis zu der neunzehn Kilometer östlich gelegenen Kreuzung mit dem nächsten Highway mitnehmen wollen, auf dem wir nach Norden und dann zurück nach Westen trampen mussten, um bei Old

Station wieder auf den PCT zu gelangen. Wir hatten ausgemacht, uns an der Kreuzung zu treffen. Ich bereute es jetzt, dass ich sie dazu ermuntert hatte, mich zurückzulassen. Ich streckte den Daumen einem weiteren ankommenden Wagen entgegen, und erst als er vorbei war, dämmerte mir, dass es wohl nicht so gut aussah, wenn ich eine Dose Bier in der Hand hielt. Ich drückte mir das kühle Aluminium an die heiße Stirn und verspürte plötzlich Lust, das Bier zu trinken. Warum auch nicht? Im Rucksack wurde es nur warm.

Ich schulterte das Monster, durchquerte den Straßengraben und spazierte über die Wiese in den Wald, in dem ich mich irgendwie zu Hause fühlte, als wäre das jetzt meine Welt und nicht mehr Straßen, Städte und Autos. Ich ging, bis ich einen schönen schattigen Platz fand. Dort setzte ich mich auf die Erde und knackte die Dose. Normalerweise mochte ich Bier nicht – tatsächlich war das Budweiser das erste Bier in meinem Leben, das ich leer trank –, aber diesmal schmeckte es mir, so wie es wohl denen schmeckt, die gerne Bier trinken: schön kühl, herb und frisch.

Beim Trinken untersuchte ich den Inhalt der Einkaufstüte. Ich nahm alles heraus und legte es vor mir auf den Boden: ein Päckchen Pfefferminzkaugummi, drei einzeln verpackte Erfrischungstücher, eine Papiertüte mit zwei Aspirin-Tabletten, sechs Karamellriegel in durchsichtiger goldener Verpackung, ein Streichholzheftchen, eine vakuumverpackte Slim-Jim-Wurst, eine einzelne Zigarette in einem Plexiglasröhrchen, ein Einwegrasierer und eine kleine, dicke Dose Baked Beans.

Die Wurst aß ich zuerst und spülte sie mit dem restlichen Budweiser hinunter, danach die Karamellriegel, alle sechs nacheinander, ehe ich mich – noch hungrig, da immer hungrig – der Dose Baked Beans zuwandte. Mit dem unsäglichen Dosenöffner meines Taschenmessers hebelte ich sie in mühseliger Kleinstarbeit auf, und da ich zu faul war, im Rucksack nach einem Löffel zu wühlen, schaufelte ich die Bohnen mit dem Messer heraus und aß sie, ganz nach Hobo-Art, von der Klinge.

Leicht beduselt vom Bier und zwei Pfefferminzkaugummis kauend, um wieder nüchtern zu werden, kehrte ich auf die Straße zurück und reckte jedem vorbeikommenden Auto fröhlich meinen Daumen entgegen. Nach ein paar Minuten hielt ein alter, weißer Ford Maverick. Eine Frau saß am Steuer, neben ihr ein Mann und auf dem Rücksitz ein zweiter Mann mit einem Hund.

»Wohin soll's gehen?«, fragte sie.

»Old Station«, antwortete ich. »Oder wenigstens bis zur Kreuzung von Highway 36 und 44.«

»Das ist unsere Richtung«, sagte sie, stieg aus, ging um den Wagen herum und öffnete den Kofferraum. Sie war um die vierzig, hatte wuscheliges, blondiertes Haar und ein aufgedunsenes Gesicht, das mit Aknenarben übersät war. Sie trug abgeschnittene Jeans, goldene Ohrringe in Schmetterlingsform und ein gräuliches Oberteil mit Nackenträger, das aus den Streifen eines Wischmopps gemacht schien. »Das ist aber ein Mordsrucksack, den du da hast, Mädchen«, sagte sie und lachte heiser.

»Danke, vielen Dank«, sagte ich in einem fort und wischte mir den Schweiß aus dem Gesicht, während wir mit vereinten Kräften das Monster in den Kofferraum hievten. Schließlich stiegen wir ein, ich zu dem Hund und dem Mann auf dem Rücksitz. Der Hund war ein Husky, ein Prachtkerl mit blauen Augen, und saß auf dem Boden vor dem Sitz, wo er kaum Platz hatte. Der Mann war schlank und etwa im selben Alter wie die Frau. Sein dunkles Haar war zu einem dünnen Zopf geflochten. Er trug eine schwarze Lederweste ohne Hemd darunter und ein rotes Bandana, das er sich wie ein Biker um den Kopf gebunden hatte.

»Hallo«, murmelte ich in seine Richtung und sah mir, während ich vergeblich nach dem Sicherheitsgurt tastete, der irgendwo in den Tiefen der Sitzfalte steckte, flüchtig seine Tattoos an: auf dem einen Arm eine eiserne Dornenkugel an einer Kette, auf dem anderen die obere Hälfte einer barbusigen Frau, die entweder vor Schmerz oder Ekstase den Kopf zurückgeworfen hatte. Ein lateinisches Wort, dessen Bedeutung ich nicht kannte, prangte quer auf seiner braun gebrannten Brust. Als ich die Suche nach dem Sicherheitsgurt aufgab, lehnte sich der Husky herüber und leckte mit seiner weichen und seltsam kühlen Zunge gierig mein Knie.

»Der Hund hat einen verdammt guten Geschmack, was Frauen angeht«, sagte der Mann. »Er heißt Stevie Ray.« Sofort hörte der Hund auf zu lecken, schloss fest das Maul und sah mich mit seinen schwarz gerahmten Eisaugen an, als wüsste er, dass er soeben vorgestellt worden war, und wollte höflich sein. »Ich bin Spider. Louise hast du schon kennengelernt – alle nennen sie nur Lou.«

»Hey«, sagte Lou, und unsere Blicke trafen sich für einen Moment im Rückspiegel.

»Und das ist mein Bruder Dave«, sagte er und deutete auf den Mann auf dem Beifahrersitz.

»Hey«, sagte ich.

»Und du? Wie heißt du?«, fragte Dave und drehte sich um.

»Ach so … Entschuldigung. Ich bin Cheryl.« Ich lächelte, obwohl mir nicht ganz wohl dabei war, dass ich in den Wagen gestiegen war. Aber daran war jetzt nichts mehr zu ändern. Wir waren längst wieder auf der Straße, und mein Haar wehte im heißen Wind. Ich streichelte Stevie Ray und musterte dabei Spider aus dem Augenwinkel. »Danke fürs Mitnehmen«, sagte ich, um mein Unbehagen zu verbergen.

»Kein Problem, Schwester«, erwiderte Spider, an dessen Mittelfinger ein viereckiger Türkisring steckte. »Wir waren alle schon mal auf der Straße. Wir wissen alle, wie das ist. Ich bin letzte Woche getrampt, und Scheiße, ich bin ums Verrecken nicht weggekommen, deshalb habe ich zu Lou gesagt, sie soll anhalten, als ich dich gesehen habe. Schicksal, verstehst du?«

»Ja«, sagte ich und strich mir die Haare hinter die Ohren. Sie fühlten sich rau und trocken wie Stroh an.

»Und was hat dich hierher verschlagen?«, fragte Lou von vorn.

Ich spulte meine PCT-Platte ab, erzählte von den Rekordschnee-mengen und erklärte, wie kompliziert es sei, nach Old Station zu trampen. Sie hörten respektvoll und mit verhaltener Neugier zu, und während ich redete, zündeten sich alle drei eine Zigarette an.

»Ich hätte da eine Geschichte für dich, Cheryl«, sagte Spider, als ich fertig war. »Ich glaube, sie geht in die gleiche Richtung wie das, was du gerade gesagt hast. Vor einiger Zeit habe ich was über Tiere gelesen, über so einen bescheuerten Wissenschaftler in Frankreich in den dreißiger oder vierziger Jahren oder wann das war, und der Typ hat versucht, Affen dazu zu bringen, Bilder zu malen, also richtige Bilder wie die Gemälde, die man im Museum und so sieht. Der Wissenschaftler zeigt den Affen also ständig sol-che bescheuerten Gemälde und gibt ihnen Kohlestifte zum Zeich-nen, und dann, irgendwann, zeichnet einer von den Affen tatsäch-lich was, aber was er zeichnet, ist keins von den Gemälden. Er zeichnet die verdammten Gitterstäbe von seinem eigenen Scheiß-käfig. *Von seinem eigenen Scheißkäfig!* Echt wahr, Mann. Ich kann das voll verstehen, und ich wette, du auch, Schwester.«

»Ja«, sagte ich ernst.

»Das können wir alle verstehen, Mann«, sagte Dave und drehte sich um, damit er mit Spider eine Reihe von Biker-Blutsbrüder-Handzeichen austauschen konnte.

»Soll ich dir mal was über den Hund erzählen?«, fragte mich Spider, als sie damit fertig waren. »Ich habe ihn an dem Tag be-kommen, als Stevie Ray Vaughan gestorben ist. So ist er zu seinem Namen gekommen.«

»Ich mag Stevie Ray«, sagte ich.

»Gefällt dir *Texas Flood*?«, fragte mich Dave.

»Ja«, antwortete ich und geriet bei dem Gedanken daran in Ver-zückung.

»Ich hab das Album hier«, sagte er, kramte dann eine CD hervor und schob sie in den Ghettoblaster, der zwischen ihm und Lou stand. Einen Augenblick später erfüllte der herrliche Sound von

Vaughans E-Gitarre den Wagen. Die Musik war für mich wie eine Speise, und das galt für alle Dinge, die ich früher für selbstverständlich gehalten hatte und die für mich nun zu einem Quell der Ekstase wurden, weil ich sie hatte entbehren müssen. Versunken lauschte ich dem Stück »Love Struck Baby« und betrachtete die vorbeiziehenden Bäume.

Als es zu Ende war, sagte Lou: »Auch wir sind *love struck*, Dave und ich. Wir wollen nächste Woche heiraten.«

»Meinen Glückwunsch«, sagte ich.

»Willst du mich heiraten, Süße?«, fragte mich Spider und streifte mit dem Handrücken leicht meinen nackten Schenkel, sodass ich den harten Türkisring spürte.

»Hör einfach nicht hin«, sagte Lou. »Es ist nur ein geiler alter Bastard.« Sie lachte und fing meinen Blick im Rückspiegel auf.

Ich bin auch ein geiler alter Bastard, dachte ich, während Stevie Ray, der Hund, mir wieder hingebungsvoll das Knie leckte und der andere Stevie Ray eine rauchige Version von »Pride and Joy« anstimmte. Die Stelle an meinem Bein, die Spider berührt hatte, schien zu pulsieren. Ich wünschte mir, er würde es wieder tun, obwohl ich wusste, dass das lächerlich war. Eine laminierte Karte mit einem Kreuz darauf baumelte am Rückspiegel neben einem Lufterfrischer in Form eines verblassten Weihnachtsbaums, und als sie sich drehte, sah ich, dass auf der anderen Seite das Foto eines kleinen Jungen war.

»Ist das dein Sohn?«, fragte ich Lou, als das Stück zu Ende war, und deutete auf den Spiegel.

»Das ist mein kleiner Luke«, antwortete sie und tippte dagegen.

»Wird er bei der Hochzeit dabei sein?«, fragte ich, aber sie antwortete nicht. Sie drehte nur die Musik leise, und ich begriff sofort, dass ich etwas Falsches gesagt hatte.

»Er ist vor fünf Jahren gestorben, als er acht war«, sagte Lou kurze Zeit später.

»Das tut mir sehr leid«, sagte ich, beugte mich vor und legte ihr kurz die Hand auf die Schulter.

»Er war mit dem Fahrrad unterwegs und wurde von einem Laster erwischt«, sagte sie ohne Umschweife. »Er war nicht sofort tot. Er hat noch eine Woche lang im Krankenhaus gelegen. Keiner von den Ärzten konnte es fassen, dass er nicht auf der Stelle tot war.«

»Er war ein zäher kleiner Bursche«, sagte Spider.

»Das war er«, sagte Lou.

»Genau wie seine Mom«, sagte Dave und fasste nach ihrem Knie.

»Das tut mir sehr leid«, sagte ich noch einmal.

»Das weiß ich«, sagte Lou und drehte die Musik wieder lauter. Wir redeten nicht mehr und lauschten nur noch Vaughans elektrischer Gitarre, die sich heulend durch »Texas Flood« arbeitete. Mein Herz krampfte sich zusammen.

Ein paar Minuten später rief Lou: »Da ist deine Kreuzung.« Sie hielt an, stellte den Motor aus und blickte zu Dave. »Wie wär's, wenn ihr Jungs mit Stevie Ray ein bisschen Gassi geht?«

Sie stiegen alle mit mir aus, standen herum und zündeten sich Zigaretten an, während ich meinen Rucksack aus dem Kofferraum zog. Dave und Spider führten Stevie Ray zu den Bäumen neben der Straße, und ich schnallte mir an einer schattigen Stelle neben dem Wagen das Monster um. Lou fragte mich, ob ich Kinder hätte. Wie alt ich sei. Ob ich verheiratet sei. Oder ob ich es mal gewesen sei.

Nein, sechsundzwanzig, nein, ja.

»Du bist hübsch«, sagte sie, »deshalb wirst du es schon schaffen, egal was du machst. Bei mir müssen die Leute immer darauf herumreiten, dass ich ein gutes Herz habe. Ich habe nie gut ausgesehen.«

»Das ist nicht wahr«, sagte ich. »Ich finde dich hübsch.«

»Echt?«, fragte sie.

»Ja«, sagte ich, obwohl »hübsch« nicht das Wort war, mit dem ich sie beschrieben hätte.

»*Wirklich?* Danke. Das ist schön zu hören. Normalerweise ist Dave der Einzige, der das findet.« Sie schaute an meinen Beinen hinunter. »Du brauchst eine Rasur, Mädchen!«, rief sie und lachte dann wieder dieses heisere Lachen wie schon bei ihrer Bemerkung über meinen Rucksack. »Ne«, sagte sie und stieß Rauch aus. »Ich red Scheiß. Ich finde es toll, dass du tust, was du willst. Das tun viel zu wenig Mädels, wenn du mich fragst – auf die Leute und ihre Erwartungen einfach pfeifen. Wenn das mehr Frauen tun würden, wären wir besser dran.« Sie nahm noch einen Zug und blies den Rauch in einem dünnen Strahl von sich. »Jedenfalls, als die Sache mit meinem Sohn passiert ist. Als er totgefahren worden ist, bin auch ich gestorben. Hier drin.« Sie klopfte sich mit der Hand, in der sie die Zigarette hielt, an die Brust. »Ich sehe noch genauso aus, aber hier drin bin ich nicht mehr dieselbe. Ich meine, das Leben geht weiter und der ganze Scheiß, aber Lukes Tod hat es mir genommen. Ich versuche, so zu tun, als wäre es nicht so, aber es ist so. Er hat auch die Lou da drin sterben lassen, und ich werde sie nicht zurückbekommen. Verstehst du, was ich meine?«

»Ja«, sagte ich und sah in ihre braunen Augen.

»Das hab ich mir gedacht«, sagte sie leise. »Ich habe es sofort gespürt.«

Ich verabschiedete mich von ihnen, überquerte die Kreuzung und ging zu der Straße, die nach Old Station führte. Dort angekommen, sah ich in der Ferne verschwommen drei Gestalten.

»Stacy!«, rief ich. »Trina!«

Sie sahen mich und winkten. Odin bellte zur Begrüßung.

Zusammen trampten wir nach Old Station – wieder so eine winzige Ortschaft, die nur aus ein paar Häusern bestand. Trina ging auf die Poststelle, um ein paar Sachen nach Hause zu schicken, und Stacy und ich warteten derweil in einem klimatisierten Café, tranken Limonade und sprachen über die nächste Etappe. Sie führte über einen Teil des Modoc Plateau namens Hat Creek Rim – eine karge Hochebene, die berüchtigt war für ihren Mangel an Wasser und Schatten, ein legendäres Teilstück eines legendären Trails. 1987 hatte in diesem trockenen und heißen Landstrich ein verheerendes Feuer gewütet. Wie ich aus *The Pacific Crest Trail, Volume I: California* erfuhr, gab es auf der Strecke von Old Station zu dem achtundvierzig Kilometer entfernten Rock Spring Creek keine verlässliche Wasserquelle. Zwar war die Forstverwaltung zum Zeitpunkt der Drucklegung des Buchs gerade dabei, auf halber Strecke in der Nähe eines abgebrannten Feuerwachturms einen Wassertank einzurichten. Doch rieten die Autoren dringend dazu, sich vorher zu informieren, ob der Tank tatsächlich gebaut worden sei. Und selbst wenn, sei auf solche Tanks nicht immer Verlass, da sie häufig von Vandalen mit Kugeln durchsiebt würden.

Ich lutschte genüsslich an einem Eiswürfel aus meinem Glas Limonade und dachte darüber nach. Ich hatte meinen Wassersack in Kennedy Meadows zurückgelassen, da es auf den meisten Trail-Abschnitten weiter nördlich angeblich genügend Wasser gab. Im Hinblick auf die trockene Hat Creek Rim hatte ich geplant, mir eine große Kanne zu kaufen und an den Rucksack zu schnallen, hoffte aber aus finanziellen wie technischen Gründen, dass das nicht nötig sein würde. Ich wollte mein letztes bisschen Geld lieber für etwas Leckeres zu essen ausgeben als für eine Kanne, gar nicht davon zu reden, dass ich die Kanne achtundvierzig Kilometer über die Hochebene hätte schleppen müssen. Und so fiel ich vor Erleichterung fast vom Stuhl, als Trina mit einer erfreulichen Nachricht von der Post zurückkehrte: Wanderer, die in Nord-Süd-Richtung unterwegs waren, hatten ins Trail-Register eingetragen, dass der im Führer erwähnte Tank tatsächlich existierte und auch Wasser enthielt.

Überglücklich marschierten wir zu dem anderthalb Kilometer entfernten Campingplatz und bauten nebeneinander unsere Zelte auf. Es war unser letzter gemeinsamer Abend. Trina und Stacy wollten am nächsten Tag weiter, ich hatte dagegen beschlossen, eine Pause einzulegen. Ich wollte wieder allein wandern und außerdem meine Füße pflegen, die sich noch von den Blasen erholen mussten, die ich mir beim Abstieg von den Three Lakes geholt hatte.

Als ich am nächsten Morgen aufwachte, hatte ich den Zeltplatz ganz für mich allein. Ich setzte mich an den Picknicktisch, trank Tee aus meinem Kochtopf und verbrannte die letzten Seiten von *Dresden, Pennsylvania.* Der Professor, der über Michener gespottet hatte, hatte in gewisser Hinsicht recht gehabt: Er war kein William Faulkner und keine Flannery O'Connor, und trotzdem hatte mich dieses Buch in höchstem Maße gefesselt, und nicht nur wegen seines Stils. Sein Thema brachte eine Saite in mir zum Schwingen. Die Geschichte handelte von vielen Dingen, aber im Mittelpunkt stand der Werdegang eines Romans, erzählt aus der Perspektive seines Autors und seines Lektors, seiner Kritiker und seiner Leser. Ich hatte in meinem Leben viele Dinge getan und viele Seiten meines Ichs ausgelebt, doch in einer Hinsicht hatte ich mich nie geändert: Ich war eine Schriftstellerin. Eines Tages wollte ich selbst einen Roman schreiben. Es erfüllte mich mit Scham, dass ich noch keinen geschrieben hatte. In meinen Träumen zehn Jahre zuvor war ich mir sicher gewesen, dass ich zum jetzigen Zeitpunkt mein erstes Buch veröffentlicht haben würde. Ich hatte mehrere Kurzgeschichten geschrieben und mich auch ernsthaft an einem Roman versucht, war aber noch weit von einem fertigen Buch entfernt. In dem bewegten letzten Jahr hatte ich das Gefühl gehabt, ich würde nie wieder schreiben können, doch beim Wandern spürte ich, dass dieser Roman wieder zu mir zurückkam, seine Stimme sich unter die Liedfetzen und Werbe-Jingles mischte. An dem Morgen in Old Station, als ich Micheners Buch in Portionen von fünf bis zehn Seiten zerriss, damit es besser brannte, und an der Feuerstelle neben meinem Zelt niederkauerte, um sie anzuzünden, da beschloss ich, damit anzufangen. Ich hatte nichts weiter als einen langen, heißen Tag vor mir, also setzte ich mich an den Picknicktisch und schrieb bis zum späten Nachmittag.

Als ich irgendwann aufschaute, sah ich, dass ein Backenhörnchen gerade dabei war, ein Loch in das Moskitonetz an meinem Zelteingang zu nagen, um an meinen Proviantsack heranzukommen. Schimpfend jagte ich es fort. Es flüchtete auf einen Baum und schnatterte zu mir herab.

Mittlerweile hatte sich der Campingplatz um mich herum gefüllt. Auf den meisten Picknicktischen standen Kühltaschen und Campingkocher, Pick-ups und Wohnmobile parkten in den kurzen asphaltierten Zufahrten. Ich nahm meinen Proviantsack und ging in das anderthalb Kilometer entfernte Café, in dem ich bereits am Nachmittag zuvor mit Trina und Stacy gesessen hatte. Ich bestellte mir einen Burger, obwohl ich wusste, dass mich das fast meine gesamte Barschaft kostete. Mein nächstes Versorgungspaket erwartete mich im achtundsechzig Kilometer entfernten State Park bei den Burney Falls, aber das war für mich in zwei Tagen zu schaffen, da ich jetzt endlich schneller und weiter wandern konnte – von Belden aus hatte ich zweimal hintereinander dreißig Kilometer zurückgelegt. Es war fünf Uhr, aber jetzt, im Sommer, blieb es bis neun oder zehn hell, und ich war der einzige Gast und verschlang mein Abendessen.

Als ich das Café verließ, hatte ich nur noch Kleingeld in der Tasche. Ich ging an einem Münztelefon vorbei und kehrte dann zu ihm zurück, nahm den Hörer ab, wählte die 0, innerlich bebend vor Angst und Aufregung. Als sich die Dame von der Vermittlung meldete, nannte ich ihr Pauls Nummer.

Er hob nach dem dritten Klingeln ab. Ich war so überwältigt, als ich seine Stimme hörte, dass ich kaum ein Hallo herausbrachte. »Cheryl!«, rief er.

»Paul«, sagte ich schließlich, und dann erzählte ich ihm hastig und zusammenhanglos, wo ich war und einiges von dem, was ich seit unserer letzten Begegnung erlebt hatte. Wir telefonierten fast ein Stunde lang, und es war ein herzliches und ausgelassenes Gespräch, das mir guttat. Ich hatte nicht das Gefühl, mit meinem Exmann zu sprechen, sondern mit meinem besten Freund. Nach dem Auflegen blickte ich auf den Proviantsack, der zu meinen Füßen auf dem Boden stand. Er war fast leer, blau wie ein Rotkehlchenei, schlauchförmig und aus einem besonderen Material, das sich wie Gummi anfühlte. Ich hob ihn hoch, drückte ihn mir fest an die Brust und schloss die Augen.

Ich kehrte zu meinem Lagerplatz zurück und setzte mich mit *Der Sommervogel* an den Picknicktisch, war aber zu aufgewühlt zum Lesen. Ich sah den Leuten um mich herum dabei zu, wie sie ihr Abendessen zubereiteten, und dann beobachtete ich, wie das Gelb der Sonne zu einem Teppich aus Rosa- und Orangetönen zerfloss und schließlich in ein zartes Violett überging. Ich vermisste Paul. Ich vermisste mein Leben. Aber ich wollte zu beiden nicht zurückkehren. Immer wieder musste ich an den schrecklichen Augenblick denken, als Paul und ich zu Boden sanken, nachdem ich ihm meine Untreue gebeichtet hatte, und ich begriff, dass das, was ich mit meinem Geständnis in Gang gesetzt hatte, nicht nur zu meiner Scheidung geführt hatte, sondern auch dazu, dass ich jetzt allein in Old Station, Kalifornien, unter einem großartigen Himmel an einem Picknicktisch saß. Ich war weder traurig noch glücklich. Empfand weder Stolz noch Scham. Ich hatte nur das Gefühl, dass es trotz aller Fehler, die ich gemacht hatte, richtig von mir gewesen war, hierherzukommen.

Ich ging zum Monster und holte die Zigarette in dem Plexiglasröhrchen heraus, die mir Jimmy Carter am Morgen geschenkt hatte. Ich war Nichtraucherin, trotzdem brach ich das Röhrchen auf, setzte mich auf den Picknicktisch und zündete die Zigarette an. Ich war jetzt etwas mehr als einen Monat auf dem PCT unterwegs. Das war eine lange Zeit, und dennoch hatte ich auch das Gefühl, als hätte meine Reise eben erst begonnen, als finge ich erst jetzt an, das zu tun, weswegen ich hier herausgekommen war. Als wäre ich immer noch die Frau mit dem Loch im Herzen, nur dass dieses Loch winzig klein geworden war.

Ich nahm einen Zug, und während ich den Rauch wieder ausstieß, musste ich daran denken, dass ich mir am Morgen, als Jimmy
Carter wegfuhr, wie der einsamste Mensch auf der ganzen Welt
vorgekommen war. Vielleicht *war* ich so einsam wie sonst niemand
auf der ganzen Welt.

Vielleicht war das in Ordnung.

12
Bis hierhin

Ich erwachte bei Tagesanbruch und brach im Handumdrehen mein Lager ab. Mittlerweile konnte ich innerhalb von fünf Minuten zusammenpacken. Jedes Teil, das in jenem unübersichtlichen Haufen auf dem Motelbett in Mojave gelegen hatte und noch nicht von mir aussortiert oder verbrannt worden war, hatte nun seinen festen Platz im oder am Rucksack. Meine Hände fanden ihn automatisch, als würden sie mein Gehirn dabei umgehen. Das Monster war meine Welt, meine unbelebte, zusätzliche Gliedmaße. Sein Gewicht und seine Größe verblüfften mich zwar immer noch, aber ich hatte mich damit abgefunden. Das war die Last, die ich zu tragen hatte. Ich haderte nicht mehr mit ihm wie noch vor einem Monat. Ich sah in ihm keinen Gegner mehr. Er und ich waren eins.

Dass ich das Gewicht des Monsters trug, hatte mich auch äußerlich verändert. Meine Beinmuskeln waren hart wie Stein geworden, schienen zu allem fähig und traten deutlicher denn je unter der Haut hervor. Die Stellen an den Hüften, den Schultern und am unteren Rücken, die ich mir an den Rucksackgurten wund gerieben hatte und die wiederholt geblutet hatten und verschorft waren, hatten endlich kapituliert, waren rau und narbig geworden und glichen jetzt einem Zwischending aus Baumrinde und der Haut eines toten Huhns, das in kochendes Wasser getaucht und gerupft worden war.

Meine Füße? Nun ja, die waren immer noch total im Eimer.

272

Die beiden großen Zehen hatten sich nie von den Prügeln erholt, die sie bei dem gnadenlosen Abstieg von den Three Lakes nach Belden Town bezogen hatten. Ihre Nägel sahen wie abgestorben aus. Die kleinen Zehen waren so wund gescheuert, dass ich mich fragte, ob sie nicht irgendwann komplett abgerieben wurden. Meine Fersen waren bis hinauf zu den Knöcheln mit Blasen übersät, die offenbar nicht mehr abheilen wollten. Doch an diesem Morgen in Old Station wollte ich nicht an meine Füße denken. Beim Wandern auf dem PCT kam es vor allem auf Willensstärke an, auf die feste Entschlossenheit weiterzumachen, trotz allem. Ich klebte meine Wunden mit Gelpads ab, zog Socken und Stiefel an, humpelte über den Campingplatz zu den Wasserhähnen und füllte meine beiden Trinkflaschen. Die zwei Liter Wasser mussten mir für die vierundzwanzig Kilometer über die glühend heiße Hat Creek Rim reichen.

Es war noch früh, aber schon heiß, als ich an der Straße entlang zu der Stelle wanderte, wo sie den PCT kreuzte. Ich fühlte mich ausgeruht und stark, gewappnet für den Tag. Den halben Vormittag führte mich der gewundene Weg durch ausgetrocknete Bachbetten und knochenharte Gräben. Ich blieb so selten wie möglich stehen und trank einen Schluck. Dann ging es über einen Steilhang, der sich kilometerweit hinzog, über eine trockene Hochwiese mit Wildblumen, die kaum ein Fleckchen Schatten bot. Die wenigen Bäume, an denen ich vorbeikam, waren dem Flächenbrand zum Opfer gefallen, der vor Jahren hier getobt hatte. Die Stämme waren ascheweiß oder schwarz verkohlt, die Äste abgebrochen oder bis auf kurze, spitze Stümpfe verbrannt. Wenn ich an ihnen vorüberging, empfand ich ihre starre Schönheit wie eine stumme, beklemmende Macht.

Über mir grenzenlos blauer Himmel, und die Sonne brannte erbarmungslos auf mich herab, drang sogar durch meinen Hut und die Sonnencreme, mit der ich mir das Gesicht und die Arme einrieb. Ich konnte kilometerweit sehen – den verschneiten Lassen Peak im Süden und, weiter weg, den höheren und verschneiteren Mount Shasta im Norden. Der Anblick des Mount Shasta erfüllte mich mit Erleichterung. Er lag in meiner Richtung. Ich würde an ihm vorbei und dann weiter bis zum Columbia River wandern. Jetzt, wo ich dem Schnee entronnen war, schien mich nichts mehr vom Kurs abbringen zu können. Im Geiste stellte ich mir vor, wie ich die restlichen Kilometer zügig und locker durchwanderte, doch die flirrende Hitze löschte dieses Bild bald aus und belehrte mich eines Besseren. Sollte ich es je bis zur Grenze zwischen Oregon und Washington schaffen, dann nur unter all der Mühsal, die das Reisen im Schritttempo mit einem Monstrum von Rucksack mit sich brachte.

Im Schritttempo zu reisen war eine völlig andere Art, sich durch die Welt zu bewegen, als die, die ich gewohnt war. Die Kilometer flogen nicht unbemerkt vorüber. Sie waren lange, intime Begegnungen mit Unkraut und Erdklumpen, mit Grashalmen und Blumen, die sich im Wind wiegten, mit Bäumen, die schwer am Weg standen und ächzten. Sie waren das Geräusch meines Atems und meiner Füße, die ich Schritt für Schritt auf den Pfad setzte, und das Klicken meines Skistocks. Der PCT hatte mich gelehrt, was ein Kilometer war. Ich hatte vor jedem einzelnen großen Respekt. Und noch größeren an diesem Tag auf der Hat Creek Rim, als es immer heißer und heißer wurde und der Wind kaum mehr tat, als gelegentlich den Staub zu meinen Füßen aufzuwirbeln. Einmal, während einer solchen Böe, hörte ich ein Geräusch, das hartnäckiger war als jedes, das der Wind hervorgerufen haben konnte, und begriff, dass es eine Klapperschlange war, die kräftig mit ihrem Schwanz rasselte, um mich zu warnen. Ich prallte zurück. Die Schlange lag nur wenige Schritte vor mir auf dem Pfad. Ihre Rassel ragte wie ein mahnender Finger aus ihrem zusammengerollten Leib, und ihr stumpfes Gesicht blickte in meine Richtung. Noch ein paar Schritte, und ich wäre auf sie getreten. Es war die dritte Klapperschlange, der ich auf dem Trail begegnete. Ich schlug einen fast schon lächerlich weiten Bogen um sie und wanderte weiter.

Gegen Mittag fand ich ein schattiges Plätzchen und setzte mich zum Essen hin. Ich zog Socken und Stiefel aus und tat das, was ich in der Mittagspause fast immer tat: Ich legte meine geschwollenen und geschundenen Füße hoch, indem ich den Rucksack als Kissen benutzte. So auf dem Rücken liegend, blickte ich in den Himmel und beobachtete die Habichte und Adler, die über mir ruhig ihre Kreise zogen, aber ich konnte mich nicht richtig entspannen. Und nicht nur wegen der Klapperschlange. Die Landschaft war so kahl, dass ich sie weit überschauen konnte, und dennoch hatte ich ständig das unbestimmte Gefühl, dass etwas in meiner Nähe herumschlich, mich beobachtete und nur darauf wartete, über mich herzufallen. Ein Puma vielleicht. Ich setzte mich auf und ließ den Blick suchend über die Umgebung schweifen, legte mich wieder zurück und sagte mir, dass ich nichts zu befürchten hätte, fuhr aber schon im nächsten Moment wieder hoch, weil ich das Knacken eines Astes gehört zu haben glaubte.

Das ist nichts, sagte ich mir. Ich habe keine Angst. Ich griff nach meiner Wasserflasche und trank. Ich war so durstig, dass ich sie erst wieder absetzte, als sie leer war. Dann öffnete ich die andere und trank auch aus ihr. Ich konnte mich nicht bremsen. Das Thermometer, das am Reißverschluss meines Rucksacks baumelte, zeigte an meinem schattigen Platz achtunddreißig Grad.

Ich sang beim Gehen coole Lieder, und die Sonne drückte mit solcher Macht, als besäße sie tatsächlich eine physische Kraft, die aus mehr als nur Hitze bestand. Schweiß sammelte sich um meine Sonnenbrille und lief mir in die Augen, die so brannten, dass ich immer wieder stehen bleiben und mir das Gesicht abwischen musste. Es war kaum zu glauben, dass ich noch vor einer Woche oben in den verschneiten Bergen meine gesamte Kleidung am Leib getragen und jeden Morgen beim Aufwachen auf eine dicke Eisschicht an der Zeltwand geblickt hatte. Ich konnte mich gar nicht mehr richtig daran erinnern. Es war meine fünfte Woche auf dem Trail, und diese weißen Tage erschienen mir wie ein Traum, als wäre ich die ganze Zeit in sengender Hitze nach Norden getaumelt, immer nur in dieser Hitze, die mich in der zweiten Woche fast zum Aufgeben gebracht hätte. Ich blieb stehen und trank wieder. Das Wasser war so heiß, dass ich mir fast den Mund verbrannte.

Salbei und zahlreiche Wildblumen bedeckten die weite Hochfläche. Kratzige Pflanzen, die ich nicht kannte, streiften meine Waden. Andere, die ich kannte, schienen zu mir zu sprechen, nannten mir mit der Stimme meiner Mutter ihre Namen. Namen, die ich erst wiedererkannte, wenn sie mir deutlich ins Bewusstsein traten: Wilde Möhren, Indianerpinsel, Lupinen in weiß, orange und violett. Wenn meine Mutter solche Wiesenblumen vom Auto aus sah, hielt sie manchmal an und pflückte im Straßengraben einen Strauß.

Ich blieb stehen und blickte zum Himmel. Die Greifvögel kreisten noch, schlugen kaum mit den Flügeln. *Ich werde nie wieder nach Hause gehen,* dachte ich mit einer Endgültigkeit, die mir kurz die Kehle zuschnürte, dann setzte ich meinen Weg fort, den Kopf leer bis auf den einen Gedanken, mich durch diese karge Eintönigkeit zu kämpfen. Es gab keinen Tag auf dem Trail, an dem diese Monotonie des Wanderns sich am Ende nicht durchgesetzt, an dem ich nicht irgendwann nur noch an die körperlichen Strapazen gedacht hätte. Es war eine Art Hitzekur. Ich zählte meine Schritte, und wenn ich bei hundert war, fing ich wieder von vorn an. Jedes Mal, wenn ich wieder die Hundert vollgemacht hatte, war mir, als hätte ich etwas Kleines erreicht. Dann wurden hundert zu optimistisch, und ich zählte nur noch bis fünfzig, dann bis fünfundzwanzig, dann bis zehn.

Eins, zwei, drei, vier, fünf, sechs, sieben, acht, neun, zehn.

Ich blieb stehen, beugte mich vor und stützte die Hände auf die Knie, um meinen Rücken eine Weile zu entlasten. Schweiß tropfte aus meinem Gesicht auf die fahle Erde wie Tränen.

Das Modoc Plateau war anders als die Mojave-Wüste, aber ich fühlte mich nicht anders. Beide waren reich an gezackten Wüstenpflanzen, aber auch unwirtlich und menschenfeindlich. Kleine graue und braune Eidechsen huschten über den Pfad, wenn ich näher kam, oder verharrten auf ihrem Platz, wenn ich vorüberging. Wo bekamen sie Wasser her?, fragte ich mich und versuchte, nicht ständig daran zu denken, wie heiß es war und wie großen Durst ich hatte. Nach meiner Schätzung waren es noch knapp fünf Kilometer bis zu dem Wassertank. Ich hatte noch einen Viertelliter Wasser.

Dann noch vier Schlucke.

Noch drei Schlucke.

Ich zwang mich, die letzten beiden Schlucke nicht zu trinken, bis der Wassertank in Sicht kam, und um halb fünf war es so weit: die Stelzenbeine des verbrannten Feuerwachturms auf einer Erhebung in der Ferne. Daneben ein Metalltank an einem Pfosten. Kaum hatte ich ihn entdeckt, griff ich zur Flasche und trank den letzten Rest Wasser, froh, dass ich in ein paar Minuten am Tank meinen Durst würde löschen können. Im Näherkommen sah ich, dass an dem Holzpfosten neben dem Tank etwas Weißes im Wind flatterte. Mehrere Stofffetzen, dachte ich zuerst, dann ein zerrissenes Tuch. Erst aus nächster Nähe erkannte ich, dass es kleine Zettel waren, die mit Klebeband an dem Pfosten befestigt waren und sich im Wind bewegten. Ich taumelte näher, um sie zu lesen, aber noch bevor ich bei ihnen war, wusste ich, was darauf stand. Auf allen stand etwas anderes, aber die Botschaft war immer dieselbe: KEIN WASSER.

Einen Moment lang stand ich reglos da, wie gelähmt vor Schreck. Ich spähte in den Tank, um mich davon zu vergewissern, dass es stimmte. Da war kein Wasser. Ich hatte kein Wasser. Nicht einen Schluck.

Kein Wasser, kein Wasser, kein Wasser.

Ich trat gegen die Erde, rupfte büschelweise Salbei aus und warf ihn fort, wütend auf mich selbst, weil ich schon wieder das Falsche getan hatte und noch dieselbe blöde Gans war wie an meinem ersten Tag auf dem Trail. Dieselbe, die Stiefel in der falschen Größe gekauft und vollkommen unterschätzt hatte, wie viel Geld sie im

Sommer brauchen würde, und vielleicht sogar dieselbe, die sich eingebildet hatte, sie könnte auf diesem Trail wandern.

Ich zog die Seiten, die ich aus dem Wanderführer herausgerissen hatte, aus der Hosentasche und las sie mir noch einmal durch. Ich hatte Angst, aber anders als am Vormittag, als ich das komische Gefühl gehabt hatte, dass etwas in der Nähe lauerte. Jetzt hatte ich richtig Angst. Und ich hatte allen Grund dazu: Ich war bei Temperaturen um vierzig Grad kilometerweit von Wasser entfernt. Dies war die ernsteste Lage, in die ich bis dahin auf dem Trail geraten war, bedrohlicher noch als der frei laufende Bulle, beängstigender als der Schnee. Ich brauchte Wasser. Ich brauchte es bald. Ich brauchte es jetzt. Ich spürte es mit jeder Faser meines Körpers. Ich musste daran denken, wie Albert mich bei unserer ersten Begegnung gefragt hatte, wie oft ich am Tag urinierte. Seit ich am Morgen in Old Station aufgebrochen war, hatte ich kein einziges Mal gepinkelt. Ich hatte nicht gemusst. Jeder Schluck, den ich zu mir genommen hatte, war verbraucht worden. Ich war so durstig, dass ich nicht einmal spucken konnte.

Nach Auskunft der Autoren von *The Pacific Crest Trail, Volume I: California* waren es bis zur nächsten »verlässlichen« Wasseraufnahmestelle am Rock Spring Creek vierzehn Kilometer. Zwar erwähnten sie, dass es auch in einem näher gelegenen Stauweiher Wasser gebe, doch rieten sie von dessen Genuss dringend ab, da seine Qualität »bestenfalls fragwürdig« sei. Bis zu diesem Wasser waren es knapp acht Kilometer auf dem Trail.

Es sei denn natürlich, auch der Stauweiher war ausgetrocknet.

Damit war zu rechnen, wie ich zugeben musste, als ich mich so schnell, wie es der Zustand meiner Füße und der schwere Rucksack zuließen, dorthin aufmachte. Der Pfad führte am Ostrand der Hochfläche entlang, und ich hatte das Gefühl, über die ganze Welt zu blicken. Ein weites Tal erstreckte sich unter mir bis in die Ferne, im Norden wie im Süden unterbrochen von grünen vulkanischen Bergen. Trotz meiner bedrohlichen Lage war ich hingerissen von der Schönheit der Landschaft. Ich war selten dämlich, ja, ich konnte in der Hitze verdursten oder an Entkräftung sterben, ja, aber wenigstens hatte ich mir dafür einen wunderschönen Ort ausgesucht – einen Ort, den ich trotz oder gerade wegen seiner Härten lieben gelernt hatte und den ich aus eigener Kraft auf meinen zwei Füßen erreicht hatte. Mich mit diesem Gedanken tröstend marschierte ich weiter, so durstig, dass mir schlecht wurde und dass ich leicht fieberte. *Es wird schon gut gehen,* sagte ich mir. *Es ist nur noch ein kurzes Stück,* sagte ich mir hinter jeder Biegung und nach jedem Anstieg. Die Sonne stand schon tief über dem Horizont, als der Stauweiher endlich auftauchte.

Ich blieb stehen und starrte ihn an. Es war ein erbärmlich aussehender, dreckiger Tümpel von der Größe eines Tennisplatzes, aber es war Wasser darin. Lachend vor Freude taumelte ich den Hang hinunter zu dem kleinen schmutzigen Strand, der den Weiher umgab. Zum ersten Mal hatte ich über dreißig Kilometer am Tag zurückgelegt. Ich schnallte das Monster ab, stellte es auf den Boden, ging zum schlammigen Ufer, kauerte mich nieder und tauchte die Hände ins Wasser. Es war grau und warm wie Blut. Meine Hände wirbelten schmierige Schlieren vom Grund auf, die das Wasser mit schwarzen Streifen durchzogen.

Ich holte den Wasserfilter und pumpte das fragwürdige Nass in meine Flasche. Das Gerät war immer noch so schwer zu bedienen wie an den Golden Oak Springs, als ich es das erste Mal benutzte, aber hier war es besonders mühsam, da das verschlammte Wasser die Filtereinsätze halb verstopfte. Mein Arm zitterte von der Anstrengung, als endlich eine Flasche gefüllt war. Ich ging zum Erste-Hilfe-Set, nahm die Jodtabletten heraus und ließ zwei in das Wasser fallen. Ich hatte die Tabletten genau für den Fall mitgenommen, dass ich einmal gezwungen sein könnte, Wasser zu trinken, das wahrscheinlich mit Keimen verseucht war. Selbst Albert hatte die Tabletten durchgehen lassen, als er in Kennedy Meadows gnadenlos alles Entbehrliche aussortiert und auf einen Haufen geworfen hatte. Derselbe Albert, den tags darauf eine durch verunreinigtes Trinkwasser hervorgerufene Krankheit außer Gefecht gesetzt hatte.

Ich musste dreißig Minuten warten, bis das Jod seine Wirkung getan hatte und das Wasser getrunken werden konnte. Ich war am Verdursten, lenkte mich aber ab, indem ich auch die andere Flasche füllte. Als ich damit fertig war, breitete ich die Plane auf dem schmutzigen Strand aus, stellte mich darauf und zog mich nackt aus. Der Wind hatte sich mit Einbruch der Dämmerung abgekühlt und strich wohltuend über die brennenden Stellen an meinen Hüften. Dass jemand auf dem Trail auftauchen könnte, kam mir nicht in den Sinn. Ich war den ganzen Tag keiner Menschenseele begegnet, und selbst wenn jemand vorbeigekommen wäre, so wäre mir das egal gewesen. Ich war zu apathisch vor Erschöpfung und Durst.

Ich sah auf die Uhr. Siebenundzwanzig Minuten waren verstrichen, seit ich die Jodtabletten in die Flasche hatte fallen lassen. Normalerweise hatte ich abends Hunger, aber der Gedanke an Essen ließ mich jetzt kalt. Ich wollte nur trinken.

Ich setzte mich auf meine blaue Plane und trank zuerst die eine, dann die andere Flasche aus. Das warme Wasser schmeckte nach Eisen und Schlamm, und doch habe ich selten etwas so Köstliches getrunken. Ich spürte, wie es in mich hineinlief, doch selbst nach den zwei Litern war ich noch nicht ganz wiederhergestellt. Ich war immer noch nicht hungrig. Ich fühlte mich genauso wie in den ersten Tagen auf dem Trail, als ich so wahnsinnig erschöpft war, dass mein Körper nur schlafen wollte und sonst nichts. Jetzt wollte mein Körper nur Wasser und sonst nichts. Ich füllte die Flaschen ein zweites Mal, desinfizierte das Wasser mit Jod und trank beide leer.

Es war dunkel, als mein Durst endlich gelöscht war, und ein Vollmond ging auf. Ich brachte nicht die Energie auf, das Zelt aufzubauen – eine Aufgabe, für die ich sonst kaum zwei Minuten brauchte, die mir jetzt aber wie eine Herkulesarbeit vorkam. Ich brauchte kein Zelt. Seit meinen ersten Tagen auf dem Trail hatte es nicht mehr geregnet. Ich zog mich wieder an und breitete den

Schlafsack über die Plane, aber es war immer noch so heiß, dass ich mich nur obendrauf legte. Zum Lesen war ich zu müde. Selbst den Mond anzuschauen strengte mich an. Ich hatte vier Liter von dem fragwürdigen Wasser getrunken und trotzdem in den letzten Stunden kein einziges Mal pinkeln müssen. Es war eine unfassbare Dummheit gewesen, mich mit so wenig Wasser an die Überquerung der Hat Creek Rim zu machen. *Ich werde nie wieder so leichtsinnig sein,* gelobte ich dem Mond, bevor ich einschlief.

Zwei Stunden später erwachte ich von dem vage angenehmen Gefühl, dass kleine kühle Hände mich betätschelten. An den nackten Beinen und Armen, im Gesicht und am Kopf, an den Füßen, am Hals und an den Händen. Ich spürte ihre Kühle auch durch mein T-Shirt auf der Brust und dem Bauch. »Hmmm«, stöhnte ich und drehte mich leicht auf die Seite, ehe ich die Augen öffnete und wie im Zeitlupentempo eine Reihe von Tatsachen registrierte.

Zum Beispiel, dass der Mond schien und dass ich unter freiem Himmel auf meiner Plane schlief.

Dann, dass ich von dem Gefühl aufgewacht war, kleine kühle Hände würden mich betätscheln, und weiter, dass mich tatsächlich kleine kühle Hände betätschelten.

Und schließlich die Tatsache, die auf mich einen noch gewaltigeren Eindruck machte als der Mond, nämlich dass diese kleinen kühlen Hände gar keine Hände waren, sondern Hunderte von kleinen, kühlen, schwarzen Fröschen.

Kleine, kühle, schleimige, schwarze Frösche, die über mich hinweghüpften.

Jeder ungefähr so groß wie ein Kartoffelchip.

Sie bildeten eine Amphibienarmee, ein Heer von feuchtkalten Glatthäutern, einen großen Wanderungszug von Schwimmfüßlern, und ich lag ihnen im Weg, als sie ihre kleinen, pummeligen, mit Knickbeinen versehenen Leiber kriechend, hüpfend und springend aus dem Tümpel auf den Dreckstreifen beförderten, den sie zweifellos als ihren Privatstrand betrachteten.

Im Nu war ich auf den Beinen, hüpfte zwischen ihnen umher, warf Rucksack, Plane und alles, was darauf lag, in das Gestrüpp hinter dem Ufer und mich selbst hinterher, nachdem ich Frösche aus meinen Haaren und den Falten meines T-Shirts geschlagen und unabsichtlich ein paar unter meinen nackten Füßen zerquetscht hatte. Endlich in Sicherheit, stand ich da und betrachtete aus der froschfreien Randzone das Gewimmel der kleinen dunklen Leiber im hellen Mondschein. Ich untersuchte die Taschen meiner Shorts nach verirrten Fröschen. Ich trug meine Sachen zu einer kleinen freien Stelle, die mir eben genug erschien, und zog das Zelt aus dem Rucksack. Ein paar Handgriffe, und das Zelt stand.

Um halb neun am anderen Morgen kroch ich daraus hervor. Halb neun war spät für mich, wie Mittag in meinem früheren Leben. Und ich fühlte mich auch so. Als hätte ich bis in die Puppen in der Kneipe gehockt. Ich stand wackelig da und sah mich um. Ich musste immer noch nicht pinkeln. Ich packte zusammen, pumpte noch mehr schmutziges Wasser und wanderte unter sengender Sonne weiter nach Norden. Es war noch heißer als am Vortag. Keine Stunde später trat ich beinahe wieder auf eine Klapperschlange, obwohl auch sie mich höflich mit ihrer Rassel gewarnt hatte.

Am späten Nachmittag war jede Hoffnung dahin, trotz der brennenden Blasen an meinen Füßen und der drückenden Hitze noch bis zum Abend die gesamte Strecke bis zum McArthur-Burney Falls Memorial State Park zu schaffen. Ich war einfach zu spät aufgebrochen. Stattdessen verließ ich den Trail und machte einen kleinen Abstecher nach Cassel, wo es laut Wanderführer einen Gemischtwarenladen gab. Kurz vor drei war ich dort. Ich nahm meinen Rucksack ab und setzte mich, wie apathisch von der Hitze, auf einen Holzstuhl auf der altmodischen Veranda des Ladens. Das große Thermometer im Schatten zeigte neununddreißig Grad. Ich zählte mein Geld, den Tränen nahe, da ich wusste, dass es auf keinen Fall für eine Snapple-Limonade reichen würde. Mein Verlangen danach war mittlerweile ins Unermessliche gestiegen. Eine

Flasche kostete wahrscheinlich 99 Cent, vielleicht auch 1,05 oder 1,15 Dollar – ich wusste es nicht genau. Ich wusste nur, dass ich lediglich 76 Cent hatte und dass das nicht reichen würde. Ich ging trotzdem in den Laden, nur um zu schauen.

»Sie sind eine PCT-Hikerin?«, fragte die Frau hinter der Theke.

»Ja«, antwortete ich und lächelte sie an.

»Wo sind Sie her?«

»Aus Minnesota«, rief ich, während ich an einer ganzen Batterie von Glastüren entlangging, hinter denen in sauberen Reihen eisgekühlte Getränke in Dosen und Flaschen standen. Bier und Limonade, Mineralwasser und Fruchtsäfte. Vor dem Kühlregal mit Snapple-Limonade blieb ich stehen. Ich legte meine Hand auf die Scheibe neben den Flaschen – es gab gelbe und rosafarbene. Sie waren für mich wie Diamanten oder Pornografie: Ich durfte sie anschauen, aber nicht anfassen.

»Wenn Sie für heute genug gewandert sind, können Sie gern auf der Wiese hinter dem Laden kampieren«, sagte die Frau zu mir. »Wir lassen alle PCT-Hiker dort zelten.«

»Danke, das werde ich wohl tun«, sagte ich, ohne den Blick von den Flaschen zu wenden. Vielleicht konnte ich wenigstens eine in die Hand nehmen, überlegte ich mir. Mir nur kurz an die Stirn drücken. Ich öffnete die Tür und nahm eine Flasche mit rosafarbener Limonade heraus. Sie war so kalt, dass ich das Gefühl hatte, mir die Hand zu verbrennen. »Wie viel kostet die?« Ich konnte mir die Frage nicht verkneifen.

»Ich habe gesehen, wie Sie draußen Ihr Kleingeld gezählt haben«, sagte die Frau und lachte. »Wie viel haben Sie denn?«

Ich gab ihr alles, was ich hatte, dankte ihr überschwänglich und nahm die Flasche mit hinaus auf die Veranda. Jeder Schluck sandte eine Woge berauschender Glückseligkeit durch meinen Körper. Ich umschloss die Flasche mit beiden Händen, um jedes bisschen Kühle in mich aufzunehmen. Autos fuhren vor, Leute stiegen aus, gingen in den Laden, kamen wieder heraus und fuhren weg. Ich beobachtete sie eine Stunde lang aus dem siebten Snapple-Himmel, als hätte ich Drogen genommen. Nach einer Weile hielt ein Pick-up vor dem Laden. Ein Mann kletterte mit einem Rucksack in der Hand von der Ladepritsche und winkte dem Fahrer, als der weiterfuhr. Er drehte sich um und erspähte meinen Rucksack.

»Hey«, sagte er, und ein breites Lächeln legte sich auf sein rosiges, fleischiges Gesicht. »Ein verdammt heißer Tag zum Wandern, findest du nicht auch?«

Er hieß Rex und war achtunddreißig Jahre alt, groß, rothaarig, ein geselliger, fröhlicher Typ, der mir vorkam wie einer, der andere gern umarmte. Er verschwand im Laden, kam mit drei Dosen Bier wieder heraus, setzte sich zu mir auf die Veranda und begann zu trinken. Wir unterhielten uns bis in den Abend hinein. Er war in Süd-Oregon aufgewachsen, lebte aber in Phoenix, wo er in einem Unternehmen arbeitete – als was genau, konnte er mir nicht begreiflich machen. Er war im Frühjahr von der mexikanischen Grenze bis Mojave gewandert, dann für sechs Wochen aus beruflichen Gründen nach Phoenix zurückgekehrt – er war also genau dort aus dem Trail ausgestiegen, wo ich eingestiegen war, und etwa zur selben Zeit – und setzte jetzt in Old Station seine Wanderung fort, wobei er all den Schnee elegant umgangen hatte.

»Ich glaube, du brauchst neue Stiefel«, urteilte er, als ich ihm meine Füße zeigte, und wiederholte damit nur, was schon Greg und Brent gesagt hatten.

»Aber ich kann mir keine neuen Stiefel leisten, ich habe kein Geld«, erwiderte ich, denn mittlerweile schämte ich mich nicht mehr, es zuzugeben.

»Wo hast du sie denn gekauft?«, fragte Rex.

»Bei REI.«

»Ruf sie an. Die bieten eine Zufriedenheitsgarantie. Sie werden sie gratis ersetzen.«

»Tatsächlich?«

»Ruf sie an«, sagte er.

Ich dachte den ganzen Abend darüber nach, an dem Rex und ich auf der Wiese hinter dem Laden kampierten, und auch den ganzen nächsten Tag, als ich die letzten neunzehn Kilometer bis zum McArthur-Burney Falls Memorial State Park, die zum Glück keine hohen Anforderungen stellten, in bislang ungeahntem Tempo zurücklegte. Gleich nach der Ankunft holte ich im dortigen Laden mein Versorgungspaket ab, ging zu dem Münzfernsprecher in der Nähe und rief die Vermittlung und dann REI an. Innerhalb von fünf Minuten erklärte sich die Dame, mit der ich sprach, bereit, mir zum Nulltarif mit der Nachtpost ein neues Paar Stiefel zu schicken, nur eine Nummer größer.

»Sind Sie sicher?«, fragte ich immer wieder, während ich ihr vorjammerte, wie sehr ich unter den zu kleinen Stiefeln gelitten hätte.

»Ja«, sagte sie gelassen, und damit war es offiziell: Ich liebte REI noch mehr als Snapple-Limonade. Ich nannte ihr die Adresse des Parkladens, die ich von meinem noch ungeöffneten Paket ablas. Nach dem Auflegen hätte ich vor Freude Luftsprünge gemacht, wenn das mit meinen Füßen möglich gewesen wäre. Ich riss mein Paket auf, schnappte mir die zwanzig Dollar und reihte mich in die Schlange der Touristen ein, wobei ich hoffte, dass keiner merkte, wie ich stank. Ich kaufte mir eine Eistüte, setzte mich an einen Picknicktisch und aß sie mit kaum gezügelter Freude. Rex stieß zu mir, und ein paar Minuten später tauchte Trina mit ihrem großen weißen Hund auf. Wir umarmten uns, und ich machte sie mit Rex bekannt. Sie war mit Stacy tags zuvor eingetroffen, hatte aber beschlossen, hier aus dem PCT auszusteigen, nach Colorado zurückzukehren und den restlichen Sommer mehrtägige Wanderungen in ihrer heimatlichen Umgebung zu unternehmen. Stacy wollte weitermachen wie geplant.

»Sie würde sich bestimmt freuen«, fügte Trina hinzu, »wenn du dich ihr anschließt. Sie will am Morgen aufbrechen.«

»Ich kann nicht«, sagte ich und erklärte ganz aufgeregt, dass ich auf meine neuen Stiefel warten müsse.

»Auf der Hat Creek Rim haben wir uns Sorgen um dich gemacht«, sagte sie. »Da war kein Wasser im …«

»Ich weiß«, sagte ich und schüttelte zerknirscht den Kopf.

»Kommt«, sagte sie zu Rex und mir, »ich zeige euch, wo wir kampieren. Es sind nur zwanzig Minuten zu Fuß, aber weit weg von dem Rummel«, sagte sie mit verächtlicher Miene und deutete in Richtung Touristen, Imbissbude und Laden. »Und es ist umsonst.«

Meine Füße waren an dem Punkt angelangt, an dem sie jedes Mal, wenn ich nach einer Pause wieder aufstand, noch mehr wehtaten. Bei jeder neuen Anstrengung rissen die verschiedenen Wunden wieder auf. Ich humpelte hinter Trina und Rex einen Weg entlang, der durch den Wald zu einer kleinen Lichtung führte, die direkt am PCT lag.

»Cheryl!«, rief Stacy und umarmte mich.

Wir redeten über die Hat Creek Rim und die Hitze, den Trail und den Wassermangel und darüber, was es in der Snackbar zu essen gab. Ich zog Stiefel und Socken aus, schlüpfte in meine Lagersandalen, baute mein Zelt auf und widmete mich, während wir uns unterhielten, dem immer wieder vergnüglichen Ritual, mein Versorgungspaket auszupacken. Stacy und Rex freundeten sich schnell an und beschlossen, auf der nächsten Etappe des Trails zusammen zu wandern. Als es Zeit wurde, zum Abendessen in die Snackbar zurückzukehren, waren meine großen Zehen so geschwollen und gerötet, dass sie wie zwei rote Rüben aussahen. Ich konnte nicht einmal mehr Socken an den Füßen ertragen, und so humpelte ich in meinen Sandalen zur Snackbar, wo wir uns mit Hot Dogs in Papierschiffchen, Jalapeño Poppers und Nachos, von denen leuchtend orangeroter Käse tropfte, an einen Picknicktisch setzten. Ich kam mir vor wie bei einem Festessen oder einer Feier. Wir erhoben unsere Pappbecher mit Limonade und brachten einen Toast aus.

»Auf Trinas und Odins Heimreise!«, riefen wir und stießen mit den Bechern an.

»Auf Stacy und Rex, die weitermachen!«, jubelten wir.

»Auf Cheryls neue Stiefel!«, johlten wir.

Darauf trank ich feierlich.

Als ich am nächsten Morgen aufwachte, stand mein Zelt ganz allein auf der Lichtung zwischen den Bäumen. Ich ging zu den Waschräumen, die für die Camper auf dem offiziellen Zeltplatz des Parks bestimmt waren, duschte und kehrte in mein Lager zurück. Ich setzte mich in den Campingstuhl, frühstückte und las in einem Zug die Hälfte von *Der Sommervogel*. Am Nachmittag ging ich in den Laden neben der Snackbar, um nachzusehen, ob meine Stiefel schon da waren, doch die Frau, die am Schalter arbeitete, teilte mir mit, dass die Post noch nicht eingetroffen sei.

Ich verließ enttäuscht den Laden, spazierte in den Sandalen den kurzen asphaltierten Weg entlang zu einem Aussichtspunkt und sah mir die Wasserfälle an, die dem Park seinen Namen gaben. Die Burney Falls sind, wie auf einer Informationstafel erklärt wurde, die meiste Zeit im Jahr die wasserreichsten Fälle im Bundesstaat Kalifornien. Als ich auf die donnernden Wassermassen blickte, kam ich mir zwischen den Touristen mit ihren Kameras, Gürteltaschen und Bermudashorts beinahe unsichtbar vor. Ich setzte mich auf eine Bank und beobachtete ein Paar, das eine ganze Rolle Lutschbonbons an eine Schar übermäßig zutraulicher Eichhörnchen verfütterte, die um ein Schild herumwuselten, auf dem WILDTIERE NICHT FÜTTERN stand. Bei dem Anblick wurde ich wütend, aber nicht nur, wie ich begriff, weil sie durch ihr Verhalten die Eichhörnchen noch stärker an den Menschen gewöhnten, sondern auch, weil sie ein Paar waren. Zuzusehen, wie sie sich aneinanderschmiegten, wie sie zärtlich ihre Hände ineinander verschränkten und den Weg entlangbummelten, war für mich kaum zu ertragen. Es machte mich wehmütig und neidisch. Sie waren wie der lebende Beweis dafür, dass ich nie zu einer glücklichen Liebesbeziehung fähig sein würde. Als ich ein paar Tage zuvor in Old Station mit Paul telefoniert hatte, hatte ich mich noch so stark und zufrieden gefühlt, aber davon war jetzt nichts mehr zu spüren. Ich war nur noch aufgewühlt, mehr nicht.

Ich humpelte zu meinen Lagerplatz zurück und untersuchte meine großen Zehen. Schon die kleinste Berührung war schmerzhaft. Ich konnte sie buchstäblich pochen sehen – das Blut unter dem Fleisch pulsierte in einem gleichmäßigen Rhythmus und ließ die Nägel abwechselnd rot und weiß erscheinen. Die Zehen waren so geschwollen, dass es aussah, als würden die Nägel einfach irgendwann abgehen. Da kam mir die Idee, ein wenig nachzuhelfen. Ich nahm einen zwischen Daumen und Zeigefinger und zog kräftig daran, dann noch einmal, und begleitet von einem schneidenden Schmerz gab der Nagel nach, und ich verspürte nahezu sofort Erleichterung. Augenblicke später tat ich dasselbe mit dem anderen Zeh.

Um meine Zehennägel war ein Kampf entbrannt zwischen mir und dem Trail.

Im Moment stand es sechs zu vier, aber mein Vorsprung war knapp.

Bei Einbruch der Dunkelheit bekam ich Gesellschaft von vier anderen PCT-Wanderern. Ich verbrannte gerade die letzten Seiten von *Der Sommervogel* in meiner kleinen Alu-Backform, als sie auf der Lichtung auftauchten, zwei Paare etwa in meinem Alter, die die gesamte Strecke von Mexiko bis hierher abgewandert hatten bis auf den verschneiten Teil der Sierra Nevada, den auch ich übersprungen hatte. Beide waren getrennt aufgebrochen, hatten sich aber in Südkalifornien kennengelernt und waren dann wochenlang gemeinsam gewandert. John und Sarah stammten aus Alberta in Kanada und waren noch kein Jahr zusammen gewesen, als sie mit der Wanderung auf dem PCT begannen. Sam und Helen waren verheiratet und kamen aus Maine. Sie wollten am nächsten Tag eine Pause einlegen, aber ich wollte weiter, sobald meine neuen Stiefel eintrafen.

Am nächsten Morgen packte ich zusammen, band meine Stiefel an den Rucksackrahmen und marschierte in Sandalen zum Laden. Ich setzte mich an einen Picknicktisch und wartete auf das Eintreffen der Post. Ich war nicht sonderlich darauf erpicht weiterzuwandern, denn mir war nicht nach Wandern zumute, aber es musste sein. Wenn ich die Versorgungspunkte einigermaßen pünktlich an den vorgesehenen Tagen erreichen wollte, musste ich den Zeitplan einhalten. Trotz der vielen Routenänderungen und Umgehungen, die meinen Finanzen und dem Wetter geschuldet waren, musste ich die Reise wie vorgesehen Mitte September beenden. Ich verkürzte mir die stundenlange Wartezeit damit, dass ich in dem Buch las, das mit meinem Paket gekommen war – *Lolita* von Vladimir Nabokov. Leute kamen und gingen. Manche kamen zu mir, da ihnen mein Rucksack aufgefallen war, und fragten mich nach dem PCT. Wenn ich ihnen antwortete, verflüchtigten sich meine Zweifel an meiner Trail-Tauglichkeit für Minuten, und ich vergaß völlig, wie idiotisch ich mich verhalten hatte. Ich sonnte mich in der Aufmerksamkeit dieser Leute und kam mir nicht nur wie eine Wanderexpertin vor, sondern wie eine taffe Amazonenkönigin.

»Ich rate Ihnen, das in Ihrem Lebenslauf zu erwähnen«, sagte eine alte Dame aus Florida, die eine hellrosa Schirmmütze und mehrere Goldketten um den Hals trug. »Ich habe früher im Personalmanagement gearbeitet. Arbeitgeber suchen nach so etwas. Das verrät ihnen, dass Sie Charakter haben. Das hebt Sie aus den anderen heraus.«

Der Postfahrer kam gegen drei. Der UPS-Typ eine Stunde später. Keiner von beiden hatte meine Stiefel dabei. Ernüchtert ging ich zum Münzfernsprecher und rief bei REI an.

Sie hätten meine Stiefel noch nicht losgeschickt, teilte mir der Mann am anderen Ende der Leitung höflich mit und erklärte mir, wo das Problem lag: Wie sie erfahren hatten, war es nicht möglich, die Stiefel mit der Nachtpost in den Park zu schicken, also hatten sie sie mit der normalen Post schicken wollen. Da sie aber nicht gewusst hatten, wie sie mich kontaktieren und davon unterrichten sollten, hatten sie gar nichts getan. »Ich glaube, Sie verstehen nicht«, sagte ich. »Ich wandere auf dem PCT. Ich schlafe im Wald. Natürlich konnten Sie mich da nicht erreichen. Und ich kann hier nicht warten, bis ... Wie lange brauchen die Stiefel denn mit der normalen Post?«

»Etwa fünf Tage«, antwortete er unbeeindruckt.

»Fünf Tage?« Ich konnte mich gar nicht richtig aufregen. Schließlich schickten sie mir kostenlos ein neues Paar Stiefel. Gleichwohl war ich enttäuscht und geriet leicht in Panik. Abgesehen davon, dass ich meinen Zeitplan einhalten musste, brauchte ich die Lebensmittel, die ich im Proviantbeutel hatte, für die nächste Etappe, die dreiundfünfzig Kilometer bis Castle Crags. Wenn ich in Burney Falls blieb, um auf die Stiefel zu warten, würde ich mich von diesen Vorräten ernähren müssen, da ich nur noch fünf Dollar hatte, also nicht genug, um mich in den nächsten fünf Tagen in der Snackbar zu verköstigen. Ich griff in den Rucksack, zog den Wanderführer heraus und suchte die Adresse von Castle Crags. Ich konnte mir nicht vorstellen, noch einmal bei glühender Hitze dreiundfünfzig Kilometer in zu kleinen Stiefeln zurückzulegen, doch mir blieb nichts anderes übrig, als REI zu bitten, sie mir dorthin zu schicken.

Als ich den Hörer auflegte, kam ich mir überhaupt nicht mehr wie eine taffe Amazonenkönigin vor.

Ich warf einen flehentlichen Blick auf meine Stiefel, als könnten wir uns auf einen Kompromiss einigen. Sie baumelten an ihren staubigen roten Schnürsenkeln am Rucksack, geradezu boshaft in ihrer Teilnahmslosigkeit. Eigentlich hatte ich sie in der Umsonstkiste für PCT-Hiker zurücklassen wollen, sobald die neuen eintrafen. Ich griff nach ihnen, aber ich brachte es nicht über mich, sie anzuziehen. Vielleicht konnte ich auf kurzen Abschnitten ja meine dünnen Sandalen tragen. Ich hatte mehrere Leute getroffen, die abwechselnd in Stiefeln und Sandalen wanderten, nur waren ihre

Sandalen weitaus robuster als meine. Ich hatte nie beabsichtigt, meine zum Wandern anzuziehen. Ich hatte sie nur mitgenommen, um meinen Füßen abends ein wenig Erholung zu gönnen, billige Schlappen, die ich bei einem Discounter für 19,99 Dollar oder so gekauft hatte. Ich zog sie aus und wog sie in den Händen, als könnte ihnen eine genaue Begutachtung die Haltbarkeit verleihen, die sie nicht besaßen. Die Klettverschlüsse waren schmutzverkrustet und lösten sich an den ausgefransten Enden von den schwarzen Riemen. Die blauen Sohlen waren weich wie Gummi und so dünn, dass ich beim Gehen Steine und Zweige unter den Füßen spürte. Ebenso gut konnte ich gleich ganz ohne Schuhe laufen. Wollte ich so nach Castle Crags wandern?

Vielleicht doch lieber nicht, überlegte ich. So weit war weit genug. In meinen Lebenslauf konnte ich es trotzdem setzen.

»Scheiße«, fluchte ich, hob einen Stein auf und warf ihn mit aller Kraft gegen einen Baum, dann noch einen und noch einen.

Ich dachte an die Frau, an die ich in solchen Augenblicken immer dachte: eine Astrologin, die mir, als ich dreiundzwanzig war, ein Geburtshoroskop erstellt hatte. Eine Freundin hatte mir die Sitzung kurz vor meinem Umzug von Minnesota nach New York zum Abschied geschenkt. Die Astrologin war eine sachliche Frau mittleren Alters namens Pat, die mich an ihrem Küchentisch Platz nehmen ließ, vor sich ein Blatt voller geheimnisvoller Zeichen und einen leise surrenden Kassettenrekorder. Ich nahm das Ganze nicht sonderlich ernst. Ich hielt es für einen Spaß und erwartete, dass sie mir mit typischen Sprüchen wie *Sie haben ein gutes Herz* die Seele massieren würde.

Doch das tat sie nicht. Oder vielmehr, sie sagte solche Dinge, aber sie sagte auch erstaunlich konkrete Dinge, die so zutreffend und speziell waren, gleichermaßen tröstend wie verstörend, dass ich an mich halten musste, um nicht loszuflennen vor Kummer. »Wie können Sie das wissen?«, fragte ich immer wieder. Und dann hörte ich zu, als sie von den Planeten sprach, von Sonne und Mond, von den »Aspekten« und dem Zeitpunkt meiner Geburt, als sie mir erklärte, was es bedeutete, Jungfrau zu sein mit einem zunehmenden Mond in Löwe und Zwilling. Ich nickte und dachte bei mir: *Was für ein bescheuerter, antiintellektueller New-Age-Schwachsinn.* Und dann sagte sie wieder etwas, was mich fast um den Verstand brachte, weil es so wahr war.

Schließlich kam sie auf meinen Vater zu sprechen: »War er in Vietnam?«, fragte sie. Ich verneinte. Er war Mitte der sechziger Jahre kurz beim Militär – tatsächlich war er in Colorado Springs stationiert, am selben Standort wie der Vater meiner Mutter, wodurch sich meine Eltern kennenlernten –, aber er war nie in Vietnam.

»Wie es scheint, war er wie ein Vietnam-Veteran«, beharrte sie. »Vielleicht nicht im wörtlichen Sinn. Aber er hat etwas mit einigen dieser Männer gemeinsam. Er war zutiefst verletzt. Er war ein Versehrter. Diese Verletzung hat sein Leben infiziert, und sie hat Sie infiziert.«

Ich wollte nicht nicken. Alles, was mir jemals in meinem ganzen Leben widerfahren war, war in den Beton gerührt, der in dem Moment, als die Astrologin mir sagte, dass mein Vater mich infiziert habe, meinen Kopf absolut still hielt.

»Verletzt?«, war alles, was ich herausbrachte.

»Ja«, sagte Pat. »Und Sie sind an der gleichen Stelle verletzt. Genau das tun Väter, wenn ihre Wunden nicht heilen. Sie verletzen ihre Kinder an der gleichen Stelle.«

»Hmm«, machte ich mit ausdruckslosem Gesicht.

»Ich könnte mich irren.« Sie blickte auf das Blatt Papier zwischen uns. »Es ist nicht unbedingt wörtlich zu nehmen.«

»Ich habe meinen Vater nur dreimal gesehen, seit ich sechs war«, sagte ich.

»Ein Vater hat die Aufgabe, seinen Kindern beizubringen, Krieger zu werden, ihnen das Selbstvertrauen zu geben, aufs Pferd zu steigen und in die Schlacht zu reiten, wenn es notwendig ist. Wenn

Sie es von Ihrem Vater nicht gelernt haben, müssen Sie sich es selbst beibringen.«

»Aber … ich glaube, das habe ich schon«, sprudelte es aus mir heraus. »Ich bin stark … Ich stelle mich den Dingen. Ich …«

»Hier geht es nicht um Stärke«, sagte Pat. »Und Sie mögen es nicht so sehen können, aber vielleicht kommt irgendwann der Tag – das könnte in vielen Jahren sein –, an dem Sie auf Ihr Pferd steigen und in die Schlacht reiten müssen, und Sie werden zögern. Sie werden zaudern. Um die Wunde zu heilen, die Ihnen Ihr Vater zugefügt hat, müssen Sie auf dieses Pferd steigen und in die Schlacht reiten wie eine Kriegerin.«

Ich lachte damals ein wenig, ein verlegenes, krächzendes Kichern, das eher traurig als fröhlich klang. Ich weiß das, weil ich die Tonbandkassette mit nach Hause nahm und mir später immer wieder anhörte. *Um die Wunde zu heilen, die Ihnen Ihr Vater zugefügt hat, müssen Sie auf dieses Pferd steigen und in die Schlacht reiten wie eine Kriegerin.* Krächzendes Gekicher.

Zurückspulen. Wiederholen.

»Möchtest du die mal kosten«, fragte mich mein Vater öfter, wenn er wütend war, und hielt mir seine Männerfaust nur Zentimeter vor mein drei-, vier-, fünf- oder sechsjähriges Gesicht. »Möchtest du? Hä? HÄ?«

»ANTWORTE MIR!«

Ich zog meine bescheuerten Sandalen an und machte mich auf den weiten Weg nach Castle Crags.

13
Eine Ansammlung
von Bäumen

Es war eine Frau, der die Idee zum PCT kam, die pensionierte Lehrerin Catherine Montgomery aus Bellingham, Washington. In einem Gespräch mit dem Bergsteiger und Schriftsteller Joseph T. Hazard schlug sie vor, einen von Grenze zu Grenze führenden »Trail entlang den Höhen unserer westlichen Gebirgszüge« anzulegen. Das war 1926. Eine kleine Gruppe von Wanderern zeigte sich sofort begeistert, doch erst sechs Jahre später, als Clinton Churchill Clarke die Idee aufgriff, nahm sie konkretere Formen an. Clarke war ein Ölbaron, der in Pasadena ein sorgenfreies Leben führte, aber auch ein begeisterter Naturliebhaber. Entsetzt über eine Kultur, deren Vertreter »zu viel Zeit in weichen Autositzen und Kinosesseln zubringen«, setzte er sich bei der Bundesregierung dafür ein, einen Wildniskorridor für den Trail zu reservieren. Sein Traum ging freilich weit über Montgomerys Vorschlag hinaus: Ihm schwebte ein viel längerer »Trail der Amerikas« vor, der von Alaska bis Chile reichte. Er versprach sich von der Begegnung mit der Wildnis »eine dauerhafte heilsame und zivilisierende Wirkung« und trat fünfundzwanzig Jahre lang für den PCT ein. Als er 1957 starb, war der Trail jedoch nach wie vor nur ein Traum.

Clarkes vielleicht wichtigster Beitrag zum Trail war seine Bekanntschaft mit Warren Rogers, der 1932, als die beiden sich zum ersten Mal begegneten, vierundzwanzig Jahre alt war. Rogers arbeitete damals für den YMCA im kalifornischen Alhambra und ließ sich von Clarke dazu überreden, beim Abstecken der Route zu helfen. In dessen Auftrag kartografierten Teams von YMCA-Freiwilligen den Wanderweg, aus dem später der PCT werden sollte, und legten mancherorts sogar Teilstücke an. Trotz anfänglicher Skepsis begeisterte sich Rogers bald für die Idee und widmete sich bis zu seinem Tod der Aufgabe, für den Trail zu werben und alle gesetzlichen, finanziellen und logistischen Hindernisse, die seiner Verwirklichung im Weg standen, zu beseitigen. Rogers durfte noch erleben, wie der Kongress 1968 die Einrichtung des Pacific Crest National Scenic Trail per Gesetz beschloss, starb jedoch 1992, ein Jahr vor der Fertigstellung des Trails.

Ich hatte das Kapitel über die Geschichte des Trails in meinem Wanderführer im Winter zuvor gelesen, aber erst jetzt – ein paar Kilometer hinter den Burney Falls, als ich in meinen windigen Sandalen durch die frühabendliche Hitze marschierte – kam mir der tiefere Sinn dieser Geschichte zu Bewusstsein. So absurd es auch erscheinen mochte: Als Catherine Montgomery, Clinton Clarke, Warren Rogers und die vielen hundert anderen, die den PCT geschaffen hatten, an die Menschen dachten, die auf diesem Pfad wandern würden, der auf den Höhen unserer westlichen Gebirgszüge entlangführte, hatten sie auch an mich gedacht. Dass ihnen meine gesamte Ausrüstung, von meinen billigen Sonderangebotssandalen bis zu meinen Stiefeln und meinem Rucksack, die 1995 dem neuesten Stand der Technik entsprachen, fremd gewesen wäre, spielte keine Rolle, denn das, worauf es ankam, war absolut zeitlos. Was sie dazu getrieben hatte, allen Widrigkeiten zum Trotz für den Trail zu kämpfen, war dasselbe, was mich und alle anderen Fernwanderer auch an den schlimmsten Tagen zum Weitermachen bewegte. Aber mit Ausrüstung, Schuhwerk oder zeitverhafteten

Moden und Philosophien rund ums Rucksackwandern hatte das nichts zu tun. Noch nicht einmal damit, wie man am besten von Punkt A nach Punkt B kam.

Es ging nur darum, die Wildnis zu erleben. Zu erleben, wie es war, kilometerweit zu wandern zu keinem anderen Zweck als dem, Bäume und Wiesen zu sehen, Berge und Wüsten, Bäche und Felsen, Flüsse und Gräser, Sonnenauf- und Sonnenuntergänge. Für mich war das eine eindrucksvolle und elementare Erfahrung. Mir schien, dass es Menschen in der Wildnis immer so ergangen war und immer so ergehen würde, solange es noch eine Wildnis gab. Ich nahm an, dass Montgomery das gewusst hatte. Und auch Clarke und Rogers und die vielen tausend Menschen, die ihnen vorangegangen und nachgefolgt waren. Ich wusste es, bevor es mir wirklich bewusst war, bevor ich ahnen konnte, wie hart und wie herrlich der PCT tatsächlich war, wie sehr er meine Kräfte strapazieren und mir gleichzeitig eine Heimat sein würde.

Daran dachte ich, als ich im feuchten Schatten von Gelbkiefern und Douglasien meine sechste Woche auf dem Trail in Angriff nahm. Ich spürte den steinigen Pfad durch die dünnen Sohlen der Sandalen. Die Muskulatur in den Fußgelenken, denen ohne Stiefel der Halt fehlte, fühlte sich verspannt an, aber wenigstens stieß ich nicht bei jedem Schritt mit den wunden Zehen gegen die Kappen. Ich wanderte, bis ich an eine Holzbrücke kam, die sich über einen Bach spannte. Da ich in der Nähe keine ebene Stelle fand, errichtete ich das Zelt direkt auf der Brücke, also mitten auf dem Trail, und hörte die ganze Nacht im Schlaf das sanfte Tosen des kleinen Wasserfalls unter mir.

Ich erwachte, sobald es hell wurde, und wanderte in den Sandalen mehrere Stunden. Dabei überwand ich rund 500 Höhenmeter und erhaschte von Zeit zu Zeit, wenn sich der schattige Tannen- und Kiefernwald etwas lichtete, einen Blick auf den Burney Mountain im Süden. In der Mittagspause band ich widerwillig die Stiefel vom Rucksack los, da ich mir keinen anderen Rat mehr wusste, als sie anzuziehen. Ich hatte einen ersten Vorgeschmack darauf bekommen, wovor die Autoren von *The Pacific Crest Trail, Volume I: California* in ihrer Einführung zu dem Kapitel warnten, in dem sie die Strecke zwischen den Burney Falls und Castle Crags beschrieben. Nach ihrer Auskunft wurde dieser Abschnitt so schlecht instand gehalten, dass er stellenweise »kaum besser ist als ein Querfeldein-Parcours«, und das verhieß nichts Gutes für meine Sandalen. Schon jetzt zeigten sie erste Auflösungserscheinungen. Die Sohlen gingen ab, klappten bei jedem Schritt auf und fingen kleine Zweige und Steine ein.

Ich zwängte meine Füße wieder in die Stiefel und wanderte, die Schmerzen ignorierend, weiter. Auf einem Anstieg kam ich an zwei gespenstisch wirkenden Hochspannungsmasten vorüber, die ein unheimliches Knistern von sich gaben. Im Lauf des Tages kamen im Nordwesten ein paarmal der Bald Mountain und der Grizzly Peak in Sicht – dunkelgrüne und braune Berge mit wenigen windzerzausten Bäumen und Sträuchern –, aber meist führte der Pfad durch dichten Wald, und immer häufiger kreuzte er Forstwege mit tiefen Traktorspuren. Ich kam an älteren Kahlschlägen vorbei, die langsam wieder zum Leben erwachten, weiten abgeholzten Flächen mit Baumstümpfen, Wurzeln und kleinen grünen Bäumen, die nicht größer waren als ich. An manchen Stellen war der Trail nicht mehr begehbar und zwischen herumliegenden Baumresten und Ästen kaum noch zu erkennen. Die Bäume gehörten denselben Arten an wie die, an denen ich schon oft vorbeigewandert war, aber der Wald kam mir anders vor, unzusammenhängender und irgendwie düsterer, obwohl ich zeitweise einen weiten Blick hatte.

Am späten Nachmittag gelangte ich an eine Stelle, die einen schönen Ausblick über das hügelige grüne Land bot, und beschloss, Rast zu machen. Die Stelle lag an einem Hang. Auf der einen Seite ging es steil bergauf, auf der anderen steil bergab. In Ermangelung einer anderen Sitzgelegenheit hockte ich mich mitten auf den Pfad, wie ich es häufig tat. Ich zog Stiefel und Socken aus, massierte mir die Füße und blickte von dem Felsvorsprung, auf dem ich saß, über die Baumwipfel hinweg in die Ferne. Ich fand es toll, mich größer als die Bäume zu fühlen und von oben auf ihr Kronendach hinabzuschauen wie ein Vogel. Und ich vergaß ein wenig die Sorgen, die ich mir wegen meiner Füße und des schwierigen Streckenabschnitts machte, der vor mir lag.

Während ich so dasaß und meinen Gedanken nachhing, fasste ich zum Rucksack hinüber und zog am Reißverschluss der Seitentasche. Der Rucksack kippte um, fiel direkt auf die Stiefel und traf den linken so unglücklich, dass er in die Luft katapultiert wurde, als hätte ich ihn geworfen. Ich sah zu, wie er – alles ging blitzschnell und schien zugleich wie in Zeitlupe abzulaufen – wieder auf dem Boden aufschlug, dann über die Felskante purzelte und geräuschlos zwischen den Bäumen verschwand. Vor Schreck stockte mir der Atem. Ich ergriff den anderen Stiefel, drückte ihn mir an die Brust und wartete darauf, dass die Zeit sich zurückdrehte, dass jemand lachend aus dem Wald trat, den Kopf schüttelte und sagte, alles sei nur ein Scherz gewesen.

Aber niemand lachte. Niemals. Die Welt, so hatte ich gelernt, machte keine Scherze. Sie nahm sich, was sie wollte, und gab niemals etwas zurück. Ich hatte tatsächlich nur noch einen Stiefel.

Also stand ich auf und warf auch den anderen über die Kante. Ich blickte hinab auf meine nackten Füße, starrte sie lange an, und dann begann ich, mit Klebeband meine Sandalen zu reparieren. Ich klebte so gut es ging die Sohlen zusammen und verstärkte die Riemen, wo sie zu reißen drohten. Ich zog die Socken zu den Sandalen an, um meine Füße vor den Falten des Klebebands zu schützen. Ich fühlte mich schrecklich, als ich wieder aufbrach, tröstete mich aber mit dem Gedanken, dass mich in Castle Crags ein neues Paar Stiefel erwartete.

Am Abend öffnete sich der Wald zu einer breiten Schneise, die einem Trümmerfeld glich, kahl geschlagene Landschaft, aufgerissene Erde. Der PCT führte, kaum sichtbar, am Rand entlang. Mehrmals musste ich stehen bleiben und nach dem unter Ästen und aufgeworfenen Erdklumpen begrabenen Pfad suchen. Die Bäume, die am Rand der abgeholzten Fläche stehen geblieben waren, schienen zu trauern, in ihrer rauen Haut nun ungeschützt, die zackigen Glieder in grotesken Winkeln von sich spreizend. So etwas hatte ich im Wald noch nie gesehen. Es war, als wäre jemand mit einer riesigen Abrissbirne gekommen und hätte alles dem Erdboden gleichgemacht. War das der Wildniskorridor, der dem Kongress vorschwebte, als er die Mittel dazu bewilligte? Wohl nicht, aber ich wanderte durch Nationalforste, die der Kontrolle der Bundesregierung unterstanden, und somit durch Gebiete, die, trotz ihres viel versprechenden Namens, von den Mächtigen so genutzt werden konnten, wie es ihnen zum Wohl der Allgemeinheit geeignet erschien. Mal bedeutete dies, dass das Land unberührt blieb, wie auf den meisten Abschnitten des PCT. Mal bedeutete es, dass alte Bäume gefällt wurden, um Dinge wie Stühle und Toilettenpapier daraus zu machen.

Der Anblick der aufgewühlten, kahlen Erde machte mich betroffen. Ich war traurig und wütend, aber auch, weil mich eine gewisse Mitschuld traf. Auch ich benutzte schließlich Tische, Stühle und Toilettenpapier. Als ich mir einen Weg durch das Trümmerfeld bahnte, merkte ich, dass ich für heute genug hatte. Ich erklomm eine steile Böschung und baute auf der abgeholzten ebenen Fläche oben zwischen Baumstümpfen und Erdhaufen das Zelt auf. So einsam wie jetzt hatte ich mich selten auf dem Trail gefühlt. Ich hätte gern mit jemandem gesprochen, und nicht mit irgendjemandem.

Ich hätte gern mit Karen, Leif oder Eddie gesprochen. Ich wollte wieder eine Familie haben, eingebunden sein in etwas, von dem ich glaubte, dass es vor Zerstörung gefeit war. Doch ich hatte nicht nur Sehnsucht nach ihnen, ich hegte auch einen bitteren Groll gegen sie, gegen jeden Einzelnen von ihnen. Ich stellte mir vor, wie eine große Maschine gleich der, die diesen Wald verschlungen hatte, auch unsere sechzehn Hektar Land in den Wäldern Minnesotas verschlang. Ich wünschte es mir von ganzem Herzen. Dann, so glaubte ich, würde ich endlich frei sein. Da wir nach dem Tod meiner Mutter nicht vor Zerstörung gefeit gewesen waren, wäre eine vollständige Zerstörung wie eine Erlösung. Der Verlust meiner Familie und meines Zuhauses waren mein persönlicher Kahlschlag. Was blieb, war nur eine hässliche Erinnerung an etwas, was es nicht mehr gab.

In der Woche, bevor ich mich zum PCT aufmachte, war ich ein letztes Mal zu Hause gewesen. Ich war nach Norden gefahren, um mich von Eddie zu verabschieden und das Grab meiner Mutter zu besuchen, denn ich wusste, dass ich nach der Wanderung nicht nach Minnesota zurückkehren würde. Ich arbeitete ein letztes Mal in dem Restaurant, in dem ich bediente, und fuhr dann nach Norden, wo ich drei Stunden später um ein Uhr morgens ankam. Ich hatte eigentlich in der Zufahrt parken und hinten auf meinem Pickup schlafen wollen, um niemanden im Haus zu stören, doch als ich eintraf, war eine Party im Gang. Das Haus war hell erleuchtet, und im Garten loderte ein Feuer. Überall standen Zelte, und laute Musik wummerte aus Boxen, die im Gras aufgestellt waren. Es war der Samstag des Memorial-Day-Wochenendes. Ich stieg aus dem Wagen und bahnte mir einen Weg durch Trauben von Menschen, von denen ich die wenigsten kannte. Ich war sprachlos, aber nicht überrascht – weder von der wilden Ausgelassenheit der Party noch von der Tatsache, dass ich nicht eingeladen worden war. Es war nur ein weiterer Beleg dafür, wie gründlich sich die Dinge geändert hatten.

»Cheryl!«, brüllte Leif, als ich in die Garage trat, in der dichtes Gedränge herrschte. »Ich bin auf einem Pilz-Trip«, erklärte er mir fröhlich und quetschte zu fest meinen Arm.

»Wo ist Eddie?«, fragte ich.

»Keine Ahnung, aber ich muss dir was zeigen«, sagte er und zog mich fort. »Das macht dich garantiert wütend.«

Ich folgte ihm durch den Garten und die Eingangstreppe hinauf ins Haus, bis wir vor unserem Küchentisch standen. Es war derselbe, den wir schon in der Tree-Loft-Siedlung gehabt hatten, als wir noch Kinder waren, der, den unsere Mutter für zehn Dollar gekauft hatte und an dem wir an jenem Abend, an dem wir Eddie kennenlernten, gegessen hatten und uns wie Chinesen vorgekommen waren, weil wir auf dem Fußboden saßen. Er war mittlerweile so hoch wie ein normaler Tisch. Als Eddie mit uns in ein normales Haus zog, hatte er die kurzen Beine abgesägt und ein Fass unter die Platte geschraubt, sodass wir all die Jahre auf Stühlen daran gegessen hatten. Der Tisch war nie besonders schön gewesen und war es mit den Jahren immer weniger geworden, hatte Risse bekommen, die Eddie mit Holzkitt zugespachtelt hatte, aber er war unserer gewesen.

Jedenfalls bis zu diesem Abend in der Woche, bevor ich wegging, um auf dem PCT zu wandern.

Jetzt verunzierten frische Schnitzereien die Tischplatte, einzelne Wörter und ganze Sätze, Namen und Initialen von Leuten, die mit Pluszeichen verbunden oder von Herzen umrahmt waren, offensichtlich das Werk der Partygäste. Vor unseren Augen schnitzte ein mir unbekannter Junge im Teenageralter gerade mit einem Taschenmesser etwas in die Platte.

»Lass das«, befahl ich, und er sah mich erschrocken an. »Dieser Tisch ist …« Ich konnte den Satz nicht zu Ende sprechen. Ich drehte mich um und stürzte zur Tür hinaus. Leif rannte hinter mir her, vorbei an den Zelten und dem Lagerfeuer, vorbei an dem Hühnerstall, der jetzt leer war, fort von der Pferdeweide, auf der keine Pferde mehr grasten, und den Weg entlang in den Wald zu dem Pavillon, der dort stand. Ich setzte mich hin und weinte, und mein Bruder blieb schweigend bei mir. Ich war wütend auf Eddie, aber noch wütender auf mich selbst. Ich hatte Kerzen angezündet und mein Tagebuch mit guten Vorsätzen vollgeschrieben. Ich hatte über das Sichabfinden und Dankbarkeit, Schicksal, Vergebung und Glück nachgedacht und war zu vernünftigen Schlüssen gelangt. In einem verbitterten Winkel meines Herzens hatte ich von meiner

Mutter losgelassen, hatte ich von meinem Vater und schließlich auch von Eddie losgelassen. Aber der Tisch war etwas anderes. Mir war nie in den Sinn gekommen, dass ich auch von ihm würde loslassen müssen.

»Ich bin so froh, dass ich aus Minnesota fortgehe«, sagte ich in einem beißenden Ton. »So was von froh.«

»Ich nicht«, sagte Leif, strich mir kurz über den Hinterkopf und zog die Hand wieder weg.

»Ich meine damit nicht, dass ich froh darüber bin, dich zu verlassen«, sagte ich und wischte mir Gesicht und Nase ab. »Aber ich sehe dich ja sowieso kaum.« Das stimmte, auch wenn er noch so beteuerte, dass ich der wichtigste Mensch in seinem Leben sei – seine »zweite Mutter«, wie er mich manchmal nannte. Ich sah ihn nur sehr sporadisch. Er war ausweichend und unverbindlich, verantwortungslos und so gut wie nicht zu erreichen. Sein Telefon war ständig ausgestöpselt. Er lebte in einem ständigen Provisorium.

»Du kannst mich ja besuchen«, sagte ich.

»Dich besuchen?«, fragte er. »Wo denn?«

»Je nachdem, wo ich mich im Herbst entscheide zu leben. Wenn ich mit dem PCT fertig bin.«

Ich dachte darüber nach, wo ich leben wollte. Ich konnte mir nicht vorstellen, wo das sein sollte. Es konnte überall sein. Ich wusste nur, dass ich nicht hier in Minnesota leben wollte.

»Vielleicht in Oregon«, sagte ich zu Leif, und wir schwiegen eine Weile.

»Der Pavillon ist cool im Dunkeln«, flüsterte er nach ein paar Minuten, und wir schauten uns beide um und betrachteten ihn im schattenhaften Nachtlicht. Paul und ich waren hier getraut worden. Wir hatten den Pavillon eigens für unsere Hochzeit sieben Jahre zuvor mit Unterstützung Eddies und meiner Mutter gebaut. Er war das bescheidene Schloss unserer naiven, unseligen Liebe. Das Dach war aus Wellblech, die Seitenwände aus ungeschliffenem Holz, an dem man sich leicht Splitter einziehen konnte. Der Boden bestand aus festgestampfter Erde und war mit Steinplatten ausgelegt, die wir mit einer blauen Schubkarre, die meine Familie seit Ewigkeiten besaß, durch den Wald transportiert hatten. Nach meiner Hochzeit wurde der Pavillon zu dem Ort in unserem Wald, den die Leute immer ansteuerten, wenn sie spazieren gingen, und in dem sie zusammenkamen, wenn sie mal zusammenkamen. Als Geschenk für meine Mutter hatte Eddie vor Jahren eine breite Netzhängematte darin aufgehängt.

»Komm, wir legen uns rein«, sagte Leif und deutete auf die Hängematte. Wir kletterten hinein und schaukelten sachte, indem wir uns mit dem Fuß an ebender Steinplatte abstießen, auf der ich bei der Trauung mit Paul gestanden hatte.

»Ich bin jetzt geschieden«, sagte ich ohne eine Gefühlsregung.

»Ich dachte, das wärst du schon längst.«

»Jetzt ist es offiziell. Wir mussten noch die Unterlagen einreichen. Letzte Woche habe ich den Bescheid bekommen, mit dem Stempel des Gerichts.«

Er nickte und sagte nichts. Anscheinend hatte er wenig Mitleid mit mir, da ich an der Scheidung selbst schuld war. Er, Eddie und Karen mochten Paul. Ich konnte ihnen nicht begreiflich machen, warum ich meine Ehe an die Wand gefahren hatte. *Aber ihr habt doch einen so glücklichen Eindruck gemacht,* war alles, was sie dazu sagen konnten. Und es stimmte ja: den Eindruck hatten wir tatsächlich gemacht. So wie ich nach dem Tod meiner Mutter den Eindruck gemacht hatte, ganz gut zurechtzukommen. Trauer hat kein Gesicht.

Während Leif und ich in der Hängematte schaukelten, erhaschten wir durch die Bäume flüchtige Blicke auf das erleuchtete Haus und das Feuer. Wir hörten die gedämpften Stimmen der Gäste, als die Party langsam zu Ende ging. Das Grab unserer Mutter lag direkt hinter uns, vielleicht dreißig Schritt weiter auf dem Pfad, der am Pavillon vorbei auf die kleine Lichtung führte, auf der wir ein Blumenbeet angelegt, ihre Asche begraben und einen Grabstein aufgestellt hatten. Ich spürte, dass sie bei uns war, und fühlte, dass auch Leif es spürte, aber ich sagte nichts, da ich fürchtete, Worte könnten diese Stimmung zerstören. Ich schlief ein, ohne es zu merken, und wachte auf, als die Sonne am Horizont heraufstieg. Ich sah erschrocken zu Leif, da ich im ersten Moment nicht wusste, wo ich war.

»Ich bin eingeschlafen«, sagte ich.

»Ich weiß«, erwiderte er. »Ich war die ganze Zeit wach. Die Pilze.«

Ich setzte mich in der Hängematte auf und blickte zu ihm nach hinten. »Ich mache mir Sorgen um dich«, sagte ich. »Wegen der Drogen, verstehst du.«

»Das musst ausgerechnet du sagen.«

»Das war etwas anderes. Das war nur eine Phase, und das weißt du«, sagte ich, wobei ich versuchte, nicht so zu klingen, als wollte ich mich verteidigen. Es gab viele Gründe, warum ich bereute, mich auf Heroin eingelassen zu haben, aber dass ich vor meinem Bruder meine Glaubwürdigkeit verloren hatte, bedauerte ich am meisten.

»Lass uns einen Spaziergang machen«, sagte er.

»Wie spät ist es?«, fragte ich.

»Wen juckt das?«

Wir gingen auf dem Weg zurück, vorbei an den stillen Zelten und Autos, dann die Zufahrt hinunter zu der Schotterstraße, die an unserem Haus vorbeiführte. Das weiche Licht hatte einen leichten Rosahauch und war so schön, dass ich meine Müdigkeit vergaß. Ohne ein Wort zu wechseln, gingen wir das kurze Stück die Straße hinunter zu dem verlassenen Haus auf der anderen Seite der Zufahrt. Als Kinder waren wir dort häufig hingegangen, wenn wir uns an langen heißen Sommertagen langweilten und nicht mit dem Auto wegfahren konnten, weil wir noch zu jung waren. Das Haus war damals schon unbewohnt und baufällig gewesen. Jetzt war es noch heruntergekommener.

»Ich glaube, sie hieß Violet, die Frau, die hier wohnte«, sagte ich zu meinem Bruder, als wir die Veranda erklommen, und dachte an die Geschichten, die ich vor langer Zeit von den alten Finnen über das Haus gehört hatte. Die Haustür war nie verschlossen gewesen und war es noch immer nicht. Wir stießen sie auf und gingen hinein, indem wir über die Löcher im Fußboden stiegen, die fehlende Dielen hinterlassen hatten. Erstaunlicherweise waren dieselben Gegenstände, die schon vor zwölf Jahren im Haus herumgestanden oder -gelegen hatten, immer noch da, nur dass sie jetzt noch mitgenommener aussahen. Ich nahm eine vergilbte Zeitschrift in die Hand. Sie war von der Kommunistischen Partei Minnesotas herausgegeben und datierte aus dem Jahr 1920. Eine angeschlagene Teetasse mit rosa Rosenmuster lag auf der Seite, und ich stellte sie richtig hin. Das Haus war so klein, dass man nur ein paar Schritte zu tun brauchte, um alles zu sehen. Ich ging nach hinten zu der Holztür, die schief an einer Angel hing. In der oberen Hälfte saß eine völlig intakte Glasscheibe.

»Nicht anfassen«, flüsterte Leif. »Schlechtes Karma, wenn sie zu Bruch geht.«

Wir gingen vorsichtig an ihr vorbei in die Küche. Überall Risse und Löcher und dort, wo der Herd gestanden hatte, ein großer schwarzer Fleck. In der Ecke ein kleiner Holztisch, dem ein Bein fehlte. »Würdest du da vielleicht deinen Namen hineinschnitzen?«, brauste ich plötzlich auf und deutete auf den Tisch.

»Lass das«, sagte Leif, packte mich an der Schulter und schüttelte mich. »Vergiss es einfach, Cheryl. Das ist die Realität. Und mit der Realität müssen wir uns abfinden, ob uns das passt oder nicht.«

Ich nickte, und er ließ mich los. Wir standen nebeneinander da und schauten aus dem Fenster in den Garten. Ein verfallener Schuppen, der früher als Sauna gedient hatte, und ein Trog, der jetzt von Unkraut und Moos überwuchert war. Dahinter eine breite, morastige Wiese und noch weiter dahinter ein Birkenhain, an den sich, wie wir wussten, ein Sumpf anschloss, den wir jetzt aber nicht sehen konnten.

»Natürlich würde ich nie etwas in diesen Tisch schnitzen, und du auch nicht«, sagte Leif nach einer Weile und sah mich an. »Weißt du, warum?«, fragte er.

Ich schüttelte den Kopf, obwohl ich die Antwort wusste.

»Weil wir von Mom erzogen worden sind.«

Ich wanderte bei Tagesanbruch von meinem Lagerplatz auf der abgeholzten Fläche los und sah den ganzen Vormittag keinen Menschen. Gegen Mittag sah ich nicht einmal mehr den PCT. Ich hatte mich zwischen all den Holzabfällen und den provisorischen Waldwegen, die ihn kreuzten und schließlich unkenntlich machten, verlaufen. Zunächst war ich nicht sonderlich beunruhigt, da ich glaubte, der gewundene Waldweg, dem ich folgte, würde irgendwann wieder auf den Trail stoßen, aber das tat er nicht. Ich zückte Karte und Kompass und bestimmte meinen Standort. Oder was ich für meinen Standort hielt – mein Orientierungsvermögen war immer noch nicht das beste. Ich folgte einem anderen Waldweg und dann wieder einem anderen, bis ich nicht mehr wusste, auf welchem ich zuvor marschiert war.

In der Nachmittagshitze machte ich Halt, um etwas zu essen, da ich einen Bärenhunger hatte, wobei mir allerdings die unangenehme Erkenntnis, dass ich nicht wusste, wo ich war, ein wenig den Appetit verdarb. Ich machte mir schwere Vorwürfe, weil ich so sorglos gewesen und in meinem Ärger einfach weitermarschiert war, statt stehen zu bleiben und mir in Ruhe zu überlegen, welche Richtung ich einschlagen sollte. Aber daran war nun nichts mehr zu ändern. Ich zog mein Bob-Marley-Shirt aus und hängte es zum Trocknen an einen Ast, kramte ein anderes T-Shirt aus dem Rucksack und schlüpfte hinein. Seit mir Paco das Shirt mit Bob Marley darauf geschenkt hatte, trug ich zwei und wechselte sie im Lauf des Tages wie die Socken, obwohl ich wusste, dass so etwas ein Luxus war und den Rucksack nur schwerer machte.

Ich studierte die Karte und ging weiter. Ich folgte einem zerfurchten Holzabfuhrweg und dann noch einem, wobei jedes Mal die Hoffnung aufkeimte, ich hätte auf den richtigen Kurs zurückgefunden. Doch am frühen Abend endete der Weg, auf dem ich war, an einem von Bulldozern aufgeschütteten Haufen aus Erde, Wurzeln und Ästen, der so hoch wie ein Haus war. Ich erklomm ihn, um eine bessere Sicht zu haben, und entdeckte am anderen Ende der Schneise eine weitere Holzabfuhrpiste. Auf dem Weg dorthin verlor ich eine Sandale. Der Riemen, der sie am Fuß halten sollte, hatte sich mitsamt Klebeband vom restlichen Schuh gelöst.

»Autsch!«, brüllte ich und blickte zu den Bäumen in der Ferne. Sie waren merkwürdig still. Sie kamen mir wie Menschen vor, wie Beschützer, die mir aus diesem Schlamassel heraushelfen würden, obwohl sie nichts weiter taten, als schweigend zuzusehen.

Ich setzte mich zwischen Unkraut und kniehohen Bäumchen auf den Boden und machte mich daran, meine Schuhe nicht nur zu flicken, sondern ich bastelte mir ein Paar eisengrauer Babyschuhe, indem ich das Klebeband wieder und immer wieder um meine Socken und die skelettartigen Überreste meiner Sandalen wickelte, als wollte ich mir die Füße eingipsen. Dabei achtete ich darauf, dass die Gipsverbände so fest saßen, dass sie beim Wandern nicht abgingen, und trotzdem so locker, dass ich sie abends abnehmen konnte, ohne sie zu ruinieren. Sie mussten bis Castle Crags halten.

Und mittlerweile hatte ich keine Ahnung mehr, wie weit das noch war oder wie ich dorthin kam.

In meinen Klebebandschuhen ging ich weiter über die Schneise bis zu dem Weg und sah mich um. Ich war mir nicht sicher, welche Richtung ich einschlagen sollte. Nur dort, wo Wege oder Kahlschläge waren, konnte ich überhaupt etwas sehen. Der Wald selbst war ein Dickicht aus Tannen und abgefallenen Ästen, und der Tag hatte mich gelehrt, dass die Holzabfuhrwege ein undurchschaubares Labyrinth bildeten. Sie führten nach Westen und dann nach Nordosten und bogen später für eine gewisse Strecke nach Süden ab. Und was die Sache noch komplizierter machte: Der PCT-Abschnitt zwischen den Burney Falls und Castle Crags führte nicht nach Norden, sondern in einem weiten Bogen nach Westen. Von dem Gedanken, dem Verlauf des Trails zu folgen, musste ich mich also verabschieden. Mein Ziel konnte jetzt nur sein, aus diesem Labyrinth herauszufinden. Ich wusste, dass ich irgendwann auf den Highway 89 stoßen musste, wenn ich nach Norden ging. Ich folgte also der Straße, bis es fast dunkel war, dann suchte ich mir im angrenzenden Wald einen leidlich ebenen Lagerplatz und baute das Zelt auf.

Ich hatte mich verirrt, aber ich hatte keine Angst, sagte ich mir, während ich mir etwas zu essen machte. Ich hatte reichlich Proviant und Wasser. Der Inhalt meines Rucksacks konnte mich eine Woche oder länger am Leben halten. Wenn ich weiterging, würde ich irgendwann in die Zivilisation zurückkehren. Doch als ich in mein Zelt kroch, zitterte ich vor Dankbarkeit für die vertrauten grünen Nylonwände, die meine Zuflucht und mein Zuhause geworden waren. Ich zog mir vorsichtig die Klebebandstiefel von den Füßen und stellte sie in die Ecke. Zum hundertsten Mal an diesem Tag konsultierte ich frustriert und verunsichert die Karten im Wanderführer. Schließlich gab ich es auf und verschlang hundert Seiten von *Lolita* und tauchte so tief in die schreckliche und amüsante Welt des Romans ein, dass ich meine eigene vergaß.

Am Morgen bemerkte ich, dass ich mein Bob-Marley-Shirt nicht mehr hatte. Ich hatte es an dem Ast vergessen, an dem ich es am Vortag zum Trocknen aufgehängt hatte. Dass ich meine Stiefel verloren hatte, war schlimm. Aber der Verlust des Bob-Marley-Shirts war schlimmer. Das T-Shirt war nicht nur irgendein altes T-Shirt. Es war, jedenfalls laut Paco, ein heiliges T-Shirt, und das bedeutete, dass ich mit den Geistern der Tiere, der Erde und des Himmels wanderte, wenn ich es trug. Ich wusste nicht, ob ich das glaubte, aber das Shirt war zum Sinnbild für etwas geworden, was ich nicht genau benennen konnte.

Ich verstärkte meine improvisierten Schuhe mit einer weiteren Schicht Klebeband und marschierte bei schwülem Wetter den ganzen Tag. Am Abend zuvor hatte ich einen Vorsatz gefasst: Ich wollte diesem Weg folgen, wohin er mich auch führte. Ich ignorierte alle anderen, die ihn kreuzten, ganz gleich wie interessant oder viel versprechend sie aussahen. Ich war zu der Überzeugung gelangt, dass ich andernfalls nur endlos in die Irre gehen würde. Am späten Nachmittag spürte ich, dass der Weg irgendwohin führte. Er wurde breiter, die tiefen Furchen verschwanden, und weiter vorn öffnete sich der Wald. Schließlich, hinter einer Biegung, erblickte ich einen führerlosen Traktor, und hinter dem Traktor eine asphaltierte, zweispurige Straße. Ich überquerte sie, bog nach links ab und ging am Randstreifen entlang. Das musste der Highway 89 sein. Ich zückte meine Karten, ermittelte eine Route, auf der ich zum PCT zurücktrampen konnte, und versuchte dann, eine Mitfahrgelegenheit zu bekommen, verlegen in meinen eisengrauen Stiefeln aus Klebeband. Immer wieder fuhren Autos in Zweier- und Dreierpulks vorbei, mit größeren Pausen dazwischen. Eine halbe Stunde lang hielt ich erfolglos den Daumen raus und wurde immer nervöser. Dann hielt endlich ein Pick-up, in dem ein Mann saß. Ich ging zur Beifahrertür und öffnete sie.

»Den Rucksack können Sie hinten raufwerfen«, sagte der Fahrer, ein Bulle von einem Mann, den ich auf Ende vierzig schätzte.

»Ist das der Highway 89?«, fragte ich.

Er sah mich verdutzt an. »Wissen Sie nicht mal, auf welcher Straße Sie sind?«

Ich schüttelte den Kopf.

»Was um alles in der Welt haben Sie da an den Füßen?«, fragte er.

Ungefähr eine halbe Stunde später setzte er mich an einer Stelle im Wald ab, wo der PCT eine Schotterstraße kreuzte, nicht unähnlich der, der ich am Vortag gefolgt war, als ich nicht mehr wusste, wo ich war. Am nächsten Tag schlug ich für meine Verhältnisse ein

Rekordtempo an, getrieben von dem Wunsch, bis zum Abend Castle Crags zu erreichen. Laut meinem Führer würde ich, wie gewöhnlich, nicht direkt in der Stadt ankommen. Der Trail führte in einen State Park mit Gemischtwarenladen und Poststelle, aber das genügte mir vollauf. Auf der Poststelle würden mich meine Stiefel und mein Versorgungspaket erwarten. Zu dem Gemischtwarenladen gehörte ein kleines Restaurant, in dem ich mir wenigstens ein paar kulinarische Träume erfüllen konnte, wenn ich die zwanzig Dollar aus meinem Paket geholt hatte. Und der State Park bot einen Gratiszeltplatz für PCT-Wanderer, auf dem ich auch warm duschen konnte.

Als ich mich gegen drei nach Castle Crags schleppte, war ich fast barfuß, denn meine Babyschuhe lösten sich in ihre Bestandteile auf. Schmutzverkrustete Klebebandstreifen hinter mir herschleifend, humpelte ich in die Poststelle und fragte nach meiner Post.

»Für mich müssten zwei Pakete da sein«, fügte ich hinzu, da ich es kaum erwarten konnte, das Paket von REI in Händen zu halten. Während ich darauf wartete, dass die Angestellte aus dem Nebenraum zurückkehrte, schoss mir der Gedanke durch den Kopf, dass ich neben den Stiefeln und dem Versorgungspaket möglicherweise noch etwas anderes bekam: Briefe. Ich hatte nämlich alle Haltepunkte, die ich ausgelassen hatte, benachrichtigt, etwaige Post für mich hierher weiterzuleiten.

»Hier bitte«, sagte die Frau und ließ mein Versorgungspaket schwer auf die Theke plumpsen.

»Aber, da müsste noch … Ist nichts von REI für mich da? Eigentlich …«

»Eins nach dem anderen«, rief sie, als sie schon wieder im Nebenraum verschwand.

Als ich wenig später die Poststelle verließ, wäre ich vor Freude und Erleichterung beinahe in lauten Jubel ausgebrochen. Neben dem makellosen Karton mit meinen Stiefeln – *meinen Stiefeln!* – hielt ich neun Briefe in der Hand, adressiert an Haltepunkte an der

Strecke, die ich übersprungen hatte, und in Handschriften, die ich kannte. Ich setzte mich auf den Beton neben dem kleinen Gebäude und sah rasch die Briefe durch, noch zu überwältigt, um einen zu öffnen. Einer war von Paul. Einer von Joe. Ein anderer von Karen. Die übrigen von Freunden im ganzen Land. Ich legte sie beiseite und schlitzte mit meinem Messer den Karton von REI auf. Darin lagen, sorgsam in Papier eingeschlagen, meine braunen Lederstiefel.

Die gleichen Stiefel, die über die Bergkante geflogen waren, nur neu und eine Nummer größer.

»Cheryl!«, rief eine Frauenstimme, und ich schaute auf. Sarah, eine der Frauen von den beiden Pärchen, die ich bei den Burney Falls kennengelernt hatte, stand vor mir, ohne Rucksack. »Was machst du denn hier?«, fragte sie.

»Und was machst *du* hier?«, fragte ich zurück. Ich hatte angenommen, sie wäre hinter mir auf dem Trail.

»Wir haben uns verlaufen. Am Ende sind wir auf dem Highway gelandet und hierhergetrampt.«

»Ich auch!«, sagte ich überrascht und erleichtert. Ich war also nicht die Einzige, die das Kunststück fertiggebracht hatte, vom Trail abzukommen.

»Alle haben sich verlaufen. Komm«, sagte sie und deutete auf den Eingang des Restaurants am Ende des Gebäudes. »Wir sind alle da drin.«

»Ich komme gleich nach«, sagte ich. Als sie fort war, nahm ich meine neuen Stiefel aus dem Karton, pellte zum letzten Mal meine Klebebandschuhe ab und warf sie in einen Mülleimer neben mir. Dann öffnete ich das Versorgungspaket, nahm ein frisches Paar sauberer, noch nie getragener Socken heraus, streifte sie mir über die schmutzigen Füße und schnürte die Stiefel. Sie waren tadellos sauber. Ich ging auf dem Parkplatz damit auf und ab. In ihrer Vollkommenheit kamen sie mir fast wie ein Kunstwerk vor. Das herrlich jungfräuliche Profil, die glänzenden Kappen. Sie waren noch etwas steif, aber die Weite stimmte. Ich war überzeugt, dass ich mit ihnen zurechtkommen würde, allerdings stimmte mich der Umstand bedenklich, dass ich sie auf dem Trail würde einlaufen müssen. Aber daran war nichts zu ändern. Ich konnte nur das Beste hoffen.

»Cheryl!«, rief Rex, als ich das Restaurant betrat. Bei ihm saßen Stacy, Sam, Helen, John und, natürlich, Sarah. Mit den sechsen war das kleine Restaurant praktisch voll.

»Willkommen im Paradies«, sagte John und schwenkte eine Flasche Bier.

Wir aßen Cheeseburger und Fritten, und anschließend gingen wir bestens gelaunt durch den Mini-Markt, luden uns die Arme mit Chips, Keksen, Bier und Anderthalb-Liter-Flaschen billigem Rotwein voll und warfen beim Bezahlen unser Geld zusammen. Dann marschierten wir fröhlich den Hügel hinauf zum State-Park-Campingplatz und stellten im gebührenfreien Bereich in einem kleinen Kreis unsere Zelte auf. Den Abend verbrachten wir am Picknicktisch, lachten und erzählten Geschichten, bis die Dämmerung hereinbrach. Irgendwann tauchten zwei Schwarzbären – die wirklich schwarz aussahen – unter den Bäumen auf, die unseren Lagerplatz umgaben. Sie zeigten nur wenig Scheu vor uns, als wir sie anbrüllten, sie sollten verschwinden.

Im Verlauf des Abends füllte ich mir den kleinen Pappbecher, den ich aus dem Laden mitgenommen hatte, immer wieder mit Wein und süffelte vor mich hin, als wäre er Wasser, bis er für mich tatsächlich wie Wasser schmeckte. Ich fühlte mich überhaupt nicht so, als wäre ich an diesem Tag bei Temperaturen zwischen dreißig und vierzig Grad mit einem Rucksack auf dem Rücken und Klebebandwickeln an den Füßen siebenundzwanzig Kilometer gewandert. Eher so, als wäre ich geschwebt. Als wäre der Picknicktisch der schönste Platz auf der Welt und als könnte es keinen schöneren geben. Ich merkte nicht, dass ich betrunken war, bis wir beschlossen, schlafen zu gehen, und ich aufstand und dabei feststellte, dass ich das Stehen verlernt hatte. Im nächsten Augenblick war ich auf allen vieren und erbrach mich mitten auf unseren Lagerplatz. Ich hatte in meinem Leben schon viel Mist gebaut, aber ich hatte noch nie so viel Alkohol getrunken, dass mir davon schlecht geworden war. Als ich fertig war, stellte Stacy eine Wasserflasche neben mich und raunte mir zu, dass ich trinken müsse. Das reale Ich in dem Alkoholnebel, der ich geworden war, begriff, dass sie recht hatte. Ich war nämlich nicht nur betrunken, sondern auch schwer dehydriert. Seit dem Nachmittag auf dem heißen Trail hatte ich keinen einzigen Schluck Wasser mehr zu mir genommen. Ich zwang mich, mich aufzusetzen und zu trinken.

Nach dem ersten Schluck musste ich mich sofort wieder übergeben.

Am Morgen stand ich vor den anderen auf und beseitigte das Erbrochene so gut es ging mit einem Tannenzweig. Dann ging ich zu den Waschräumen, zog die schmutzigen Kleider aus und stellte mich in einer Betonkabine unter die heiße Dusche. Ich fühlte mich wie durch die Mangel gedreht. Aber für das Auskurieren eines Katers hatte ich keine Zeit. Bis spätestens Mittag wollte ich wieder auf dem Trail sein. Ich zog mich an, kehrte ins Lager zurück, setzte mich an den Tisch, trank so viel Wasser, wie ich vertrug, und las, solange die anderen noch schliefen, nacheinander alle neun Briefe. Paul schrieb gelassen und liebevoll über unsere Scheidung. Joe war schwärmerisch und fahrig, ließ aber unerwähnt, ob er einen Entzug machte. Karen berichtete kurz und knapp Alltägliches aus ihrem Leben. Die Briefe der anderen flossen über von lieben Grüßen und Klatsch, Neuigkeiten und lustigen Geschichten. Als ich alle gelesen hatte, tauchten die anderen aus ihren Zelten auf und begannen humpelnd ihren Tag, so wie ich jeden Morgen, bis meine Gelenke aufgewärmt waren. Ich war froh, dass jeder von ihnen wenigstens halb so verkatert aussah wie ich. Wir grinsten einander amüsiert an, obwohl wir uns elend fühlten. Helen, Sam und Sarah gingen duschen, Rex und Stacy wollten dem Laden einen weiteren Besuch abstatten.

»Die haben Zimtschnecken«, sagte Rex, um mich zum Mitkommen zu bewegen, aber ich winkte ab, und nicht nur, weil sich mir beim Gedanken an Essen der Magen umdrehte. Die Burger, der Wein und die Snacks vom gestrigen Nachmittag hatten wieder mal ein tiefes Loch in meine Kasse gerissen. Ich besaß nur noch knapp fünf Dollar.

Während die anderen loszogen, sortierte ich den Inhalt meines Versorgungspakets und legte alle Lebensmittel, die ich im Rucksack verstauen wollte, auf einen Haufen. Auf der nächsten Etappe bis Seiad Valley, mit 251 Kilometern eine der längsten auf dem PCT, würde ich viel Proviant mitschleppen müssen.

»Könnt ihr was zu essen gebrauchen, du und Sarah?«, fragte ich John, der bei mir am Tisch saß, als wir vorübergehend allein im Lager waren. »Das hätte ich übrig.« Ich hielt ihm ein Fertiggericht namens Fiesta Noodles hin. In den ersten Tagen auf dem Trail hatte es mir noch ganz gut geschmeckt, aber mittlerweile konnte ich es nicht mehr sehen.

»Nein, danke«, antwortete er.

Ich zog *Dubliner* von James Joyce aus dem Paket und hielt mir das Buch mit seinem eingerissenen, grünen Umschlag an die Nase. Es roch schön schimmlig nach dem Antiquariat in Minneapolis, in dem ich es Monate zuvor gekauft hatte. Ich schlug es auf und stellte fest, dass es Jahrzehnte vor meiner Geburt gedruckt worden war.

»Was ist das?«, fragte John und griff nach einer Postkarte, die ich tags zuvor im Laden gekauft hatte. Das Foto zeigte die Kettensägenskulptur eines Bigfoot, und quer darüber stand *Bigfoot Country.* »Glaubst du, die gibt es wirklich?«, fragte er und legte die Karte wieder hin.

»Nein. Aber die Leute, die es tun, behaupten, dass hier die Bigfoot-Hochburg der Welt ist.«

»Die Leute behaupten viel«, erwiderte er.

»Na ja, wenn es irgendwo welche gibt, dann wohl hier«, sagte ich, und wir sahen uns um. Hinter den Bäumen erhoben sich die alten grauen Felsen der Castle Crags, deren zinnenartige Gipfel uns wie eine Kathedrale überragten. Wir würden bald auf dem Trail an ihnen vorbeikommen, wenn wir kilometerweit auf einem Felsband aus Graniten und ultramafischen Gesteinen wanderten, von denen es in meinem Führer hieß, sie seien »magmatischen Ursprungs und intrusiver Natur«, was auch immer das bedeuten mochte. Ich hatte mich nie sonderlich für Geologie interessiert, aber ich brauchte die Bedeutung von *ultramafisch* nicht zu kennen, um zu merken, dass ich in eine andere Landschaft vordrang. Den Übergang in die Cascade Range hatte ich ähnlich erlebt wie den Übergang in die Sierra Nevada: Beide Male war ich tagelang marschiert, ehe ich wirklich das Gefühl hatte, dort zu sein.

»Nur noch ein Stopp«, sagte John, als könnte er meine Gedanken lesen. »Nur noch Seiad Valley, und dann geht es nach Oregon. Bis zur Grenze sind es nur noch ungefähr dreihundert Kilometer.«

Ich nickte und lächelte. Ich fand, dass die Wörter »nur« und »dreihundert Kilometer« nicht in ein und denselben Satz gehörten. Ich hatte mir nicht gestattet, allzu weit über den nächsten Stopp hinauszudenken.

»Oregon!«, rief er, und die Freude in seiner Stimme hätte mich fast zum Mitlachen verleitet, als wären diese dreihundert Kilometer ein Klacks, aber ich wusste es besser. Auf dem Trail war bisher noch jede Woche für mich zur Bewährungsprobe geworden.

»Oregon«, wiederholte ich und machte dann ein ernstes Gesicht. »Aber zuerst Kalifornien.«

14
Ungebändigt

Manchmal kam mir der Pacific Crest Trail wie ein lang gezogener Berg vor, den ich hinaufstieg. Als läge der Columbia River, das Ziel meiner Reise, am höchsten Punkt des Wanderwegs und nicht an seinem tiefsten. Und das ist nicht nur bildlich zu verstehen. Ich hatte tatsächlich das Gefühl, es gehe ständig nur bergauf. Manchmal brannten meine Muskeln und meine Lungen so vor Anstrengung, dass ich fast geweint hätte. Und erst wenn ich dachte, ich könnte keinen Schritt weiter, flachte der Trail ab und führte bergab.

Wie herrlich waren diese ersten Minuten, wenn es bergab ging! Immer weiter bergab und bergab, bis auch das so unerträglich anstrengend wurde, dass ich darum betete, es möge wieder bergauf gehen. Bergab gehen, so begriff ich, war, wie wenn man stundenlang am losen Faden eines Pullovers zieht, bis der ganze Pullover aufgedröselt ist. Das Wandern auf dem PCT war der zum Wahnsinn treibende Versuch, diesen Pullover immer wieder aufs Neue zu stricken und aufzudröseln. Als gehe alles Erreichte unweigerlich wieder verloren.

Als ich Castle Crags um zwei – eine Stunde nach Stacy und Rex und mehreren vor den Paaren – verließ, trug ich Stiefel, die zum Glück eine ganze Nummer größer waren als die letzten. »*Ich* bin der Bigfoot!«, hatte ich gewitzelt, als ich mich von den beiden Paaren verabschiedete. Ich freute mich, wieder auf dem Trail zu sein, und schwitzte in der sengenden Hitze die letzten Reste meines Katers aus. Den ganzen Nachmittag und auch den ganzen folgenden Tag ging es ununterbrochen bergauf, und es dauerte nicht lange, bis meine Begeisterung über die neuen Stiefel verflogen war und der ernüchternden Erkenntnis wich, dass, was meine Füße anging, alles beim Alten blieb. Auch die neuen Stiefel setzten ihnen zu. Ich wanderte durch eine herrliche Landschaft, was ich mittlerweile als selbstverständlich betrachtete, und mein Körper hatte sich endlich auf die langen Strecken eingestellt, doch meine Fußbeschwerden stürzten mich in tiefste Verzweiflung. Ich dachte daran, wie ich mir unter dem Sternenhimmel von Belden Town etwas gewünscht hatte. Anscheinend hatte es mir tatsächlich Unglück gebracht, dass ich den Wunsch vor Brent laut ausgesprochen hatte. Vielleicht würden meine Füße nie gesund werden.

An diesem zweiten Tag nach Castle Crags war ich so in der Spirale meiner negativen Gedanken gefangen, dass ich zweimal beinahe auf eine Klapperschlange getreten wäre, die im Abstand von nur wenigen Kilometern zusammengerollt auf dem Pfad lagen. Beide hatten mich durch ihr Rasseln in die Realität zurückgeholt und in letzter Sekunde gewarnt. Danach versuchte ich, alles positiver zu sehen. Ich marschierte weiter und stellte mir das Unvorstellbare vor, wie etwa, dass meine Füße eigentlich gar kein Teil von mir waren oder dass das, was ich spürte, in Wirklichkeit keine Schmerzen waren, sondern einfach nur eine *Empfindung*.

Schwitzend, wütend und meiner selbst überdrüssig legte ich gegen Mittag im Schatten eines Baumes eine Rast ein, breitete meine Plane aus und legte mich darauf. Ich hatte in der Nacht zuvor mit Rex und Stacy kampiert und mich für den Abend wieder mit ihnen verabredet – die Paare waren noch irgendwo hinter uns –, aber heute war ich den ganzen Tag allein gewandert, ohne einer Menschenseele zu begegnen. Ich beobachtete Raubvögel, die hoch über den Felsspitzen kreisten, flaumige weiße Wolken, die vereinzelt über den Himmel zogen, bis ich einschlief, ohne es zu wollen. Eine halbe Stunde später schreckte ich aus einem Traum hoch, aus demselben Traum, den ich schon in der Nacht gehabt hatte. Darin hatte mich ein Bigfoot entführt. Er war dabei recht manierlich zu Werke gegangen, indem er mich an der Hand in den Wald zog, in dem ein ganzes Dorf anderer Bigfoots lebte. Im Traum versetzte mich ihr Anblick in Erstaunen, aber auch in Angst. »Wie habt ihr euch vor den Menschen so lange verstecken können?«, fragte ich meinen Entführer, aber er grunzte nur. Ich sah ihn an, und da bemerkte ich, dass er gar kein Bigfoot war, sondern ein Mann, der eine Maske und ein Pelzkostüm trug. Sein blasses menschliches Fleisch schaute unter dem Rand der Maske hervor, und das erschreckte mich.

Ich hatte den Traum beiseitegeschoben, als ich am Morgen erwachte, und auf die Postkarte zurückgeführt, die ich in Castle Crags gekauft hatte. Nun aber, da ich ihn zum zweiten Mal geträumt hatte, bekam er irgendwie mehr Gewicht, als wäre er nicht nur ein Traum, sondern ein Omen – wofür, wusste ich nicht. Ich stand auf, schulterte das Monster und ließ den Blick suchend über die zinnenartigen Kämme und die grauen und rostfarbenen hohen Felswände der Crags schweifen, die mich, nur unterbrochen von grünen Baumgruppen, umgaben. Ein leichtes Unbehagen beschlich mich. Als ich am Abend zu Stacy und Rex aufschloss, war ich mehr als nur ein wenig erleichtert. Ich war stundenlang furchtbar schreckhaft gewesen und beim kleinsten Knacken im Gestrüpp zusammengezuckt, und wenn mal längere Zeit völlige Stille geherrscht hatte, wäre ich fast durchgedreht.

»Wie geht es deinen Füßen?«, fragte Stacy, als ich mein Zelt neben ihrem aufbaute. Als Antwort setzte ich mich auf den Boden, zog die Stiefel aus und zeigte sie ihr.

»Mist!«, zischte sie. »Das sieht schmerzhaft aus.«

»Wisst ihr, was ich gestern in dem Laden gehört habe?«, fragte Rex. Er war von den Anstrengungen des Tages noch ganz rot im Gesicht und rührte in einem Topf, der auf seinem Kocher stand.

»Anscheinend ist heute am Toad Lake eine Veranstaltung namens Rainbow Gathering.«

»Am Toad Lake?«, fragte ich und musste plötzlich an die Frau denken, die ich auf der Toilette des Busbahnhofs in Reno getroffen hatte. Sie war auf dem Weg dorthin gewesen.

»Ja«, sagte Rex. »Das ist nur knapp einen Kilometer vom Trail entfernt, etwa vierzehn Kilometer voraus. Ich finde, da sollten wir hingehen.«

Ich klatschte vor Freude in die Hände.

»Was ist denn das Rainbow Gathering?«, fragte Stacy.

Ich erklärte es ihnen beim Essen. Das Rainbow Gathering wird von der Rainbow Family of Living Light organisiert, einem losen Verbund von Alternativen, Ökos, Aktivisten und Aussteigern, die für gemeinsame Werte wie Frieden und Liebe eintreten. Jeden Sommer errichtet die Regenbogenfamilie irgendwo draußen in der Natur ein Lager, das den ganzen Sommer über bestehen bleibt, aber in der Woche um den vierten Juli Tausende anzieht, wenn die Festivitäten ihren Höhepunkt erreichen.

»Dann gibt es Trommel-Jamsessions, große Lagerfeuer und Feste«, erklärte ich Rex und Stacy. »Aber das Beste von allem sind die tollen Küchen, in denen Leute unter freiem Himmel Brote backen und Eintöpfe, Gemüse- und Reisgerichte kochen. Alles Mögliche, und jeder kann einfach hingehen und mitessen.«

»Jeder?«, fragte Rex mit gequälter Stimme.

»Ja«, antwortete ich. »Du musst nur einen eigenen Teller und Löffel mitbringen.«

Während wir uns unterhielten, beschloss ich, ein paar Tage beim Rainbow Gathering zu bleiben und auf meinen Zeitplan zu pfeifen. Ich musste meine Füße ausheilen, wieder einen klaren Kopf bekommen und dieses in mir wachsende gruselige Gefühl loswerden, ich könnte von einem mythischen Affenmenschen entführt werden.

Und vielleicht, nur vielleicht, könnte ich mich auch von einem scharfen Hippie flachlegen lassen.

Später, in meinem Zelt, stöberte ich in meinem Rucksack und fand das Kondom, das ich die ganze Zeit mitgeschleppt und als einziges gerettet hatte, als Albert in Kennedy Meadows meinen Rucksack entrümpelte. Es steckte immer noch in seiner kleinen, weißen Verpackung. Ich fand, es war höchste Zeit, das zu ändern. In den sechs Wochen, die ich auf dem Trail war, hatte ich noch nicht einmal masturbiert, da ich abends zu kaputt war, um etwas anderes zu tun, als zu lesen, und zu abgestoßen von meinem eigenen Schweißgestank, um an etwas anderes als ans Schlafen zu denken.

Am nächsten Tag wanderte ich zügiger denn je, zuckte aber bei jedem Schritt vor Schmerz zusammen. Der Pfad verlief achterbahnmäßig in einer Höhe zwischen 1980 und 2200 Meter und bot herrliche Ausblicke auf unberührte Bergseen unterhalb des Trails und endlose Berge in der näheren und weiteren Umgebung. Es war Mittag, als wir den schmalen Pfad hinabstiegen, der vom PCT zum Toad Lake führte.

»Nach besonders viel sieht mir das aber nicht aus«, bemerkte Rex, als wir auf den hundert Meter unter uns liegenden See blickten.

»Er sieht aus wie jeder andere«, sagte ich. Da war nur der See, umgeben von zotteligen Kiefern, mit dem Mount Shasta im Osten – seit der Hat Creek Rim hatte ich den schneebedeckten Viertausender immer im Norden gesehen, und jetzt wanderte ich endlich an ihm vorbei.

»Vielleicht ist die Versammlung nicht direkt am Wasser«, sagte Stacy, doch als wir das Ufer des Sees erreichten, war klar, dass dort kein fröhliches Lagerleben herrschte, kein Gewimmel von jammenden, tanzenden und deftige Eintöpfe kochenden Leuten. Keine Spur von dunklen Broten und sexy Hippies.

Das Rainbow Gathering war ein Reinfall.

Deprimiert machten wir am See Rast und aßen die fade Kost, die wir immer aßen. Anschließend ging Rex schwimmen, und Stacy und ich marschierten ohne Rucksäcke den steilen Pfad zu einer Jeep-

Piste hinunter, die im Wanderführer erwähnt war. Obwohl alles dagegensprach, hatten wir die Hoffnung, das Rainbow Gathering zu finden, noch nicht ganz aufgegeben, doch als wir zehn Minuten später auf der unbefestigten, holprigen Straße standen, war da nichts. Kein Mensch. Nur Bäume, Erde, Felsen und Gras, so wie immer.

»Wir sind wohl einer Fehlinformation aufgesessen«, sagte Stacy mit einem Blick in die Runde und dem gleichen Frust in der Stimme, den ich in mir aufsteigen fühlte.

Meine Enttäuschung war riesig und kindisch, und ich stand kurz vor einem Wutanfall, wie ich ihn als Dreijährige zuletzt gehabt hatte. Ich ging zu einem großen flachen Felsblock neben der Straße, legte mich darauf und schloss die Augen, damit ich diese bescheuerte Welt nicht mehr zu sehen brauchte, denn ich wollte nicht ausgerechnet hier zum ersten Mal auf dem Trail in Tränen ausbrechen. Der Felsen war warm und glatt und breit wie ein Tisch. Es tat unglaublich gut, darauf zu liegen.

»Warte mal«, sagte Stacy nach einer Weile. »Ich glaube, ich habe was gehört.«

Ich öffnete die Augen und lauschte. »Wahrscheinlich nur der Wind«, sagte ich, da ich nichts hörte.

»Wahrscheinlich.« Sie sah mich an, und wir tauschten ein mattes Lächeln. Sie trug einen Sonnenhut, der unter dem Kinn festgebunden war, Shorts und Gamaschen, die ihr bis zu den Knien reichten, eine Aufmachung, in der sie mir immer wie eine Pfadfinderin vorkam. Als ich sie kennenlernte, war ich etwas enttäuscht von ihr gewesen, weil sie nicht mehr von meinen Freundinnen und mir an sich hatte. Sie war ruhiger, nicht so emotional, nicht so feministisch, weniger an Kunst und Politik interessiert, normaler eben. Wären wir uns woanders als auf dem Trail begegnet, weiß ich nicht, ob wir uns angefreundet hätten, aber mittlerweile hatte ich sie aufrichtig ins Herz geschlossen.

»Ich höre es schon wieder«, sagte sie und spähte die Straße entlang.

Ich stand auf, als ein kleiner, verbeulter Pick-up voller Leute um die Ecke bog. Mit Oregoner Nummernschild. Er fuhr direkt auf uns zu und kam ein paar Meter vor uns quietschend zum Stehen. Noch bevor der Fahrer den Motor abgestellt hatte, begannen die sieben Insassen und zwei Hunde, aus dem Wagen zu springen. Ein bunt gemischter Haufen von schmuddeligen Leuten in typischen Hippie-Klamotten, die so aussahen, als könnten sie zur Regenbogenfamilie gehören. Selbst die Hunde waren dezent mit Bandanas und Perlen aufgepeppt. Ich strich über ihre pelzigen Rücken, als sie an mir vorbei auf die Wiese flitzten.

»Hey«, begrüßten Stacy und ich wie aus einem Mund die vier Männer und drei Frauen, obwohl sie uns nur beleidigt anglotzten und blinzelten, als wären sie gerade einer Höhle und nicht einem Pick-up entstiegen. Sie sahen aus, als hätten sie die Nacht durchgemacht oder kämen gerade von einem Trip herunter oder beides.

»Ist hier das Rainbow Gathering?«, fragte der Mann, der am Steuer gesessen hatte. Er war braungebrannt und schmächtig. Ein merkwürdig schäbiges weißes Stirnband bedeckte einen Großteil seines Kopfes und verhinderte, dass ihm die langen, welligen Haare ins Gesicht fielen.

»Die suchen wir auch, aber wir sind hier die Einzigen«, antwortete ich.

»Ach, du heilige Scheiße!«, stöhnte eine blasse Frau mit bauchfreier, knochiger Taille und diversen keltischen Tattoos. Sie sah aus wie eine Pennerin. »Dann sind wir also den ganzen Weg von Ashland hierher umsonst gefahren?« Sie schleppte sich zu dem Felsblock, den ich gerade geräumt hatte, und legte sich hin. »Ich sterbe vor Hunger.«

»Ich auch«, jammerte eine andere von den Frauen – eine kleine Schwarzhaarige, die einen Flechtgürtel mit silbernen Glöckchen daran trug. Sie ging zu der Pennerin und streichelte ihr den Kopf.

»Scheiß *Focalizer*!«, brüllte der Stirnbandträger und meinte damit die Organisatoren des Gatherings.

322

»Das kannst du laut sagen«, grummelte ein Typ mit grüner Irokesentolle und einem silbernen Nasenring, wie man sie gelegentlich bei Stieren sieht.

»Wisst ihr, was ich jetzt mache?«, fragte der Stirnbandträger. »Ich veranstalte meine eigene Fete oben am Crater Lake. Ich lass mir doch von diesen bescheuerten Focalizern nicht vorschreiben, wo ich hingehe. Ich kann hier in der Gegend einiges losmachen.«

»Wie weit ist es denn bis zum Crater Lake?«, fragte die letzte der Frauen mit australischem Akzent. Sie war groß, schön und blond, alles an ihr ein Blickfang – die Haare ein Haufen hochgebundener Dreadlocks, die Ohren mit, wie es aussah, echten Vogelknochen gepierct, und an jedem Finger steckte ein ausgefallener Ring.

»Nicht sehr weit, Schätzchen«, antwortete der Stirnbandträger.

»Nenn mich nicht ›Schätzchen‹«, gab sie zurück.

»Ist das in Australien eine Beleidigung?«, fragte er.

Sie seufzte und gab einen knurrenden Laut von sich.

»Alles klar, Baby, dann werde ich dich eben nicht mehr ›Schätzchen‹ nennen.« Er kicherte in den Himmel. »Aber ich werde dich ›Baby‹ nennen, wann es mir passt. Wie Jimi Hendrix schon gesagt hat: ›Ich nenne alle Baby.‹«

Stacy und ich tauschten einen Blick.

»Wir wollten auch zu dem Gathering«, sagte ich. »Angeblich soll es hier sein.«

»Wir wandern auf dem Pacific Crest Trail«, fügte Stacy hinzu.

»Ich brauche was zu essen!«, schrie die Pennerin auf dem Felsblock.

»Du kannst gern etwas von mir haben«, sagte ich zu ihr. »Aber das liegt da oben am See.«

Sie sah mich nur ausdruckslos aus glasigen Augen an. Ich fragte mich, wie alt sie wohl war. Ich schätzte sie auf mein Alter, aber sie hätte auch als zwölf durchgehen können.

»Habt ihr noch Platz in eurem Auto?«, fragte die Australierin in vertraulichem Ton. »Falls ihr zwei zufällig nach Ashland fahrt, würde ich mich gern anschließen.«

»Wir sind zu Fuß unterwegs«, sagte ich und erntete dafür einen entgeisterten Blick. »Wir haben Rucksäcke. Wir haben sie oben am See gelassen.«

»Und nach Ashland wollen wir tatsächlich«, sagte Stacy. »Aber dafür brauchen wir ungefähr zwölf Tage.« Wir beide lachten, aber sonst niemand.

Sie drängten zurück in den Pick-up und fuhren ein paar Minuten später weg. Stacy und ich stiegen wieder den Pfad zum Toad Lake hinauf, und als wir oben ankamen, saßen die beiden Paare bei Rex. Gemeinsam machten wir uns auf den Rückweg zum PCT. Allerdings bildete ich, bedingt durch den katastrophalen Zustand meiner Füße, bald die Nachhut und humpelte am Abend, als es schon fast dunkel war, als Letzte ins Lager.

»Wir hätten nicht gedacht, dass du es noch schaffst«, sagte Sarah. »Wir dachten, du hättest schon irgendwo dein Lager aufgeschlagen.«

»Aber jetzt bin ich hier«, erwiderte ich gekränkt, obwohl ich wusste, dass sie das nur gesagt hatte, um mich zu trösten. Bei unserem fröhlichen Umtrunk in Castle Crags hatte Sam im Scherz gesagt, man sollte mir den Trail-Namen Pechmarie geben, nachdem ich ihnen von meinen verschiedenen Missgeschicken erzählt hatte. Damals hatte ich gelacht – der Name erschien mir ziemlich treffend –, aber eine Pechmarie wollte ich nicht sein. Ich wollte verdammt noch mal eine taffe Amazonenkönigin sein.

Am Morgen stand ich vor den anderen auf, rührte leise in einem Topf mit kaltem Wasser mein Sojamilchpulver an und gab leicht ranzige Müslimischung und Rosinen dazu. Ich war wieder von einem Bigfoot-Traum aufgewacht. Er war fast mit den beiden ersten identisch. Beim Frühstücken ertappte ich mich dabei, wie ich aufmerksam den Geräuschen unter den noch dunklen Bäumen lauschte. Ich wanderte weiter, noch bevor die anderen aus ihren Zelten aufgetaucht waren, froh, einen Vorsprung zu haben. Obwohl erschöpft, langsam, fußkrank und vielleicht sogar vom Pech verfolgt, hielt ich mit den anderen mit – mit Leuten, die ich für richtige Wanderer hielt. Siebenundzwanzig bis dreißig Kilometer am Tag, und das täglich, waren ein Muss geworden.

Nach ungefähr einer Stunde hörte ich ein lautes Krachen in den Büschen und Bäumen neben mir. Ich erstarrte, unschlüssig, ob ich schreien oder mucksmäuschenstill sein sollte. Ich konnte nichts dagegen machen: So albern es auch war, der Mann mit der Bigfoot-Maske aus meinen Träumen schoss mir durch den Kopf.

»Ah!«, schrie ich, als wie aus dem Nichts plötzlich ein zottiges Tier auf dem Pfad stand, so dicht vor mir, dass ich es riechen konnte. Ein Bär, wie ich in der nächsten Sekunde begriff. Seine Augen streiften mich mit einem nichts sagenden Blick, bevor er schnaubend herumwirbelte und in Richtung Norden den Trail entlangtrabte.

Wieso mussten sie immer in die Richtung rennen, in die ich wollte?

Ich wartete ein paar Minuten und wanderte dann weiter, ängstlich und irgendwelche Liedfetzen singend. »*Oh, I could drink a case of youuuu, and I would still be on my feet*«, summte ich laut.

»*She was a fast machine, she kept her motor clean …!*«, brummte ich.

»*Time out for tiny little tea leaves in Tetley Tea!*«, zwitscherte ich.

Es funktionierte. Ich begegnete dem Bären nicht wieder. Auch keinem Bigfoot.

Stattdessen stieß ich auf etwas, was ich tatsächlich fürchten musste: eine breite vereiste Schneeplatte, die den Trail an einem Vierzig-Grad-Hang bedeckte. Trotz der Hitze war der Schnee an den Nordhängen noch nicht ganz geschmolzen. Ich konnte bis zur anderen Seite sehen. Ich hätte einen Stein hinüberwerfen können.

Aber mich selbst leider nicht. Ich musste gehen. Ich spähte den Hang hinunter, besah mir den Verlauf der Schneedecke, falls ich ausrutschen und in die Tiefe sausen sollte. Sie endete weit unten an einer Ansammlung schroffer Felsblöcke. Dahinter war nur Luft.

Ich bahnte mir einen Weg durch den Schnee, indem ich bei jedem Schritt mit den Stiefeln ein Loch stampfte und mich dabei mit dem Skistock abstützte. Obwohl ich in der Sierra Erfahrung mit Schnee gesammelt hatte, war ich nicht sicherer, sondern eher unsicherer geworden, da mein Bewusstsein jetzt dafür geschärft war, was schiefgehen konnte. Plötzlich rutschte ein Fuß unter mir weg, und ich fiel auf die Hände. Mit angewinkelten Knien wollte ich mich wieder aufrichten. Da schoss mir der Gedanke *Ich werde abstürzen* durch den Kopf, und ich erstarrte. Ich schielte nach unten zu den Felsen und stellte mir vor, wie ich in sie hineinrutschte. Ich blickte nach hinten zu der Stelle, wo ich herkam, und dann nach vorn zu der Stelle, wo ich hinwollte. Beide waren gleich weit entfernt. Beide waren zu weit entfernt, und so gab ich mir einen Ruck und setzte meinen Weg fort. Allerdings krabbelnd, auf allen vieren. Meine Beine zitterten unkontrolliert, und der Skistock, der an der rosa Nylonschlaufe von meinem Handgelenk baumelte, klapperte neben mir.

Als ich endlich auf der anderen Seite stand, kam ich mir albern und schwach vor. Ich zerfloss in Selbstmitleid und fühlte mich so schutzlos wie noch nie auf dem Trail. Ich war neidisch auf die beiden Paare, die einander hatten, und auf Rex und Stacy, die sich so problemlos zu einem Gespann zusammengetan hatten – und wenn Rex in Seiad Valley den Trail verließ, würde Stacy ihre Freundin Dee treffen und mit ihr zusammen durch Oregon wandern. Ich aber würde die ganze Zeit allein bleiben. Und wozu? Was brachte es, allein zu sein? *Ich habe keine Angst,* rief ich mir mein altes Mantra ins Gedächtnis, um mich zu beruhigen. Aber ich hatte dabei nicht dasselbe Gefühl wie sonst. Vielleicht weil es nicht mehr ganz der Wahrheit entsprach.

Weil ich inzwischen schon so weit war, dass ich den Mut hatte, Angst zu haben.

In meiner Mittagspause trödelte ich so lange herum, bis mich die anderen einholten. Sie erzählten mir, sie hätten einen Ranger getroffen, der sie vor einem Waldbrand im Westen und Norden bei Happy Valley gewarnt habe. Zwar sei der PCT noch nicht betroffen, doch habe er ihnen geraten, trotzdem auf der Hut zu sein. Ich ließ die anderen vorausgehen. Ich sagte ihnen, ich würde bei Einbruch der Dämmerung zu ihnen stoßen, und wanderte allein durch die Nachmittagshitze. Ein paar Stunden später kam ich auf eine idyllisch gelegene Wiese mit einer Quelle und machte Halt, um meine Trinkflaschen zu füllen. Der Platz war so schön, dass ich anschließend die Füße ins Wasser hielt und verweilte, bis ich ein immer lauter werdendes Bimmeln hörte. Ich hatte mich gerade mühsam aufgerappelt, als ein weißes Lama um die Ecke bog und mit gebleckten Zähnen direkt auf mich zugelaufen kam.

»Ah!«, schrie ich wie beim Anblick des Bären, griff aber trotzdem nach dem Führstrick, der an seinem Halfter baumelte – eine alte Gewohnheit, da ich von Kindesbeinen an mit Pferden zu tun gehabt hatte. Das Lama trug einen Packsattel, der mit silbernen Glöckchen behangen war, nicht unähnlich denen am Gürtel der Frau, die ich am Toad Lake getroffen hatte. »Brav«, sagte ich zu ihm, während ich barfuß dastand und mich verdutzt fragte, was ich jetzt tun sollte.

Auch das Lama wirkte verdutzt und machte ein gleichermaßen komisches wie ernstes Gesicht. Ich fragte mich, ob es mich beißen könnte. Es war schwer zu sagen. Ich war einem Lama noch nie so nahe gekommen. Und auch aus der Ferne hatte ich eigentlich noch nie eins gesehen. Ja, ich hatte so wenig Erfahrung mit Lamas, dass ich mir nicht einmal hundertprozentig sicher war, ob es überhaupt ein Lama war. Es roch nach Jute und schlechtem Atem. Ich zog es sanft zu meinen Sachen, stieg in meine Stiefel und streichelte ihm dann so ausgiebig den langen, struppigen Hals, dass widerspenstige Gedanken, wie ich hoffte, gar nicht erst bei ihm aufkamen. Nach ein paar Minuten erschien auf dem Pfad eine alte Frau mit zwei grauen Zöpfen.

»Sie haben es eingefangen! Vielen Dank«, rief sie mit einem breiten Lächeln und strahlenden Augen. Abgesehen von dem kleinen Rucksack auf ihrem Rücken wirkte sie wie einem Märchen entsprungen, koboldhaft, mollig und rotbackig. Hinter ihr lief ein kleiner Junge, dem wiederum ein großer brauner Hund folgte. »Ich habe es nur einen Moment losgelassen, und schon war es auf und davon«, sagte die Frau lachend und nahm mir den Strick des Lamas ab. »Ich dachte mir schon, dass Sie es einfangen würden. Ich bin Ihren Freunden begegnet, und die haben mir gesagt, dass Sie da langkommen. Ich heiße Vera, und das ist mein Freund Kyle.« Sie deutete auf den Jungen. »Er ist fünf.«

»Hallo, Kyle«, sagte ich und schaute zu ihm hinab. »Ich heiße Cheryl.« An einer dicken Schnur trug er über der Schulter eine mit Wasser gefüllte Ahornsirupflasche, die für mich ein ebenso seltsamer Anblick war – Glas auf dem Trail – wie er selbst. Es war eine Ewigkeit her, dass ich mit einem Kind zusammen gewesen war.

»Hallo«, antwortete er und schaute aus seinen meergrünen Augen zu mir auf.

»Und Shooting Star haben Sie ja schon kennengelernt«, sagte Vera und tätschelte dem Lama den Hals.

»Du hast Miriam vergessen«, sagte Kyle zu ihr und legte dem Hund seine kleine Hand auf den Kopf. »Das ist Miriam.«

»Hallo, Miriam«, sagte ich. »Macht dir das Wandern Spaß?«, fragte ich Kyle.

»Wir haben eine wunderbare Zeit«, antwortete er merkwürdig förmlich, lief zur Quelle und planschte mit den Händen im Wasser.

Während er Grashalme ins Wasser warf und zusah, wie sie davontrieben, plauderte ich mit Vera. Sie erzählte mir, dass sie in einer Kleinstadt im Herzen Oregons lebe und so oft wie möglich wandern gehe. Und dann raunte sie mir zu, dass Kyle und seine Mutter sich in einer schrecklichen Situation befunden und in Portland auf der Straße gelebt hätten. Vera hatte sie erst vor ein paar Monaten durch eine christliche Hilfsorganisation namens Basic Life Principles kennengelernt. Kyles Mutter hatte Vera gebeten, Kyle auf diese Wanderung mitzunehmen, solange sie versuchte, ihr Leben in Ordnung zu bringen.

»Du hast versprochen, dass du niemand von meinen Problemen erzählst«, schrie Kyle aufgebracht und kam zu uns herübergelaufen.

»Ich erzähle nicht von deinen Problemen«, sagte Vera freundlich, obwohl es nicht stimmte.

»Weil, ich habe große Probleme, und ich möchte fremden Leuten nicht davon erzählen«, sagte Kyle und richtete seinen Blick wieder auf mich.

»Viele Leute haben große Probleme«, sagte ich. »Ich habe auch große Probleme gehabt.«

»Was für Probleme?«, fragte er.

»Zum Beispiel Probleme mit meinem Dad«, antwortete ich unsicher und bereute es schon im nächsten Moment. Ich hatte zu wenig Erfahrung mit Kindern und wusste nicht genau, wie ehrlich man einem Fünfjährigen gegenüber sein sollte. »Eigentlich habe ich gar keinen Dad«, setzte ich etwas fröhlicher hinzu.

»Ich habe auch keinen Dad«, sagte Kyle. »Na ja, jeder hat einen Dad, aber ich kenne meinen nicht mehr. Früher, als ich noch ein Baby war, habe ich ihn gekannt, aber daran erinnere ich mich nicht.« Er öffnete seine Hände und schaute auf sie hinab. Sie waren voller kleiner Grashalme. Wir sahen zu, wie sie im Wind davonflogen. »Was ist mit deiner Mami?«, fragte er.

»Sie ist tot.«

Sein Blick sprang zu mir herauf. Der Schreck in seinem Gesicht wich einem heiteren Ausdruck. »Meine Mami singt gern«, sagte er. »Willst du ein Lied hören, das sie mir beigebracht hat?«

»Ja«, antwortete ich, und ohne eine Sekunde zu zögern, sang er mit einer glockenhellen Stimme, die mir durch und durch ging, sämtliche Strophen von »Red River Valley«.

»Danke«, sagte ich, tief gerührt, als er fertig war. »Das war vielleicht das Beste, was ich in meinem ganzen Leben gehört habe.«

»Meine Mutter hat mir viele Lieder beigebracht«, sagte er feierlich. »Sie ist Sängerin.«

Vera machte ein Foto von mir, und ich schnallte mir wieder das Monster um.

»Auf Wiedersehen, Kyle. Wiedersehen, Vera. Wiedersehen, Shooting Star«, sagte ich und marschierte den Pfad entlang.

»Cheryl!«, rief Kyle, als ich schon fast außer Sicht war.

Ich blieb stehen und drehte mich um.

»Der Hund heißt Miriam.«

»Adios, Miriam!«, rief ich.

Am späten Nachmittag gelangte ich an einen schattigen Platz, auf dem ein Picknicktisch stand – ein seltener Luxus auf dem Trail. Im Näherkommen sah ich, dass auf dem Tisch ein Pfirsich lag, unter dem ein Zettel klemmte.

> *Cheryl!*
> *Den haben wir Tageswanderern für dich abgeluchst.*
> *Lass ihn dir schmecken!*
> *Sam und Helen*

Natürlich war ich von dem Pfirsich begeistert – frisches Obst und Gemüse wetteiferten in meinen Essfantasien mit Snapple-Limonade –, aber darüber hinaus rührte es mich, dass Sam und Helen ihn mir dagelassen hatten. Sie litten bestimmt unter ähnlichen Heißhungerattacken wie ich. Ich setzte mich auf den Picknicktisch und biss genüsslich in den Pfirsich, dessen köstlicher Saft mich bis in die letzte Zelle zu beleben und meine Füße in eine pochende Masse aus Fruchtfleisch zu verwandeln schien. Die Freundlichkeit, der ich diesen Genuss verdankte, nahm der Hitze und den Strapazen des Tages die Spitze. Wie ich so dasaß und den Pfirsich aß, kam mir zu Bewusstsein, dass ich mich bei Sam und Helen gar nicht würde bedanken können. Ich war nun wieder zum Alleinsein bereit. Am Abend würde ich allein kampieren.

Als ich den Pfirsichkern wegwarf, bemerkte ich, dass ich von Hunderten Azaleen in Dutzenden Farbschattierungen von rosa bis hellorange umgeben war. Blütenblätter wehten im Wind davon. Ich empfand sie als Geschenk, genau wie den Pfirsich und Kyles Vortrag von »Red River Valley«. So schwierig und schwer erträglich der Trail auch sein mochte, so verging doch kaum ein Tag, der einen nicht in irgendeiner Form mit dem belohnte, was im PCT-Jargon der »Zauber des Trails« genannt wurde – mit unerwarteten, schönen Erlebnissen, die im krassen Gegensatz zu den körperlichen Qualen standen. Bevor ich aufstand, um das Monster aufzusetzen, hörte ich ein Rascheln und drehte mich um. Auf dem Pfad kam ein Reh in meine Richtung. Offensichtlich hatte es mich noch nicht bemerkt. Ich machte ein leises Geräusch, um es nicht zu erschrecken, aber statt Reißaus zu nehmen, blieb es nur stehen und sah mich an, schnupperte in meine Richtung und kam dann langsam näher. Nach jedem Schritt verharrte es, überlegte, ob es weitergehen sollte, und tat es dann jedes Mal, kam immer näher und näher, bis es nur noch drei Meter von mir entfernt war. Es betrachtete mich mit einem ruhigen und neugierigen Ausdruck im Gesicht und streckte mir die Nase so weit entgegen, wie es sich traute. Ich saß reglos da und beobachtete es, verspürte aber kein bisschen Angst wie noch vor Wochen, als ich im Schnee von dem Fuchs in Augenschein genommen worden war.

»Schon gut«, flüsterte ich dem Reh zu, bevor ich mir dessen bewusst wurde. »Du bist sicher auf dieser Welt.«

Danach war der Bann gebrochen. Das Reh verlor jedes Interesse an mir, sprang aber immer noch nicht davon. Es hob nur den Kopf und schritt davon, stelzte mit seinen zarten Hufen durch die Azaleen, knabberte im Vorübergehen an den Pflanzen.

Die nächsten paar Tage wanderte ich allein. Auf der langen, heißen und anstrengenden Etappe nach Seiad Valley ging es in stetem Wechsel bergauf und bergab, über den Etna Summit und weiter in die Marble Mountains, vorbei an Seen, wo ich mich zum Schutz gegen die lästigen Attacken von Stechmücken zum ersten Mal auf der Reise mit Insektenschutzmittel einreiben musste, und auf Pfaden von Tagesausflüglern, die mir von den Flächenbränden berichteten, die im Westen wüteten, aber den PCT noch nicht bedrohten.

Eines Abends lagerte ich auf einer kleinen Wiese, von der aus ich ein erstes Anzeichen dieser Brände sehen konnte: Ein weißer Rauchschleier verhüllte den westlichen Horizont. Ich saß eine Stunde lang in meinem Stuhl und blickte über das Land, als die Sonne im Rauch versank. Ich hatte auf dem PCT viele atemberaubende Sonnenuntergänge erlebt, aber dieser war so spektakulär wie schon lange keiner mehr. Das Licht zerfloss über den wogenden grünen Hügeln in tausend Schattierungen von Gelb, Rosa, Orange und Lila. Ich hätte in *Dubliner* lesen oder im Kokon meines Schlafsacks in Schlaf sinken können, aber an diesem Abend war der Himmel so faszinierend, dass ich mich nicht von ihm losreißen konnte. Während ich ihn betrachtete, kam mir zu Bewusstsein, dass ich die Hälfte der Wanderung hinter mir hatte. Ich war seit über fünfzig Tagen auf dem Trail. Wenn alles wie geplant lief, war ich in weiteren fünfzig Tagen mit dem PCT fertig. Was immer mit mir hier draußen geschehen sollte, würde geschehen sein.

»Oh remember the Red River Valley and the Cowboy who loved you so true ...«, sang ich, bis sich meine Stimme verlor, da ich nicht wusste, wie der Text weiterging. Im Geiste sah ich Kyles Gesicht und seine kleinen Hände, hörte wieder seine glockenreine Stimme. Ich fragte mich, ob ich jemals Mutter werden würde und was für eine »schreckliche Situation« das wohl war, in der sich Kyles Mutter befand, wo sein Vater wohl sein mochte und wo mei-

ner war. *Was tut er jetzt gerade?,* hatte ich mich im Lauf meines Lebens immer mal wieder gefragt, aber ich hatte es mir nie vorstellen können. Ich wusste nicht, wie mein Vater lebte. Er war da, aber er war unsichtbar, ein Schattenwesen im Wald. Ein Feuer, so weit weg, dass nur Rauch zu sehen war.

Das war mein Vater: der Mann, der mir kein Vater gewesen war. Das verwunderte mich jedes Mal. Immer wieder aufs Neue. Dass er mich nicht so lieben konnte, wie er es hätte tun sollen, war für mich von allen Verrücktheiten dieser Welt immer die verrückteste gewesen. Doch als ich an diesem Abend, meinem fünfzigsten auf dem Trail, in das sich verdunkelnde Land hinausblickte, kam mir der Gedanke, dass ich mich nicht mehr über ihn zu wundern brauchte.

Es gab so viele andere wunderliche Dinge auf der Welt.

Diese Erkenntnis durchströmte mich wie ein Fluss. Es war, als wüsste ich nicht, dass ich atmen konnte, und atmete dann doch. Ich lachte vor Freude darüber, und im nächsten Augenblick weinte ich meine ersten Tränen auf dem PCT. Ich weinte und weinte und weinte. Ich weinte nicht vor Glück. Ich weinte nicht, weil ich traurig war. Ich weinte nicht um meine Mutter, um meinen Vater oder um Paul. Ich weinte, weil ich überfloss. Weil ich überfloss von diesen fünfzig schweren Tagen auf dem Trail und den 9760 Tagen, die ihnen vorausgegangen waren.

Ich trat über eine Schwelle. Kalifornien wehte wie ein langer Schleier hinter mir. Ich fühlte mich nicht mehr wie eine lächerliche Versagerin. Und ich fühlte mich auch nicht wie eine taffe Amazonenkönigin. Ich spürte eine Wildheit, eine Demut und ein Gefühl der Geborgenheit in mir, als wäre auch ich nun sicher auf dieser Welt.

Teil Fünf

Eine Kiste voller Regen

Ich gehe langsam,
aber ich gehe nie zurück.

ABRAHAM LINCOLN

Sage mir, was hast du vor mit deinem einen,
wilden, kostbaren Leben?

MARY OLIVER
»The Summer Day«

15
Eine Kiste voller Regen

In meiner zweitletzten Nacht in Kalifornien erwachte ich vom Geräusch des Windes, der die Äste der Bäume peitschte, und vom Trommeln des Regens auf meinem Zelt. Den ganzen Sommer war es so trocken gewesen, dass ich irgendwann aufgehört hatte, das Außenzelt aufzubauen, sodass ich beim Schlafen nur ein Moskitonetz zwischen mir und dem Himmel hatte. Ich krabbelte barfuß in die Dunkelheit hinaus und spannte das Außenzelt. Ich fröstelte, obwohl es früher August war. Wochenlang hatte es weit über dreißig Grad, manchmal bis vierzig Grad gehabt, nun aber hatte das Wetter umgeschlagen und Wind und Regen gebracht. Wieder in meinem Zelt, schlüpfte ich in die Fleece-Leggins und den Anorak, kroch in den Schlafsack, zog den Reißverschluss bis zum Kinn und schlang mir die Kapuze fest um den Kopf. Als ich um sechs wieder aufwachte, zeigte das kleine Thermometer am Rucksack knapp drei Grad.

Ich wanderte im Regen auf einer Kammlinie entlang, fast meinen gesamten Kleidervorrat am Leib. Jedes Mal, wenn ich länger als ein paar Minuten stehen blieb, wurde mir so kalt, dass ich mit den Zähnen klapperte, bis ich weiterging und wieder zu schwitzen begann. An klaren Tagen, so behauptete mein Führer, sei im Norden schon Oregon zu sehen, aber ich sah nur dichten Nebel, der alles verschluckte, was weiter als zehn Schritte von mir entfernt war. Ich brauchte Oregon nicht zu sehen. Ich konnte es spüren, riesig vor mir. Ich würde es in seiner ganzen Länge durchwandern, falls ich bis zu der Brücke der Götter durchhielt. Wer würde ich sein, wenn es mir gelang? Wer würde ich sein, wenn es mir nicht gelang?

Mitten am Vormittag tauchte Stacy aus dem Nebel auf, südwärts marschierend. Wir waren am Vortag zusammen in Seiad Valley losgewandert, nachdem wir mit Rex und den Paaren zusammen genächtigt hatten. Am Morgen war Rex mit einem Bus in sein normales Leben zurückgekehrt, während wir anderen weitergewandert waren und uns nach ein paar Stunden getrennt hatten. Ich war mir ziemlich sicher, dass ich die Paare auf dem Trail nicht wiedersehen würde, aber mit Stacy hatte ich vereinbart, uns oben in Ashland zu treffen, wo sie ein paar Tage pausieren und auf ihre Freundin Dee warten wollte, um anschließend mit ihr zusammen durch Oregon zu wandern. Deshalb erschrak ich, als sie plötzlich wie ein Geist aus dem Nebel auftauchte.

»Ich gehe nach Seiad Valley zurück«, sagte sie und erklärte mir, dass sie friere und Blasen an den Füßen habe. Außerdem sei ihr Schlafsack in der Nacht nass geworden und sie habe keine Hoffnung, dass er bis zum Abend trockne. »Ich fahre mit dem Bus nach Ashland«, sagte sie. »Du findest mich in der Jugendherberge, wenn du dort bist.«

Ich umarmte sie, bevor sie weiterging, und Sekunden später war sie vom Nebel verschluckt.

Am nächsten Morgen erwachte ich früher als normal. Der Himmel zeigte sich im fahlsten Grau. Der Regen hatte aufgehört, und es war wieder wärmer. Ich war ganz aufgeregt, als ich das Monster schulterte und am Lagerplatz loswanderte. Vor mir lagen meine letzten Kilometer in Kalifornien.

Ich war nur noch einen guten Kilometer von der Grenze entfernt, als sich mein William-J.-Crockett-Armband an einem überhängenden Ast verfing und ins dichte Gestrüpp geschleudert wurde. Ich suchte fieberhaft zwischen Felsen, Sträuchern und Bäumen, wusste aber von Anfang an, dass es aussichtslos war. Ich würde das Armband nicht finden. Ich hatte nicht gesehen, wo es hingefallen war, sondern nur ein leises Klirren gehört. Es erschien mir wie der blanke Hohn, dass ich es ausgerechnet jetzt verlor. Das konnte nur ein schlechtes Omen sein. Ich versuchte, den Verlust in meinem Kopf umzudeuten und ein gutes Zeichen darin zu sehen – ein Symbol für Dinge, die ich nicht mehr brauchte, für die Befreiung von einer Last im übertragenen Sinn –, aber dann verflog dieser Gedanke, und ich dachte nur noch an William J. Crockett, den Mann aus Minnesota, der ungefähr in meinem Alter gewesen war, als er in Vietnam starb, und dessen sterbliche Überreste nie gefunden worden waren und dessen Verlust seine Familie gewiss bis heute betrauerte. Mein Armband war nichts anderes als ein Symbol für das Leben, das er zu früh verloren hatte. Das mitleidlose Universum hatte es einfach mit gierigem Rachen verschlungen.

Ich konnte nichts anderes tun, als weiterzuwandern.

Nur Minuten später erreichte ich die Grenze und blieb stehen, um den Augenblick auf mich wirken zu lassen: Kalifornien und Oregon, ein Ende und ein Anfang trafen hier zusammen. Für so einen bedeutsamen Ort sah er überhaupt nicht bedeutsam aus. Da hingen nur ein brauner Metallkasten, der das Trail-Register enthielt, und ein Schild, auf dem *WASHINGTON 498 MEILEN* stand. Oregon selbst wurde überhaupt nicht erwähnt.

Aber ich wusste, was sich hinter diesen 498 Meilen – 801 Kilometern – verbarg. Ich war zwei Monate lang durch Kalifornien gewandert, doch ich fühlte mich wie um Jahre gealtert seit jenem Tag, an dem ich mit meinem Rucksack allein auf dem Tehachapi Pass gestanden und davon geträumt hatte, diesen Punkt hier zu erreichen. Ich ging zu dem Metallkasten, zog das Trail-Register heraus, blätterte darin und las die Seiten der vorausgegangenen Wochen. Ich entdeckte Einträge von Leuten, deren Namen mir fremd waren, und von anderen, denen ich niemals begegnet war, die mir aber wie gute alte Bekannte vorkamen, da ich schon den ganzen Sommer hinter ihnen hertrottete. Die jüngsten Einträge stammten von den beiden Paaren, John und Sarah, Helen und Sam. Unter ihre Jubelbotschaften setzte ich meine eigene, so überwältigt vor Rührung, dass ich mich kurzfasste: »Ich habe es geschafft!«

Oregon. Oregon. *Oregon.*

Ich war da. Ich wanderte weiter, im Blick die Gipfel des majestätischen Mount Shasta im Süden und des niedrigeren, aber schrofferen Mount McLoughlin im Norden. Der Pfad führte auf einem Kamm entlang. Mehrmals stieß ich auf kleine vereiste Schneefelder, die ich mit Hilfe des Skistocks querte. Auf grünen Almen nicht weit unter mir grasten Kühe, deren große, eckige Glocken läuteten, wenn sie sich bewegten. »Hallo, Oregon-Kühe«, rief ich ihnen zu.

In der Nacht kampierte ich unter einem fast vollen Mond. Der Himmel war klar und kalt. Ich schlug J. M. Coetzees Roman *Warten auf die Barbaren* auf, las aber nur ein paar Seiten, da ich mich nicht konzentrieren konnte. Ich war mit den Gedanken in Ashland. Ich war der Stadt jetzt so nahe, dass ich es wagen durfte, an sie zu denken. In Ashland gab es Restaurants, Musik und Wein und Menschen, die nichts vom PCT wussten. Und am wichtigsten: Dort erwartete mich Geld, und nicht nur die üblichen zwanzig Dollar. Ich hatte Reiseschecks im Wert von 250 Dollar in das dorthin adressierte Versorgungspaket gepackt, da ich ursprünglich geplant hatte, meine Reise dort zu beenden. Dafür enthielt es weder Lebensmittel noch Wanderutensilien. Nur die Reiseschecks und normale Kleidung – meine verwaschene Lieblings-Levi's, ein enges schwarzes T-Shirt, einen nagelneuen schwarzen Spitzen-BH und dazu passende Slips. Monate zuvor hatte ich mir vorgestellt, in diesen Sachen das Ende meiner Reise zu feiern und nach Portland zu trampen. Als ich meine Route änderte, hatte ich Lisa gebeten, dieses kleine Paket in ein anderes, normales Versorgungspaket zu packen und dieses nach Ashland zu schicken statt zu einem der Haltepunkte, die ich in der Sierra Nevada hatte anlaufen wollen. Ich konnte es nicht erwarten, es – das Paket im Paket – in Empfang zu nehmen und das Wochenende in normaler Kleidung zu verbringen.

Am nächsten Tag kam ich gegen Mittag in Ashland an, nachdem ich mit Freiwilligen des AmeriCorps vom Trail in die Stadt getrampt war.

»Weißt du schon das Allerneueste?«, fragte mich einer von ihnen, nachdem ich in den Van gestiegen war.

Ich schüttelte den Kopf, ohne zu erklären, dass ich seit Monaten von der Welt nichts mitbekam, weder das Neueste noch das Allerneueste.

»Kennst du Grateful Dead?«, fragte er, und ich nickte. »Jerry Garcia ist tot.«

Ich stand auf einem Gehweg in der Stadtmitte und beugte mich vor, um mir ein Porträt Garcias in psychedelischen Farben auf der Titelseite der Lokalzeitung anzusehen. Da ich zu abgebrannt war, um mir das Blatt zu kaufen, las ich den Artikel so gut es ging durch die Plastikscheibe des Zeitungskastens. Es gab einige Stücke von Grateful Dead, die mir gefielen, aber ich hatte nie Kassetten ihrer Live-Auftritte gesammelt, noch war ich der Band durchs ganze Land nachgereist wie einige Freunde von mir, die ihrer Fangemeinde angehörten. Kurt Cobains Tod im Jahr zuvor war mir nähergegangen – sein trauriges und gewaltsames Ende war ein abschreckendes Beispiel dafür gewesen, wohin nicht nur die Exzesse meiner Generation, sondern auch meine eigenen führen konnten. Und trotzdem erschien mir Garcias Tod bedeutsamer, als markiere er nicht nur das Ende eines Augenblicks, sondern einer Ära, die mein ganzes Leben lang gedauert hatte.

Ich ging mit dem Monster auf dem Rücken zum mehrere Blocks entfernten Postamt. Unterwegs kam ich an Schaufenstern vorbei, in denen selbst gemachte Schilder hingen, auf denen WIR LIEBEN DICH, JERRY. RUHE IN FRIEDEN stand. Auf den Straßen wimmelte es von gut gekleideten Touristen, die zum Wochenende in die Stadt strömten, und alternativen Jugendlichen aus der südlichen Pacific-Northwest-Region, die in Gruppen auf den Gehwegen standen und aufgrund der Todesnachricht lebhafter wirkten als sonst. »Hey«, grüßten mich mehrere, als ich an ihnen vorbeikam, und manche setzten noch »Schwester« hinzu. Sie entstammten allen Altersgruppen und trugen Klamotten, nach denen sie irgendwo zwischen Hippie, Anarchist, Punk und flippiger Künstler einzuordnen waren. Ich sah einfach wie eine von ihnen aus – zottelig, braungebrannt und tätowiert –, und ich roch auch wie sie, nur zweifellos noch schlimmer, denn ich hatte seit meiner Dusche auf dem Campingplatz in Castle Crags nicht mehr richtig gebadet, und das war Wochen her. Dennoch fühlte ich mich ihnen nicht zugehörig, niemandem zugehörig, als hätte es mich von einem anderen Planeten und aus einer anderen Zeit hierher verschlagen.

»Hey!«, rief ich überrascht, als ich an einem der mundfaulen Typen vorbeikam, die mit ihrem Pick-up am Toad Lake aufgekreuzt waren, als Stacy und ich dort das Rainbow Gathering suchten. Aber er nickte nur und verzog keine Miene. Anscheinend erinnerte er sich nicht an mich.

Ich erreichte das Postamt und stieß, grinsend vor Vorfreude, die Tür auf, doch als ich der Frau am Schalter meinen Namen nannte, kehrte sie nur mit einem an mich adressierten wattierten Umschlag zurück. Kein Paket. Kein Paket im Paket. Keine Levi's, kein Spitzen-BH und keine 250 Dollar in Reiseschecks, und auch kein Proviant, den ich für die Wanderung bis zu meinem nächsten Stopp im Crater Lake National Park brauchte.

»Aber es müsste ein Paket für mich da sein«, sagte ich, den kleinen wattierten Umschlag in der Hand.

»Dann müssen Sie morgen noch mal nachfragen«, erwiderte die Frau ungerührt.

»Sind Sie sicher?«, stammelte ich. »Ich meine ... Es müsste wirklich eins da sein.«

Die Frau schüttelte nur teilnahmslos den Kopf. Ich war ihr völlig schnuppe. Ich war schmutzig und roch nach einem jugendlichen

Aussteiger. »Der Nächste«, sagte sie und winkte dem Mann am Kopf der Schlange.

Ich taumelte ins Freie, halb blind vor Wut und Panik. Ich war in Ashland, Oregon, und besaß nur 2,29 Dollar. Ich brauchte Geld für die Jugendherberge. Ich brauchte Proviant, bevor ich weiterwandern konnte. Aber mehr als alles andere – nachdem ich sechzig Tage mit Rucksack marschiert war, mich von Trockenkost ernährt hatte, die nach aufgewärmter Pappe schmeckte, und manchmal wochenlang bei den unterschiedlichsten Temperaturen Berge rauf und runter gekraxelt war, ohne einen Menschen zu treffen – brauchte ich etwas Entspannung. Nur ein paar Tage. *Bitte.*

Ich suchte mir eine Telefonzelle, setzte das Monster ab, ging hinein und schloss die Tür hinter mir. Es war ein unglaublich gutes Gefühl, irgendwo drin zu sein, und am liebsten hätte ich diesen kleinen gläsernen Raum nie wieder verlassen. Ich betrachtete den wattierten Umschlag. Er war von meiner Freundin Laura aus Minneapolis. Ich riss ihn auf und zog den Inhalt heraus: einen Brief, der um eine Halskette gefaltet war, die sie mir aus Anlass meiner Namensänderung gefertigt hatte. Eine Gliederkette mit dem Schriftzug STRAYED. Auf den ersten Blick lasen sich die klotzigen silbernen Buchstaben wie STARVED – »ausgehungert« –, weil das Y etwas anders war als die anderen Buchstaben, dicker und gedrungener, und weil mein Verstand die Buchstaben zu einem vertrauten Wort zusammenfügte. Ich legte die Kette um und betrachtete mein verzerrtes Spiegelbild in der glänzenden Metallfront des Telefonapparats. Sie hing unter der, die ich seit Kennedy Meadows trug, der mit dem Türkis-Ohrstecker, der einmal meiner Mutter gehört hatte.

Ich nahm den Hörer ab und meldete ein R-Gespräch mit Lisa an, um mich nach meinem Paket zu erkundigen, aber sie ging nicht ran.

Ich streifte deprimiert durch die Straßen und versuchte, nicht ans Mittagessen zu denken, aber meine Blicke wanderten immer wieder sehnsüchtig zu den Muffins und anderen Leckereien, die mich aus den Schaufenstern anlachten, oder zu den Lattes in Pappbechern, die Touristen in ihren makellos sauberen Händen hielten. Ich ging zur Jugendherberge, um nachzusehen, ob Stacy da war. Sie war am Vorabend eingetroffen, im Moment aber nicht da, wie mir der Mann am Empfang mitteilte, wollte jedoch später wiederkommen. »Möchten Sie auch einchecken?«, fragte er mich, aber ich schüttelte nur den Kopf. Ich ging zu der Naturkost-Kooperative, vor der die alternativen Jugendlichen eine Art Tageslager aufgeschlagen hatten und den Rasen und die Gehwege vor dem Laden belagerten. Kaum dort, entdeckte ich wieder einen der Typen, die ich oben am Toad Lake getroffen hatte – den Stirnbandträger und Anführer der Clique, der wie Jimi Hendrix jeden *Baby* nannte. Er saß auf dem Gehweg neben dem Eingang, in der Hand ein Stück Pappkarton, auf das mit Kugelschreiber die Bitte um eine kleine Geldspende gekritzelt war, vor sich eine leere Kaffeedose mit ein paar Münzen darin.

»Hey«, sagte ich und blieb vor ihm stehen, erleichtert, ein bekanntes Gesicht zu sehen, auch wenn es nur seines war. Er trug immer noch das seltsam schmuddelige Stirnband.

»Hallo«, antwortete er, schien sich aber nicht an mich zu erinnern. Er schnorrte mich nicht an. Offensichtlich war mir anzusehen, dass ich kein Geld hatte. »Reist du herum?«, fragte er.

»Ich wandere auf dem Pacific Crest Trail«, antwortete ich, um seinem Gedächtnis auf die Sprünge zu helfen.

Er nickte, aber es machte noch immer nicht klick. »Heute kommen viele Leute von außerhalb zur Dead-Fete.«

»Es gibt eine Fete?«, fragte ich.

»Heute Nacht ist einiges los.«

Ich fragte mich, ob er, wie angekündigt, ein Mini-Rainbow-Gathering am Crater Lake organisiert hatte, war aber nicht neugierig genug, um ihn darauf anzusprechen. »Mach's gut«, sagte ich und ging weiter.

Ich betrat den Laden. Die klimatisierte Luft fühlte sich komisch an meinen nackten Armen und Beinen an. Bei meinen Versorgungsstopps auf dem Trail hatte ich einige Gemischtwarenläden und auf Touristen ausgerichtete Mini-Märkte aufgesucht, aber in einem solchen Geschäft war ich noch nicht gewesen. Ich wanderte durch die Gänge und sah mir Sachen an, die ich mir nicht leisten konnte, wie betäubt von ihrer Fülle. Wie hatte ich ein solches Angebot jemals für selbstverständlich halten können? Essiggurken in Gläsern und knusprige Baguettes in Papiertüten, Orangensaft in Flaschen und Sorbets in Bechern, und vor allem das Obst und Gemüse, das so frisch und appetitlich in Kisten lag, dass ich fast davon geblendet wurde. Ich verweilte und sog Gerüche ein – Tomaten und Kopfsalat, Nektarinen und Limetten. Viel hätte nicht gefehlt, und ich hätte etwas in der Tasche verschwinden lassen.

Ich ging in die Drogerieabteilung, quetschte mir die Gratisproben von drei Lotionen in die Hände und rieb mich von oben bis unten damit ein. Die unterschiedlichen Düfte versetzten mich in Verzückung – Pfirsich und Kokosnuss, Lavendel und Mandarine. Ich sah mir die Lippenstiftproben an und legte schließlich einen namens Plum Haze auf, wozu ich eines der umweltfreundlichen, biologischen, aus Recyclingmaterial hergestellten Wattestäbchen benutzte, die daneben in einem medizinisch aussehenden Glasbehälter mit Silberdeckel lagen. Ich tupfte mich mit einem umweltfreundlichen, biologischen, aus Recyclingmaterial hergestellten Papiertuch ab und betrachtete mich in einem runden Spiegel, der auf einem Gestell neben dem Lippenstiftregal stand. Ich hatte mich für Plum Haze entschieden, weil er im Farbton dem Lippenstift ähnelte, den ich in meinem normalen Leben vor dem PCT benutzt hatte, aber jetzt kam ich mir damit wie ein Clown vor, weil mein Mund knallig aus meinem verwitterten Gesicht hervorstach.

»Kann ich Ihnen helfen?«, fragte mich eine Frau mit Omabrille und einem Namensschild, auf dem JEN G. stand.

»Nein, danke«, antwortete ich, »ich sehe mich nur um.«

»Dieser Farbton steht Ihnen gut. Er bringt Ihre blauen Augen schön zur Geltung.«

»Finden Sie?«, fragte ich, plötzlich befangen. Ich betrachtete mich noch einmal in dem kleinen runden Spiegel, als ob ich ernsthaft ins Auge fasste, Plum Haze zu kaufen.

»Ihre Halskette gefällt mir auch«, sagte Jen. G. »*Starved*. Das ist lustig.«

Ich legte meine Hand darauf. »Das soll *Strayed* heißen. Das ist mein Nachname.«

»Ach so«, sagte Jen G. und trat näher. »Ich habe nicht richtig hingesehen. Das ist lustig zweideutig.«

»Eine optische Täuschung«, sagte ich.

Ich schlenderte durch die Gänge zur Feinkostabteilung. Ich zog eine Serviette aus einem Spender und wischte mir den Plum Haze von den Lippen, dann inspizierte ich das Limonadensortiment. Snapple führten sie zu meinem großen Bedauern nicht, und so kaufte ich mir mit meinem letzten Geld eine aus biologisch angebauten Früchten frisch gepresste Limonade ohne Konservierungsstoffe und setzte mich damit draußen vor dem Laden hin. Ich hatte es so eilig gehabt, in die Stadt zu kommen, dass ich das Mittagessen hatte ausfallen lassen, und so nahm ich einen Eiweißriegel und ein paar alte Nüsse aus dem Rucksack und aß sie. Ich verbot mir daran zu denken, was ich eigentlich hatte essen wollen: einen Cäsarsalat mit gegrillter Hühnchenbrust und knusprigem französischen Brot, das ich in Olivenöl getunkt hätte, dazu eine Cola light und als Nachtisch einen Bananensplit. Ich trank meine Limo und plauderte mit jedem, der mich ansprach: mit einem Typ aus Michigan, der nach Ashland gezogen war, um das hiesige College zu besuchen, und einem anderen, der in einer Band Schlagzeug spielte, mit einer Frau, die Töpferin war und sich auf Göttinnenfiguren spezialisiert hatte, und einer anderen, die mich in einem europäischen Akzent fragte, ob ich am Abend zu der Gedenkfeier für Jerry Garcia ginge.

Sie drückte mir ein Flugblatt in die Hand, das mit »In Erinnerung an Jerry« überschrieben war.

»Sie findet in einem Club in der Nähe der Jugendherberge statt, falls du dort wohnst«, sagte sie. Sie war mollig und hübsch und hatte ihr flachsblondes Haar zu einem lockeren Knoten gebunden. »Wir reisen auch herum«, fügte sie hinzu und deutete auf meinen Rucksack. Ich verstand nicht, wen sie mir »wir« meinte, bis ein Typ an ihre Seite trat. Er war äußerlich das Gegenteil, groß und so hager, dass es fast wehtat. Er trug einen kastanienbraunen Wickelrock, der ihm knapp über die knochigen Knie reichte, und hatte sich rund um den Kopf vier oder fünf Zöpfe in die ziemlich kurzen Haare geflochten.

»Bist du hierhergetrampt?«, fragte der Typ. Er war Amerikaner.

Ich erzählte ihnen vom PCT und meinem Vorhaben, das Wochenende in Ashland zu verbringen. Der Typ reagierte gleichgültig, aber die Frau war begeistert.

»Ich heiße Susanna und komme aus der Schweiz«, sagte sie und gab mir die Hand. »Was du tust, nennen wir bei uns eine Wallfahrt machen. Wenn du willst, massiere ich dir die Füße.«

»Oh, das ist nett, aber das musst du nicht tun«, sagte ich.

»Ich tue es gern. Es wäre mir eine Ehre. In der Schweiz ist das so Brauch. Bin gleich wieder da.«

Sie drehte sich um und steuerte auf den Laden zu. Ich rief ihr noch nach, dass das wirklich zu freundlich sei, aber dann war sie auch schon verschwunden. Ich sah ihren Freund an. Mit seiner Frisur erinnerte er mich an eine Kewpie-Babypuppe.

»Sie macht das wirklich gern, keine Sorge«, sagte er und setzte sich neben mich.

Als Susanna eine Minute später wieder auftauchte, hatte sie die Hände vor der Brust zu einer Schale geformt, in der ein wohlriechendes Öl schwappte. »Das ist Pfefferminze«, sagte sie lächelnd zu mir. »Zieh deine Stiefel und deine Socken aus!«

Ich zögerte. »Aber meine Füße sind in einem ziemlich schlimmen Zustand und schmutzig …«

»Umso besser!«, rief sie, also gehorchte ich. Bald rieb sie mich mit Pfefferminzöl ein. »Deine Füße sind sehr kräftig«, sagte Susanna. »Wie von einem Tier. Ich spüre ihre Kraft in meinen Händen. Und auch, wie übel zugerichtet sie sind. Wie ich sehe, hast du Zehennägel verloren.«

»Ja«, murmelte ich und lehnte mich im Gras auf die Ellbogen zurück. Die Lider wurden mir schwer.

»Die Geister haben mir gesagt, dass ich das tun soll«, sagte sie, während sie ihre Daumen in meine Fußsohlen drückte.

»Die Geister?«

»Ja. Als ich dich gesehen habe, flüsterten die Geister mir zu, dass ich dir etwas geben könnte, deshalb habe ich dich mit dem Flugblatt angesprochen, aber dann habe ich begriffen, dass es etwas anderes war. In der Schweiz haben wir großen Respekt vor Menschen, die eine Wallfahrt machen.« Während sie eine Zehe nach der anderen zwischen ihren Fingern knetete, schaute sie zu mir auf und fragte: »Was bedeutet das an deiner Halskette – dass du am Verhungern bist?«

Genau das war ich in den folgenden Stunden, in denen ich vor dem Laden herumhing. Am Verhungern. Ich war nicht mehr ich selbst. Ich dachte nur noch ans Essen, fühlte mich wie ein hungriges, schlappes Etwas. Jemand spendierte mir einen veganen Muffin, jemand anderes einen Quinoa-Salat mit Trauben. Mehrere Leute sprachen mich bewundernd auf mein Pferde-Tattoo an oder erkundigten sich nach meinem Rucksack. Gegen vier tauchte Stacy auf, und ich schilderte ihr meine missliche Lage. Sie erbot sich, mir Geld zu leihen, bis mein Paket eintraf.

»Ich versuche es noch mal auf der Post«, sagte ich, da es mir widerstrebte, ihr Angebot anzunehmen, so dankbar ich ihr auch war. Ich kehrte zum Postamt zurück und stellte mich an, sah aber zu meiner Enttäuschung, dass noch dieselbe Frau am Schalter Dienst tat. Als ich an die Reihe kam, fragte ich nach meinem Paket, als wäre ich vor ein paar Stunden nicht schon mal da gewesen. Sie ging nach hinten, kam mit dem Paket zurück und schob es ohne irgendeine Entschuldigung über die Theke zu mir herüber.

»Dann war es also die ganze Zeit da«, sagte ich, aber sie erwiderte darauf nur, dass sie es beim letzten Mal wohl übersehen haben müsse.

Ich war zu happy, um mich aufzuregen, als ich, das Paket in der Hand, mit Stacy zur Jugendherberge zurückkehrte. Ich checkte ein und folgte Stacy die Treppe hinauf und durch einen Frauenschlafsaal in eine kleine Kammer direkt unter dem Dach. Darin standen drei Einzelbetten. Eines war für Stacy, eines für ihre Freundin Dee, und das dritte hatten sie für mich reserviert. Stacy machte mich mit Dee bekannt, und wir unterhielten uns, während ich mein Paket aufmachte. Darin lagen meine sauberen alten Jeans, mein neuer BH und die Slips und mehr Geld, als ich seit Beginn meiner Reise jemals bei mir getragen hatte.

Ich ging in den Duschraum, stellte mich unter die heiße Dusche und schrubbte mich. Ich hatte seit zwei Wochen nicht mehr geduscht, obwohl ich bei Temperaturen zwischen dreißig und vierzig Grad gewandert war. Ich konnte spüren, wie das Wasser Schichten von Schweiß wegspülte, als wären sie eine richtige Hautschicht. Anschließend betrachtete ich mich nackt im Spiegel. Gegenüber dem letzten Mal war ich noch schlanker geworden, und meine Haare waren so hell wie seit meiner Kindheit nicht mehr. Ich zog den neuen schwarzen BH an, einen Slip, ein T-Shirt und meine Jeans, in die ich mich drei Monate zuvor noch hatte hineinzwängen müssen und die jetzt an mir schlackerten, dann kehrte ich in die Kammer zurück und zog meine Stiefel an. Sie waren nicht mehr neu. Sie waren schmutzig, warm und schwer, und sie verursachten mir Schmerzen. Aber sie waren die einzigen Schuhe, die ich hatte.

Beim Abendessen mit Stacy und Dee bestellte ich alles, worauf ich Appetit hatte. Hinterher ging ich in einen Schuhladen und kaufte mir blauschwarze Sportsandalen von Merrell, was ich schon vor Beginn der Reise hätte tun sollen. Wir kehrten in die Jugendherberge zurück. Dee wollte früh schlafen gehen, aber Stacy und ich waren Minuten später wieder draußen und auf dem Weg zu der Jerry-Garcia-Gedenkfeier in einem nahen Club. Dort angekommen, setzten wir uns an einen Tisch in einem kleinen, mit einem Seil abgetrennten Bereich neben der Tanzfläche, tranken Weißwein, lauschten den Stücken von Grateful Dead, die ununterbrochen liefen, und sahen den Leuten beim Tanzen zu, hauptsächlich Frauen jedes Alters, jeder Größe und Figur, unter die sich nur vereinzelt ein Mann mischte. Hinter der Tanzfläche hing eine Leinwand, auf die Bilder projiziert wurden, darunter abstrakte, psychedelische Farborgien sowie Zeichnungen, die Jerry und seine Band darstellten.

»Wir lieben dich, Jerry!«, rief eine Frau am Nebentisch laut, als ein Bild von ihm erschien.

»Möchtest du tanzen?«, fragte ich Stacy.

Sie schüttelte den Kopf. »Ich muss zurück in die Jugendherberge. Wir ziehen morgen in aller Frühe los.«

»Ich glaube, ich bleibe noch ein bisschen«, sagte ich. »Weck mich, falls ich morgen früh noch schlafen sollte, damit ich mich verabschieden kann.« Nachdem sie gegangen war, bestellte ich mir noch ein Glas Wein, hörte der Musik zu, beobachtete die Leute und fühlte mich einfach nur glücklich, an einem Sommerabend mit anderen Menschen zusammen in einem Raum sitzen zu können, in dem Musik lief. Als ich eine halbe Stunde später aufstand, um zu gehen, erklangen die ersten Töne des Stücks »Box of Rain«. Das war einer meiner Lieblingssongs der Dead, und leicht beschwipst, wie ich war, stürmte ich spontan auf die Tanzfläche und begann zu tanzen, bereute es aber schon im nächsten Moment. Vom vielen Wandern war ich merkwürdig steif in den Knien und Hüften, doch gerade als ich endgültig gehen wollte, tauchte plötzlich der Typ aus Michigan, den ich am Nachmittag kennengelernt hatte, vor mir auf, wirbelte um mich herum wie ein kreiselnder Hippie, als tanzten wir zusammen, zeichnete mit den Händen einen imaginären Kasten in die Luft und nickte mir dabei zu, als wüsste ich, was das zu bedeuten hatte, und so blieb ich, um nicht unhöflich zu erscheinen.

»Ich muss immer an Oregon denken, wenn ich das Stück höre«, brüllte er gegen die Musik an, während ich linkisch meinen Körper bewegte. »Verstehst du?«, fragte er. »*Box of rain*? Auch Oregon ist eine Kiste voller Regen.«

Ich nickte und lachte und tat so, als fände ich das lustig, aber kaum war das Stück zu Ende, flüchtete ich und stellte mich an eine niedrige Mauer, die an der Bar entlanglief.

»Hey«, sagte nach einer Weile eine Stimme zu mir, und ich drehte mich um. Auf der anderen Seite der hüfthohen Mauer stand ein Mann mit einem Filzstift und einer Taschenlampe in der Hand. Er war mir noch gar nicht aufgefallen. Offensichtlich arbeitete er hier und bediente in diesem Bereich, in dem ich jetzt stand.

»Hey«, grüßte ich zurück. Er sah gut aus, war ein bisschen älter als ich und hatte lange, dunkel gelockte Haare, die ihm bis zu den Schultern reichten. WILCO stand vorn auf seinem T-Shirt. »Tolle Band«, sagte ich und deutete auf sein Shirt.

»Du kennst sie?«, fragte er.

»Klar kenn ich sie.«

Ein Lächeln legte Falten um seine braunen Augen. »Stark«, sagte er und drückte mir die Hand. »Ich heiße Jonathan.« Die Musik setzte wieder ein, bevor ich ihm meinen Namen nennen konnte, aber er beugte sich zu meinem Ohr vor und fragte mich dezent brüllend, wo ich herkäme. Anscheinend sah er mir an, dass ich nicht von hier war. Ebenfalls brüllend klärte ich ihn so kurz und knapp wie möglich über den PCT auf, und dann lehnte er sich wieder vor und schrie einen langen Satz in mein Ohr, den ich wegen der Musik nicht verstand, was mir aber egal war, denn wie seine Lippen mein Haar streiften und sein Atem meinen Hals kitzelte, war so herrlich, dass es mir durch und durch ging.

»Was?«, schrie ich zurück, als er fertig war, und so wiederholte er seinen Satz, nur diesmal lauter und langsamer, und ich verstand: Heute Nacht müsse er lange arbeiten, aber morgen sei er um elf fertig, und ob ich nicht Lust hätte, mir die Band anzuhören, die dann spiele, und hinterher mit ihm auszugehen.

»Klar!«, schrie ich, obwohl ich mir wünschte, er hätte es noch einmal wiederholt, nur um seinen Mund wieder an meinem Haar und meinem Hals zu spüren. Er reichte mir seinen Filzstift und gab mir durch Gesten zu verstehen, dass ich ihm meinen Namen auf die Hand schreiben sollte, damit er mich auf die Gästeliste setzen konnte. *Cheryl Strayed* schrieb ich so sauber wie möglich mit zitternder Hand. Als ich fertig war, las er ihn und reckte die Daumen nach oben, und ich winkte und schwebte wie im Rausch zur Tür hinaus.

Ich hatte ein Date.

Hatte ich ein Date? Ich ging durch die lauen Straßen und dachte noch einmal darüber nach. Vielleicht würde mein Name gar nicht auf der Gästeliste stehen. Vielleicht hatte ich mich verhört. Vielleicht war es lächerlich, zu einem Date mit jemandem zu gehen, mit dem ich kaum ein Wort gewechselt hatte und dessen Sexappeal hauptsächlich darin bestand, dass er gut aussah und Wilco mochte. Klar, ich hatte mich schon aus nichtigerem Anlass mit Männern verabredet, aber diesmal war es anders. *Ich* war anders. Oder etwa nicht?

Ich kehrte in die Jugendherberge zurück, schlich leise an den Betten vorbei, in denen mir unbekannte Frauen schliefen, und hinauf in die kleine Kammer unterm Dach, in der Dee und Stacy ebenfalls schon schliefen, zog mich aus und schlüpfte ins Bett, in ein richtiges Bett, das heute Nacht erstaunlicherweise mir gehörte. Eine Stunde lang lag ich wach, strich mit den Händen über meinen

Körper und stellte mir vor, wie es wäre, wenn Jonathan ihn am nächsten Abend berührte: die Hügel meiner Brüste, meinen flachen Bauch, die Muskeln an meinen Beinen und das krause Haar meiner Scham – das alles schien so weit ganz passabel –, doch als ich an die handtellergroßen Flecken an meinen Hüften kam, die sich anfühlten wie eine Mischung aus Baumrinde und gerupfter Hühnerhaut, da wurde mir klar, dass ich bei dem Date morgen unter keinen Umständen meinen Slip würde ausziehen können. Wahrscheinlich war das auch besser so. Ich hatte meinen Slip weiß Gott schon so oft ausgezogen, dass ich mit dem Zählen nicht mehr nachkam, und mit Sicherheit öfter, als gut für mich war.

Am nächsten Tag versuchte ich mir auszureden, mich am Abend mit Jonathan zu treffen. Ich wusch meine Wäsche, schlemmte in Restaurants, streifte durch die Straßen, beobachtete Leute und fragte mich dabei ständig: *Was bedeutet mir dieser gut aussehende Wilco-Fan eigentlich?* Und trotzdem stellte ich mir die ganze Zeit vor, was wir miteinander tun könnten.

Ohne dass ich meinen Slip auszog.

Am Abend duschte ich, zog mich an, ging in den Bioladen, legte etwas Plum-Haze-Lippenstift auf und rieb mich mit einer Gratisprobe Ylang-Ylang-Öl ein, bevor ich mich auf den Weg in den Club machte, in dem Jonathan arbeitete. »Ich müsste auf der Liste stehen«, sagte ich zu der Frau am Einlass und nannte ihr meinen Namen, darauf gefasst, zurückgewiesen zu werden.

Wortlos drückte sie mir einen roten Stempel auf die Hand.

Jonathan und ich sahen uns in dem Moment, als ich durch die Tür trat. Er winkte mir von seinem Platz auf einem Podium zu, wo er, unerreichbar für mich, die Lichtanlage bediente. Ich holte mir einen Wein, stellte mich an die niedrige Mauer, wo ich Jonathan kennengelernt hatte, nippte möglichst elegant an meinem Glas und hörte der Band zu. Es war eine ziemlich bekannte Bluegrassband aus der Bay Area. Ein Stück widmete sie Jerry Garcia. Die Musik war gut, aber ich konnte mich nicht darauf konzentrieren, denn ich versuchte so angestrengt, einen zufriedenen und lockeren Eindruck zu machen, als wäre ich so oder so in diesen Club gekommen, um mir genau diese Band anzuhören, ob mich Jonathan nun eingeladen hatte oder nicht. Und was noch schlimmer war: Ich wollte weder den Eindruck erwecken, dass ich zu Jonathan hinsah, noch dass ich *nicht* zu ihm hinsah, aber jedes Mal, wenn ich zu ihm hinsah, sah er zu mir her, und deshalb fürchtete ich, er könnte glauben, dass ich ständig zu ihm hinsah, denn was, wenn er nur zufällig jedes Mal hersah, wenn ich hinsah, also gar nicht die ganze Zeit, sondern immer nur dann, wenn ich hinsah, sodass er sich zwangsläufig fragen musste: *Warum sieht mich diese Frau die ganze Zeit an?* Also sah ich drei lange Bluegrass-Stücke lang überhaupt nicht zu ihm hin. Beim dritten Stück spielte der Geiger ein nicht enden wollendes Solo. Irgendwann brach das Publikum in begeisterten Beifall aus, und ich hielt es nicht mehr aus und sah wieder hin. Und er sah nicht nur zu mir her, sondern winkte mir auch noch zu.

Ich winkte zurück.

Ich drehte mich weg, stand ganz still und aufrecht da, fühlte mich wie ein begehrenswertes Objekt von bezaubernder Schönheit. Ich spürte Jonathans Blick auf meinem knackigen Hintern und meinen strammen Schenkeln, meinen Brüsten, die unter dem engen T-Shirt von dem sexy BH gestrafft wurden, meinem besonders hellen Haar und meiner bronzefarbenen Haut, meinen blauen Augen, die durch den Plum-Haze-Lippenstift noch blauer wirkten – ein Gefühl, das nur ein Stück lang anhielt und sich dann in sein Gegenteil verkehrte, als ich begriff, dass ich potthässlich war, mit Hüftfleisch, das aussah wie eine Mischung aus Baumrinde und gerupfter Hühnerhaut, und einem zu braunen, wettergegerbten Gesicht und ungepflegten Haaren und einem Bauch, der – trotz aller Strapazen und Entbehrungen und obwohl er zwei Monate lang von den Rucksackgurten zusammengequetscht worden war, was ihn, wie man meinen könnte, zum Verschwinden hätte bringen müssen – immer noch eine unübersehbare Rundung aufwies, außer ich lag auf dem Rücken oder zog ihn ein. Im Profil war meine Nase so markant, dass ich, wie eine Freundin einmal bemerkt hatte, an einen Haifisch erinnerte. Und meine Lippen – meine lächerlich angemalten Lippen! Unauffällig drückte ich mir, während die Musik weiter dudelte, den Handrücken an den Mund, um den Plum Haze wegzuwischen.

Gott sei Dank gab es eine Pause. Wie aus dem Nichts tauchte Jonathan neben mir auf und drückte mir eifrig die Hand. Er freue sich, dass ich gekommen sei, sagte er und fragte, ob ich noch ein Glas Wein wolle.

Ich wollte nicht. Ich wollte nur, dass es endlich elf wurde, damit ich mit ihm weggehen und aufhören konnte, mich zu fragen, ob ich eine attraktive Frau oder eine Vettel war und ob er die ganze Zeit zu mir hersah oder ob er dachte, dass ich die ganze Zeit zu ihm hinsah.

Bis dahin waren es noch eineinhalb Stunden.

»Was sollen wir nachher unternehmen?«, fragte er. »Hast du schon gegessen?«

Ich bejahte und sagte, dass ich aber zu allem bereit sei. Ich erwähnte nicht, dass ich momentan ungefähr viermal hintereinander zu Abend essen konnte.

»Ich wohne auf einer Biofarm etwa fünfundzwanzig Kilometer von hier. Nachts kann man dort toll spazieren gehen. Wir könnten rausfahren, und ich bringe dich zurück, wann du willst.«

»Okay«, sagte ich und schob dabei den kleinen silbernen Ohrstecker mit dem Türkis an seiner dünnen Kette entlang. Die Namenshalskette hatte ich nicht angelegt für den Fall, dass Jonathan *Starved* statt *Strayed* las. »Ich glaube, ich brauche jetzt etwas frische Luft«, sagte ich. »Aber um elf bin ich wieder da.«

»Klasse«, sagte er und drückte mir noch mal die Hand, bevor er auf seinen Platz zurückkehrte und die Band weiterspielte.

Ganz hibbelig trat ich in die Nacht hinaus. Der kleine rote Nylonbeutel, in dem normalerweise mein Kocher steckte, baumelte an seiner Schnur an meinem Handgelenk. Die meisten dieser Art hatte ich in Kennedy Meadows zurückgelassen, weil ich keinen unnötigen Ballast mitschleppen wollte, aber diesen Beutel hatte ich behalten, da ich annahm, der Kocher brauche eine Schutzhülle. Für die Tage in Ashland hatte ich ihn in eine Handtasche umfunktioniert, obwohl er leicht nach Benzin roch. Die Sachen darin waren zusätzlich in einer Ziplock-Tüte verstaut, die als unschickes Portemonnaie diente – mein Geld, mein Führerschein, Lippenbalsam, ein Kamm und die Karte, die man mir in der Jugendherberge gegeben hatte, damit ich meinen Rucksack, Skistock und Proviantbeutel aus dem dortigen Abstellraum holen konnte.

»Hallo«, grüßte mich ein Mann, der auf dem Gehweg vor dem Lokal stand. »Gefällt dir die Band?«, fragte er mit ruhiger Stimme.

»Ja.« Ich lächelte ihn höflich an. Ich schätzte ihn auf Ende vierzig. Er trug Jeans, Hosenträger und ein ausgefranstes T-Shirt. Er hatte einen krausen Bart, der ihm bis auf die Brust fiel, und eine Halbglatze mit einem ergrauenden langen Haarkranz, der ihm bis zu den Schultern reichte.

»Ich bin aus den Bergen«, sagte er. »Von Zeit zu Zeit komme ich gern hierher, um Musik zu hören.«

»Ich auch. Ich meine, ich komme auch aus den Bergen.«

»Wo wohnst du?«

»Ich wandere auf dem Pacific Crest Trail.«

»Ah ja.« Er nickte. »Der PCT. Ich war schon mal oben. Ich wohne in der anderen Richtung. Ich habe da oben ein Tipi, in dem ich vier bis fünf Monate im Jahr lebe.«

»Du lebst in einem Tipi?«

Er nickte. »Ja. Ganz allein. Das gefällt mir, aber manchmal fühlt man sich einsam. Ich heiße übrigens Clyde.« Er streckte mir die Hand hin.

»Und ich Cheryl«, sagte ich und drückte sie.

»Hättest du Lust, eine Tasse Tee mit mir zu trinken?«

»Danke, aber ich warte auf einen Freund, der gleich von der Arbeit kommt.« Ich blickte zur Tür des Clubs, als würde Jonathan jeden Augenblick aus ihr auftauchen.

»Mein Truck steht gleich da drüben, wir müssten also nirgends hinfahren«, sagte er und deutete auf einen alten Milchlaster auf dem Parkplatz. »In dem wohne ich, wenn ich nicht in meinem Tipi bin. Ich versuche mich seit Jahren als Einsiedler, aber manchmal ist es schön, in die Stadt zu kommen und sich eine Band anzuhören.«

»Ich weiß, was du meinst«, sagte ich. Mir gefiel seine sanfte Art. Er erinnerte mich an ein paar Männer aus Nord-Minnesota, die ich kannte. Typen, die mit meiner Mutter und Eddie befreundet gewesen waren, immer auf der Suche und offenherzig, klar abseits vom Mainstream. Seit dem Tod meiner Mutter hatte ich kaum noch einen von ihnen gesehen. Jetzt war mir, als hätte ich sie nie gekannt und könnte sie nie wieder kennenlernen. Was dort, wo ich aufgewachsen war, existiert hatte, schien mir jetzt so weit weg, dass ich es unmöglich zurückholen konnte.

»War schön, dich kennenzulernen, Cheryl«, sagte Clyde. »Ich gehe jetzt meinen Teekessel aufsetzen. Wie gesagt, du darfst mir gern Gesellschaft leisten.«

»Na schön«, sagte ich sofort. »Eine Tasse trinke ich mit.«

Ich habe nie einen Wohn-Truck von innen gesehen, der mir nicht wie die coolste Sache der Welt vorgekommen wäre, und Clydes Milchlaster bildete keine Ausnahme. Ordentlich und praktisch, geschmackvoll und geschickt eingerichtet, flippig und zweckmäßig. Es gab einen Holzofen und eine Kochnische, und eine Christbaumkette warf zauberhafte Schatten in den Raum. Drei Wände waren mit Bücherregalen zugestellt, und dazwischen war ein Bett geklemmt. Ich schlüpfte aus meinen neuen Sandalen, legte mich quer aufs Bett und zog Bücher aus dem Regal, während Clyde Teewasser aufsetzte. Er besaß Bücher über das Mönchsdasein und andere über Menschen, die in Höhlen, in der Arktis, im Regenwald Amazoniens oder auf einer Insel vor der Küste des Bundesstaats Washington lebten.

»Die Kamille habe ich selbst angebaut«, sagte Clyde und goss das Wasser in eine Kanne, sobald es kochte. Während der Tee zog, zündete er ein paar Kerzen an, kam herüber und setzte sich neben mich aufs Bett, auf dem ich bäuchlings lag und, auf die Ellenbogen gestützt, in einem Bildband über Hindu-Götter blätterte.

»Glaubst du an Reinkarnation?«, fragte ich, als wir uns zusammen die verschlungenen Zeichnungen ansahen und die kurzen Begleittexte auf jeder Seite dazu lasen.

»Nein«, antwortete er. »Ich glaube, dass wir nur einmal hier sind und dass das, was wir tun, zählt. Was glaubst du?«

»Ich versuche noch herauszufinden, woran ich glaube«, antwortete ich und nahm den heißen Becher, den er mir hinhielt.

»Ich habe noch etwas anderes für dich, wenn du magst. Ich habe es im Wald geerntet.« Er zog eine knorrige Wurzel aus der Tasche und hielt sie mir auf der Handfläche hin. Sie sah wie Ingwer aus. »Das ist kaubares Opium.«

»Opium?«, fragte ich.

»Ja, aber viel schwächer. Man wird nur leicht high davon und ganz relaxed. Willst du was?«

»Klar«, sagte ich reflexartig. Er schnitt ein Stück herunter und gab es mir, dann ein zweites, das er sich in den Mund schob.

»Du kaust es?«, fragte ich, und da er nickte, steckte ich es in den Mund und kaute. Es war, als kaute ich auf Holz. Ich brauchte eine Weile, bis mir dämmerte, dass es vielleicht besser war, von Opium oder irgendeiner Wurzel, die mir ein fremder Mann gab, die Finger zu lassen, ganz gleich wie nett und harmlos er wirkte. Ich spuckte es in meine Hand.

»Schmeckt dir wohl nicht?«, fragte er lachend und hielt mir einen kleinen Abfalleimer hin, damit ich es hineinwerfen konnte.

Bis elf blieb ich in Clydes Truck und unterhielt mich mit ihm, dann begleitete er mich zum Eingang des Clubs. »Viel Glück oben in den Wäldern«, sagte er, und wir umarmten uns.

Gleich darauf tauchte Jonathan auf und brachte mich zu seinem Wagen, einem alten Buick Skylark, den er Beatrice nannte.

»Wie war die Arbeit?«, fragte ich. Als ich endlich neben ihm saß, war ich überhaupt nicht mehr nervös wie noch drinnen im Lokal, als er mich beobachtet hatte.

»Gut«, antwortete er. Während wir durch die Nacht hinter Ashland fuhren, erzählte er mir von seinem Leben auf der Biofarm, die Freunden von ihm gehörte. Er wohne dort mietfrei und arbeite dafür in der Landwirtschaft mit, sagte er und sah dabei zu mir herüber, das Gesicht leicht von der Armaturenbeleuchtung angestrahlt. Er bog in eine Straße ab, dann in eine zweite, bis ich überhaupt kein Gefühl mehr dafür hatte, wo Ashland lag, was für mich so viel bedeutete wie, wo ich mich im Verhältnis zu meinem Rucksack befand. Ich bereute es, dass ich ihn nicht mitgenommen hatte. Seit Beginn der Wanderung war ich noch nie so weit von ihm getrennt gewesen, und das war ein komisches Gefühl. Jonathan bog in eine Zufahrt ein, fuhr an einem unbeleuchteten Haus vorbei, in dem ein Hund bellte, und folgte einem zerfurchten Feldweg zwischen Mais- und Blumenfeldern, bis die Scheinwerfer über ein großes, kastenförmiges Zelt strichen, das auf einer hölzernen Plattform errichtet war. Dort parkte er.

»Hier wohne ich«, sagte er, und wir stiegen aus. Es war kühler als in Ashland. Ich fröstelte, und Jonathan legte so selbstverständlich den Arm um mich, als hätte er es schon hundertmal getan. Wir spazierten im Mondschein zwischen Blumen und Mais, sprachen über verschiedene Bands und Musiker, die einer von uns oder wir beide mochten, und erzählten von Auftritten, die wir gesehen hatten.

»Michelle Shocked habe ich dreimal live gesehen«, sagte Jonathan.

»Dreimal?«

»Einmal bin ich durch einen Schneesturm zu ihrem Auftritt gefahren. Das Publikum bestand aus ungefähr zehn Leuten.«

»Wow«, sagte ich und begriff, dass ich unmöglich meinen Slip anbehalten konnte, wenn ich mit einem Mann zusammen war, der Michelle Shocked dreimal gesehen hatte, ganz gleich wie abstoßend die Haut an meinen Hüften war.

»Wow«, erwiderte er, und seine braunen Augen fanden im Dunkeln meine.

»Wow«, sagte ich.

»Wow«, wiederholte er.

Wir hatten nur ein Wort gesagt, und trotzdem war ich auf einmal ziemlich verwirrt. Anscheinend redeten wir nicht mehr über Michelle Shocked.

»Was sind das für Blumen?«, fragte ich und deutete auf das Blütenmeer um uns herum, plötzlich voller Angst, er könnte mich küssen. Nicht dass ich ihn nicht hätte küssen wollen. Es war nur so, dass ich seit über zwei Monaten, seit meinem Besuch bei Joe, niemanden mehr geküsst hatte und dass ich jedes Mal, wenn ich so lange nicht mehr geküsst hatte, davon überzeugt war, dass ich es verlernt hätte. Um den Kuss hinauszuschieben, fragte ich ihn nach seiner Arbeit auf der Farm und seinem Job in dem Club, nach seiner Familie und wo er herkam, wie seine letzte Freundin hieß und wie lange sie zusammen gewesen waren und warum sie sich getrennt hatten, und die ganze Zeit gab er nur einsilbige Antworten und stellte selbst überhaupt keine Fragen.

Es war mir egal. Seine Hand an meiner Schulter fühlte sich gut an, und dieses Gefühl wurde noch besser, als sie zu meiner Taille wanderte, und zu dem Zeitpunkt, als wir zu dem Zelt auf der Plattform zurückkehrten, wandte er sich mir zu und küsste mich, und ich merkte, dass ich tatsächlich noch wusste, wie es ging, und all die Fragen, die er nicht beantwortet oder nicht gestellt hatte, waren vergessen.

»Das war wirklich sehr cool«, sagte er, und wir lächelten einander so blöde an wie zwei Leute, die sich gerade zum ersten Mal geküsst haben. »Ich freue mich, dass du mitgekommen bist.«

»Ich auch«, sagte ich. Ich spürte seine Hand an meiner Taille warm durch den dünnen Stoff meines T-Shirts und wie sie leicht den Bund meiner Jeans berührte. Wir standen zwischen seinem Wagen und seinem Zelt. Das waren die beiden Richtungen, in die ich gehen konnte: entweder allein zurück in mein Bett in der Dachkammer der Jugendherberge in Ashland oder mit ihm in sein Bett.

»Sieh dir den Himmel an«, sagte er. »All die Sterne.«

»Er ist wunderschön«, sagte ich, obwohl ich gar nicht in den Himmel guckte. Stattdessen ließ ich den Blick über das dunkle Land schweifen, das mit kleinen Lichtpunkten gesprenkelt war, Häusern und Farmen, die im Tal verstreut lagen. Ich dachte an Clyde, der ganz allein unter demselben Himmel in seinem Truck gute Bücher las. Ich fragte mich, wo der PCT war. Mir fiel auf, dass ich Jonathan gar nichts davon erzählt hatte bis auf das Wenige, was ich ihm am Abend zuvor bei lauter Musik ins Ohr gebrüllt hatte. Und er hatte nicht gefragt.

»Ich weiß nicht, wieso«, sagte Jonathan. »Aber als ich dich gesehen habe, wusste ich sofort, dass ich zu dir gehen und dich ansprechen muss. Ich wusste, dass du total klasse bist.«

»Du bist auch klasse«, sagte ich, obwohl ich das Wort »klasse« sonst nie benutzte.

Er beugte sich vor und küsste mich noch mal, und ich erwiderte den Kuss mit mehr Leidenschaft als zuvor, und so standen wir da und küssten und küssten uns zwischen seinem Zelt und seinem Wagen, um uns herum der Mais und die Blumen, der Mond und die Sterne, und ich konnte mir in diesem Augenblick nichts Schöneres auf der Welt vorstellen. Meine Hände wanderten langsam hinauf zu seinen lockigen Haaren, dann über seine kräftigen Schultern, an seinen starken Armen entlang und um seinen muskulösen Rücken herum. Ich zog seinen schönen männlichen Körper an mich. Es hat nie eine Zeit gegeben, in der ich so etwas getan habe und mir nicht von Neuem bewusst geworden wäre, wie sehr ich Männer liebte.

»Willst du mit rein?«, fragte Jonathan.

Ich nickte, und er bat mich, draußen zu warten, bis er Licht gemacht und die Heizung angestellt hatte. Einen Augenblick später kam er wieder, hielt mir die Türklappen des Zelts auf, und ich trat ein.

Es war kein Zelt wie die, in denen ich immer kampiert hatte. Es war eine Luxussuite. Erwärmt von einem kleinen Heizgerät, so hoch, dass man darin stehen konnte, und so geräumig, dass man in dem Bereich, der nicht von dem großen, in der Mitte stehenden Doppelbett vereinnahmt wurde, herumlaufen konnte. Das Bett wurde flankiert von kleinen Kommoden aus Pappe, auf denen jeweils eine batteriebetriebene Lampe stand, die wie eine Kerze aussah.

»Nett«, sagte ich, während ich neben ihm zwischen Eingang und Bettende stand. Dann zog er mich an sich, und wir küssten uns wieder.

»Es ist mir peinlich zu fragen«, sagte er nach einer Weile. »Ich möchte nicht anmaßend erscheinen, denn es wäre auch völlig in Ordnung, wenn wir einfach nur rumhängen, verstehst du – was total klasse wäre –, oder wenn du lieber in die Jugendherberge zurück willst –, sogar jetzt gleich, wenn du willst, obwohl ich das natürlich nicht hoffe. Aber … bevor wir … ich meine, nicht dass wir es unbedingt tun müssen … nur für den Fall … ich meine, ich habe nichts, also keine Krankheit oder so, nur falls wir … Hast du zufällig ein Kondom dabei?«

»Hast du denn keins?«, fragte ich.

Er schüttelte den Kopf.

»*Ich* habe kein Kondom«, sagte ich, und das war der absolute Witz. Da hatte ich die ganze Zeit ein Kondom mitgeschleppt, durch sengende Wüsten und Wälder, über Berge, vereiste Steilhänge und Flüsse, durch qualvolle, eintönige und beglückende Tage, und jetzt stand ich hier, in einem beheizten Luxuszelt mit Doppelbett und batteriebetriebenen Kerzenleuchten, sah einem attraktiven, coolen, ziemlich von sich eingenommenen Mann in die Augen, der auf Michelle Shocked stand, und hatte dieses Kondom nicht dabei, nur weil zwei handtellergroße, peinlich raue Hautpartien meine Hüften verunstalteten und ich mir so fest vorgenommen hatte, auf gar keinen Fall meinen Slip auszuziehen, dass ich es absichtlich in meinem Erste-Hilfe-Set in der Stadt gelassen hatte, anstatt das einzig Vernünftige, Sinnvolle und Realistische zu tun und es in meine kleine, nach Benzin riechende Ersatzhandtasche zu stecken.

»Ist schon okay«, flüsterte er und ergriff meine Hände. »Wir können auch einfach nur rumhängen. Wir können viel zusammen tun.«

Und so knutschten wir wieder. Knutschten und knutschten und knutschen, und seine Hände wanderten über meine Kleider, und meine wanderten über seine.

»Willst du dein Shirt ausziehen?«, flüsterte er nach einer Weile und löste sich von mir, und ich lachte, denn ich wollte mein Shirt tatsächlich ausziehen, und dann zog ich es aus, und er stand da und betrachtete mich in meinem schwarzen Spitzen-BH, den ich Monate zuvor eingepackt hatte, weil ich mir dachte, ich könnte ihn vielleicht tragen, wenn ich nach Ashland kam. Bei dem Gedanken musste ich wieder lachen.

»Was ist denn so komisch?«, fragte er.

»Es ist nur … gefällt dir mein BH?« Ich machte mit den Händen eine schwungvolle Bewegung, als wollte ich in der Luft seine Form nachzeichnen. »Er ist weit gereist.«

»Ich bin froh, dass er den Weg hierher gefunden hat«, sagte er und legte ganz sanft einen Finger auf den Träger neben meinem Schlüsselbein, doch statt ihn mir von der Schulter zu streifen, was ich eigentlich erwartet hatte, fuhr er mit dem Finger vorn am oberen Rand des BHs entlang und dann bis ganz nach unten. Ich beobachtete sein Gesicht, während er das tat. Das erschien mir noch intimer als das Küssen zuvor. Als er damit fertig war, das ganze Ding zu umfahren, hatte er mich noch kaum berührt, und trotzdem war ich so feucht, dass ich es kaum aushielt.

»Komm her«, sagte ich, zog ihn an mich und dann, während ich mir die Sandalen von den Füßen schleuderte, aufs Bett. Wir hatten noch unsere Jeans an, aber er riss sich das Shirt herunter, und ich zog den BH aus und warf ihn in eine Ecke des Zelts. Wir küssten uns, wälzten uns in fieberhafter Erregung übereinander, bis uns die Puste ausging, dann lagen wir wieder nebeneinander und küssten uns. Seine Hände wanderten von meinen Haaren zu meinen Brüsten und weiter zu meiner Taille und öffneten schließlich den oberen Knopf meiner Jeans. In diesem Augenblick fielen mir wieder die hässlichen Flecken an meinen Hüften ein, und ich drehte mich von ihm weg.

»Tut mir leid«, sagte er, »ich dachte …«

»Das ist es nicht. Nur … ich muss dir vorher etwas sagen.«

»Bist du verheiratet?«

»Nein«, antwortete ich, obwohl ich einen Moment brauchte, um zu begreifen, dass ich die Wahrheit sagte. Ich musste an Paul denken. Paul. Mit einem Ruck setzte ich mich auf. »Bist *du* verheiratet?«, fragte ich und drehte mich zu Jonathan um, der hinter mir auf dem Bett lag.

»Nicht verheiratet, keine Kinder«, antwortete er.

»Wie alt bist du?«, fragte ich.

»Vierunddreißig.«

»Ich bin sechsundzwanzig.«

Wir saßen da und sannen darüber nach. Ich fand es reizvoll und perfekt, dass er vierunddreißig war. Gut, er hatte mir überhaupt keine Fragen gestellt und rein gar nichts über mich wissen wollen, aber wenigstens lag ich mit einem Mann im Bett, der kein Kind mehr war.

»Was willst du mir sagen?«, fragte er und legte mir seine Hand auf den nackten Rücken. Ein Zittern durchlief mich, und ich fragte mich, ob er es spürte.

»Es ist mir etwas peinlich. Die Haut auf meinen Hüften … ist irgendwie … Na ja, ich habe dir gestern Abend doch gesagt, dass ich zurzeit auf diesem Trail, dem PCT, wandere. Dabei muss ich die ganze Zeit einen schweren Rucksack tragen, und dort, wo der Hüftgurt des Rucksacks an meiner Haut reibt, ist sie …« Ich suchte nach einer passenden Formulierung, ohne die Ausdrücke *Baumrinde* und *gerupfte Hühnerhaut* zu benutzen. »… aufgeraut. Irgendwie schwielig vom vielen Wandern. Ich will nur nicht, dass du geschockt bist, wenn …«

Ich verstummte atemlos, und meine Worte versanken in der reinen Lust, als ich seine Lippen auf meinem Rücken spürte und gleichzeitig seine Hände nach vorn fassten und den Knopf meiner Jeans vollends öffneten. Er setzte sich auf, drückte seine nackte Brust gegen mich, schob meine Haare beiseite, küsste meinen Hals und meine Schultern, bis ich mich umdrehte und ihn auf mich zog. Ich wand mich aus meiner Hose, und er küsste sich an meinem Körper entlang nach unten, vom Ohr zum Hals, dann weiter zum Schlüsselbein, zu den Brüsten, zum Bauchnabel und zu meinem Spitzenslip, den er nach unten schob, während er sich zu den Flecken an meinen Hüftknochen vorarbeitete, von denen ich gehofft hatte, er würde sie nie berühren.

»Oh, Baby«, flüsterte er, sein Mund so sanft an der rauesten Stelle meines Körpers. »Du brauchst dir keine Sorgen zu machen.«

Es machte Spaß. Mehr als Spaß. Wir feierten ein Fest in diesem Zelt. Gegen sechs schliefen wir ein, und zwei Stunden später wachten wir wieder auf, erschöpft, aber munter, denn unsere Körper waren zu aufgewühlt, um weiterzuschlafen.

»Ich habe heute meinen freien Tag«, sagte Jonathan und setzte sich auf. »Willst du an den Strand fahren?«

Ich sagte Ja, obwohl ich nicht wusste, wo genau der Strand war. Auch ich hatte heute einen freien Tag, meinen letzten. Morgen würde ich wieder auf dem Trail sein, unterwegs zum Crater Lake. Wir zogen uns an und fuhren zwei Stunden lang auf einer gewundenen Straße durch Wald und dann durchs Küstengebirge. Während der Fahrt tranken wir Kaffee, aßen Scones, hörten Musik und unterhielten uns über dasselbe Thema wie schon am Abend zuvor: Musik war anscheinend unser einziger gemeinsamer Gesprächsstoff. Als wir das Küstenstädtchen Brookings erreichten, bereute ich es schon fast, mitgekommen zu sein, und nicht nur, weil mein Interesse an Jonathan schwand, sondern auch weil wir volle drei Stunden gefahren waren. Es war ein komisches Gefühl, so weit vom PCT weg zu sein, als hätte ich ihn irgendwie verraten.

Der herrliche Strand brachte dieses Gefühl zum Verstummen. Als ich mit Jonathan an der Brandung entlangspazierte, fiel mir auf, dass ich schon einmal hier gewesen war. Mit Paul. Auf unserer langen Reise nach unserer Zeit in New York – jener Reise, bei der wir den Grand Canyon, Las Vegas, Big Sur und San Francisco besucht hatten und schließlich in Portland gelandet waren – hatten wir an diesem Strand angehalten und gecampt. Wir hatten ein Feuer gemacht, gekocht und an einem Picknicktisch Karten gespielt, dann waren wir hinten in meinen Pick-up gekrochen und hatten auf der dort liegenden Matratze miteinander geschlafen. Ich spürte die Erinnerung daran wie einen Mantel auf meiner Haut. Wer war ich gewesen, als ich mit Paul hier war, und was hatte ich gedacht, was geschehen würde? Was war tatsächlich geschehen, und wer war ich jetzt, und wie hatte sich alles verändert?

Jonathan fragte mich nicht, woran ich dachte, obwohl ich still geworden war. Wir gingen schweigend nebeneinanderher, kamen nur selten an Leuten vorbei, obwohl Sonntagnachmittag war, gingen weiter und immer weiter, bis wir ganz allein waren.

»Wie wär's hier?«, fragte Jonathan, als wir an eine kleine, von dunklen Felsen umsäumte Bucht kamen. Ich sah zu, wie er eine Decke ausbreitete, die Tüte mit unserer Reiseverpflegung, die er bei Safeway gekauft hatte, abstellte und sich hinsetzte.

»Wenn es dir nichts ausmacht, würde ich gern noch ein Stück gehen«, sagte ich und ließ meine Sandalen neben der Decke stehen. Es tat gut, allein zu sein, den Wind in den Haaren zu spüren, den wohltuenden Sand unter den Füßen. Im Gehen sammelte ich schöne Steine, obwohl ich sie gar nicht würde mitnehmen können. Als ich mich so weit von Jonathan entfernt hatte, dass ich ihn nicht mehr sehen konnte, bückte ich mich und schrieb Pauls Namen in den Sand.

Ich hatte das schon so viele Male getan. Jahrelang hatte ich es getan – seit ich mich mit neunzehn in Paul verliebt hatte, jedes Mal, wenn ich einen Strand besuchte, ob wir nun zusammen waren oder nicht. Doch als ich jetzt seinen Namen schrieb, wusste ich, dass es das letzte Mal sein würde. Ich wollte seinetwegen nicht mehr leiden, mich nicht mehr fragen, ob es ein Fehler gewesen war, ihn zu verlassen, mich nicht mehr mit all den Dingen quälen, die ich ihm angetan hatte. Sollte ich mir nicht endlich verzeihen?, fragte ich mich. Sollte ich mir nicht endlich verzeihen, obwohl ich etwas getan hatte, was ich nicht hätte tun sollen? Was, wenn ich eine Lügnerin und Betrügerin war und es für das, was ich getan hatte, keine andere Entschuldigung gab als die, dass ich es hatte tun wollen und tun müssen? Was, wenn ich es aufrichtig bedauerte, ich aber, selbst wenn ich die Zeit zurückdrehen könnte, nicht anders handeln würde als damals? Was, wenn ich tatsächlich mit jedem dieser Männer hatte ins Bett gehen wollen? Was, wenn mich das Heroin etwas gelehrt hatte? Was, wenn *Ja* die richtige Antwort war und nicht *Nein*? Was, wenn mich auch das, was mich zu all diesen Dingen getrieben hatte, die ich in den Augen der anderen nicht hätte tun dürfen, hierhergeführt hatte? Was, wenn ich niemals erlöst wurde? Was, wenn ich es schon war?

»Willst du die?«, fragte ich Jonathan, als ich zu ihm zurückkehrte, und hielt ihm die Steine hin, die ich gesammelt hatte.

Er lächelte, schüttelte den Kopf und sah zu, wie ich sie wieder in den Sand fallen ließ.

Ich setzte mich neben ihn auf die Decke und zog die Einkäufe aus der Tüte – Bagels und Käse, einen kleinen Plastikbären mit

Honig, Bananen und Orangen, die er für uns schälte. Ich aß, bis er einen Finger in den Honig tauchte, meine Lippen damit einstrich, den Honig wegküsste und mich am Ende ganz sanft biss.

Und damit begann eine Honig-Strandfantasie. Er, ich und der Honig, in den sich unvermeidlich auch Sand mischte. Auf meinen Mund, auf seinen Mund und auf der empfindlichen Seite meines Arms hinauf bis zu den Brüsten. Über seine breiten nackten Schultern und hinunter zu seinen Brustwarzen und seinem Nabel und am oberen Rand seiner Shorts entlang, bis ich es schließlich nicht mehr aushielt.

»Wow«, stieß ich hervor, denn das war anscheinend unser Wort. Es stand für alles, was ich nicht aussprach, und es passte zu einem Kerl, der ein mäßiger Gesprächspartner, aber verdammt gut im Bett war. Und ich hatte noch gar nicht mit ihm geschlafen.

Wortlos zog er eine Schachtel Kondome aus der Tüte und riss sie auf. Er erhob sich, nahm mich bei der Hand und zog mich ebenfalls hoch. Ich ließ mich von ihm durch den Sand zu den Felsen führen, die unsere kleine Bucht umschlossen, und wir suchten uns eine Stelle, die an einem öffentlichen Strand als abgeschieden durchgehen konnte – ein Versteck zwischen den dunklen Felsen. Normalerweise war so etwas nicht mein Ding, Sex unter freiem Himmel. Ich bin mir sicher, dass es auf dem Planeten Frauen gibt, die die freie Natur jeder Unterkunft vorziehen, nur bin ich noch keiner begegnet. Doch an diesem Tag kam ich zu dem Ergebnis, dass die Felsen genug Schutz boten. Schließlich hatte ich in den letzten Monaten alles im Freien gemacht. Wir zogen uns gegenseitig aus. Ich lehnte mein nacktes Hinterteil an einen schrägen Felsen und schlang die Beine um Jonathan, bis er mich herumdrehte und ich in die Felsen griff. Zu den Honigresten gesellte sich der mineralische Geruch nach Salz und Sand, der modrige Geruch nach Moos und Plankton. Bald hatte ich vergessen, dass ich draußen war. Bald hatte ich auch den Honig vergessen oder ob Jonathan mir auch nur eine einzige Frage gestellt hatte.

Auf der langen Rückfahrt nach Ashland gab es nicht viel zu sagen. Aber ich war so müde vom Sex und vom Schlafmangel, von Sonne, Sand und Honig, dass ich ohnehin kaum sprechen konnte. Wir schwiegen einträchtig und ließen auf der gesamten Strecke Neil Young laufen, bis wir vor der Jugendherberge unser Vierundzwanzigstunden-Date ohne viel Trara beendeten.

»Danke für alles«, sagte ich und küsste ihn. Es war bereits dunkel, neun Uhr abends und Sonntag. Die Stadt war ruhiger als am Abend zuvor, als hätte sie die Bürgersteige hochgeklappt, jetzt, wo die Hälfte der Touristen nach Hause gefahren war.

»Deine Adresse«, sagte er und reichte mir einen Zettel und einen Stift. Während ich Lisas Adresse aufschrieb, stieg ein Gefühl in mir hoch, das keine richtige Trauer, keine richtige Wehmut und keine richtige Sehnsucht war, sondern eine Mischung aus allem. Wir hatten unbestreitbar eine schöne Zeit zusammen gehabt, aber jetzt fühlte ich mich leer. Als wäre da etwas, von dem ich nicht einmal wusste, dass ich es wollte, bis ich es nicht bekam.

Ich gab ihm den Zettel zurück.

»Vergiss deine Tasche nicht«, sagte er und griff zu dem kleinen roten Kocherbeutel.

»Bye«, sagte ich, nahm ihm den Beutel ab und fasste nach der Tür.

»Nicht so schnell«, sagte er und zog mich an sich. Er küsste mich fest, und ich küsste ihn noch fester, als wäre dies das Ende einer Ära, die mein ganzes bisheriges Leben gedauert hatte.

Am nächsten Morgen zog ich meine Wandersachen an – denselben fleckigen Sport-BH und dieselben abgewetzten marineblauen Wander-Shorts, die ich seit dem ersten Tag trug, dazu ein neues Paar Wollsocken und das letzte frische T-Shirt für die restliche Strecke bis zum Ziel, ein hellgraues Shirt mit dem gelben Schriftzug UNIVERSITY OF CALIFORNIA BERKELEY vorn auf der Brust. Das Monster auf dem Rücken, den Skistock am Handgelenk und einen Karton unterm Arm ging ich in den Bioladen, nahm in der Feinkostabteilung einen Tisch in Beschlag und sortierte mein Gepäck.

Als ich fertig war, stand das Monster ordentlich gepackt neben dem kleinen Karton, der meine Jeans, meinen BH und meine Slips enthielt und an Lisa zurückgehen sollte, und einer Plastiktüte mit Wanderkost, die ich nicht mehr sehen konnte und auf dem Weg aus der Stadt in der Umsonstkiste für PCT-Hiker am Postamt zurückzulassen gedachte. Mein nächster Stopp war der Crater Lake National Park. Bis dorthin waren es ungefähr hundertachtzig Trail-Kilometer. Ich musste zurück auf den PCT, und dennoch verließ ich Ashland nur widerstrebend. Ich wühlte im Rucksack, fand die STRAYED-Halskette und legte sie um. Ich strich über die Rabenfeder, die mir Doug geschenkt hatte. Sie klemmte noch an derselben Stelle am Rucksack wie am ersten Tag, war inzwischen allerdings zerzaust. Ich zog den Reißverschluss der Seitentasche auf, entnahm ihr das Erste-Hilfe-Set und öffnete es. Das Kondom, das ich von Mojave bis hierher bei mir getragen hatte, war noch da und wie neu. Ich nahm es heraus und warf es in die Plastiktüte mit den Lebensmitteln, die ich nicht mehr wollte, dann schulterte ich das Monster, ergriff den Karton und die Plastiktüte und verließ den Laden.

Ich war noch nicht weit gekommen, da sah ich den Stirnbandträger vom Toad Lake. Er saß an derselben Stelle wie vorgestern auf dem Gehweg, vor sich die Kaffeedose und das kleine Pappschild. »Ich ziehe weiter«, sagte ich und blieb vor ihm stehen.

Er schaute zu mir auf und nickte. Anscheinend erinnerte er sich immer noch nicht – weder an unsere Begegnung am Toad Lake noch an die vor zwei Tagen.

»Wir haben uns getroffen, als ihr nach dem Rainbow Gathering gesucht habt«, sagte ich. »Ich war da oben mit einer Frau namens Stacy. Wir haben uns unterhalten.«

Er nickte abermals und schüttelte seine Dose.

»Ich habe hier ein paar Lebensmittel, die ich nicht brauche, falls du sie willst«, sagte ich und stellte die Tüte neben ihn.

»Danke, Baby«, sagte er, als ich weiterging.

Ich blieb noch einmal stehen und drehte mich um.

»Hey«, rief ich. »Hey!«, schrie ich, bis er hersah.

»Nenn mich nicht Baby.«

Er faltete die Hände wie zum Gebet und beugte den Kopf.

16
Mazama

Der Crater Lake war früher ein Berg. Er hieß Mount Mazama und dürfte so ähnlich ausgesehen haben wie die schlafenden Vulkane, die ich in Oregon überqueren würde, der Mount McLoughlin, die Three Sisters, der Mount Washington, der Three Fingered Jack, der Mount Jefferson und der Mount Hood. Nur war er mit einer geschätzten Höhe von bis zu 3700 Metern größer gewesen als alle anderen. Vor rund 7700 Jahren flog der Mount Mazama bei einem verheerenden Vulkanausbruch, der zweiundvierzigmal stärker war als die Eruption, die 1980 den Mount St. Helens im Bundesstaat Washington enthauptete, in die Luft. Es war der stärkste Ausbruch in der Cascade Range in den letzten eine Million Jahren. Nach der Zerstörung des Mazama bedeckten Asche und Bimsstein ein Gebiet von 1,3 Millionen Quadratkilometern – fast ganz Oregon und Washington bis hinauf ins kanadische Alberta. Nach einer Legende der Klamath-Indianer, deren Vorfahren Zeugen der Eruption geworden waren, führte ein erbitterter Kampf zwischen Llao, dem Geist der Unterwelt, und Skell, dem Geist des Himmels, zum Einsturz des Berges. Skell trieb Llao in die Unterwelt zurück, und vom Mount Mazama blieb nur ein leerer, kesselförmiger Krater. Eine sogenannte Caldera, eine Art umgestülpter Berg. Ein Berg, dem das Herz herausgerissen worden ist. Im Verlauf von Jahrhunderten füllte sich die Caldera langsam mit Regen- und Schneeschmelzwasser, bis sie zu dem See wurde, den man heute sieht. An seiner tiefsten Stelle ist er fast 600 Meter tief. Damit ist er der tiefste See der Vereinigten Staaten und einer der tiefsten der Welt.

Ich kannte mich mit Seen ein wenig aus, da ich aus Minnesota stammte, doch als ich in Ashland losmarschierte, wusste ich nicht so recht, was mich am Crater Lake erwartete. Wahrscheinlich, so dachte ich mir, sah er so aus wie der Lake Superior, jener See, in dessen Nähe meine Mutter gestorben war und dessen Blau sich bis zum Horizont erstreckt hatte. In meinem Führer stand nur, dass mich auf dem Rand des Kraters, der den See um 300 Meter überragte, ein »unglaublicher Ausblick« erwarte.

Ich hatte jetzt einen neuen Wanderführer, eine neue Bibel: *The Pacific Crest Trail, Volume II: Oregon and Washington.* Allerdings hatte ich im Bioladen in Ashland die letzten hundertdreißig Seiten des Buchs herausgerissen, da ich den Teil über Washington nicht brauchte. Am ersten Abend nach meinem Abschied aus Ashland blätterte ich vor dem Einschlafen darin, las hier und dort einen Abschnitt, so wie ich es an meinem ersten Abend auf dem PCT in der Wüste mit dem Führer für Kalifornien getan hatte.

In den ersten fünf Tagen nach Ashland erhaschte ich unterwegs mehrmals einen Blick auf den Mount Shasta im Süden, aber die meiste Zeit wanderte ich durch hohen Wald, der die Sicht verstellte. Unter Rucksackwanderern wurde der PCT in Oregon oft als »grüner Tunnel« bezeichnet, da er weitaus weniger Panoramen bot als der kalifornische Pfad. Ich hatte nicht mehr das Gefühl, von oben auf alles hinabzuschauen, und empfand es als irritierend, das Gelände nicht mehr überblicken zu können. Kalifornien hatte meinen Blick verändert, aber in Oregon wandelte er sich erneut, richtete sich auf das Näherliegende. Ich wanderte unter großen, stattlichen Douglasien, vorbei an dicht umwachsenen Seen, durch Wiesen und krautige Disteln, unter denen der Trail zuweilen vollständig verschwand. Ich gelangte in den Rogue River National Forest und wanderte unter uralten Bäumen, ehe ich wieder auf Kahlschläge stieß wie die, die ich Wochen zuvor gesehen hatte, große leere Flächen mit Stümpfen und Baumwurzeln, die beim Abholzen des dichten Waldes zutage getreten waren. Eines Nachmittags verlief ich mich zwischen den Überresten und irrte stundenlang umher, bis ich auf eine asphaltierte Straße stieß und auf den PCT zurückfand.

Es war sonnig und klar, aber kühl, und es wurde mit jedem Tag kühler, als ich in die Sky Lakes Wilderness vorstieß, wo der Pfad konstant in über 1800 Metern Höhe verlief. Von den Kammlinien, auf denen ich zwischen Felsblöcken und Vulkangestein wanderte, hatte ich wieder einen weiten Ausblick über das Land, erspähte gelegentlich weit unter mir einen See. Trotz Sonnenscheins fühlte ich mich wie an einem Morgen Anfang Oktober und nicht wie an einem Nachmittag Mitte August. Ich musste in Bewegung bleiben, um mich warm zu halten. Wenn ich länger als fünf Minuten stehen blieb, wurde das schweißnasse T-Shirt am Rücken eiskalt. Seit Ashland war ich niemandem begegnet, aber nun traf ich hin und wieder Tagesausflügler und Rucksackwanderer, die auf einem der vielen Wanderwege, die den PCT kreuzten und entweder zu einem Gipfel weiter oben oder zu einem See weiter unten führten, heraufgeklettert waren. Meistens war ich allein, was nicht ungewöhnlich war, aber die Kälte und der frische Wind, der an den unverwüstlichen Bäumen rüttelte, ließen den Trail noch verlassener wirken. Es kam mir sogar noch kälter vor als auf den verschneiten Höhen bei Sierra City, obwohl ich nur hier und da kleinere Schneereste sah. Das lag daran, dass der Sommer zum damaligen Zeitpunkt gerade erst Einzug in den Bergen gehalten hatte, während er sich jetzt, nur sechs Wochen später, bereits wieder aus ihnen zurückzog und langsam dem Herbst Platz machte.

Eines Abends, als ich anhielt, um mein Lager aufzuschlagen, war es so kalt, dass ich eilends aus meinen verschwitzten Sachen schlüpfte, jedes Kleidungsstück anzog, das ich noch besaß, mir rasch etwas kochte und gleich nach dem Essen in den Schlafsack kroch. Ich war so durchgefroren, dass ich nicht einmal lesen wollte. Die ganze Nacht lag ich zusammengerollt wie ein Embryo da und tat kaum ein Auge zu, obwohl ich Mütze und Handschuhe anhatte. Als die Sonne endlich aufging, zeigte das Thermometer drei Grad unter null, und auf dem Zelt lag eine dünne Schneeschicht. Das Wasser in meinen Trinkflaschen war gefroren, obwohl sie neben mir im Zelt gelegen hatten. Statt meines gewohnten Müslis mit angerührtem Sojamilchpulver aß ich einen Eiweißriegel zum Frühstück, und als ich, ohne einen Schluck Wasser getrunken zu haben, das Lager abbrach, musste ich wieder an meine Mutter denken. Seit Tagen, seit ich in Ashland losgewandert war, spürte ich ihre Nähe, merkte, wie sie in meinem Hinterkopf herumgeisterte, und jetzt, an dem Tag, an dem es geschneit hatte, war sie da.

Es war der 18. August. Ihr Geburtstag. Sie wäre an diesem Tag fünfzig geworden, wenn sie noch gelebt hätte.

Sie lebt nicht mehr. Sie wird nicht fünfzig. Sie wird nie fünfzig werden, sagte ich mir, als ich in der kalten Augustsonne weiterwanderte. *Werde fünfzig, Mom. Verdammt noch mal, werde fünfzig,* dachte ich mit zunehmender Wut. Ich konnte nicht fassen, wie wütend ich auf meine Mutter wurde, weil sie an ihrem fünfzigsten Geburtstag nicht mehr am Leben war.

Ihre vorausgegangenen Geburtstage hatten keine solche Wut in mir entfacht. In den Jahren davor war ich nur traurig gewesen. Am ersten Geburtstag ohne sie – dem Tag, an dem sie sechsundvierzig geworden wäre – verstreute ich mit Eddie, Karen, Leif und Paul ihre Asche auf dem kleinen, in Steine eingefassten Blumenbeet, das ich für sie auf einer Lichtung auf unserem Stück Land angelegt hatte. An den drei folgenden Geburtstagen hatte ich nur still dagesessen, geweint und mir sehr aufmerksam das gesamte Album *Colors of the Day* von Judy Collins angehört, von dem mir jeder Ton wie ein Stück von mir vorkam. Ich konnte es mir nur einmal im Jahr anhören, da es mich zu sehr an meine Mutter erinnerte, die es häufig gespielt hatte, als ich noch ein Kind war. Die Musik gab mir das Gefühl, meine Mutter wäre bei mir, stünde im Zimmer – nur war es nicht so und würde nie wieder so sein.

Jetzt, auf dem PCT, durfte ich mir nicht gestatten, auch nur an eine einzige Textzeile zu denken. Ich löschte jedes einzelne Lied aus dem Hitradio in meinem Kopf, drückte in einem verzweifelten Kampf eine imaginäre Rücklauftaste und zwang meinen Kopf, ganz abzuschalten. Heute war nicht der fünfzigste Geburtstag meiner Mutter, deshalb wurde nicht gesungen. Stattdessen wanderte ich an Bergseen vorüber und stapfte über grobes Vulkangestein. Der in der Nacht gefallene Schnee schmolz, und die Wildblumen kamen wieder zum Vorschein. Ich wanderte schneller als jemals zuvor und hatte lieblose Gedanken an meine Mutter. Mit fünfundvierzig zu sterben war von den vielen Fehlern, die sie begangen hatte, nur der schlimmste. Beim Wandern erstellte ich im Kopf eine akribische Liste der übrigen:

1. Es gab eine Phase, in der sie wenig, aber regelmäßig Gras rauchte, auch bedenkenlos vor meinen Geschwistern und mir. Einmal, als sie stoned war, hatte sie gesagt: »Das ist nur ein Kraut. So etwas wie Tee.«

2. In der Zeit, in der wir in Mietshäusern wohnten, die voll waren mit allein erziehenden Müttern, kam es nicht selten vor, dass sie meine Geschwister und mich allein ließ. Sie könne sich keinen Babysitter leisten, sagte sie zu uns, und wir seien alt genug, um ein paar Stunden allein klarzukommen. Außerdem könnten wir ja jederzeit zu einer der anderen Mütter gehen, falls wir ein Problem hätten. Aber wir brauchten unsere Mom.

3. In derselben Zeit drohte sie uns, wenn sie richtig wütend wurde, Prügel mit einem Kochlöffel an, und ein paarmal machte sie die Drohung auch wahr.

4. Einmal sagte sie, es würde ihr überhaupt nichts ausmachen, wenn wir sie lieber mit ihrem Vornamen als mit Mom anreden wollten.

5. Ihren Freunden gegenüber konnte sie kühl und distanziert sein. Sie hatte sie gern, aber hielt sie auf Abstand. Ich glaube, sie ließ keinen wirklich an sich heran. Sie lebte nach dem Grundsatz »Blut ist dicker als Wasser«, obwohl wir nur wenige Blutsverwandte hatten, die auch noch Hunderte von Kilometern weit weg wohnten. Sie gefiel sich in der Rolle der Einsiedlerin, nahm zwar Anteil am Leben ihrer Freunde, schottete unsere Familie aber davon ab. Das war vermutlich der Grund, warum niemand vorbeigekommen war, als sie starb, und warum ihre Freunde mich in meinem unvermeidlichen Exil in Ruhe gelassen hatten. Da sie zu niemandem engen Kontakt gehabt hatte, hatte auch niemand welchen zu mir. Alle wünschten mir nur das Beste, aber keiner lud mich an Thanksgiving zum Essen ein oder rief mich am Geburtstag meiner toten Mutter an, um Hallo zu sagen.

6. Mit ihrem Optimismus konnte sie einen auf die Palme bringen, speziell wenn sie dummes Zeug sagte wie: Wir sind nicht arm, denn wir sind reich an Liebe! Oder: Wenn eine Tür zugeht, geht eine andere auf! Aus Gründen, die mir selbst nicht ganz klar waren, hätten wir sie dann immer am liebsten erwürgt, sogar noch, als sie im Sterben lag und ihr Optimismus sich vorübergehend in dem verzweifelten Glauben ausdrückte, sie werde nicht sterben, solange sie nur gewaltige Mengen Weizengrassaft trinke.

7. Als ich im letzten Highschool-Jahr war, fragte sie mich nicht, auf welches College ich gern gehen würde. Sie sah

sich mit mir kein einziges an. Dass Eltern so etwas taten, erfuhr ich erst, als ich bereits auf dem College war und andere mir davon erzählten. Ich blieb mir selbst überlassen und bewarb mich lediglich an einem College in Saint Paul, und nur aus dem einen Grund, weil es auf der Broschüre nett aussah und nur drei Autostunden von unserem Haus entfernt lag. Gewiss, ich hatte es auf der Highschool etwas schleifen lassen und das blonde Dummchen gespielt, um nicht sozial ausgegrenzt zu werden, weil meine Familie in einem Haus mit Plumpsklo und Holzofen lebte, mein Stiefvater ein Langhaariger mit Rauschebart war und in einem verbeulten Auto herumfuhr, das er mittels Schweißbrenner, Kettensäge und ein paar Kanthölzern in einen Kleinlaster umgebaut hatte, und meine Mutter es ablehnte, sich die Achseln zu rasieren, und den einheimischen Waffennarren Sätze an den Kopf warf wie: Also ich finde, Jagen ist Mord. Aber sie wusste, dass ich eigentlich intelligent war. Sie wusste, dass ich wissbegierig war und ein Buch nach dem anderen verschlang. Und dass ich bei jeder Einheitsprüfung unter den Besten abschnitt, überraschte alle außer sie und mir. Warum hatte sie nicht gesagt: He, vielleicht solltest du dich in Harvard bewerben? Wie wär's, wenn du dich in Yale bewirbst? Der Gedanke an Harvard und Yale war mir damals überhaupt nicht in den Sinn gekommen. Diese Hochschulen erschienen mir völlig unwirklich. Erst später begriff ich, dass Harvard und Yale durchaus real waren. Und obwohl sie mich niemals genommen hätten – ich hätte, offen gestanden, ihren Anforderungen nicht genügt –, ist etwas in mir daran zerbrochen, dass nie in Erwägung gezogen worden war, einen Versuch zu wagen.

Jetzt war es dazu zu spät, und schuld daran war einzig und allein meine tote Mutter, diese engstirnige, überoptimistische Frau, die

378

Gras rauchte, ihre Kinder zeitweise vernachlässigte, sie mit dem Kochlöffel versohlte und ihnen freistellte, sie mit ihrem Vornamen anzureden. Sie hatte mich nicht aufs College vorbereitet. Sie hatte versagt. Sie hatte auf der ganzen Linie bei mir versagt.

Zum Teufel mit ihr, dachte ich und blieb vor Wut stehen.

Und dann heulte ich. Es kamen keine Tränen, nur laute Schreie, die mich so heftig schüttelten, dass ich nicht mehr aufrecht stehen konnte. Ich musste mich vorbeugen, die Hände auf die Knie stützen, spürte den Rucksack schwer auf meinem Rücken, hörte, wie der Skistock hinter mir klirrend zu Boden fiel, und heulte. Mein ganzes bescheuertes Leben brach aus mir hervor.

Es war nicht richtig. Es war so furchtbar, so grausam, dass mir meine Mutter genommen worden war. Ich hatte sie nicht einmal richtig hassen können. Ich war gar nicht dazu gekommen, erwachsen zu werden, mich von ihr zu lösen, vor meinen Freunden über sie zu lästern und sie mit Dingen zu konfrontieren, die sie in meinen Augen hätte anders machen sollen, um dann, wenn ich etwas älter geworden war, zu begreifen, dass sie ihr Bestes getan hatte, zu erkennen, dass sie ihre Sache verdammt gut gemacht hatte, und sie wieder in die Arme zu schließen. Ihr Tod hatte das verhindert. Er hatte mich ausgelöscht. Er hatte mich auf dem Höhepunkt meiner jugendlichen Überheblichkeit jäh gestoppt. Er hatte mich gezwungen, sofort erwachsen zu werden und ihr jeden Fehler, den sie als Mutter begangen hatte, zu verzeihen, und gleichzeitig hatte er mich für immer zum Kindsein verdammt, denn mein Leben endete und begann an diesem Punkt, an dem ich vorzeitig stehen geblieben war. Sie war meine Mutter, aber ich war mutterlos. Ich kam nicht von ihr los, war aber völlig allein. Sie würde immer der leere Kessel bleiben, den niemand anders füllen konnte. Ich würde ihn selbst immer wieder und wieder füllen müssen.

Zum Teufel mit ihr, schimpfte ich auf den nächsten Kilometern vor mich hin. In meiner Wut marschierte ich schneller, wurde aber bald wieder langsamer, blieb schließlich stehen und setzte mich auf einen Felsblock. Zu meinen Füßen wuchsen einige kleine Blumen, deren kümmerliche violette Blüten zwischen Steinen hervordrängten. *Krokusse,* dachte ich. Den Namen kannte ich von meiner Mutter. Die gleichen Blumen wuchsen in der Erde, in die ich ihre Asche gestreut hatte. Ich bückte mich, berührte die Blütenblätter einer Blume und spürte, wie die Wut aus meinem Körper wich.

Als ich wieder aufstand und meinen Weg fortsetzte, hegte ich keinen Groll mehr gegen meine Mutter. Denn in Wahrheit war sie trotz allem eine großartige Mutter gewesen. Ich hatte das gewusst, als ich heranwuchs. Ich hatte es in den Tagen gewusst, als sie im Sterben lag. Ich wusste es jetzt. Und ich wusste, dass das nicht wenig war. Dass es sogar sehr viel war. Viele Freunde von mir hatten Mütter, die – ganz gleich wie lange sie lebten – ihnen niemals die allumfassende Liebe geben würden, die mir meine gegeben hatte. Meine Mutter selbst hatte in dieser Liebe ihre größte Leistung gesehen. Auf diese Liebe baute sie, als sie begriff, dass sie wirklich sterben würde und dass sie bald sterben würde. Diese Liebe machte es ihr einigermaßen erträglich, dass sie Karen, Leif und mich verlassen musste.

»Ich habe euch alles gegeben«, sagte sie immer wieder in ihren letzten Tagen.

»Ja«, sagte ich. Das hatte sie, es stimmte. Das hatte sie. Sie hatte uns alles gegeben, was eine Mutter geben konnte. Sie hatte nichts zurückbehalten, nicht den kleinsten Hauch ihrer Liebe.

»Ich werde immer bei euch sein, ganz gleich was geschieht«, sagte sie.

»Ja«, erwiderte ich und rieb ihren schlaffen Arm.

Als es ihr so schlecht ging, dass wir wussten, sie würde bald sterben, als wir in die Zielgerade zur Hölle einbogen und längst nicht mehr daran glaubten, dass Weizengrassaft, in welchen Mengen auch immer, sie würde retten können, hatte ich sie gefragt, was mit ihrem Leichnam geschehen solle, ob sie eingeäschert oder begraben werden wolle, doch sie sah mich nur an, als hätte ich Chinesisch mit ihr gesprochen.

»Ich möchte, dass alles, was gespendet werden kann, gespendet wird«, sagte sie nach einer Weile. »Von meinen Organen, meine ich. Sie sollen alles haben, was sie gebrauchen können.«

»Okay«, sagte ich. Das Seltsamste an diesen Überlegungen war, dass wir nicht für eine ferne Zukunft planten, und die Vorstellung, dass Teile meiner Mutter im Körper eines anderen Menschen weiterleben sollten. »Aber was dann?«, fragte ich weiter. Ich musste es wissen. An mir würde es hängen bleiben. »Was soll mit dem geschehen, was … was übrig bleibt. Willst du begraben oder eingeäschert werden?«

»Das ist mir egal. Tu, was du für das Beste hältst. Was am billigsten ist.«

»Nein«, beharrte ich. »Du musst es mir sagen. Ich möchte wissen, was du willst.« Der Gedanke, dass ich darüber entscheiden sollte, versetzte mich in Panik.

»Ach, Cheryl«, seufzte sie, meiner überdrüssig, und wir tauschten einen leidvollen Blick und schlossen Frieden. Denn jedes Mal, wenn ich sie am liebsten erwürgt hätte, weil sie zu optimistisch war, hätte auch sie mich am liebsten erwürgt, weil ich partout nicht nachgeben wollte.

»Verbrennt mich«, sagte sie schließlich. »Äschert mich ein.«

Und das taten wir, allerdings war ihre Asche nicht so, wie ich sie mir vorgestellt hatte. Sie war nicht wie die Asche eines Holzfeuers, seidig glänzend und fein wie Sand. Sie war wie ein Gemisch aus blassen Steinen und sandhaltigem, grauem Schotter. Einige Klumpen waren sehr groß, und man konnte deutlich sehen, dass es einmal Knochen gewesen waren. Der Kasten, den mir der Mann vom Beerdigungsinstitut aushändigte, war seltsamerweise an meine Mutter adressiert. Ich nahm ihn mit nach Hause und stellte ihn in den Schrank unter dem Kuriositätenkabinett, in dem meine Mutter ihre schönsten Sachen aufbewahrte. Es war Juni. Er blieb dort bis zum 18. August, genau wie der Grabstein, den wir für sie hatten anfertigen lassen und den wir in derselben Woche bekommen hatten wie die Asche. Er stand in einer Ecke im Wohnzimmer. Besuchern bot er wahrscheinlich einen verstörenden Anblick, aber mir war er ein Trost. Der Stein war schiefergrau, die Inschrift weiß. Sie bestand aus ihrem Namen, dem Geburts- und dem Sterbedatum und dem Satz, den sie, als es mit ihr zu Ende ging, immer wieder zu uns gesagt hatte: *Ich bin immer bei euch.*

Sie wollte, dass wir uns daran erinnerten, und das tat ich. Es war, als wäre sie immer bei mir, zumindest im übertragenen Sinn – und in gewisser Weise auch im wörtlichen Sinn. Als wir den Grabstein schließlich aufgestellt hatten und ihre Asche in die Erde streuten, verstreute ich nicht die gesamte Asche. Ein paar von den größten Klumpen behielt ich in der Hand. Ich stand eine ganze Weile da, nicht bereit, sie der Erde zu übergeben. Das tat ich damals nicht und auch später nicht.

Ich schob mir die verbrannten Knochen in den Mund und schluckte sie, so wie sie waren, hinunter.

Am Abend ihres fünfzigsten Geburtstags liebte ich meine Mutter wieder, aber die Lieder von Judy Collins musste ich weiterhin aus meinem Kopf verbannen, da ich sie immer noch nicht ertragen konnte. Es war kalt, aber nicht so kalt wie in der Nacht zuvor. Ich saß dick eingepackt und mit Handschuhen in meinem Zelt und las die ersten Seiten meines neuen Buchs – *The Best American Essays 1991*. Normalerweise wartete ich bis zum nächsten Morgen, ehe ich die Seiten, die ich am Abend gelesen hatte, verbrannte, doch an diesem Abend kroch ich, als ich mit Lesen fertig war, aus dem Zelt und machte mit den gelesenen Seiten ein Feuer. Als sie brannten, sagte ich laut den Namen meiner Mutter, als führte ich eine Zeremonie für sie durch. Sie hieß Barbara, war aber von allen nur Bobbi genannt worden, und so benutzte ich diesen Namen. »Bobbi« statt »Mom« zu sagen war wie eine Erleuchtung, als verstünde ich zum ersten Mal wirklich, dass sie nicht nur meine Mutter gewesen war, sondern mehr. Mit ihrem Tod hatte ich auch dieses Mehr verloren – die Bobbi, die sie gewesen war, die Frau, die nicht eins war mit der, die sie für mich gewesen war. Jetzt schien sie sich mir zu zeigen, in der vollkommenen und unvollkommenen Kraft ihres ganzen Menschseins, als wäre ihr Leben ein kompliziertes Wandgemälde, das ich nun endlich in seiner Ganzheit sehen konnte. Als könnte ich nun sehen, wer sie für mich gewesen war und wer nicht. Sehen, warum sie so untrennbar zu mir gehörte, und auch, warum nicht.

Bobbis letzter Wunsch, mit ihren Organen anderen Menschen zu helfen, ging nicht in Erfüllung, jedenfalls nicht in dem Umfang, wie sie es sich erhofft hatte. Als sie starb, war ihr Körper vom Krebs verwüstet und vom Morphium vergiftet. Am Ende konnte man nur die Hornhaut, die Kornea, ihrer Augen verwenden. Ich wusste, dass die Kornea nur die klare Außenhaut des Auges war, aber wenn ich an das gespendete Organ meiner Mutter dachte, stellte ich mir etwas anderes vor. Ich dachte, dass ihre verblüffend blauen Augen im Gesicht eines anderen Menschen weiterlebten. Ein paar Monate nach ihrem Tod erhielten wir von der Stiftung, die die Spende vermittelt hatte, ein Dankschreiben. Durch ihre Großzügigkeit, so hieß es darin, habe meine Mutter einem Menschen das Augenlicht gerettet. Ich war wie besessen von dem Wunsch, dieser Person in die Augen zu sehen. Sie hätte kein Wort zu sagen brauchen. Ich wollte nur, dass sie mich ansah. Ich rief die im Brief angegebene Telefonnummer an und erkundigte mich nach der Person, erhielt aber eine Abfuhr. Die Schweigepflicht sei von größter Wichtigkeit, wurde mir mitgeteilt. Der Empfänger habe gewisse Rechte.

»Ich bin gern bereit, Ihnen Näheres über die Art der Spende Ihrer Mutter zu sagen«, antwortete mir die Frau am Telefon mit einer geduldigen und tröstenden Stimme, die mich an all die Trauerbegleiter, Hospizfreiwilligen, Krankenschwestern, Ärzte und Bestatter erinnerte, mit denen ich in den Wochen, in denen meine Mutter im Sterben lag, und in den Tagen nach ihrem Tod gesprochen hatte – eine Stimme, in der ein bemühtes, fast übertriebenes Mitgefühl zum Ausdruck kam und die mir gerade dadurch zu Bewusstsein brachte, dass ich in dieser Sache auf mich allein gestellt war. »Man hat nicht das ganze Auge transplantiert«, erklärte die Frau, »sondern nur die Kornea. Das ist …«

»Ich weiß, was die Kornea ist«, fiel ich ihr ins Wort. »Ich würde trotzdem gern wissen, wer diese Person ist. Und sie sehen, wenn das möglich ist. Ich finde, das sind Sie mir schuldig.«

Überwältigt vor Trauer legte ich auf, aber mein letzter Rest Verstand sagte mir, dass die Frau recht hatte. Meine Mutter war nicht mehr da. Ihre blauen Augen waren fort. Ich würde sie nie wieder sehen.

Als ich die Seiten verbrannt hatte und die letzten Flammen erloschen waren, stand ich auf, um ins Zelt zurückzukehren. Da vernahm ich im Osten ein schrilles und wildes Bellen und Heulen – ein Rudel Kojoten. Im Norden Minnesotas hatte ich so etwas schon so oft gehört, dass es mir keinen Schrecken einjagte. Es erinnerte mich an zu Hause. Ich blickte zum Himmel, der übersät war mit Sternen, die herrlich in der Dunkelheit funkelten. Ich erschauerte, denn ich erkannte, dass ich mich glücklich schätzen konnte, jetzt hier zu sein, und dass der Himmel zu schön war, um mich gleich wieder im Zelt zu verkriechen. Wo würde ich in einem Monat sein? Dass ich dann nicht mehr auf dem Trail sein sollte, erschien mir unvorstellbar, und doch war es wahr. Höchstwahrscheinlich würde ich in Portland sein, und sei es auch nur aus dem einen Grund, dass ich abgebrannt war. Ich besaß zwar noch etwas von dem Geld aus Ashland, aber bis ich die Brücke der Götter erreichte, würde auch davon nichts mehr übrig sein.

Gedanken an Portland gingen mir im Kopf herum, als ich in den folgenden Tagen die Sky Lakes Wilderness hinter mir ließ und in

die Oregon Desert vorstieß, eine staubige, mit Küstenkiefern be-
wachsene Hochfläche, die nach Auskunft meines Wanderführers
einst mit Seen und Bächen übersät war, bevor bei der gewaltigen
Eruption des Mount Mazama alles unter Tonnen von Asche und
Bimsstein begraben wurde. Es war noch früh, als ich am Sonntag
den Crater Lake National Park erreichte. Den See selbst konnte ich
noch nicht sehen, denn ich befand mich auf dem Campingplatz elf
Kilometer südlich des Kraterrands.

Der Campingplatz war kein gewöhnlicher Campingplatz. Er war
ein wuseliges Touristendorf mit einem großen Parkplatz, einem
Laden, einem Motel, einem kleinen Münzwaschsalon und ungefähr dreihundert Leuten, die die Motoren ihrer Autos aufheulen
und ihre Radios plärren ließen, mit Strohhalmen aus riesigen Pappbechern schlürften und Chips aus großen Tüten mampften, die sie
im Laden gekauft hatten. Ich war davon gleichermaßen fasziniert
wie abgestoßen. Hätte ich es nicht aus eigener Erfahrung gewusst,
so hätte ich nicht für möglich gehalten, dass ich nur ein paar hundert Meter in jede beliebige Richtung zu gehen brauchte, um in
eine ganz andere Welt zu gelangen. Ich verbrachte die Nacht dort,
duschte genüsslich in den Waschräumen und machte mich am
nächsten Morgen auf den Weg zum Crater Lake.

Mein Führer hatte recht gehabt: Mein erster Blick auf den See
war unglaublich. Ich stand auf dem 2160 Meter hoch gelegenen
felsigen Kraterrand, 270 Meter über der Wasseroberfläche. Das gezackte Rund des Sees lag unter mir und erstrahlte in einem unbe-
schreiblich reinen Ultramarinblau, wie ich noch keines gesehen
hatte. Bis zum gegenüberliegenden Ufer waren es fast zehn Kilometer, und mitten aus dem Blau ragte die Spitze eines kleinen Vul-
kans namens Wizard Island, der sich 200 Meter über das Wasser
erhob und eine kegelförmige Insel bildete, auf der krüppelige
Fuchsschwanzkiefern wuchsen. Die gleichen Bäume waren da und
dort auch auf dem sonst kahlen, welligen Kraterrand zu sehen, der
den See umschloss und sich von den Bergen in der Ferne abhob.

»Weil der See so klar und tief ist, absorbiert er alle Farben des sichtbaren Lichts außer Blau, darum erscheint er uns in einem reinen Blau«, sagte eine neben mir stehende Fremde und beantwortete damit die Frage, die ich vor Verwunderung beinahe laut gestellt hätte.

»Danke«, sagte ich zu ihr. Weil das Wasser so tief und klar war, absorbierte es alle Farben des sichtbaren Lichts außer Blau – das klang nach einer perfekten wissenschaftlichen Erklärung, und doch hatte der Crater Lake etwas, was unerklärlich blieb. Beim Stamm der Klamath gilt der See immer noch als heilige Stätte, und ich konnte nachempfinden, warum. Diesmal blieb die Skeptikerin in mir stumm. Es störte mich auch nicht, dass um mich herum Touristen Fotos schossen und langsam in ihren Autos vorbeifuhren. Ich konnte die Kraft des Sees spüren. Er wirkte auf mich wie ein Schock inmitten dieses großen Lands: unverletzlich, abgesondert und allein, als wäre er immer schon hier gewesen und würde immer hier bleiben und alle Farben des sichtbaren Lichts außer Blau absorbieren.

Ich machte ein paar Fotos und ging am Rand des Sees entlang zu einer kleinen Ansammlung von Gebäuden, die touristische Einrichtungen beherbergten. Ich musste notgedrungen den Tag hier verbringen, da heute, am Sonntag, die Poststelle des Parks geschlossen war und ich mein Versorgungspaket folglich erst morgen abholen konnte. Es war sonnig und endlich wieder warm geworden, und im Gehen musste ich plötzlich daran denken, dass ich ungefähr jetzt ein Kind zur Welt gebracht hätte, wenn ich die Schwangerschaft nicht abgebrochen hätte, von der ich an jenem Abend in Sioux Falls, bevor ich mich zu der Wanderung auf dem PCT entschloss, erfahren hatte. Der voraussichtliche Geburtstermin wäre genau in die Woche gefallen, in der meine Mutter Geburtstag hatte. Damals versetzte mir dieses zeitliche Zusammentreffen einen Stich, aber ich ließ mich davon in meinem Entschluss zu einem Schwangerschaftsabbruch nicht beirren. Ich betete nur darum, dass ich später noch einmal eine Chance bekam. Und dass ich die Frau wurde, die ich sein musste, bevor ich ein Kind bekam: eine Frau, deren Leben sich grundlegend von dem meiner Mutter unterschied.

Sosehr ich meine Mutter auch liebte und bewunderte, so wollte ich doch nie so werden wie sie, nicht einmal als Kind. Ich wusste, warum sie mit neunzehn meinen Vater geheiratet hatte, obwohl sie ihn nicht sehr liebte. Dies war eine der Geschichten, die sie mir erzählte, weil ich immer wieder danach fragte. Anfangs schüttelte sie nur den Kopf und sagte: »Warum willst du das denn wissen?« Aber ich ließ ihr keine Ruhe, bis sie irgendwann nachgab und es mir erzählte. Als sie erfuhr, dass sie von meinem Vater schwanger war, zog sie zwei Möglichkeiten in Betracht: entweder in Denver eine illegale Abtreibung vornehmen lassen oder sich in einer fremden Stadt verstecken, dort das Kind zur Welt bringen und dann in die Obhut ihrer Mutter geben, die sich erboten hatte, es wie ihr eigenes großzuziehen. Doch am Ende tat sie weder das eine noch das andere. Sie entschied sich dafür, das Kind zu bekommen, und heiratete meinen Dad. Sie brachte Karen auf die Welt, dann mich und dann Leif.

Uns.

»Ich habe nie selbst am Steuer meines Lebens gesessen«, hatte sie mir einmal weinend geklagt, nachdem sie erfahren hatte, dass sie sterben würde. »Ich habe immer nur getan, was andere von mir wollten. Ich war immer jemandes Tochter, Mutter oder Frau. Ich bin nie einfach nur ich gewesen.«

»Ach, Mom«, war alles, was ich dazu sagen konnte, während ich ihre Hand streichelte.

Ich war zu jung, um etwas anderes zu sagen.

Gegen Mittag aß ich in der Cafeteria, die in einem der Gebäude untergebracht war. Anschließend ging ich über den Parkplatz zur Crater Lake Lodge und spazierte mit dem Monster auf dem Rücken durch die vornehm rustikale Lobby, wobei ich kurz stehen blieb und einen Blick in den Speiseraum warf. Ein paar vereinzelte, gut gekleidete Leute saßen an Tischen und hielten Gläser mit Chardonnay und Grauburgunder, die funkelten wie blassgelbe Edelsteine. Ich trat hinaus auf die lang gestreckte Terrasse mit Blick auf den See, ging an einer Reihe großer Schaukelstühle entlang und fand einen, der etwas abseits stand.

Ich setzte mich hinein, blieb den Rest des Nachmittags dort sitzen und blickte auf den See. Ich hatte noch 534 Kilometer bis zur Brücke der Götter zu wandern, aber irgendwie war mir, als wäre ich schon angekommen. Als hätte mir das blaue Wasser etwas zu sagen, um dessentwillen ich den weiten Weg hierher gekommen war.

Hier erhob sich einst der Mount Mazama, rief ich mir unablässig in Erinnerung. Hier stand einst ein Berg, der fast 3700 Meter emporragte und dem dann das Herz herausgerissen wurde. Hier war einst eine Wüste aus Lava, Bimsstein und Asche. Hier war einst ein leerer Kessel, der Jahrhunderte brauchte, um sich mit Wasser zu füllen. Doch sosehr ich mich auch bemühte, ich konnte mir nichts davon vor mein geistiges Auge rufen. Weder den Berg noch die Wüste, noch den leeren Kessel. Sie waren einfach nicht mehr da. Da war nur die Ruhe und Stille dieses Wassers: das, in was sich ein Berg, eine Wüste und ein leerer Kessel nach Einsetzen des Heilungsprozesses verwandelt hatten.

17
Auf Sparflamme

Oregon war für mich wie das Hüpfspiel »Himmel und Hölle«. In meiner Vorstellung legte ich die gesamte Strecke vom Crater Lake bis zur Brücke der Götter von einem Feld zum anderen hüpfend zurück. Hundertsechsunddreißig Kilometer bis zu meinem nächsten Versorgungspunkt, das Shelter Cove Resort. Dann zweihundertachtundzwanzig Kilometer bis zu meinem letzten Versorgungspunkt am Olallie Lake. Und schließlich die Zielgerade zum Columbia River: nochmals hundertsiebzig Kilometer bis zu der Ortschaft Cascade Locks, mit einem Zwischenstopp nach halber Strecke in der Timberline Lodge am Mount Hood auf einen Drink nach dem Motto »Heilige Scheiße, ich kann es einfach nicht fassen, dass ich fast da bin«.

Aber das waren zusammen immer noch 534 Kilometer, die ich zu bewältigen hatte.

Die angenehme Seite war, dass es, ganz gleich was auf diesen 534 Kilometern passierte, unterwegs immer frische Beeren geben würde, wie ich bald begriff. Heidelbeeren, Himbeeren und Brombeeren, die prall und saftig am Wegrand hingen und nur darauf warteten, gepflückt zu werden. Ich zupfte sie im Gehen von den Sträuchern, während ich gemächlich die Mount Thielsen Wilderness und Diamond Peak Wilderness durchquerte, und manchmal blieb ich sogar stehen und füllte meinen Hut.

Es war kalt. Es war heiß. Die Schwielen an meinen Hüften bekamen eine neue Schicht. An den Füßen hatte ich zwar keine Blasen oder wunden Stellen mehr, aber sie taten immer noch höllisch weh. In der Hoffnung, die Schmerzen zu lindern, legte ich ein paar Halbtagsschichten ein und wanderte nur elf oder zwölf Kilometer am Tag, aber das half wenig. Sie taten von innen heraus weh. Manchmal hatte ich beim Gehen das Gefühl, als ob sie gebrochen wären und eigentlich in Gips statt in Stiefel gehörten. Als ob sie bei den vielen Märschen mit schwerem Gepäck durch schwieriges Gelände einen bleibenden Schaden davongetragen hätten. Und gleichwohl war ich so stark wie noch nie. Selbst mit diesem Ungetüm von Rucksack auf dem Rücken konnte ich mittlerweile gewaltige Strecken zurücklegen, auch wenn ich am Abend nach wie vor ziemlich kaputt war.

Das Wandern auf dem PCT fiel mir jetzt leichter, aber leichter war nicht gleichbedeutend mit leicht.

Es gab schöne Vormittage und herrliche Nachmittage, Fünfzehn-Kilometer-Abschnitte, über die ich förmlich hinwegschwebte, ohne viel zu spüren. Ich liebte es, mich im Rhythmus meiner Schritte und im Klicken meines Skistocks zu verlieren, in der Stille, den Liedern und Sätzen in meinem Kopf. Ich liebte die Berge und die Felsen, die Hirsche und die Kaninchen, die unter die Bäume flüchteten, die Käfer und Frösche, die über den Pfad krabbelten. Aber jeden Tag gelangte ich irgendwann an den Punkt, an dem ich das alles nicht mehr liebte, an dem es eintönig und mühselig wurde, mein Kopf auf Sparflamme schaltete und ich an nichts anderes mehr dachte, als in Bewegung zu bleiben, und immer weiter ging, bis auch das Gehen unerträglich wurde, bis ich glaubte, keinen Schritt mehr tun zu können, und endlich stehen blieb, das Lager aufschlug und zügig alle nötigen Arbeiten erledigte, um möglichst rasch den erlösenden Augenblick herbeizuführen, da ich, mit den Kräften am Ende, in mein Zelt sinken konnte.

Genauso fühlte ich mich, als ich mich in das Shelter Cove Resort schleppte: erschöpft und angeödet vom Trail, innerlich leer und nur froh, endlich am Ziel zu sein. Ich hatte ein weiteres Feld in meinem Himmel-und-Hölle-Spiel übersprungen. Das Shelter Cove Resort bestand aus einem Laden und einigen rustikalen Hütten auf einer großen Rasenfläche am Ufer eines großen Sees namens Odell, der eingebettet zwischen grünen Wäldern lag. Ich erklomm die Veranda des Ladens und trat ein. Kurze Regalreihen mit Snacks und Angelködern, ein Kühlregal mit Getränken. Ich nahm mir eine Dose Snapple-Limonade und eine Tüte Chips und kehrte damit zur Theke zurück.

»Wandern Sie auf dem PCT?«, fragte mich der Mann an der Kasse. Als ich nickte, deutete er zu einem Fenster im rückwärtigen Teil des Ladens. »Die Poststelle ist bis morgen früh geschlossen, aber Sie können ganz in der Nähe umsonst kampieren. Fürs Duschen müssen Sie bezahlen.«

Ich hatte nur noch zehn Dollar – meine Aufenthalte in Ashland und im Crater Lake National Park hatten mehr verschlungen, als ich mir vorgestellt hatte –, aber ich wusste, dass das Versorgungspaket, das ich am nächsten Morgen abholen würde, zwanzig Dollar enthielt, und so bat ich den Mann, als ich Limonade und Chips bezahlte, mir ein paar Fünfundzwanzig-Cent-Stücke für die Dusche herauszugeben.

Draußen riss ich die Snapple-Dose und die Tüte Chips auf und steuerte knabbernd und trinkend auf das hölzerne Badehäuschen zu, das mir der Mann gezeigt hatte. Meine Vorfreude war riesig. Und sie wurde noch größer, als ich eintrat und sah, dass die Hütte nur für eine Person gedacht war. Ich schloss die Tür hinter mir und fühlte mich sogleich wie in meinem eigenen Reich. Ich hätte darin geschlafen, wenn man mich gelassen hätte. Ich zog mich aus und betrachtete mich in dem zerkratzten Spiegel. Anscheinend hatte ich mir auf dem Trail nicht nur die Füße, sondern auch die Haare ruiniert – sie waren verfilzt und durch Schichten von getrocknetem Schweiß und Trail-Staub auf das doppelte Volumen angeschwollen, als verwandelte ich mich langsam, aber sicher in eine Kreuzung zwischen Farrah Fawcett in ihren besten und Gunga Din in seinen schlimmsten Tagen.

Ich steckte meine Geldstücke in den kleinen Münzkasten, trat in die Dusche, rekelte mich unter dem heißen Wasser und rubbelte mich mit einem dünnen Stück Seife, das jemand liegen gelassen hatte, bis es sich vollständig in meiner Hand auflöste. Hinterher trocknete ich mich mit demselben Tuch ab, mit dem ich meinen Kochtopf und Löffel in einem See oder Bach spülte, und schlüpfte wieder in meine schmutzigen Kleider. Danach fühlte ich mich tausendmal besser, also schulterte ich das Monster und kehrte zum Laden zurück. Auf der breiten Veranda vor dem Laden stand eine lange Bank. Dort setzte ich mich hin, blickte auf den Odell Lake und kämmte mir mit den Fingern die nassen Haare. Olallie Lake, dann die Timberline Lodge und schließlich Cascade Locks, dachte ich.

Noch drei Hüpfer, dann war es geschafft.

»Bist du Cheryl?«, fragte mich ein Mann, der aus dem Laden kam. In nächsten Moment waren hinter ihm noch zwei Männer ins Freie getreten. Obwohl sie keine Rucksäcke trugen, erkannte ich sofort an den Schweißflecken auf ihren T-Shirts, dass sie PCT-Hiker waren. Sie waren jung und sahen gut aus, braungebrannt, bärtig und schmutzig, unglaublich muskulös und zugleich unglaublich dünn. Einer war groß. Einer war blond. Einer hatte ausdrucksstarke Augen.

Ich war froh, dass ich gerade geduscht hatte.

»Ja«, antwortete ich.

»Wir sind dir lange gefolgt«, sagte der Blonde, und ein Lächeln legte sich auf sein schmales Gesicht.

»Wir haben gewusst, dass wir dich heute einholen würden«, sagte der mit den ausdrucksstarken Augen. »Wir haben deine Spuren auf dem Trail gesehen.«

»Und wir haben deine Einträge im Trail-Register gelesen«, fügte der Große hinzu.

»Wir haben uns gefragt, wie alt du wohl bist«, sagte der Blonde.

»Wie alt habt ihr mich denn geschätzt?«, fragte ich mit einem blöden Lächeln.

»Wir dachten, entweder in unserem Alter oder fünfzig«, sagte der mit den ausdrucksstarken Augen.

»Hoffentlich seid ihr jetzt nicht enttäuscht«, sagte ich, und wir lachten und wurden rot.

Sie hießen Rick, Josh und Richie und waren alle drei oder vier Jahre jünger als ich. Sie kamen aus Portland, Eugene, respektive New Orleans, hatten aber zusammen an einem geisteswissenschaftlichen College in Minnesota studiert, eine Stunde außerhalb der Zwillingsstädte Minneapolis und Saint Paul.

»Ich bin aus Minnesota!«, rief ich, als sie es mir erzählten, aber das wussten sie bereits aus meinen Einträgen im Trail-Register.

»Hast du noch keinen Trail-Namen?«, fragte mich einer.

»Nicht dass ich wüsste«, antwortete ich.

Sie hatten einen: die drei jungen Draufgänger. Hiker in Südkalifornien hatten sie so getauft, wie sie mir erzählten. Der Name passte. Sie waren wirklich drei verwegene Jungs. Sie waren von der mexikanischen Grenze bis hierher durchgewandert und hatten im Unterschied zu fast allen anderen nicht einmal die Schneegebiete ausgelassen. Trotz der Rekordschneemengen waren sie mitten durchmarschiert und gehörten zu den ganz wenigen Hikern, die in einem Rutsch den kompletten Trail von Mexiko bis Kanada absolvierten, was im Übrigen auch der Grund dafür war, dass sie mich erst jetzt eingeholt hatten. Tom, Doug, Greg, Matt, Albert, Brent, Stacy, Trina, Rex, Sam, Helen, John oder Sarah hatten sie nicht getroffen. Sie hatten nicht einmal in Ashland einen Stopp eingelegt. Sie hatten weder zur Musik von Grateful Dead getanzt, noch hatten sie Opium gekaut oder an einem Strand zwischen Felsen Sex gehabt. Sie waren einfach nur durchgepescht, hatten zweiunddreißig und mehr Kilometer täglich zurückgelegt und seit dem Tag, als ich südlich von ihnen aus dem Trail ausgestiegen und nördlich von ihnen bei Sierra City wieder eingestiegen war, mir gegenüber ständig Boden gutgemacht. Sie waren nicht nur drei junge Draufgänger. Sie waren regelrechte Wandermaschinen.

Mit ihnen zusammen zu sein war für mich wie ein Fest.

Wir gingen zu dem Zeltplatz, den uns der Laden zur Verfügung stellte und wo bereits ihre Rucksäcke standen. Wir kochten, unterhielten uns und erzählten von unseren Erlebnissen auf und neben dem Trail. Sie waren mir sehr sympathisch. Wir passten gut zusammen. Sie waren süße, nette, lustige Typen und ließen mich vergessen, wie kaputt ich mich noch vor einer Stunde gefühlt hatte. Ihnen zu Ehren bereitete ich die gefriergetrocknete Himbeerpastete zu, die ich seit Wochen bei mir trug und für eine besondere Gelegenheit aufgehoben hatte. Als sie fertig war, aßen wir sie mit vier Löffeln aus dem Topf und schliefen dann nebeneinander unter den Sternen.

Am Morgen holten wir unsere Pakete ab und trugen sie zum Lagerplatz, um die Rucksäcke neu zu packen, bevor wir aufbrachen. Ich öffnete mein Paket, schob die Hände zwischen die glatten Ziplock-Tüten mit Lebensmitteln und tastete nach dem Umschlag mit dem Zwanzigdollarschein. Die Suche nach dem Geldumschlag war für mich jedes Mal ein aufregender Moment, aber diesmal konnte ich ihn nicht finden. Ich warf alles aus dem Paket und fuhr mit den Fingern an den Falten des Kartons entlang, aber er war nicht da. Ich stand vor einem Rätsel. Er war einfach nicht da. Ich besaß noch sechs Dollar und zwölf Cent.

»Scheiße«, sagte ich.

»Was ist?«, fragte einer der jungen Draufgänger.

»Nichts«, antwortete ich. Es war mir peinlich, dass ich ständig pleite war und weder eine Kreditkarte noch ein Bankkonto in der Hinterhand hatte.

Ich packte die Lebensmittel in meinen alten, blauen Proviantbeutel. Dass ich die 230 Kilometer bis zu meinem nächsten Versorgungspaket mit nur sechs Dollar und zwölf Cent in der Tasche würde zurücklegen müssen, machte mich wütend. Um mich zu beruhigen, sagte ich mir, dass ich dort, wo ich hinging, ohnehin kein Geld brauchte. Ich stieß jetzt in das Herz Oregons vor – der Trail führte über die Pässe Willamette, McKenzie und Santiam und durch die Wildnisgebiete Three Sisters, Mount Washington und Mount Jefferson –, und dort gab es keine Gelegenheit, meine sechs Dollar und zwölf Cent auszugeben, richtig?

Eine Stunde später brach ich mit den drei jungen Draufgängern auf und wanderte mit ihnen den ganzen Tag kreuz und quer durch die Landschaft. Von Zeit zu Zeit hielten wir an und machten gemeinsam Rast. Was sie aßen und wie sie aßen, versetzte mich in Erstaunen. Wie die Barbaren. In einer fünfzehnminütigen Pause verdrückten sie pro Nase drei Snickers, obwohl jeder dünn wie ein Stecken war. Wenn sie die Hemden auszogen, konnte ich ihre Rippen zählen. Auch ich hatte Gewicht verloren, aber nicht so viel wie die Männer – eine Ungerechtigkeit, die ich praktisch bei allen männlichen und weiblichen Hikern, denen ich in diesem Sommer begegnet war, beobachtet hatte. Doch inzwischen war es mir ziemlich egal, ob ich dick oder dünn war. Mich interessierte nur, wie ich an mehr zu essen kam. Auch ich war eine Barbarin, mein Appetit gewaltig und unersättlich. Mittlerweile war ich schon so weit, dass ich, wenn eine Figur in dem Roman, den ich gerade las, zufällig etwas aß, die Stelle überspringen musste, weil ich es einfach nicht ertrug, von etwas zu lesen, was ich mir selber wünschte und nicht bekommen konnte.

Am späten Nachmittag verabschiedete ich mich an der Stelle, die ich mir als Lagerplatz auserkoren hatte, von den drei jungen Draufgängern. Sie wollten noch ein paar Kilometer abspulen, denn sie waren nicht nur unglaubliche Wandermaschinen, sondern brannten auch darauf, möglichst bald den Santiam Pass zu erreichen, wo sie den Trail für ein paar Tage verlassen wollten, um Freunde und Verwandte zu besuchen. Während sie dort einen draufmachten, duschten, in richtigen Betten schliefen und Berge von

Essen in sich hineinstopften, die ich mir lieber nicht vorstellen wollte, würde ich mir wieder einen Vorsprung herausarbeiten, sodass sie sich von Neuem an meine Fersen hängen mussten.

»Fangt mich, wenn ihr könnt«, sagte ich in der Hoffnung, dass sie konnten, denn es stimmte mich traurig, dass sich unsere Wege schon wieder trennten. Am Abend kampierte ich allein an einem Teich. Immer noch selig, sie getroffen zu haben, dachte ich an die Geschichten, die sie mir erzählt hatten, während ich mir nach dem Essen die Füße massierte. Wieder löste sich ein schwarzer Fußnagel vom Zeh. Ich zog kurz daran, und er ging vollends ab. Ich warf ihn ins Gras.

Zwischen dem PCT und mir stand es jetzt unentschieden 5:5.

Ich saß in meinem Zelt und las, die Füße auf dem Proviantbeutel, in dem Buch, das ich mit dem Versorgungspaket bekommen hatte – Maria Dermoûts *The Ten Thousand Things* –, bis mir die Augen zufielen. Ich knipste die Stirnlampe aus und blieb im Dunkeln liegen. Im Wegdösen hörte ich eine Eule in einem Baum direkt über mir. *Hu-hu,* rief sie so kräftig und sanft zugleich, dass ich wieder wach wurde.

»Hu-hu«, rief ich zurück, und die Eule verstummte.

»Hu-hu«, versuchte ich es noch einmal.

»Hu-hu«, antwortete sie.

Ich wanderte in der Three Sisters Wilderness, so benannt nach den drei Vulkangipfeln in ihrem östlichen Teil, der South, der North und der Middle Sister. Alle drei sind über 3000 Meter hoch und belegen unter den höchsten Bergen in Oregon die Ränge drei bis fünf. Sie waren gewissermaßen die Kronjuwelen unter den relativ dicht beieinanderliegenden Vulkangipfeln, an denen ich in der folgenden Woche vorüberkommen sollte, aber ich konnte sie noch nicht sehen, als ich mich auf dem PCT von Süden näherte und dabei im Kopf Lieder sang und Gedichte aufsagte, soweit ich sie noch konnte. Der Pfad führte durch einen Hochwald aus Douglasien,

Weymouthskiefern und Berg-Hemlocktannen, vorbei an Seen und Teichen.

Zwei Tage nach meinem Abschied von den drei jungen Draufgängern verließ ich den Trail und machte einen Abstecher zu dem anderthalb Kilometer entfernten Elk Lake Resort, das in meinem Führer erwähnt war. Das Resort war ein kleiner, direkt am See gelegener Laden mit Anglerbedarf genau wie das Shelter Cove Resort, nur mit dem Unterschied, dass es auch über ein Café verfügte, in dem es Burger gab. Ich hatte diesen Abstecher nicht geplant, doch als ich an die Wegkreuzung gelangte, hatte mein ewiger Hunger gesiegt. Kurz vor elf lief ich dort ein. Abgesehen von dem Mann, der dort arbeitete, war ich der einzige Mensch am Platz. Ich studierte die Speisekarte, rechnete und bestellte einen Cheeseburger mit Pommes und eine kleine Coke. Dann setzte ich mich und aß mit Wonne, hinter mir Wände voller Fischköder. Meine Zeche betrug sechs Dollar und zehn Cent. Zum ersten Mal in meinem ganzen Leben konnte ich kein Trinkgeld geben. Meine verbliebenen zwei Cent liegen zu lassen wäre eine Beleidigung gewesen. Also zog ich einen kleinen Briefmarkenbogen aus der Ziplock-Tüte, in der ich meinen Führerschein aufbewahrte, und legte ihn neben den Teller.

»Tut mir leid – ich habe kein Geld mehr, aber ich habe Ihnen etwas anderes dagelassen«, entschuldigte ich mich, ohne zu sagen, was, weil es mir peinlich war.

Der Mann schüttelte nur den Kopf und murmelte etwas Unverständliches.

Mit den zwei Cent in der Hand ging ich an den leeren kleinen Strand des Elk Lake und überlegte, ob ich sie ins Wasser werfen und mir etwas wünschen sollte. Ich entschied mich dagegen und steckte sie in die Hosentasche für den Fall, dass ich irgendwo zwischen hier und der Ranger-Station am Olallie Lake, von der mich immer noch ernüchternde hundertsechzig Kilometer trennten, zwei Cent brauchen sollte. Nicht mehr als zwei Cent zu besitzen fand ich einerseits schrecklich, andererseits aber auch ein wenig komisch. Wie ich so dastand und auf den See blickte, kam mir zum ersten Mal der Gedanke, dass es sich jetzt als nützlich erwies, dass ich in Armut aufgewachsen war. Denn wäre ich im Wohlstand groß geworden, hätte ich mich wahrscheinlich nicht getraut, mit so wenig Geld eine solche Reise anzutreten. Ich hatte den wirtschaftlichen Status meiner Familie immer daran gemessen, was ich nicht hatte: Geld für Ferienlager, Reisen oder Studiengebühren, ganz zu schweigen von dem unfassbaren Luxus, über eine Kreditkarte zu verfügen, für deren Kosten jemand anders aufkommt. Aber jetzt sah ich einen Zusammenhang zwischen dem einen und dem anderen – zwischen meiner Kindheit, in der ich miterlebt hatte, wie meine Mutter und mein Stiefvater immer weitermachten, auch wenn sie mal nur zwei Cent in der Tasche hatten, und meinem grundsätzlichen Gefühl, dass auch ich dazu in der Lage war. Bevor ich zu dieser Reise aufbrach, hatte ich mir nicht ausgerechnet, wie viel sie mich voraussichtlich kosten würde, und die entsprechende Summe gespart plus einem Polster für unvorhergesehene Ausgaben. Hätte ich es getan, wäre ich jetzt nicht hier, nicht seit über achtzig Tagen auf dem PCT, pleite zwar, aber sonst okay – und hätte ich mein Vorhaben nicht wahr gemacht, von dem jeder vernünftige Mensch gesagt hätte, dass ich es mir nicht leisten könnte.

Ich wanderte weiter und erklomm einen 2000 Meter hoch gelegenen Aussichtspunkt, der einen Blick auf die Gipfel im Norden und Osten bot: den Bachelor Butte, den vergletscherten Broken Top und die South Sister, die nach Auskunft meines Führers mit ihren 3157 Metern nicht nur höher war als alle anderen, sondern auch die jüngste, größte und symmetrischste der drei Schwestern. Sie bestand aus über zwei Dutzend unterschiedlichen vulkanischen Gesteinen, aber für mich sah sie nur wie ein rotbrauner Berg aus, dessen obere Hänge teilweise mit Schnee bedeckt waren. Ich setzte meinen Weg fort, und im Lauf des Tages wurde es immer wärmer und schließlich so heiß, dass ich mich nach Kalifornien zurückversetzt fühlte, zumal ich wieder kilometerweit über eine felsige und grüne Landschaft blickte.

Nun, da ich zwischen den Three Sisters wanderte, hatte ich den Trail nicht mehr für mich allein. Auf den felsigen Bergwiesen begegnete ich Tagesausflüglern, Kurzzeit-Rucksackwanderern und einer Pfadfindergruppe, die im Freien übernachten wollte. Ich blieb stehen und unterhielt mich mit mehreren von ihnen. *Haben Sie eine Schusswaffe?, Haben Sie keine Angst?,* fragten sie, das wiederholend, was ich schon den ganzen Sommer zu hören bekam. *Nein, nein,* antwortete ich und lachte ein wenig. Ich traf zwei Männer in meinem Alter, die an der Operation Desert Storm im Irak teilgenommen hatten und im Rang von Captains noch in der Armee dienten. Gut aussehende, kräftige und propere Jungs wie von einem Anwerbungsplakat der Armee. Wir machten zusammen eine längere Rast an einem Bach, in dem sie zwei Dosen Bier kalt gestellt hatten. Sie waren seit fünf Tagen unterwegs, und heute war ihr letzter Abend. Die beiden Dosen hatten sie die ganze Zeit mitgeschleppt, um sie heute zur Feier des Tages zu trinken.

Sie wollten alles über meine Reise wissen. Wie es war, so lange allein zu wandern. Was ich erlebt hatte, was für Leute ich getroffen hatte und was um Himmels willen mit meinen Füßen passiert war. Sie wollten unbedingt meinen Rucksack hochheben und waren entsetzt, als sie feststellten, dass er schwerer war als ihre. Irgendwann zogen sie weiter. Ich blieb am sonnigen Ufer des Baches sitzen und wünschte ihnen alles Gute.

»He, Cheryl«, rief mir einer der beiden zu, als sie schon fast außer Sicht waren. »Wir haben eine Dose Bier für Sie im Bach gelassen. Wir haben es so gemacht, damit Sie nicht Nein sagen können. Wir möchten, dass Sie sie bekommen, denn Sie sind zäher als wir.«

Ich bedankte mich lachend, ging zum Bach und fischte die Dose heraus. Ich freute mich und fühlte mich geschmeichelt. Ich trank das Bier noch am selben Abend bei den Obsidian Falls, die nach den samtschwarzen, glasähnlichen Scherben benannt waren, die auf wundersame Weise den Trail bedeckten und bei jedem Schritt unter mir knirschten, als ginge ich über mehrere Schichten zerbrochenen Porzellans.

Weniger beeindruckt war ich am nächsten Tag, als ich über den McKenzie Pass in die Mount Washington Wilderness wanderte und die Basaltströme des Belknap Crater und des Little Belknap durchquerte. Schöne glänzende Gesteinsscherben gab es dort ebenso wenig wie frühlingsgrüne Wiesen. Der Pfad führte durch einen acht Kilometer breiten Streifen aus schwarzen Vulkansteinen, deren Größe zwischen einem Baseball und einem Fußball variierte, sodass ich mir ständig die Knöchel und die Knie verdrehte. Mühsam schleppte ich mich unter einer erbarmungslos sengenden Sonne durch die öde und kahle Landschaft in Richtung Mount Washington und atmete erleichtert auf, als ich auf der anderen Seite des Kraters endlich wieder unter Bäumen wandern konnte. Gleichzeitig fiel mir auf, dass die Massen verschwunden waren. Ich war wieder allein, allein mit dem Pfad.

Am folgenden Tag überquerte ich den Santiam Pass und gelangte in die Mount Jefferson Wilderness, so benannt nach dem dunklen und imposanten Berg, der im Norden zu sehen war. Ich wanderte an dem felsigen, aus mehreren Gipfeln bestehenden Three Fingered Jack vorbei, der wie eine gebrochene Hand in den Himmel ragte, und marschierte weiter bis zum Abend, als die Sonne hinter einer Wolkendecke verschwand und dichter Nebel aufkam. Es war ein heißer Tag gewesen, aber innerhalb von dreißig Minuten, in denen der Wind auffrischte und mit einem Mal wieder abflaute, fiel die Temperatur um nahezu fünfzehn Grad. Auf der Suche nach einem Lagerplatz wanderte ich so schnell ich konnte weiter, triefend vor Schweiß trotz der Kälte. Es dämmerte bereits, doch ich fand keine flache oder freie Stelle, wo ich mein Zelt aufbauen konnte. Als ich endlich neben einem Tümpel einen geeigneten Platz entdeckte, hüllte mich der Nebel wie eine Wolke ein, und um mich herum herrschte gespenstische Stille. Kein Lüftchen regte sich. Während ich das Zelt aufstellte und eine Flasche Wasser durch meinen unerträglich schwergängigen Filter pumpte, frischte der Wind wieder auf, und kräftige Böen peitschten die Äste der Bäume über mir. *Ich habe keine Angst*, rief ich mir in Erinnerung, als ich, ohne zu Abend gegessen zu haben, in mein Zelt kroch. Ich war im Gebirge noch nie in ein Unwetter geraten. Im Freien fühlte ich mich jetzt zu verletzlich, allerdings wusste ich, dass auch mein Zelt nur wenig Schutz bot. Ich saß angespannt und ängstlich da und wappnete mich gegen einen gewaltigen Sturm, der nicht kam.

Eine Stunde nach dem Dunkelwerden legte sich der Wind erneut, und ich hörte in der Ferne Kojoten heulen, als feierten sie, dass die Gefahr vorüber war. Der August war dem September gewichen. Nachts wurde es fast immer schneidend kalt. Mit Hut und Handschuhen schlüpfte ich aus dem Zelt, um zu pinkeln. Als ich mit der Stirnlampe die Umgebung ableuchtete, erfasste der Strahl etwas zwischen den Bäumen, und ich erstarrte. Aus dem Dunkel blickten mir zwei leuchtende Augenpaare entgegen.

Ich fand nicht heraus, wem sie gehörten. Im nächsten Moment waren sie verschwunden.

Der folgende Tag war heiß und sonnig, als wäre der seltsame Sturm in der Nacht nur ein Traum gewesen. Ich verpasste eine Weggabelung und entdeckte später, dass ich gar nicht mehr auf dem PCT war, sondern auf dem Oregon Skyline Trail, der ungefähr anderthalb Kilometer weiter westlich parallel zum PCT verlief. Er bildete eine Alternativroute, die in meinem Führer hinlänglich genug beschrieben wurde, und so wanderte ich unbesorgt weiter. Am nächsten Tag würde der Pfad auf den PCT zurückführen. Und am übernächsten würde ich am Olallie Lake sein.

Dann noch zwei Hüpfer, und ich hatte es geschafft.

Den ganzen Nachmittag wanderte ich durch dichten Wald, und als ich irgendwann um eine Kurve bog, standen plötzlich drei riesige Elche vor mir. Unter donnerndem Hufgetrappel flüchteten sie unter die Bäume. Am Abend, als ich gerade an einem Teich mein Lager aufschlagen wollte, tauchten auf dem Trail zwei Bogenjäger auf, die in Richtung Süden unterwegs waren.

»Haben Sie Wasser?«, platzte einer grußlos heraus.

»Das Wasser in dem Tümpel kann man nicht trinken, oder?«, fragte der andere, dem die Verzweiflung ins Gesicht geschrieben stand.

Ich schätzte beide auf Mitte dreißig. Der eine war blond und drahtig, allerdings mit Bauchansatz, der andere rothaarig und von großer, kräftiger Statur. Beide trugen Jeans, große Jagdmesser am Gürtel und riesige Rucksäcke, an denen Bogen und Pfeile hingen.

»Das Teichwasser können Sie schon trinken, Sie müssen es aber vorher filtern«, antwortete ich.

»Wir haben keinen Filter«, sagte der Blonde, schnallte seinen Rucksack ab und stellte ihn neben einen Felsblock auf dem kleinen freien Platz zwischen Teich und Trail, auf dem ich hatte kampieren wollen. Ich hatte selbst gerade erst meinen Rucksack abgesetzt, als sie aufgekreuzt waren.

»Sie können meinen haben, wenn Sie wollen«, sagte ich, holte den Wasserfilter aus dem Rucksack und reichte ihn dem Blonden, der ihn nahm, zum schlammigen Ufer des Teichs ging und sich hinkniete.

»Wie funktioniert das Ding?«, rief er mir zu.

Ich zeigte ihm, wie man den Ansaugschlauch ins Wasser halten und die Pumpe gegen die Kartusche drücken musste. »Sie werden Ihre Trinkflasche brauchen«, fügte ich hinzu, doch er und sein rothaariger Freund sahen einander nur bedröppelt an und erwiderten, dass sie keine hätten. Sie seien nur für einen Jagdtag ausgerüstet. Ihr Pick-up stehe etwa fünf Kilometer von hier in einem Waldweg. Sie hätten sich in der Entfernung verschätzt und eigentlich schon längst dort sein wollen.

»Haben Sie etwa den ganzen Tag nichts getrunken?«, fragte ich.

»Wir hatten Pepsi dabei«, antwortete der Blonde. »Jeder ein Sechserpack.«

»Wir sind ja gleich bei unserem Wagen und brauchen nur etwas Wasser für das letzte Stück«, sagte der Rothaarige. »Wir sind am Verdursten.«

»Hier«, sagte ich, indem ich die Trinkflasche mit meinem restlichen Wasser – ungefähr einem Viertelliter – aus dem Rucksack zog und dem Rothaarigen gab. Er nahm einen kräftigen Schluck und reichte sie dann seinem Freund, der den Rest trank. Ich bedauerte sie, aber noch mehr bedauerte ich, dass sie hier bei mir waren. Ich sehnte mich danach, endlich aus den Stiefeln und den verschwitzten Kleidern zu kommen, das Zelt aufzubauen und das Abendessen zu kochen, damit ich mich in *The Ten Thousand Things* verlieren konnte. Außerdem waren mir diese Pepsi-Trinker mit ihren Bogen, ihren großen Jagdmessern und ihrem rüden Benehmen nicht geheuer. Mich beschlich ein ähnlich mulmiges Gefühl wie in meiner ersten Woche auf dem Trail, als ich in Franks Lastwagen saß und befürchtete, er könnte mir etwas tun, bevor er dann seine Lakritze hervorzog. Ich beruhigte mich mit dem Gedanken an diese Lakritze.

»Wir haben die leeren Pepsi-Dosen«, sagte der Rothaarige. »Wir können das Wasser in Ihre Flasche pumpen und dann in zwei Dosen umfüllen.«

Der Blonde hockte sich mit meiner leeren Trinkflasche und meinem Filter ans Ufer, und der Rothaarige nahm seinen Rucksack ab, wühlte darin und brachte zwei leere Pepsi-Dosen zum Vorschein. Ich stand daneben und sah ihnen zu, meine Arme um mich geschlungen, denn ich fror mit jeder Sekunde mehr. Die nassen Rückteile meiner Shorts, meines T-Shirts und meines BHs klebten inzwischen eiskalt an meiner Haut.

»Die Pumpe geht ziemlich schwer«, sagte der Blonde nach einer Weile.

»Sie müssen kräftig drücken«, sagte ich. »Bei meinem Filter ist das nun mal so.«

»Also ich weiß nicht«, erwiderte er. »Da kommt überhaupt nichts raus.«

Ich ging zu ihm und sah, dass er die Kartusche fast ganz unter Wasser gedrückt hatte und die Mündung des Ansaugschlauchs im schlammigen Grund des seichten Teichs steckte. Ich nahm ihm den Filter ab, zog den Schlauch in klares Wasser und versuchte zu pumpen. Fehlanzeige. Der Schlauch war mit Schlamm verstopft.

»Sie hätten den Schlauch nicht in den Schlamm tauchen dürfen«, sagte ich. »Sie müssen ihn weiter oben ins Wasser halten.«

»Scheiße«, sagte er, ohne sich zu entschuldigen.

»Was sollen wir jetzt tun?«, fragte sein Freund. »Ich brauche unbedingt etwas zu trinken.«

Ich ging zu meinem Rucksack, zog das Erste-Hilfe-Set heraus und holte die kleine Flasche mit den Jodtabletten heraus. Seit jenem Tag an dem Froschtümpel auf der Hat Creek Rim, als ich selbst vor Dehydrierung halb hinüber war, hatte ich sie nicht mehr benutzt.

»Wir können die hier benutzen«, sagte ich, mir grimmig bewusst, dass ich Jodwasser würde trinken müssen, bis es mir gelang, den Filter zu reparieren, sofern das überhaupt möglich war.

»Was ist das?«, fragte der Blonde.

»Jod. Die gibt man ins Wasser und wartet dreißig Minuten, dann kann man es bedenkenlos trinken.« Ich ging zum Teich, tauchte an der klarsten Stelle, die ich erreichen konnte, meine beiden Trinkflaschen ein und gab in jede eine Jodtablette. Die Männer taten es mir mit ihren Pepsi-Dosen nach, und ich warf in jede eine Tablette.

»Okay«, sagte ich und sah auf die Uhr. »Um zehn nach sieben ist das Wasser trinkbar.« Ich hoffte, dass sie nun weiterziehen würden, aber sie setzten sich hin und machten es sich bequem.

»Was machen Sie eigentlich hier draußen so ganz allein?«, fragte der Blonde.

»Ich wandere auf dem Pacific Crest Trail«, antwortete ich und bereute es sofort. Die Art, wie er mich ansah und unverhohlen meinen Körper taxierte, gefiel mir nicht.

»Ganz allein?«

»Ja«, sagte ich zögernd. Einerseits wollte ich nicht die Wahrheit sagen, andererseits fürchtete ich, dass mich eine Lüge nur noch nervöser machen würde, als ich es ohnehin schon war.

»Nicht zu fassen, dass eine Frau wie Sie ganz allein hier oben ist. Sie sind viel zu hübsch, um allein hier zu sein, wenn Sie mich fragen. Wie lange sind Sie denn schon unterwegs?«

»Ziemlich lange«, antwortete ich.

»Kaum zu glauben, dass so ein junges Ding ganz allein hier draußen zurechtkommt, oder?«, fragte er seinen rothaarigen Freund, als wäre ich überhaupt nicht vorhanden.

»Nein«, sagte ich, bevor der Rothaarige ihm antworten konnte. »Das kann jeder. Ich meine, es ist doch nur ...«

»Ich würde Sie nicht allein hier herauflassen, wenn Sie meine Freundin wären, soviel ist sicher«, sagte der Rothaarige.

»Sie hat wirklich eine hübsche Figur, findest du nicht?«, sagte wieder der Blonde. »Sportlich, mit ein paar weichen Kurven. Genau so, wie ich es mag.«

Ich gab einen höflichen Laut von mir, eine Art verhaltenes Lachen, obwohl mir plötzlich Angst die Kehle zuschnürte. »Tja, war nett, euch kennenzulernen, Jungs«, sagte ich und ging zum Monster. »Ich möchte noch ein Stück wandern, deshalb mach ich mich jetzt besser auf die Socken.«

»Wir brechen auch auf«, sagte der Rothaarige und setzte seinen Rucksack auf. Der Blonde folgte seinem Beispiel. Ich behielt sie im Auge, während ich vorgab, mich zum Aufbruch zu rüsten, obwohl ich gar nicht die Absicht hatte zu gehen. Ich war hungrig und durstig, müde und durchgefroren. Es wurde bald dunkel, und ich hatte den Platz am Teich deshalb als Lager auserkoren, weil nach Auskunft meines Führers – der diesen Trail-Abschnitt nur oberflächlich beschrieb, da er eigentlich gar nicht zum PCT gehörte – im weiteren Verlauf der Strecke längere Zeit keine geeignete Stelle zum Zelten mehr kam.

Als sie gingen, stand ich eine Weile da und wartete, bis der Kloß in meinem Hals verschwunden war. Alles in Ordnung. Ich war außer Gefahr. Ich hatte mich etwas albern benommen. Die beiden waren sexistische Unsympathen und hatten meinen Wasserfilter ruiniert, aber sie hatten mir nichts getan. Sie hatten sich nichts Böses dabei gedacht. Manche Typen wussten es einfach nicht besser. Ich packte den Rucksack aus, füllte den Kochtopf mit Teichwasser, warf den Kocher an und setzte das Wasser auf. Ich schälte mich aus den verschwitzten Klamotten und zog meine roten Fleece-Leggins und mein langärmeliges Hemd an. Ich breitete die Plane aus und schüttelte das Zelt aus der Hülle, da kreuzte plötzlich der Blonde wieder auf, und ich wusste sofort, dass alle meine Befürchtungen berechtigt gewesen waren. Ich hatte nicht ohne Grund Angst gehabt. Er war meinetwegen zurückgekommen.

»Was ist los?«, fragte ich in gespielt gelassenem Ton, obwohl es mich in Angst und Schrecken versetzte, dass er ohne seinen Freund wiederkam. Es war, als wäre ich endlich auf einen Puma gestoßen und hätte mir in Erinnerung gerufen, allen Instinkten zum Trotz nicht davonzulaufen. Ihn nicht durch hastige Bewegungen zu reizen, ihn nicht zu provozieren oder zu erregen, indem ich ihm meinen Zorn oder meine Angst zeigte.

»Ich dachte, Sie wollten noch ein Stück wandern«, sagte er.

»Ich hab's mir anders überlegt«, erwiderte ich.

»Sie wollten uns reinlegen.«

»Nein, wollte ich nicht. Ich hab's mir nur anders überlegt.«

»Sie haben sich auch umgezogen«, sagte er anzüglich, und seine Worte fuhren mir in den Bauch wie eine Ladung Schrot. Bei der Vorstellung, dass er in der Nähe gelauert und mich beobachtet hatte, als ich mich auszog, wurde mir ganz elend.

»Ihre Hosen gefallen mir«, sagte er mit einem leichten Grinsen, nahm seinen Rucksack ab und stellte ihn auf den Boden. »Oder Leggins, wie man die, glaube ich, nennt.«

»Ich weiß nicht, wovon Sie reden«, sagte ich benommen, konnte aber meine eigene Stimme kaum hören, denn ein lautes Schrillen erfüllte meinen Kopf, das nichts anderes war als die Erkenntnis, dass meine ganze Wanderung auf dem PCT darauf hinausgelaufen sein konnte: Ganz gleich wie zäh, wie stark und wie tapfer ich gewesen und wie gut ich mit dem Alleinsein zurechtgekommen war, ich hatte auch Glück gehabt, und wenn mich dieses Glück jetzt verließ, dann wäre das so, als hätte es alles, was war, nie gegeben, denn dieser eine Abend würde alle Tage der Tapferkeit auslöschen.

»Ich rede davon, dass mir Ihre Hosen gefallen«, sagte der Mann leicht gereizt. »Sie stehen Ihnen gut. Sie bringen Ihre Hüften und Beine gut zur Geltung.«

»Bitte sagen Sie so was nicht«, erwiderte ich so bestimmt wie möglich.

»Was? Ich mache Ihnen Komplimente! Darf ein Mann einer Frau keine Komplimente mehr machen? Sie sollten sich geschmeichelt fühlen.«

»Danke«, sagte ich, um ihn zu beschwichtigen, und hasste mich dafür. Ich dachte an die drei jungen Draufgänger, die womöglich noch gar nicht wieder auf dem Trail waren. Ich dachte an die lauteste Pfeife der Welt, die kein Mensch außer dem Rothaarigen hören würde. An das Schweizer Taschenmesser, das zu weit weg in der oberen linken Seitentasche meines Rucksacks steckte. An das noch nicht ganz kochende Wasser in dem henkellosen Topf auf meinem Campingkocher. Und dann fiel mein Blick auf die Pfeile, die oben aus dem Rucksack des Blonden ragten. Ich fühlte mich wie durch einen glühenden Draht mit diesen Pfeilen verbunden. Falls er versuchen sollte, sich an mir zu vergreifen, würde ich mir einen schnappen und ihm in den Hals stoßen.

»Sie sollten jetzt besser gehen«, sagte ich in ruhigem Ton. »Es wird bald dunkel.« Ich verschränkte die Arme vor der Brust, da mir mit einem Mal zu Bewusstsein kam, dass ich keinen BH trug.

»Das ist ein freies Land«, sagte er. »Ich gehe, wann ich will. Das ist mein gutes Recht.« Er nahm seine Pepsi-Dose zur Hand und schwenkte das Wasser darin.

»Was zum Teufel machst du hier?«, rief eine Männerstimme, und im nächsten Augenblick erschien der Rothaarige. »Ich musste den ganzen Weg zurücklaufen, um dich zu finden. Ich dachte, du hättest dich verirrt.« Er sah mich vorwurfsvoll an, als wäre es meine Schuld, als hätte ich den Blonden hinter seinem Rücken zum Bleiben animiert. »Wir müssen jetzt los, wenn wir beim Pick-up sein wollen, bevor es dunkel wird.«

»Geben Sie auf sich acht hier draußen«, sagte der Blonde zu mir und setzte seinen Rucksack auf.

»Wiedersehen«, sagte ich ganz leise, da ich ihm eigentlich nicht antworten, ihn andererseits aber auch nicht reizen wollte, indem ich gar nicht antwortete.

»He«, sagte er, »es ist zehn nach sieben. Wir können jetzt das Wasser trinken.« Er hob die Pepsi-Dose in meine Richtung und brachte einen Toast aus: »Auf die Frau, die ganz allein im Wald ist.« Dann trank er einen Schluck, drehte sich um und stapfte hinter seinem Freund den Pfad entlang.

Ich blieb eine Weile stehen wie beim ersten Mal, als sie gegangen waren, und wartete, bis die Angstkrämpfe sich lösten. Es war nichts passiert, sagte ich mir. Es war nichts passiert. Ich war vollkommen in Ordnung. Er war nur ein geiler, fieser Widerling, und jetzt war er fort.

Dann aber stopfte ich das Zelt in den Rucksack zurück, drehte den Kocher aus, kippte das heiße Wasser ins Gras und tauchte den Topf in den Teich, damit er abkühlte. Trank einen Schluck von meinem Jodwasser und verstaute die Trinkflasche, das T-Shirt, den BH und die Shorts im Rucksack. Schnallte mir den Rucksack um, trat auf den Trail und marschierte im schwindenden Licht nach Norden. Ich marschierte und marschierte, und mein Kopf schaltete wieder auf Sparflamme, und ich dachte an nichts anderes mehr, als in Bewegung zu bleiben, ging immer weiter, bis das Gehen unerträglich wurde, bis ich glaubte, keinen Schritt mehr tun zu können.

Und dann rannte ich.

18
Die Königin des PCT

Es regnete, und fahles Licht sickerte durch die Wolken, als ich am nächsten Morgen erwachte. Ich lag in meinem Zelt mitten auf dem Trail, dessen etwa fünfzig Zentimeter breite, flache Mulde die einzige ebene Stelle war, die ich in dunkler Nacht hatte finden können. Der Regen hatte um Mitternacht eingesetzt und bis zum Morgen nicht mehr aufgehört, und er hielt mit Unterbrechungen auch den ganzen Vormittag an. Beim Wandern dachte ich an den Zwischenfall mit den beiden Männern. Ich dachte darüber nach, was geschehen war. Was beinahe geschehen wäre oder vielleicht auch nie tatsächlich geschehen wäre. Ich spielte es in meinem Kopf durch, fühlte mich elend und zittrig, aber um Mittag war ich drüber weg und wieder auf dem PCT – der Umweg, den ich versehentlich genommen hatte, mündete wieder in den Trail.

Wasser fiel vom Himmel, tropfte von den Ästen, strömte durch die Rinne des ausgetretenen Pfads. Ich wanderte unter riesigen Bäumen, das Nadeldach weit über mir, und wurde klatschnass von den Sträuchern und niedrigen Pflanzen, die bis dicht an den Trail heranwuchsen. So trübselig das Wetter auch sein mochte, der Wald war zauberhaft – erhaben in seiner grünen Pracht, licht und dunkel zugleich, von so verschwenderischer Üppigkeit, dass ich das Gefühl hatte, durch ein Märchenland zu wandern und nicht durch die wirkliche Welt.

Mit Unterbrechungen regnete es den ganzen Tag und auch den ganzen nächsten. Und es regnete auch noch am frühen Abend, als ich den ungefähr einen Quadratkilometer großen Olallie Lake erreichte. Zutiefst erleichtert ging ich an der geschlossenen Ranger-Station vorbei, stapfte durch Schlamm und nasses Gras zwischen Picknicktischen hindurch zu der kleinen Ansammlung von dunklen Holzhäusern, die das Olallie Lake Resort bildeten. Bevor ich durch Oregon wanderte, hatte ich mir unter einem »Resort« etwas ganz anderes vorgestellt. Kein Mensch war zu sehen. Die zehn primitiven Hütten, die verstreut am Seeufer standen, machten einen unbewohnten Eindruck, und der kleine Laden zwischen den Hütten hatte bereits geschlossen.

Es begann wieder zu regnen, und ich stellte mich in der Nähe des Ladens unter eine Küstenkiefer, zog mir die Kapuze meiner Regenhaut über den Kopf und blickte auf den See. Ich wusste, dass im Süden der mächtige Gipfel des Mount Jefferson und im Norden die gedrungene Masse des Olallie Butte in den Himmel emporragten, aber wegen der hereinbrechenden Dunkelheit und des Nebels konnte ich beide nicht sehen. Ohne das Bergpanorama im Hintergrund erinnerte mich der Anblick des großen Sees und der Kiefern an den Norden Minnesotas. Auch die Luft kam mir vor wie in Minnesota. Es war eine Woche nach dem Labor Day, der immer am ersten Montag im September gefeiert wird. Der Herbst war noch nicht da, aber nicht mehr fern. Alles wirkte verwaist und trist. Ich griff unter meine Regenhaut, zog die Seiten meines Wanderführers hervor und las nach, wo ich hier kampieren konnte – hinter der Ranger-Station gab es einen Platz mit Blick auf den Head Lake, den Nachbarsee des Olallie.

Im Regen baute ich dort mein Zelt auf und kochte mir mein Abendessen, dann kroch ich ins Zelt und schlüpfte in meinen feuchten Kleidern in meinen feuchten Schlafsack. Die Batterien meiner Stirnlampe waren leer, deshalb konnte ich nicht lesen. Stattdessen lag ich da und lauschte dem Trommeln der Regentropfen auf das gespannte Nylon über meinem Kopf.

In dem Versorgungspaket, das ich morgen bekam, waren frische Batterien. Außerdem Chocolate Kisses von Hershey, die ich mir über die nächste Woche verteilt gönnen wollte. Und der letzte Schwung Trockenkost und Tüten mit schal gewordenen Nüssen und Körnern. Der Gedanke an diese Sachen war mir eine Qual und zugleich ein Trost. Ich rollte mich zusammen, damit der Schlafsack nicht die Zeltwände berührte, falls diese undicht wurden, aber ich konnte nicht einschlafen. Trotz des trostlosen Wetters spürte ich eine freudige Erregung in mir, die daher rührte, dass ich in ungefähr einer Woche meine Wanderung auf dem PCT beendet haben würde. Ich würde in Portland sein und wieder ein normales Leben führen. Ich würde abends als Kellnerin arbeiten und tagsüber schreiben. Seit ich mich mit dem Gedanken angefreundet hatte, in Portland zu leben, brachte ich Stunden damit zu, mir auszumalen, wie es wohl war, wieder in der Welt zu sein, in der ich essen und Musik hören, Wein und Kaffee trinken konnte.

Natürlich konnte ich dort auch Heroin haben, dachte ich mir. Tatsache war aber, dass ich es nicht wollte. Vielleicht hatte ich es nie wirklich gewollt. Mittlerweile hatte ich begriffen, was es für mich verkörpert hatte: die Sehnsucht nach einem Ausweg, als ich in Wirklichkeit einen Weg zurück ins Leben suchte. An diesem Punkt war ich jetzt. Oder jedenfalls nahe dran.

»Ich erwarte ein Paket«, rief ich am nächsten Morgen und lief dem Ranger hinterher, der gerade mit seinem Truck wegfahren wollte.

Er hielt an und kurbelte das Fenster herunter. »Sind Sie Cheryl?«

Ich nickte. »Ich erwarte ein Paket«, wiederholte ich, noch in meine scheußlichen Regensachen eingepackt.

»Ihre Freunde haben mir von Ihnen erzählt«, sagte er, als er ausstieg. »Das Ehepaar.«

Ich blinzelte und schlug die Kapuze zurück. »Sam und Helen?«, fragte ich, und der Ranger nickte. Bei dem Gedanken an die beiden durchflutete mich eine warme Welle der Sympathie. Ich zog mir die Kapuze wieder über den Kopf und folgte dem Ranger in die Garage neben der Ranger-Station, die, wie es schien, direkt mit seinen Wohnräumen verbunden war.

»Ich fahre in die Stadt, aber am Nachmittag bin ich wieder zurück, falls Sie etwas brauchen«, sagte er und händigte mir mein Paket und drei Briefe aus. Er hatte braune Haare und einen Schnurrbart und war schätzungsweise Ende dreißig.

»Danke«, sagte ich und drückte das Paket und die Briefe an mich.

Da es immer noch regnete, ging ich in den kleinen Laden und holte mir unter dem Versprechen, sofort zu bezahlen, wenn ich mein Paket geöffnet hatte, bei dem alten Mann an der Kasse eine Tasse Kaffee. Ich setzte mich auf einen Stuhl neben dem Holzofen, trank den Kaffee und las die Briefe. Der erste war von Aimee, der zweite von Paul und der dritte zu meiner großen Überraschung von Ed, dem *Trail Angel*, den ich in Kennedy Meadows kennengelernt hatte. *Wenn Sie den bekommen, bedeutet das, dass Sie es geschafft haben, Cheryl. Meinen Glückwunsch!,* schrieb er. Ich war so gerührt, dass ich laut lachen musste. Der alte Mann an der Kasse schaute auf.

»Gute Nachrichten von zu Hause?«, fragte er.

»Ja«, antwortete ich. »So was in der Art.«

Ich öffnete das Paket und fand nicht nur einen, sondern gleich zwei Umschläge mit jeweils zwanzig Dollar – offensichtlich war mir vor Monaten beim Packen der für das Shelter Cove Resort bestimmte Umschlag in den falschen Karton geraten. Aber das war mir jetzt egal. Ich war mit meinen zwei Cent durchgekommen, und meine Belohnung dafür war, dass ich jetzt ein Vermögen von vierzig Dollar und zwei Cent in der Tasche hatte. Ich bezahlte den Kaffee, kaufte mir etwas abgepacktes Gebäck und fragte den Mann nach einer Duschmöglichkeit, aber zu meinem Leidwesen schüttelte er nur den Kopf. In dem Resort gab es weder eine Dusche noch ein Restaurant. Außerdem regnete es in Strömen, und das Thermometer zeigte zwölf Grad.

Ich ließ mir eine Tasse nachschenken und überlegte, ob ich heute noch weiterwandern sollte. Es gab keinen besonderen Grund zu bleiben, aber mit meinen feuchten Sachen in den Wald zurückzukehren war nicht nur wenig verlockend, sondern möglicherweise auch gefährlich – bei Nässe und Kälte lief ich Gefahr, mir eine Unterkühlung zu holen. Hier konnte ich wenigstens am warmen Ofen sitzen. Drei Tage lang hatte ich abwechselnd geschwitzt oder gefroren. Ich war erschöpft, physisch und psychisch. Ich war ein paarmal nur halbtags gewandert, aber seit dem Crater Lake hatte ich keinen ganzen Tag mehr ausgesetzt. Außerdem hatte ich es überhaupt nicht eilig, auch wenn ich mich darauf freute, endlich die Brücke der Götter zu erreichen. Ich war dem Ziel jetzt so nahe, dass ich es locker bis zu meinem Geburtstag schaffen würde. Ich konnte mir Zeit lassen.

»Wir haben zwar keine Duschen, junge Frau«, sagte der alte Mann, »aber Sie können um fünf ein Abendessen bekommen, wenn Sie mir und zwei Mitarbeitern Gesellschaft leisten wollen.«

»Ein Abendessen?« Mein Entschluss zu bleiben war gefasst.

Ich kehrte zu meinem Lagerplatz zurück und versuchte in den Regenpausen so gut es ging, meine Sachen zu trocknen. Ich machte Wasser im Topf heiß, hockte mich nackt daneben und wusch mich mit meinem Tuch. Danach zerlegte ich den Wasserfilter, schüttelte den Schlamm heraus, den der Blonde angesaugt hatte, und spülte die Pumpe mit sauberem Wasser durch, damit ich sie wieder benutzen konnte. Ein paar Minuten bevor ich mich zu der Hütte aufmachen wollte, in der ich mich zum Essen einfinden sollte, tauchten die drei jungen Draufgänger auf, triefend nass und besser gelaunt denn je. Bei ihrem Anblick hüpfte ich buchstäblich vor Freude. Ich erzählte ihnen, dass ich zum Essen eingeladen sei und dass sie wahrscheinlich mitessen könnten. Ich müsste mich nur vorher erkundigen und würde gleich wiederkommen und sie holen. Doch als ich zu der Hütte kam und fragte, erhielt ich von der Köchin eine Abfuhr.

»Das Essen reicht nicht für alle«, sagte sie. Ich hatte ein schlechtes Gewissen, als ich mich zu Tisch setzte, aber ich war am Verhungern. Es gab Hausmannskost, wie ich sie als Kind schon tausendmal in Minnesota gegessen hatte: einen mit Cheddarkäse überbackenen Auflauf, bestehend aus Rinderhackfleisch, Dosenmais und Kartoffeln, und dazu Eisbergsalat. Ich füllte meinen Teller, leerte ihn mit ungefähr fünf Bissen und wartete dann höflich darauf, dass die Frau den Rührkuchen mit Zuckerguss anschnitt, der verlockend auf einem Beistelltisch stand. Als es so weit war, aß ich ein Stück und nahm mir diskret ein zweites – das größte –, wickelte es in eine Papierserviette und ließ es in der Tasche meiner Regenhaut verschwinden.

»Vielen Dank«, sagte ich. »Aber ich muss jetzt wieder zu meinen Freunden.«

Ich ging, das Kuchenstück in der Regenhaut vorsichtig haltend, durchs nasse Gras. Es war erst halb sechs, aber schon so dunkel und düster, dass es ebenso mitten in der Nacht hätte sein können.

»Da sind Sie ja. Ich habe Sie gesucht«, rief eine Männerstimme. Es war der Ranger, der mir am Morgen das Paket und die Briefe ausgehändigt hatte. Er tupfte sich mit einem Geschirrtuch die Lippen ab. »Ich kann nicht richtig sprechen«, lallte er, als ich auf ihn zu trat. »Ich hatte heute eine Operation im Mund.«

Ich setzte die Kapuze auf, weil es von Neuem zu regnen begonnen hatte. Er hatte nicht nur etwas am Mund, sondern auch leicht einen sitzen, wie es schien.

»Hätten Sie Lust, ein Glas mit mir zu trinken? So kommen Sie aus dem Regen«, sagte er mit seiner entstellten Stimme. »Ich wohne gleich da drüben, in der anderen Hälfte der Station. Ich habe gerade den Kamin angefeuert und mixe Ihnen ein oder zwei schöne Cocktails.«

»Danke, aber ich kann nicht. Vorhin sind Freunde von mir angekommen, mit denen ich zusammen campe«, sagte ich und deutete zu dem Hügel auf der anderen Straßenseite, hinter dem mein Zelt und inzwischen wahrscheinlich auch die der drei jungen Draufgänger standen. Ich stellte mir vor, was die drei in diesem Augenblick taten: Wie sie in ihren Anoraks im Regen kauerten und ihre verhasste Trail-Kost runterwürgten oder wie sie, jeder für sich, in ihren Zelten hockten, weil sie sonst nirgends hin konnten. Und dann dachte ich an das warme Kaminfeuer und die versprochenen Drinks und daran, dass es vielleicht ganz praktisch wäre, wenn mich die drei zu dem Ranger begleiteten, falls der irgendwelche Hintergedanken hatte. »Oder vielleicht doch«, sagte ich zögernd, während der Ranger sabberte und sich dann den Mund abwischte. »Ich meine, wenn es Ihnen nichts ausmacht, dass ich meine Freunde mitbringe.«

Ich kehrte mit dem Kuchen in unser Lager zurück. Die drei jungen Draufgänger hatten sich bereits in die Zelte zurückgezogen. »Ich habe Kuchen!«, rief ich, und sie kamen heraus, umringten mich und aßen ihn mit den Fingern aus meinen Händen, wobei sie ihn mit einer stillschweigenden Selbstverständlichkeit untereinander aufteilten, die in all den Monaten der Entbehrung und des Zusammenhaltens gewachsen war.

Es war, als wären wir uns in den neun Tagen seit unserer Trennung noch näher gekommen, noch enger zusammengewachsen, als wären wir in dieser Zeit gemeinsam und nicht getrennt gewandert. Sie waren für mich zwar immer noch die drei jungen Draufgänger, aber ich sah sie inzwischen auch differenzierter. Richie war urkomisch und auch ein klein wenig verschroben, mit einer dunklen, geheimnisvollen Seite, die ich anziehend fand. Josh war süß und intelligent und zurückhaltender als die anderen. Rick war humorvoll, geistreich und charmant, und man konnte sich wunderbar mit ihm unterhalten. Als sie so um mich herumstanden und den Kuchen aus meinen Händen aßen, kam mir zu Bewusstsein, dass ich mich in alle drei ein wenig verknallt hatte, am meisten aber in Rick. Aber natürlich war das lächerlich. Er war fast vier Jahre jünger als ich, und in unserem Alter waren vier Jahre aufgrund der unterschiedlichen Lebenserfahrung eine Welt. Ich hätte mich eher wie seine große Schwester fühlen sollen, als daran zu denken, mit ihm im Zelt zu verschwinden – also dachte ich nicht daran, aber ich konnte nicht leugnen, dass ich in wachsendem Maße ein leichtes Kribbeln im Bauch spürte, wenn unsere Blicke sich trafen, und ich sah ihm an den Augen an, dass es ihm ähnlich erging.

»Tut mir leid wegen des Abendessens«, sagte ich, nachdem ich ihnen berichtet hatte, was geschehen war. »Habt ihr gegessen?«, fragte ich mit einem schlechten Gewissen, und sie nickten und leckten sich den Zuckerguss von den Fingern.

»War es gut?«, fragte Richie in seinem New-Orleans-Akzent, der ihn für mich nur noch anziehender machte, trotz meiner Schwäche für Rick.

»Es gab nur Auflauf mit Salat.«

Alle drei sahen mich an, als hätte ich sie beleidigt.

»Deswegen habe ich euch doch den Kuchen mitgebracht!«, rief ich unter meiner Kapuze hervor. »Außerdem hätte ich da noch etwas anderes, was euch vielleicht interessiert. Eine andere Art von kulinarischem Vergnügen. Der Ranger hat mich auf einen Drink zu sich eingeladen, und ich habe zu ihm gesagt, dass ich nur komme, wenn ihr mitkommt. Ich muss euch aber warnen. Er ist etwas komisch drauf – er hat sich heute am Mund operieren lassen oder so und hat getrunken, obwohl er wahrscheinlich Schmerzmittel nimmt. Aber er hat ein Kaminfeuer und etwas zu trinken, und wir wären *drin*. Hättet ihr Lust?«

Die drei jungen Draufgänger antworteten mit ihrem Die-Barbaren-sind-los-Blick, und drei Minuten später klopften wir an die Tür des Rangers.

»Da seid ihr ja!«, lallte er und ließ uns ein. »Ich dachte schon, ihr lasst mich hängen.«

»Das sind meine Freunde Rick, Richie und Josh«, stellte ich vor, aber der Ranger, der sich immer noch das Geschirrtuch an die Lippen drückte, musterte sie nur mit unverhohlener Geringschätzung. Er war nicht davon erbaut, dass ich sie mitbrachte, und hatte nur widerstrebend eingewilligt, als ich sagte, alle oder keiner.

Die drei jungen Draufgänger marschierten herrein, setzten sich nebeneinander auf die Couch vor dem lodernden Feuer und legten ihre Füße mit den nassen Stiefeln auf dem steinernen Kamin ab.

»Wollen Sie was trinken, schöne Frau?«, fragte mich der Ranger, als ich ihm in die Küche folgte. »Ich heiße übrigens Guy. Ich weiß nicht, ob ich Ihnen das schon gesagt habe.«

»Ist mir ein Vergnügen, Guy«, sagte ich und versuchte, mich so hinzustellen, als wäre ich eigentlich gar nicht mit ihm in der Küche, sondern überbrückte den Raum zwischen ihm und den Jungs am Kamin, als feierten wir alle zusammen eine fröhliche Party.

»Ich mixe Ihnen einen Spezialdrink.«

»Mir? Danke«, sagte ich. »Wollt ihr auch was trinken, Jungs?«, rief ich den drei jungen Draufgängern zu. Sie antworteten mit Ja, und ich sah zu, wie Guy Eis in einen riesigen Plastikbecher gab, dann verschiedene hochprozentige Alkoholika dazuschüttete und das Ganze mit Fruchtpunsch aus einer Dose auffüllte, die er aus dem Kühlschrank geholt hatte.

»Probieren Sie und sagen Sie mir, ob er Ihnen schmeckt«, forderte mich Guy auf.

Ich trank einen Schluck. Er schmeckte höllisch, aber auf angenehme Weise. Das Zeug zu trinken war allemal besser, als draußen im kalten Regen zu sitzen. »Lecker!«, sagte ich zu vergnügt. »Und die Jungs – Rick, Richie und Josh – hätten, glaube ich, auch gerne einen. Ihr wollt doch einen, oder?«, fragte ich erneut und flüchtete zur Couch.

»Klar«, antworteten sie im Chor, aber Guy nahm davon keine Notiz. Ich gab Rick den Becher und quetschte mich neben ihn, und dann saßen wir alle vier nebeneinander im Plüschwunderland des Kaminsofas, ohne einen Zentimeter Platz zwischen uns, Ricks schöner Körper neben meinem, vor uns das Feuer wie eine Privatsonne, die uns trocken röstete.

»Wenn Sie etwas über Selbstmord hören wollen, Süße, kann ich Ihnen einiges erzählen«, sagte Guy, trat vor mich hin und lehnte sich gegen den Kaminsims. Rick trank aus dem Becher und reichte ihn an den neben ihm sitzenden Josh weiter, der seinerseits einen Schluck nahm und ihn dann Richie am äußersten Ende gab. »Wir haben hier in der Gegend leider öfter mit Selbstmord zu tun. Aber das macht den Job auch interessant«, sagte Guy, dessen Augen sich belebten, während sein Gesicht Schnurrbart abwärts hinter dem Geschirrtuch verborgen blieb. Der Becher wanderte langsam zu mir zurück. Ich trank einen Schluck und gab ihn wieder Rick, und so weiter und so fort, als rauchten wir einen riesigen flüssigen Joint. Während wir tranken, erzählte uns Guy in aller Ausführlichkeit von einem Fall, bei dem sich ein Mann draußen im Wald in einer mobilen Toilettenkabine eine Kugel in den Kopf gejagt hatte.

»Ich meine, das Gehirn klebte einfach überall«, sagte er hinter dem Geschirrtuch hervor. »Mehr als Sie sich vorstellen können. Denken Sie an das Widerlichste, was Ihnen einfällt, dann haben Sie eine ungefähre Vorstellung.« Er stand da und sah nur mich an, als wären die drei jungen Draufgänger Luft. »Und nicht nur Gehirn. Auch Blut und Knochensplitter vom Schädel und Fleisch. Einfach überall. Die ganzen Wände in dem Ding waren vollgespritzt.«

»Ich kann mir das nicht vorstellen«, sagte ich und schüttelte das Eis in meinem Becher. Jetzt, wo er leer war, hatten ihn die Draufgänger in meine alleinige Obhut gegeben.

»Wollen Sie noch einen, Süße?«, fragte Guy. Ich gab ihm den Becher, und er verschwand damit in der Küche. Ich wandte mich den Draufgängern zu. Wir tauschten bedeutungsvolle Blicke und brachen dann so leise, wie wir konnten, in Lachen aus, während wir uns in der Wärme des Feuers aalten.

»Jetzt muss ich Ihnen von diesem anderen Fall erzählen«, sagte Guy, als er mit meinem Drink zurückkam. »Nur dass es diesmal

Mord war. Richtiger Mord. Und da war kein Gehirn, sondern Blut. Literweise Blut. Ach, was sage ich, *eimerweise* Blut, Cheryl.«

Und so ging es den ganzen Abend weiter.

Anschließend kehrten wir in unser Lager zurück und standen halb betrunken neben unseren Zelten im Dunkeln und redeten, bis es wieder zu regnen anfing und uns nichts anderes übrig blieb, als die Party aufzulösen und gute Nacht zu sagen. Als ich in mein Zelt kroch, sah ich, dass sich ganz hinten eine Pfütze gebildet hatte. Am Morgen war sie zu einem kleinen See angewachsen, und mein Schlafsack war durchnässt. Ich wrang ihn aus und suchte in der Umgebung nach einer Stelle, wo ich ihn aufhängen konnte, aber es war sinnlos. Er würde nur noch nasser werden, wenn es weiter so schüttete. Ich nahm ihn mit, als ich mit den drei Draufgängern zum Laden ging, und hielt ihn an den Kohleofen, während wir Kaffee tranken.

»Wir haben uns auf einen Trail-Namen für dich geeinigt«, sagte Josh.

»Wie lautet er?«, fragte ich widerwillig hinter meinem durchweichten blauen Schlafsack hervor, als könnte er mich davor schützen, was sie nun sagen würden.

»Die Königin des PCT«, antwortete Josh.

»Weil die Leute dir ständig etwas schenken und etwas für dich tun wollen«, setzte Rick hinzu. »Uns schenken sie nie etwas. Genau genommen tun sie einen Dreck für uns.«

Ich ließ den Schlafsack sinken und sah sie an, und wir brachen alle in Lachen aus. Wie oft war ich unterwegs gefragt worden, ob ich nicht Angst hätte als Frau so ganz allein – weil die Leute annahmen, dass eine allein reisende Frau Freiwild wäre –, und dabei war mir die ganze Zeit eine Gefälligkeit nach der anderen erwiesen worden. Abgesehen von der gruseligen Erfahrung mit dem blonden Typen, der meinen Wasserfilter verstopft hatte, und dem Paar, das mich von dem Campingplatz in Kalifornien vertrieben hatte, konnte ich nur über Großzügigkeit berichten. Die Welt und ihre Bewohner hatten mich überall mit offenen Armen empfangen.

Wie aufs Stichwort lehnte sich der alte Mann über die Kasse. »Junge Dame, was ich Ihnen noch sagen wollte: Falls Sie noch eine Nacht bleiben und Ihre Sachen trocknen wollen, können Sie für einen Apfel und ein Ei eine von unseren Hütten haben.«

Mit fragendem Blick wandte ich mich an die drei Draufgänger.

Innerhalb von fünfzehn Minuten hatten wir die Hütte bezogen und unsere nassen Schlafsäcke an die staubigen Deckenbalken gehängt. Die Hütte bestand aus einem einzigen holzgetäfelten Raum, der fast vollständig von zwei großen Doppelbetten mit vorsintflutlichen Metallrahmen eingenommen wurde, die quietschten, wenn man sich nur dranlehnte.

Als wir uns häuslich eingerichtet hatten, ging ich durch den Regen zum Laden zurück, um Snacks zu kaufen. Als ich eintrat, stand Lisa am Holzofen. Lisa, die in Portland lebte. Lisa, die mir den ganzen Sommer über meine Versorgungspakete geschickt hatte. Lisa, bei der ich in einer Woche einziehen wollte.

»Hallo«, schrie sie förmlich, und wir fielen uns um den Hals. »Ich hab gewusst, dass du jetzt hier bist«, sagte sie, als wir uns wieder einigermaßen gefasst hatten. »Wir sind spontan hergefahren, um dich zu besuchen.« Sie drehte sich zu ihrem Freund Jason um, und ich gab ihm die Hand. Ich hatte ihn in den Tagen, bevor ich Portland in Richtung PCT verließ, kennengelernt – damals waren sie erst seit kurzem liiert gewesen. Es war ein komisches Gefühl, Menschen zu sehen, die ich aus meiner alten, vertrauten Welt kannte, und es stimmte mich auch ein wenig traurig. Ich freute mich und war zugleich ernüchtert: Ihre Gegenwart schien das Ende meiner Reise zu beschleunigen und erinnerte mich daran, dass die hundertvierzig Kilometer bis Portland, für die ich noch eine Woche brauchen würde, mit dem Auto ein Katzensprung waren.

Am Abend quetschten wir uns alle in Jasons Pick-up und fuhren auf gewundenen Waldstraßen zu den heißen Quellen von Bagby. Bagby ist eine Art Waldparadies: ein dreigeschossiger, offener

Holzbau mit Badezubern unterschiedlicher Form und Größe an einem dampfenden, von den heißen Quellen gespeisten Bach im Mount Hood National Forest, zweieinhalb Kilometer vom nächsten Parkplatz entfernt und nur zu Fuß zu erreichen. Es ist keine kommerzielle Einrichtung, kein Resort oder Erholungszentrum. Jedermann kann Bagby kostenlos zu jeder Tages- und Nachtzeit besuchen und dort unter einem Dach uralter Douglasien, Hemlocktannen und Weihrauchzedern in heißem Quellwasser baden. Seine Existenz kam mir noch unwirklicher vor als das plötzliche Auftauchen Lisas in dem Laden am Olallie Lake.

Wir hatten das Paradies praktisch für uns allein. Die drei jungen Draufgänger und ich nahmen die untere Terrasse in Beschlag, auf der unter einem hohen, luftigen Holzdach längliche Zuber in Kanugröße standen, alle aus ausgehöhlten Baumstämmen gefertigt. Der Regen rieselte sanft auf die dichten Kronen der hohen Bäume um uns herum. Wir zogen uns aus, und meine Blicke glitten im Halbdunkel über die nackten Körper der anderen. Rick und ich stiegen in benachbarte Zuber, drehten die Hähne auf und stöhnten, als sich die Zuber mit dem heißen, mineralreichen Wasser füllten. Ich erinnerte mich an mein Bad in dem Hotel in Sierra City, bevor ich in die verschneiten Berge aufbrach. Es schien zu passen, dass ich jetzt hier war und nur noch eine Woche zu wandern hatte, als hätte ich einen schweren und schönen Traum überstanden.

Auf der Hinfahrt hatte ich vorn bei Lisa und Jason gesessen, doch als wir nach Olallie Lake zurückfuhren, stieg ich mit den drei jungen Draufgängern hinten ein und kletterte, frisch gebadet und bestens gelaunt, auf die Matratze, die auf der Pritsche lag.

»Das ist übrigens dein Futon«, sagte Lisa, bevor sie die Klappe zumachte. »Ich habe ihn aus deinem Wagen geholt und hier reingelegt für den Fall, dass wir über Nacht bleiben.«

»Willkommen in meinem Bett, Jungs«, sagte ich in gespielt laszivem Ton, um meine Erschütterung zu überspielen. Es war tatsächlich mein Bett – der Futon, auf dem ich jahrelang mit Paul geschlafen hatte. Der Gedanke an Paul versetzte meiner guten Laune einen Dämpfer. Ich hatte den Brief, den er mir geschickt hatte, noch gar nicht geöffnet, obwohl ich Post sonst immer gleich freudig aufriss. Der Anblick seiner vertrauten Handschrift hatte mich diesmal innehalten lassen. Ich hatte beschlossen, den Brief erst zu lesen, wenn ich wieder auf dem Trail war, vielleicht weil ich wusste, dass mich das daran hindern würde, ihm umgehend zurückzuschreiben und unüberlegte, leidenschaftliche Dinge zu äußern, die nicht mehr der Wahrheit entsprachen. »In meinem Herzen werde ich immer mit dir verheiratet bleiben«, hatte ich an dem Tag, an dem wir die Scheidung einreichten, zu ihm gesagt. Das war erst fünf Monate her, doch schon jetzt glaubte ich nicht mehr daran. Meine Liebe zu ihm war unbestreitbar, aber ich hatte nicht mehr das Gefühl, zu ihm zu gehören. Wir waren nicht mehr verheiratet, und als ich mich jetzt neben die drei jungen Draufgänger auf die Matratze legte, die ich mit ihm geteilt hatte, merkte ich, dass ich mich damit abgefunden hatte. Ich spürte eine Art Klarheit, wo bisher so viel Unsicherheit gewesen war.

Während der Pick-up über dunkle Straßen rumpelte, lagen wir dicht gedrängt quer auf dem Futon – ich, Rick, Josh und Richie, in dieser Reihenfolge. Zwischen uns war kein Zentimeter Platz mehr, genau wie auf der Couch des verrückten Rangers am Abend zuvor. Ricks Körper war leicht von Josh weg in meine Richtung gedreht und drückte gegen meinen. Der Himmel hatte endlich aufgeklart, und ich konnte den Mond sehen. Er war fast voll.

»Sieh mal«, sagte ich nur zu Rick und deutete durch die Fensterscheibe zum Himmel. Wir sprachen leise über die Monde, die wir auf dem Trail gesehen hatten, und wo wir gewesen waren, als wir sie sahen, und dann über die Strecke, die noch vor uns lag.

»Du musst mir Lisas Nummer geben, damit wir in Portland etwas zusammen unternehmen können«, sagte er. »Wenn ich mit dem Trail fertig bin, werde ich nämlich auch dort leben.«

»Unbedingt! Das machen wir«, erwiderte ich.

»Auf jeden Fall«, sagte er und sah mich auf diese gefühlvolle Weise an, bei der mir ganz anders wurde, obwohl mir klar war, dass ich ihn nicht anfassen würde, so gerne ich es auch getan hätte und obwohl ich ihn tausendmal mehr mochte als viele Männer, mit denen ich geschlafen hatte. Aber in diesem Augenblick war das für mich so weit weg wie der Mond. Und nicht nur, weil er jünger als ich war oder weil zwei Freunde von ihm neben uns lagen. Sondern weil es mir ausnahmsweise einmal genügte und ich mich auch wohl dabei fühlte, einfach nur keusch und brav neben einem netten, lieben, starken, intelligenten, sexy Mann zu liegen, der mir wahrscheinlich nie etwas anderes sein sollte als ein Freund. Ausnahmsweise einmal sehnte ich mich nicht nach mehr. Ausnahmsweise einmal dröhnte nicht der Satz von der *Frau mit einem Loch im Herzen* in meinem Kopf. Dieser Satz existierte für mich nicht einmal mehr.

»Ich freue mich wirklich, dich kennengelernt zu haben«, sagte ich.

»Ich auch«, erwiderte Rick. »Wer würde sich nicht freuen, die Königin des PCT kennenzulernen?«

Ich lächelte ihn an und blickte, mir des warmen Körpers an meiner Seite sehr bewusst, wieder durch die kleine Scheibe zum Mond. So lagen wir nebeneinander da und schwiegen.

»Sehr schön«, sagte Rick nach einer Weile. *»Sehr schön«,* wiederholte er mit mehr Nachdruck als beim ersten Mal.

»Was?«, fragte ich, obwohl ich es wusste, und sah ihn an.

»Alles«, antwortete er.

Und das stimmte.

19
Der Traum einer gemeinsamen Sprache

Am nächsten Morgen war der Himmel strahlend blau. Der Olallie Lake glitzerte in der Sonne, perfekt gerahmt vom Mount Jefferson im Süden und dem Olallie Butte im Norden. Ich saß auf einem der Picknicktische in der Nähe der Ranger-Station und packte das Monster für meine letzte Etappe. Die drei jungen Draufgänger waren im Morgengrauen aufgebrochen, denn sie hatten es eilig, nach Kanada zu kommen, bevor die High Cascades im Bundesstaat Washington eingeschneit waren, aber ich wanderte ja nicht so weit. Ich konnte mir Zeit lassen.

Guy erschien mit einem Päckchen in der Hand und riss mich aus meiner kontemplativen Trance. »Ein Glück«, sagte er, wieder nüchtern, »dass ich Sie noch erwischt habe, bevor Sie losziehen. Das ist gerade gekommen.«

Ich nahm ihm das Päckchen ab und warf einen Blick auf den Absender. Es war von meiner guten Freundin Gretchen.

»Danke für alles«, sagte ich zu Guy, als er wieder ging. »Für die Drinks neulich abends und die Gastfreundschaft.«

»Passen Sie da draußen auf sich auf«, sagte er und verschwand hinter der Hütte. Ich riss das Päckchen auf und schnappte nach Luft, als ich sah, was es enthielt: ein Dutzend Pralinen, eingewickelt in

Glitzerpapier, und eine Flasche Rotwein. Ein paar Pralinen aß ich sofort, während ich darüber nachdachte, was ich mit dem Wein anfangen sollte. So gern ich ihn auch am Abend auf dem Trail getrunken hätte, so hatte ich doch keine Lust, die leere Flasche den ganzen Weg bis zur Timberline Lodge mitzuschleppen. Ich packte meine letzten Sachen zusammen, nahm den Wein und das leere Päckchen und machte mich auf den Weg zur Ranger-Station.

»Cheryl!«, dröhnte eine Stimme, und ich drehte mich um.

»Na bitte! Ich habe dich eingeholt! *Ich habe dich eingeholt!*«, rief ein Mann und kam auf mich zu. Ich war so verdutzt, dass ich das Päckchen ins Gras fallen ließ. Unterdessen reckte der Mann die Faust und stieß einen fröhlichen Jauchzer aus, der mir bekannt vorkam, den ich aber nicht einordnen konnte. Er war jung, bärtig und braungebrannt, gegenüber unserer letzten Begegnung verändert und doch noch derselbe. »Cheryl!«, rief er wieder und riss mich praktisch in eine Umarmung.

Alles lief wie in Zeitlupe ab, und erst, als er vollends die Arme um mich geschlungen hatte, fiel bei mir der Groschen, und ich rief: »DOUG!«

»Doug, Doug, Doug!«

»Cheryl, Cheryl, Cheryl!«

Dann verstummten wir und sahen einander an.

»Du hast abgenommen«, sagte er.

»Du auch«, erwiderte ich.

»Du hast dich jetzt gut eingelaufen«, sagte er.

»Ich weiß! Du auch.«

»Ich habe einen Bart«, sagte er und zupfte daran. »Ich habe dir so viel zu erzählen.«

»Ich auch. Wo ist Tom?«

»Ein paar Kilometer hinter mir. Er kommt bald nach.«

»Seid ihr gut durch den Schnee gekommen?«

»Teilweise, aber dann ist es zu heftig geworden, und wir haben schließlich aufgegeben und den Schnee umgangen.«

Ich schüttelte den Kopf, immer noch fassungslos, dass er hier vor mir stand. Ich erzählte ihm, dass Greg ausgestiegen war, und fragte ihn nach Albert und Matt.

»Seit wir sie das letzte Mal gesehen haben, habe ich nichts mehr von ihnen gehört.« Er sah mich mit lebhaft funkelnden Augen an und lächelte. »Wir haben den ganzen Sommer über deine Einträge im Register gelesen. Sie haben uns dazu motiviert, uns noch mehr ins Zeug zu legen. Wir wollten dich einholen.«

»Ich wollte gerade aufbrechen«, sagte ich, bückte mich und hob das Päckchen auf, das ich vor Aufregung hatte fallen lassen. »Eine Minute später, und ich wäre weg gewesen, und wer weiß, ob ihr mich dann noch eingeholt hättet.«

»Ich hätte dich eingeholt«, sagte er und lachte dieses Sunnyboy-Lachen, das ich so lebhaft in Erinnerung hatte, obwohl auch das sich inzwischen verändert hatte. Er wirkte nicht mehr ganz so unbeschwert und etwas mitgenommen, als wäre er in den letzten Monaten um Jahre gealtert. »Wartest du, bis ich meine Sachen erledigt habe? Dann könnten wir zusammen weiter.«

»Klar«, sagte ich ohne Zögern. »Die letzten Tage bis Cascade Locks muss ich allein wandern – ich will so aufhören, wie ich angefangen habe –, aber bis zur Timberline Lodge können wir zusammenbleiben.«

»Heilige Scheiße, Cheryl.« Er drückte mich noch einmal an sich. »Ich kann es einfach nicht fassen, dass wir uns hier getroffen haben. He, du hast ja noch die schwarze Feder, die ich dir geschenkt habe!« Er strich über ihren ausgefransten Rand.

»Sie war mein Glücksbringer«, sagte ich.

»Was ist mit dem Wein?«, fragte er und deutete auf die Flasche in meiner Hand.

»Ich wollte ihn gerade dem Ranger schenken«, antwortete ich und hob sie in die Höhe. »Ich will die Flasche nicht bis Timberline mitschleppen.«

»Bist du verrückt?«, sagte Doug. »Gib sie mir.«

Wir öffneten sie am selben Abend in unserem Lager am Warm Spring River mit dem Korkenzieher an meinem Taschenmesser. Tagsüber hatte es knapp über zwanzig Grad gehabt, doch am Abend wurde es kühl, und rings um uns zeigten sich erste Vorboten des Herbstes. Das Laub auf den Bäumen lichtete sich bereits kaum merklich, und die Wildblumen ließen welk die Köpfe hängen. Doug und ich machten ein Feuer, während unser Abendessen köchelte, dann saßen wir da, aßen aus unseren Töpfen und tranken abwechselnd aus der Flasche, da wir keine Becher hatten. Mit Doug, den ich so lange nicht gesehen hatte, an einem Feuer zu sitzen und Wein zu trinken war für mich wie ein Übergangsritus, wie eine Zeremonie, die das Ende meiner Reise markierte.

Nach einer Weile vernahmen wir Kojotengeheul und spähten in die Dunkelheit. Es hörte sich an, als käme es ganz aus der Nähe.

»Bei dem Geheul stehen mir die Haare zu Berge«, sagte Doug, nahm einen Schluck aus der Flasche und reichte sie mir. »Der Wein ist wirklich gut.«

»Ja«, sagte ich und trank. »Ich habe in diesem Sommer oft Kojoten gehört.«

»Und du hast keine Angst bekommen, stimmt's? Das hattest du dir doch vorgenommen.«

»Ja, das hatte ich mir vorgenommen«, erwiderte ich. »Aber ein paarmal hatte ich trotzdem welche.«

»Ich auch.« Er legte mir die Hand auf die Schulter, und ich legte meine Hand auf seine und drückte sie. Er war für mich wie ein Bruder, aber überhaupt nicht so wie mein richtiger Bruder. Er kam mir wie jemand vor, den ich immer kennen würde, selbst wenn ich ihn nie wiedersehen sollte.

Als die Weinflasche leer war, ging ich zum Monster und zog den Ziplock-Beutel mit meinen Büchern heraus. »Brauchst du etwas zu lesen?«, fragte ich Doug und hielt ihm *The Ten Thousand Things* hin, aber er schüttelte den Kopf. Ich hatte das Buch vor ein paar Tagen ausgelesen, wegen des Regens aber noch nicht verbrennen können. Im Unterschied zu den anderen Büchern, die ich auf der Wanderung gelesen hatte, hatte ich *The Ten Thousand Things* bereits gekannt, als ich es Monate zuvor in mein Versorgungspaket gepackt hatte. Der sehr lyrische, auf den Molukken-Inseln in Indonesien spielende und ursprünglich in niederländischer Sprache verfasste Roman war bei seinem Erscheinen 1955 von der Kritik gefeiert worden, seitdem aber weitgehend in Vergessenheit geraten. Ich hatte nie jemanden getroffen, der ihn kannte, abgesehen von einem Literaturprofessor am College, der ihn mir in einem Seminar, das ich während der Krankheit meiner Mutter besuchte, zur Besprechung zugeteilt hatte. Das Buch ließ mich nicht kalt, als ich es im Krankenzimmer meiner Mutter pflichtschuldig las. Ich versuchte, meine Angst und meine Sorgen auszublenden und mich auf die Textstellen zu konzentrieren, über die ich in der kommenden Woche im Seminar referieren sollte, doch es war zwecklos. Ich konnte an nichts anderes denken als meine Mutter. Im Übrigen wusste ich bereits, was die zehntausend Dinge waren. Sie waren all die benannten und unbenannten Dinge auf der Welt, aber alle zusammen waren nicht so groß wie die Liebe meiner Mutter zu mir. Und meine zu ihr. Beim Packen für den PCT hatte ich beschlossen, es noch einmal mit dem Buch zu probieren. Diesmal hatte ich keine Mühe gehabt, mich darauf zu konzentrieren. Ich verstand es von der ersten Seite an. Jeder Satz Maria Dermoûts war für mich wie ein sanfter Stich der Erkenntnis, und das ferne Land, das sie schilderte, erschien mir wie die Quintessenz all der Orte, die ich einmal geliebt hatte.

»Ich glaube, ich hau mich in die Falle«, sagte Doug, die leere Weinflasche in der Hand. »Tom wird uns wahrscheinlich morgen einholen.«

»Ich lösche dann das Feuer«, sagte ich.

Als er fort war, riss ich die Seiten von *The Ten Thousand Things* aus dem gummierten Taschenbucheinband, warf sie zusammengeknüllt ins Feuer und schürte es mit einem Stock, bis sie brannten.

Während ich in die Flammen starrte, dachte ich an Eddie, wie fast immer, wenn ich an einem Feuer saß. Er hatte mir das Feuermachen beigebracht. Mit Eddie hatte ich das erste Mal gezeltet. Er hatte mir gezeigt, wie man ein Zelt aufbaut und einen richtigen Knoten macht. Von ihm hatte ich gelernt, wie man mit dem Taschenmesser eine Dose öffnet, wie man Kanu fährt und wie man einen Stein übers Wasser hüpfen lässt. In den ersten drei Jahren, nachdem er sich in meine Mutter verliebt hatte, fuhr er von Juni bis September praktisch jedes Wochenende mit uns zum Campen und Kanufahren an den Minnesota, den St. Croix oder den Namekagon River, und als wir auf das Stück Land zogen, das meine Familie mit der Abfindung für seinen Arbeitsunfall gekauft hatte, brachte er mir noch mehr über den Wald bei.

Niemand kann wissen, warum das eine geschieht und das andere nicht. Was zu was führt. Was was zerstört. Was der Grund dafür ist, dass etwas erblüht, etwas anderes zugrunde geht oder einen anderen Verlauf nimmt. Doch als ich an diesem Abend am Feuer saß, war ich mir ziemlich sicher, dass ich mich, wäre Eddie nicht gewesen, niemals auf dem PCT wiedergefunden hätte. Und wenn mir auch alles, was ich für ihn empfand, wie ein dicker Kloß im Hals steckte, so machte diese Erkenntnis den Kloß doch um einiges erträglicher. Am Ende hatte er mich nicht sehr geliebt, aber er hatte mich sehr geliebt, als es wichtig war.

Als *The Ten Thousand Things* zu Asche zerfallen war, zog ich das andere Buch aus dem Ziplock-Beutel. *Der Traum einer gemeinsamen Sprache.* Ich hatte es die ganze Zeit bei mir getragen, aber seit dem allerersten Abend auf dem Trail nicht mehr aufgeschlagen. Das war auch nicht nötig. Ich wusste, was darin stand. Teile daraus waren den ganzen Sommer über in dem Hitradio in meinem Kopf gelaufen, Verse verschiedener Gedichte oder der Titel des Buchs selbst, der zugleich auch eine Gedichtzeile war: *der Traum einer gemeinsamen Sprache.* Ich schlug es auf, blätterte darin und beugte mich vor, damit ich die Worte im Feuerschein lesen konnte. Ich las eine oder zwei Zeilen aus ungefähr einem Dutzend Gedichten, von denen mir jedes so vertraut war, dass es mir auf merkwürdige Weise Trost spendete. Oft wusste ich nicht genau, was sie bedeuteten, doch in gewisser Weise verstand ich sie vollkommen, als hätte ich ihren Sinn vor mir und könnte ihn nur nicht fassen wie einen Fisch, der direkt unter der Wasseroberfläche schwamm und den ich mit bloßen Händen zu fangen versuchte – so nah, so präsent und so sehr zu mir gehörig –, bis ich nach ihm griff und er davonschnellte.

Ich klappte das Buch zu und betrachtete den sandfarbenen Einband. Es gab keinen Grund, dieses Buch nicht auch zu verbrennen.

Doch ich drückte es mir nur an die Brust.

Zwei Tage später erreichten wir die Timberline Lodge. Doug und ich waren mittlerweile nicht mehr allein. Tom hatte uns eingeholt, und außerdem waren zwei Frauen zu uns gestoßen – ein ehemaliges Liebespaar Mitte zwanzig, das durch Oregon und einen kleinen Teil von Washington wanderte. Wir marschierten in Zweier- und Dreiergruppen wechselnder Zusammensetzung und manchmal auch alle gemächlich in einer Reihe hintereinander. Die Stimmung in der Gruppe war bestens, und wir genossen die kühlen, sonnigen Tage. In den langen Pausen spielten wir Footbag, hüpften in eiskalte Seen oder reizten Hornissen und rannten dann lachend und kreischend vor ihnen davon. Als wir die in 1800 Meter Höhe an der Südflanke des Mount Hood gelegene Timberline Lodge erreichten, empfanden wir uns als verschworene Gemeinschaft, wie Kinder, wenn sie zusammen eine Woche im Sommerlager verbracht haben.

Wir kamen am Nachmittag an, nahmen im Gemeinschaftsraum zwei Sofas in Beschlag, die beiderseits eines niedrigen Holztisches standen, und bestellten sündhaft teure Sandwiches. Anschließend tranken wir Kaffee mit Baileys und spielten mit Karten, die wir uns beim Barkeeper liehen, Poker und Rommee. Der Hang des Mount Hood lag direkt vor den Fenstern des Gemeinschaftsraums. Mit sei-

nen 3425 Metern ist der Mount Hood der höchste Berg Oregons –
ein Vulkan wie all die anderen, an denen ich vorübergekommen war,
seit ich im Juli südlich des Lassen Peak in die Cascade Range vorge-
stoßen war. Nur kam mir dieser, der letzte große Vulkan, den ich auf
meiner Wanderung überqueren würde, wie der wichtigste vor, und
nicht nur, weil ich gewissermaßen auf seinem Schoß saß. Sein Anblick war mir vertraut, da er wegen seiner imposanten Größe an klaren Tagen von Portland aus zu sehen war. Gleich bei unserer Ankunft am Mount Hood hatte ich so etwas wie Heimatgefühle
empfunden. Portland – wo ich trotz allem, was in den acht oder neun
Monaten, die ich dort in den vergangenen zwei Jahren verbracht hatte, geschehen war, eigentlich nie gelebt hatte – lag nur fünfundneun-
zig Kilometer entfernt.

Aus der Ferne hatte mir der Anblick des Mount Hood stets den
Atem verschlagen, doch aus der Nähe wirkte er auf mich anders,
wie alles. Er hatte nicht mehr diese majestätische Kühle, war zugleich gewöhnlicher und noch gewaltiger in seiner realen Mächtig-
keit. Durch die Nordfenster der Lodge blickte man nicht auf den
gleißenden weißen Gipfel, der viele Kilometer weit zu sehen ist,
sondern auf einen gräulichen, recht kargen Hang mit vereinzelten
Gruppen zerzauster Kiefern und ein paar wenigen Lupinen und As-
tern, die zwischen den Felsen sprossen. Mitten durch die Natur-
landschaft schnitt ein Skilift, der zu dem verharschten Schneeband
weiter oben hinaufführte. Ich war froh, in der wunderbaren Lodge,
einer gemütlichen Insel inmitten der Wildnis, eine Weile vor dem
Berg geschützt zu sein. Die Timberline Lodge ist ein großes Gebäude aus Holz und Natursteinen, das im Rahmen einer Arbeitsbe-
schaffungsmaßnahme der Works Progress Administration Mitte
der dreißiger Jahre des vorigen Jahrhunderts errichtet wurde. Alles
an ihr erzählt eine Geschichte. Die Kunstobjekte an den Wänden,
die Architektur, die handgewebten Textilien, mit denen die Möbel
bezogen sind – jedes Stück ist sorgfältig gearbeitet und soll die

Geschichte, die Kultur und die natürlichen Schätze der Pacific-Northwest-Region widerspiegeln.

Ich entschuldigte mich bei den anderen, schlenderte langsam durch die Räumlichkeiten und trat dann hinaus auf die große, nach Süden gehende Terrasse. Es war ein klarer, sonniger Tag, und ich konnte über hundert Kilometer weit sehen. Auch viele Berge, an denen ich vorübergewandert war, darunter zwei der Three Sisters, der Mount Jefferson und der Broken Finger.

Noch ein Hopser, und es ist geschafft, dachte ich. Ich war hier. Fast am Ziel. Aber noch nicht ganz. Bis zur Brücke der Götter hatte ich noch achtzig Kilometer zu bewältigen.

Am nächsten Morgen verabschiedete ich mich von Doug, Tom und den beiden Frauen und wanderte allein weiter, indem ich den kurzen steilen Fußweg erklomm, der von der Lodge zum PCT führte. Ich ging unter dem Skilift durch und marschierte in nordwestlicher Richtung um die Flanke des Mount Hood herum. Der Pfad bestand aus zerklopften Steinen, die strenge Winter zu kiesigem Sand zermahlen hatten. Als ich zwanzig Minuten später in die Mount Hood Wilderness gelangte, tauchte ich wieder im Wald ein und spürte, wie mich Stille umfing.

Es war schön, wieder allein zu sein. Es war herrlich. Wir hatten Mitte September, aber die Sonne schien warm, und der Himmel war blauer denn je. Der Trail öffnete sich und bot einen weiten Ausblick ins Land, dann führte er wieder durch dichten Wald, ehe er sich abermals lichtete. Ich legte ohne eine einzige Pause sechzehn Kilometer zurück, überquerte den Sandy River und setzte mich auf einen kleinen, flachen Felsen am anderen Ufer. Fast alle Seiten von *The Pacific Crest Trail, Volume II: Oregon and Washington* waren inzwischen verbrannt. Was von meinem Wanderführer noch übrig war, steckte zusammengefaltet in der Tasche meiner Shorts. Ich zog die Seiten heraus und las sie noch einmal, wanderte in Gedanken die gesamte Strecke ab bis zum Schluss. Die Aussicht, endlich Cascade Locks zu erreichen, stimmte mich euphorisch und traurig zugleich. Ich wusste nicht, wie es gekommen war, aber im Freien zu leben, jede Nacht in einem Zelt auf der Erde zu schlafen und fast jeden Tag von morgens bis abends allein durch die Wildnis zu wandern war zu meinem normalen Leben geworden. Die Vorstellung, es nicht mehr zu tun, machte mir Angst.

Ich ging zum Fluss, hockte mich hin und wusch mir das Gesicht. Der Fluss war an dieser Stelle schmal und seicht, so spät im Sommer und in dieser Höhe kaum größer als ein Bach. Wo war meine Mutter?, fragte ich mich. Ich hatte sie so lange getragen und unter ihrem Gewicht gewankt.

Auf der anderen Seite des Flusses, erlaubte ich mir zu denken.

Und etwas in meinem Innern ließ los.

In den folgenden Tagen kam ich an den Ramona Falls vorüber und kurvte an der Grenze der Columbia Wilderness entlang. Ich erhaschte Blicke auf den Mount St. Helens, den Mount Rainier und den Mount Adams weit im Norden. Ich gelangte an den Wahtum Lake, bog vom PCT ab und nahm eine Alternativroute, die das Autorengespann meines Führers empfahl. Sie führte zum Eagle Creek hinunter, dann in die Felsenschlucht des Columbia River und schließlich zu dem Fluss selbst, der an der Ortschaft Cascade Locks vorbeifloss.

An diesem letzten vollen Marschtag ging es nur bergab. Auf einer Strecke von nur fünfundzwanzig Kilometern verlor der Trail 1200 Höhenmeter. Auch die Bäche und Rinnsale, die ich überquerte oder an denen ich entlangging, führten unablässig bergab. Ich hatte das Gefühl, dass mich der Fluss wie ein großer Magnet nach unten und nach Norden zog. Ich spürte, wie es dem Ende zuging. Ich machte Halt, um die Nacht am Eagle Creek zu verbringen. Es war erst fünf, und nur zehn Kilometer trennten mich noch von Cascade Locks. Bis Einbruch der Dunkelheit hätte ich dort sein können. Aber so wollte ich meine Reise nicht beschließen. Ich wollte mir Zeit lassen und den Fluss und die Brücke der Götter bei vollem Tageslicht sehen.

An diesem Abend saß ich am Eagle Creek und sah zu, wie sich das Wasser über die Felsen stürzte. Von dem langen Abstieg taten mir höllisch die Füße weh. Obwohl ich eine gewaltige Strecke zurückgelegt hatte und mich so stark fühlte wie nie zuvor und auch später nie wieder, war das Wandern auf dem PCT immer noch eine Qual. Ich hatte mir an den Zehen wieder Blasen gelaufen, weil sich an bestimmten Stellen wegen der relativ wenigen extremen Abstiege in Oregon die Hornhaut zurückgebildet hatte. Ich betastete sie vorsichtig und linderte die Schmerzen mit meiner Berührung. Ein weiterer Zehennagel sah so aus, als wollte er sich ablösen. Ein sanfter Ruck, und ich hielt ihn in der Hand. Der sechste. Jetzt besaß ich nur noch vier intakte Zehennägel.

Zwischen dem PCT und mir stand es nicht mehr unentschieden. Er war mit 6:4 in Führung gegangen.

Ich schlief auf meiner Plane, denn ich wollte mich in dieser letzten Nacht nicht schützen, und stand vor Tagesanbruch auf, um die Sonne über dem Mount Hood aufgehen zu sehen. Es war tatsächlich vorbei, dachte ich. Es gab kein Zurück, keine Möglichkeit, den Augenblick festzuhalten. Die gab es nie. Ich saß eine ganze Weile da, wartete, bis das Licht in den Himmel flutete, sich ausbreitete und schließlich die Bäume erreichte. Ich schloss die Augen und lauschte dem Eagle Creek.

Er war auf dem Weg zum Columbia River, wie ich.

Auf den letzten sechs Kilometern bis zu dem kleinen Parkplatz am Beginn des Eagle Creek Trail schien ich zu schweben, getragen von einem reinen, ungetrübten Gefühl, das man nur als Freude beschreiben kann. Ich spazierte über den fast leeren Parkplatz, vorbei an Toilettenhäuschen, und folgte dann einem anderen Pfad, der in das drei Kilometer entfernte Cascade Locks führte. Der Pfad bog scharf rechts ab, und vor mir tauchte der Columbia River auf, hinter einem Maschendrahtzaun, der den Trail von der direkt darunter vorbeiführenden Interstate 84 abgrenzte. Ich blieb stehen, griff in den Zaun und machte große Augen. Es erschien mir wie ein Wunder, dass ich den Fluss endlich vor mir sah, als wäre mir ein Neugeborenes nach langen Wehen in die Hände geflutscht. Dieses schimmernde dunkle Wasser war schöner als jede Vorstellung, die ich mir auf meiner langen Wanderung von ihm gemacht hatte.

Ich wanderte in östlicher Richtung durch einen üppig grünen Korridor, auf dem Straßenbett des vor langer Zeit stillgelegten Columbia River Highway, der in einen Wanderweg umgewandelt worden war. An manchen Stellen sah ich noch Beton, aber den größten Teil der Straße hatte die Natur zurückerobert: das Moos, das an den Felsen am Straßenrand wuchs, die Bäume, deren Äste tief und schwer über der Fahrbahn hingen, und die Spinnen, die über ihre ganze Breite Netze gespannt hatten. Ich marschierte durch die Spinnweben, spürte sie wie einen Hauch im Gesicht, zupfte sie mir aus den Haaren. Zu meiner Linken konnte ich die Autos auf der zwischen mir und dem Fluss verlaufenden Interstate hören, das übliche laute Rauschen und Brummen.

Als ich aus dem Wald trat, befand ich mich in Cascade Locks, das im Unterschied zu vielen anderen Orten am Trail eine richtige Kleinstadt war mit knapp über tausend Einwohnern. Es war ein Freitagmorgen, und die Häuser, an denen ich vorbeikam, verströmten eine Freitagmorgenstimmung. Begleitet vom Klicken meines Skistocks auf dem Asphalt, ging ich unterhalb der Interstate 84 durch die Straßen, und mein Herz begann zu rasen, als die Brücke in Sicht kam: eine elegant geschwungene, stählerne Auslegerbrücke, deren Name auf eine natürliche Felsbrücke zurückgeht, die vor ungefähr dreihundert Jahren durch einen großen Erdrutsch entstanden war, den Columbia River vorübergehend aufgestaut hatte und von den Indianern der Region Brücke der Götter genannt worden war. Das von Menschenhand geschaffene Bauwerk spannt sich 566 Meter weit über den Fluss und verbindet die Bundesstaaten

Oregon und Washington und die Ortschaften Cascade Locks und Stevenson. Auf der Oregoner Seite gibt es eine Mautstelle, und als ich dort ankam, sagte mir die Frau in dem Häuschen, dass ich die Brücke kostenlos überqueren dürfe.

»Ich will gar nicht hinüber«, sagte ich. »Ich will sie nur berühren.« Ich ging an der Straße entlang, bis ich die Stahlpfeiler der Brücke erreichte, legte meine Hand darauf und blickte auf den unter mir vorbeifließenden Columbia River hinab. Er ist der größte Fluss in der Pacific-Northwest-Region und der viertgrößte des Landes. An seinen Ufern haben jahrtausendelang Indianer gelebt, deren wichtigste Existenzgrundlage der Lachs bildete, den es einst in Hülle und Fülle gab. Meriwether Lewis und William Clark waren den Fluss im Jahr 1805 während ihrer berühmten Expedition in Einbäumen hinuntergepaddelt. Einhundertneunzig Jahre später und zwei Tage vor meinem siebenundzwanzigsten Geburtstag war ich nun hier.

Ich war am Ziel. Ich hatte es geschafft. Es erschien mir jetzt wie eine Kleinigkeit und etwas Gewaltiges zugleich, wie ein Geheimnis, dass ich mir immer wieder selbst erzählte, obwohl ich seine Bedeutung noch nicht kannte. Ich blieb mehrere Minuten dort stehen. Autos und Lastwagen fuhren an mir vorbei, und mir war nach Weinen zumute, aber ich weinte nicht.

Wochen zuvor hatte ich auf dem Trail gehört, dass ich in Cascade Locks unbedingt in den East Wind Drive-In gehen und ein Eis essen müsse. Er sei für sein Eis berühmt. Nur aus diesem Grund hatte ich in der Timberline Lodge nicht mein ganzes Geld ausgegeben und mir zwei Dollar aufgespart. Ich verließ die Brücke und ging durch eine belebte Straße, die parallel zum Fluss und zur Interstate verlief, zwischen denen die Straße und ein Großteil der Stadt eingeklemmt waren. Es war noch Vormittag, und der Drive-in hatte noch nicht geöffnet, also setzte ich mich auf die kleine weiße Holzbank davor und stellte das Monster neben mich.

Noch heute würde ich in Portland sein. Es lag nur siebzig Kilometer westlich von hier. Ich würde auf meinem alten Futon unter dem Dach schlafen. Ich würde meine CDs und meine Stereoanlage auspacken und mir jedes Stück anhören, das mir gefiel. Ich würde meinen schwarzen Spitzen-BH, einen Slip und Jeans tragen. Ich würde all die herrlichen Sachen essen und trinken, auf die ich Appetit hatte. Ich würde mit meinem Pick-up hinfahren, wohin ich wollte. Ich würde meinen Computer anschließen und an meinem Roman schreiben. Ich würde die Kisten mit Büchern, die ich aus Minnesota mitgebracht hatte, hervorkramen und am nächsten Tag bei Powell's verkaufen, um zu etwas Geld zu kommen. Ich würde einen privaten Flohmarkt veranstalten, um mich finanziell über Wasser zu halten, bis ich einen Job hatte. Ich würde meine Secondhand-Kleider, mein Mini-Fernglas und meine Klappsäge im Gras auslegen und möglichst viel für sie heraushandeln. Der Gedanke an das alles erstaunte mich.

»Jetzt sind wir für Sie da«, rief eine Frau, die den Kopf aus dem Schiebefenster am Drive-in streckte.

Ich bestellte eine Eistüte mit Schokolade und Vanille, und Augenblicke später reichte sie mir die Tüte, nahm meine zwei Dollar und gab mir zwei Zehn-Cent-Stücke heraus. Mehr Geld besaß ich nicht mehr. Zwanzig Cent. Ich setzte mich auf die weiße Bank, aß mein Eis und beobachtete wieder die Autos. Ich war die einzige Kundin im Drive-in, bis irgendwann ein BMW vorfuhr und ein junger Mann im Business-Anzug ausstieg.

»Hallo«, grüßte er mich im Vorbeigehen. Er war etwa in meinem Alter und hatte nach hinten gegeltes Haar und blitzblanke Schuhe. Gleich darauf kam er mit einem Eis zurück und blieb neben mir stehen.

»Sieht so aus, als wären Sie gewandert.«

»Ja. Auf dem Pacific Crest Trail. Ich habe über 1700 Kilometer zurückgelegt«, sagte ich, zu aufgewühlt, um an mich zu halten. »Seit heute Morgen bin ich fertig.«

»Tatsächlich?«

Ich nickte und lachte.

»Unglaublich. So etwas wollte ich auch schon immer mal machen. Eine große Wanderung.«

»Das können Sie immer noch. Ich kann Ihnen nur dazu raten. Glauben Sie mir, wenn ich es kann, kann es jeder.«

»Ich kann mir nicht so lange frei nehmen – ich bin Anwalt«, sagte er, warf sein Eis halb aufgegessen in den Mülleimer und wischte sich mit einer Serviette die Hände ab. »Was haben Sie jetzt vor?«

»Ich will nach Portland. Ich werde dort eine Zeitlang leben.«

»Ich bin aus Portland und fahre jetzt hin, falls Sie eine Mitfahrgelegenheit brauchen. Ich setze Sie überall ab, wo Sie wollen.«

»Danke«, sagte ich. »Aber ich möchte noch eine Weile hierbleiben. Alles auf mich wirken lassen.«

Er zog eine Visitenkarte aus seiner Brieftasche und reichte sie mir. »Rufen Sie mich an, wenn Sie sich eingelebt haben. Ich würde Sie gern zum Essen einladen und mir von Ihrer Reise erzählen lassen.«

»Okay«, sagte ich und sah mir die Karte an. Sie war weiß mit erhabenen blauen Lettern, ein Relikt aus einer anderen Welt.

»Es war mir eine Freude, Sie in diesem bedeutsamen Augenblick kennenzulernen«, sagte er.

»Die Freude war ganz meinerseits«, sagte ich und gab ihm die Hand.

Nachdem er weggefahren war, lehnte ich den Kopf zurück, drehte das Gesicht in die Sonne und schloss die Augen. Die Tränen, die ich eigentlich vorhin auf der Brücke erwartet hatte, begannen jetzt zu fließen. *Danke,* dachte ich immer wieder. *Danke.* Nicht nur für die lange Wanderung, sondern für alles, was ich in mir wachsen spürte; für alles, was mich der Trail gelehrt hatte, und alles, was ich noch nicht wissen konnte, aber schon jetzt irgendwie in mir spürte. Dass ich den Mann im BMW nie wiedersehen würde, dass ich aber in vier Jahren mit einem Mann die Brücke der Götter überqueren und ihn an einem Ort heiraten würde, der von dort, wo ich jetzt saß, beinahe zu sehen war. Dass dieser Mann und ich in neun Jahren einen Sohn namens Carver und anderthalb Jahre später eine Tochter namens Bobbi bekommen würden. Dass ich in fünfzehn Jahren mit meiner Familie zu dieser weißen Bank zurückkehren, mit ihr ein Eis essen und von der Zeit erzählen würde, als ich das erste Mal hier war, am Ende einer langen Wanderung auf dem Pacific Crest Trail. Und dass sich mir erst dann der Sinn meiner Wanderung und das Geheimnis, das ich mir immer wieder erzählt hatte, offenbaren würden.

Und dass mich das dazu bewegen würde, diese Geschichte zu erzählen.

Ich wusste nicht, dass ich in den Jahren zurückreisen und nach Menschen suchen würde, die ich auf dem Trail kennengelernt hatte, dass ich einige finden würde und andere nicht. Oder dass ich in einem Fall auf etwas stoßen würde, worauf ich nicht gefasst war: eine Todesanzeige. Dougs Todesanzeige. Dass ich lesen würde, dass er neun Jahre, nachdem wir auf dem Trail voneinander Abschied genommen hatten, beim Drachenfliegen in Neuseeland tödlich verunglückt war. Oder dass ich, nachdem ich in Erinnerung an den Sonnyboy, der er gewesen war, geweint hatte, in den hintersten Winkel meines Kellers, wo an zwei rostigen Nägeln das Monster hing, gehen und feststellen würde, dass die Rabenfeder, die Doug mir geschenkt hatte, noch da war, geknickt und ausgefranst zwar, aber noch da – am Rahmen meines Rucksacks, wo ich sie Jahre zuvor festgeklemmt hatte.

Dies alles wusste ich damals noch nicht, als ich am letzten Tag meiner Wanderung auf dieser weißen Bank saß. Aber ich wusste, dass ich es nicht zu wissen brauchte. Dass es genügte, darauf zu vertrauen, dass ich das Richtige getan hatte. Dass es genügte, seinen Sinn zu verstehen, ohne genau sagen zu können, worin er bestand, wie bei all diesen Versen aus *Der Traum einer gemeinsamen Sprache*, die mich durch meine Tage und Nächte begleitet hatten. Daran zu glauben, dass ich nicht mehr mit bloßen Händen nach dem Fisch zu greifen brauchte. Zu wissen, dass es genügte, ihn unter der Wasseroberfläche zu sehen. Dass das alles war. Dass das mein Leben war – wie jedes Leben rätselhaft, unabänderlich und heilig. So nah, so präsent, so fest zu mir gehörig.

Und es, wie wild es auch sein mochte, so zu lassen.

Danksagung

Miigwech ist ein Wort aus der Ojibwe-Sprache, das ich in meiner Jugend im Norden Minnesotas häufig gehört habe und das zu verwenden ich mich hier genötigt sehe. Es bedeutet »Danke« und mehr – es bringt ebenso Dankbarkeit wie Demut zum Ausdruck. Genau das empfinde ich, wenn ich an all die Menschen denke, die mir bei der Verwirklichung dieses Buchs geholfen haben: Dankbarkeit und Demut.

Meinem Mann, Brian Lindstrom, schulde ich meinen tiefsten *miigwech,* denn er hat mich grenzenlos geliebt, in meinem Leben und meinem Schreiben. Ich danke Dir, Brian.

Ich danke der Oregon Arts Commission, dem Regional Arts and Culture Council und Literary Arts, die mich nicht nur bei der Arbeit an diesem Buch, sondern auch meine ganze Karriere hindurch gefördert und unterstützt haben, ebenso Greg Netzer und Larry Colton vom Wordstock Festival, die mich immer zu der Veranstaltung eingeladen haben, sowie der Bread Loaf Writers' Conference und der Sewanee Writers' Conference, die mich auf meinem Weg maßgeblich unterstützt haben.

Den größten Teil dieses Buches habe ich an meinem Esszimmertisch geschrieben, doch wesentliche Kapitel sind fernab von zu Hause entstanden. Ich danke der Organisation Soapstone für die Unterkunft, die sie mir zur Verfügung stellte, insbesondere Ruth Gundle, der ehemaligen Vorsitzenden von Soapstone, die sich im Frühstadium dieses Buches mir gegenüber besonders großzügig

442

zeigte. Ein tiefer Dank geht an Sally und Con Fitzgerald, die mich, als ich an den letzten Kapiteln schrieb, überaus gastfreundlich in ihrem schönen, ruhigen »Häuschen« im Warner Valley in Oregon beherbergten. Dank auch an die unvergleichliche Jane O'Keefe, die mir die Zeit im Warner Valley ermöglichte, indem sie mir ihren Wagen lieh und Einkäufe für mich tätigte.

Ich danke meiner Agentin Janet Silver und ihren Kollegen bei der Zachary Shuster Harmsworth Agency. Janet, du bist meine Freundin, Fürsprecherin und literarische Seelenverwandte. Für deine Unterstützung, Klugheit und Zuneigung werde ich Dir ewig dankbar sein.

Ferner danke ich den vielen Menschen bei Knopf, die schon in einem frühen Stadium an *Der große Trip* geglaubt und sich für seine Realisierung eingesetzt haben. Mein besonderer Dank geht an meinen Lektor Robin Desser, der mich unermüdlich dazu angespornt hat, das Bestmögliche aus diesem Buch zu machen. Danke, Robin, für Ihre Intelligenz und Gewogenheit, für Ihr Wohlwollen und Ihre unglaublich langen Briefe mit einfachem Zeilenabstand. Ohne Sie wäre dieses Buch nicht das, was es ist. Ich danke auch Gabrielle Brooks, Erinn Hartman, Sarah Rothbard, Susanna Sturgis und LuAnn Walther.

Ich verneige mich tief vor meinen Kindern, Carver und Bobbi Lindstrom, die es anstandslos und gutgelaunt ertragen haben, dass ich mich zuweilen davonmachte, um in Ruhe schreiben zu können. Sie ließen mich nie vergessen, dass Liebe und Leben das Wichtigste sind.

Dank auch an meine Stellar-Writers-Gruppe: Chelsea Cain, Monica Drake, Diana Page Jordan, Erin Leonard, Chuck Palahniuk, Suzy Vitello Soulé, Mary Wysong-Haeri und Lidia Yuknavitch. Euch allen schulde ich Dank für Eure klugen Ratschläge, Euer ehrliches Feedback und Euren fantastischen Pinot Noir.

Mein tiefer Dank gilt allen Freunden, die mich gefördert und geliebt haben. Es sind zu viele, als dass ich sie alle namentlich nennen könnte. Die Betreffenden wissen, wen ich meine. Ich kann euch nur sagen, dass ich mich glücklich schätze, euch in meinem Leben zu haben. Es gibt jedoch einige Menschen, denen ich ganz besonders danken möchte, weil sie mir während der Arbeit an diesem Buch auf vielerlei Weise konkret geholfen haben: Sarah Berry, Ellen Urbani, Margaret Malone, Brian Padian, Laurie Fox, Bridgette Walsh, Chris Lowenstein, Sarah Hart, Garth Stein, Aimee Hurt, Tyler Roadie und Hope Edelman. Eure Freundschaft und Zuvorkommenheit beschämen mich. Dank auch an Arthur Rickydoc Flowers, George Saunders, Mary Caponegro und Paulette Bates Alden, deren frühzeitiger Rat und fortwährende Hilfsbereitschaft mir sehr viel bedeutet haben.

Ich danke Wilderness Press für die Veröffentlichung der Wanderführer, die bis heute für jeden PCT-Wanderer zur Standardlektüre gehören. Ohne deren Autoren Jeffrey P. Schaffer, Ben Schifrin, Thomas Winnett, Ruby Jenkins und Andy Selters wäre ich hoffnungslos verloren gewesen.

Mit den meisten Menschen, die ich auf dem PCT kennenlernte, hatte ich nur eine flüchtige Begegnung, aber jeder Einzelne hat mein Leben bereichert. Sie brachten mich zum Lachen, regten mich zum Nachdenken an und bewegten mich dazu, noch einen Tag weiterzumachen, vor allem aber veranlassten sie mich, mich ganz auf die Freundlichkeit Fremder zu verlassen. Ganz besonders dankbar bin ich meinen PCT-Wanderfreunden von 1995 CJ McClellan, Rick Topinka, Catherine Guthrie und Joshua O'Brien, die mit großem Bedacht auf meine Anfragen geantwortet haben.

Schließlich möchte ich meines Freundes Doug Wisor gedenken, über den ich in diesem Buch geschrieben habe. Er starb am 16. Oktober 2004 im Alter von einunddreißig Jahren. Er war ein wunderbarer Mensch, der zu früh den Fluss überquert hat.

Miigwech.

Auf dem PCT
verbrannte Bücher

The Pacific Crest Trail, Volume I: California, Jeffrey P. Schaffer, Thomas Winnett, Ben Schifrin und Ruby Jenkins. 4. Auflage, Januar 1989.

Staying Found: The Complete Map and Compass Handbook, June Fleming.

* *Der Traum einer gemeinsamen Sprache,* Adrienne Rich.

Als ich im Sterben lag, William Faulkner.

** *The Complete Stories,* Flannery O'Connor.

Dresden, Pennsylvania, James Michener.

Der Sommervogel, Margaret Drabble.

Lolita, Vladimir Nabokov.

Dubliner, James Joyce.

Warten auf die Barbaren, J. M. Coetzee.

The Pacific Crest Trail, Volume II: Oregon and Washington, Jeffrey P. Schaffer und Andy Selters. 5. Auflage, Mai 1992.

The Best American Essays, herausgegeben von Robert Atwan und Joyce Carol Oates.

The Ten Thousand Things, Maria Dermoût.

*   Nicht verbrannt. Den ganzen Weg mitgeschleppt.

**   Nicht verbrannt. Gegen *Dresden, Pennsylvania* eingetauscht.

Um die ganze Welt des
GOLDMANN-*Sachbuch*-Programms
kennenzulernen, besuchen Sie uns doch
im Internet unter:

www.goldmann-verlag.de

Dort können Sie
nach weiteren interessanten Büchern *stöbern*,
Näheres über unsere *Autoren* erfahren,
in *Leseproben* blättern, alle *Termine* zu Lesungen und
Events finden und den *Newsletter* mit interessanten
Neuigkeiten, Gewinnspielen etc. abonnieren.

Ein *Gesamtverzeichnis* aller Goldmann Bücher finden
Sie dort ebenfalls.

Sehen Sie sich auch unsere *Videos* auf YouTube an und
werden Sie ein *Facebook*-Fan des Goldmann Verlags!